에듀윌
합격자 모임
에듀윌과
이 됩니다
기적에서 전설로

합격자 수 1,800%* 수직 상승! 매년 놀라운 성장

에듀윌 공무원은 '합격자 수'라는 확실한 결과로 증명하며
지금도 기록을 만들어 가고 있습니다.

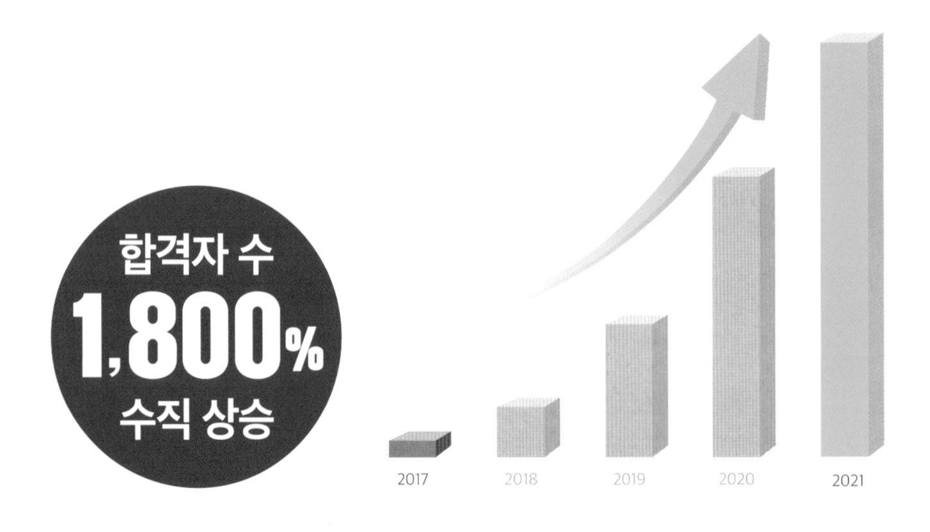

합격자 수를 폭발적으로 증가시킨 독한 평생패스

합격 시 수강료 평생 0원 최대 300% 환급 (최대 402만 원 환급)	+	합격할 때까지 전 강좌 무제한 수강	+	합격생 & 독한 교수진 1:1 학습관리

※ 환급내용은 상품페이지 참고. 상품은 변경될 수 있음.

상품
페이지

* 2017/2021 에듀윌 공무원 과정 최종 환급자 수 기준

누적 판매량 220만 부* 돌파!
43개월* 베스트셀러 1위 교재

합격비법이 담겨있는 교재!
합격의 차이를 직접 경험해 보세요

에듀윌 공무원 교재 라인업

9급공무원

7급공무원

경찰공무원

소방공무원

계리직공무원

군무원

* 에듀윌 공무원 교재 누적 판매량 합산 기준 (2012년 5월 14일~2022년 3월 31일)
* YES24 수험서 자격증 공무원 베스트셀러 1위 (2017년 3월, 2018년 4월~6월, 8월, 2019년 4월, 6월~12월, 2020년 1월~12월, 2021년 1월~12월, 2022년 1월~6월 월별 베스트, 매월 1위 교재는 다름)
* YES24 국내도서 해당분야 월별, 주별 베스트 기준 (좌측부터 순서대로 2022년 6월, 2021년 12월 3주, 2022년 6월 1주)

9급·7급 수석 합격자* 배출! 합격생들의 진짜 합격스토리

에듀윌 강의·교재·학습시스템의 우수성을
2021년도에도 입증하였습니다!

주변 추천으로 선택한 에듀윌, 합격까지 걸린 시간 9개월

김○준 지방직 9급 일반행정직(수원시) 수석 합격

에듀윌이 합격 커리큘럼으로 유명하다는 것을 알고 있었고 또 주변 친구들에게 "에듀윌 다니고 보통 다 합격했다"라는 말을 듣고 에듀윌을 선택하게 되었습니다. 특히, 기본서의 경우 교재 흐름이 잘 짜여 있고, 기출문제나 모의고사가 실려 있어 실전감각을 키우는 데 큰 도움이 되었습니다. 면접을 준비할 때도 학원 매니저님들이 틈틈이 도와주셨고 스스로 실전처럼 말하는 연습을 하기도 했습니다. 그 결과 면접관님께 제 생각이나 의견을 소신 있게 전달할 수 있었습니다.

고민없이 에듀윌을 선택, 온라인 강의 반복 수강으로 합격 완성

박○은 국가직 9급 일반농업직 최종 합격

공무원 시험은 빨리 준비할수록 더 좋다고 생각해서 상담 후 바로 고민 없이 에듀윌을 선택했습니다. 과목별 교재가 동일하기 때문에 한 과목당 세 교수님의 강의를 모두 들었습니다. 심지어 전년도 강의까지 포함하여 강의를 무제한으로 들었습니다. 덕분에 중요한 부분을 알게 되었고 그 부분을 집중적으로 먼저 외우며 공부할 수 있었습니다. 우울할 때에는 내용을 아는 활기찬 드라마를 틀어놓고 공부하며 위로를 받았는데 집중도 잘되어 좋았습니다.

체계가 잘 짜여진 에듀윌은 합격으로 가는 최고의 동반자

김○욱 국가직 9급 출입국관리직 최종 합격

에듀윌은 체계가 굉장히 잘 짜여져 있습니다. 만약, 공무원이 되고 싶은데 아무것도 모르는 초시생이라면 묻지 말고 에듀윌을 선택하시면 됩니다. 에듀윌은 기초·기본이론부터 심화이론, 기출문제, 단원별 문제, 모의고사, 그리고 면접까지 다 챙겨주는, 시작부터 필기합격 후 끝까지 전부 관리해 주는 최고의 동반자입니다. 저는 체계적인 에듀윌의 커리큘럼과 하루에 한 페이지라도 집중해서 디테일을 외우려고 노력하는 습관 덕분에 합격할 수 있었습니다.

다음 합격의 주인공은 당신입니다!

* 2021 지방직 9급 일반행정직(수원시) 수석 합격, 2021 국가직 7급 검찰직 수석 합격

1초 합격예측
모바일 성적분석표

1초 안에 '클릭' 한 번으로 성적을 확인하실 수 있습니다!

STEP 1

QR 코드 스캔

- 교재의 QR 코드를 모바일로 스캔 후 에듀윌 회원 로그인
- QR 코드 하단의 바로가기 주소로도 접속 가능

STEP 2

모바일 OMR 입력

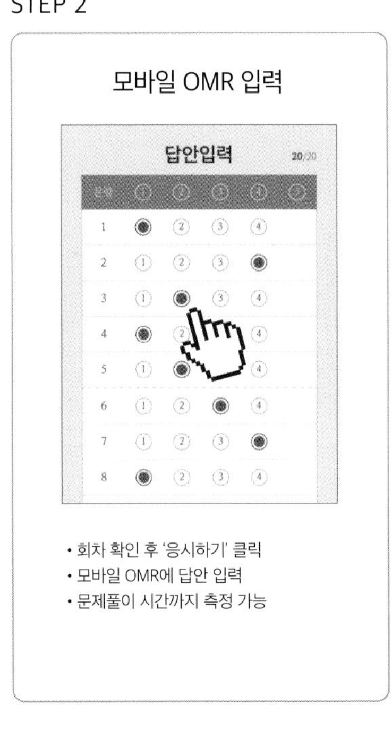

- 회차 확인 후 '응시하기' 클릭
- 모바일 OMR에 답안 입력
- 문제풀이 시간까지 측정 가능

STEP 3

자동채점 & 성적분석표 확인

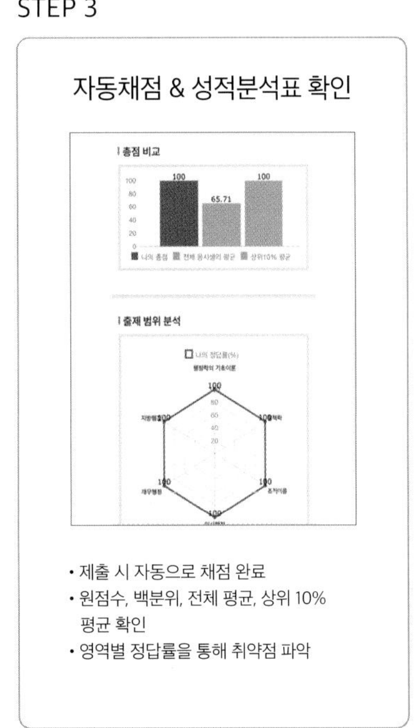

- 제출 시 자동으로 채점 완료
- 원점수, 백분위, 전체 평균, 상위 10% 평균 확인
- 영역별 정답률을 통해 취약점 파악

※ 본 서비스는 에듀윌 공무원 교재(연도별, 회차별 문항이 수록된 교재)를 구입하는 분에게 제공됨.

5회독플래너

수능 필수어휘부터 공시 실전어휘까지
한권으로 끝낸다!

<table>
<tr><th>영역</th><th>학습량</th><th>1회독</th><th>2회독</th><th>3회독</th><th>4회독</th><th>5회독</th></tr>
<tr><td rowspan="8">PART I
수능
필수어휘</td><td>DAY 1</td><td>☐</td><td rowspan="2">☐</td><td rowspan="4">☐</td><td rowspan="8">☐</td><td rowspan="8">☐</td></tr>
<tr><td>DAY 2</td><td>☐</td></tr>
<tr><td>DAY 3</td><td>☐</td><td rowspan="2">☐</td></tr>
<tr><td>DAY 4</td><td>☐</td></tr>
<tr><td>DAY 5</td><td>☐</td><td rowspan="2">☐</td><td rowspan="4">☐</td></tr>
<tr><td>DAY 6</td><td>☐</td></tr>
<tr><td>DAY 7</td><td>☐</td><td rowspan="2">☐</td></tr>
<tr><td>DAY 8</td><td>☐</td></tr>
<tr><td rowspan="22">PART 2
공시
실전어휘</td><td>DAY 9</td><td>☐</td><td rowspan="2">☐</td><td rowspan="3">☐</td><td rowspan="4">☐</td><td rowspan="7">☐</td></tr>
<tr><td>DAY 10</td><td>☐</td></tr>
<tr><td>DAY 11</td><td>☐</td><td rowspan="2">☐</td></tr>
<tr><td>DAY 12</td><td>☐</td><td rowspan="3">☐</td></tr>
<tr><td>DAY 13</td><td>☐</td><td rowspan="2">☐</td><td rowspan="4">☐</td></tr>
<tr><td>DAY 14</td><td>☐</td></tr>
<tr><td>DAY 15</td><td>☐</td><td rowspan="2">☐</td><td rowspan="3">☐</td></tr>
<tr><td>DAY 16</td><td>☐</td><td rowspan="7">☐</td></tr>
<tr><td>DAY 17</td><td>☐</td><td rowspan="2">☐</td><td rowspan="4">☐</td></tr>
<tr><td>DAY 18</td><td>☐</td><td rowspan="3">☐</td></tr>
<tr><td>DAY 19</td><td>☐</td><td rowspan="2">☐</td></tr>
<tr><td>DAY 20</td><td>☐</td></tr>
<tr><td>DAY 21</td><td>☐</td><td rowspan="2">☐</td><td rowspan="3">☐</td><td rowspan="4">☐</td></tr>
<tr><td>DAY 22</td><td>☐</td></tr>
<tr><td>DAY 23</td><td>☐</td><td rowspan="2">☐</td><td rowspan="8">☐</td></tr>
<tr><td>DAY 24</td><td>☐</td><td rowspan="3">☐</td></tr>
<tr><td>DAY 25</td><td>☐</td><td rowspan="2">☐</td><td rowspan="4">☐</td></tr>
<tr><td>DAY 26</td><td>☐</td></tr>
<tr><td>DAY 27</td><td>☐</td><td rowspan="2">☐</td><td rowspan="2">☐</td></tr>
<tr><td>DAY 28</td><td>☐</td></tr>
<tr><td>DAY 29</td><td>☐</td><td rowspan="2">☐</td><td rowspan="2">☐</td><td rowspan="2"></td></tr>
<tr><td>DAY 30</td><td>☐</td></tr>
</table>

자르는 선

영역	학습량	1회독	2회독	3회독	4회독	5회독
	DAY 31	□	□	□	□	□
	DAY 32	□				
	DAY 33	□	□		□	
	DAY 34	□		□		
	DAY 35	□	□			
	DAY 36	□				
	DAY 37	□	□	□	□	
	DAY 38	□				□
	DAY 39	□	□			
	DAY 40	□		□		
	DAY 41	□	□		□	
	DAY 42	□				
	DAY 43	□	□	□		
	DAY 44	□				
	DAY 45	□	□		□	□
PART 3 공시 실전숙어	DAY 46	□		□		
	DAY 47	□	□			
	DAY 48	□				
	DAY 49	□	□	□	□	
	DAY 50	□				
	DAY 51	□	□			
	DAY 52	□		□		□
	DAY 53	□	□		□	
	DAY 54	□				
	DAY 55	□	□	□		
	DAY 56	□				
	DAY 57	□	□		□	
PART 4 유의어 대사전	DAY 58	□		□		□
	DAY 59	□	□			
	DAY 60	□				
승자는 시간을 관리하며 살고, 패자는 시간에 쫓기며 산다. — J. 하비스 —		**60일 완성**	**30일 완성**	**20일 완성**	**14일 완성**	**9일 완성**

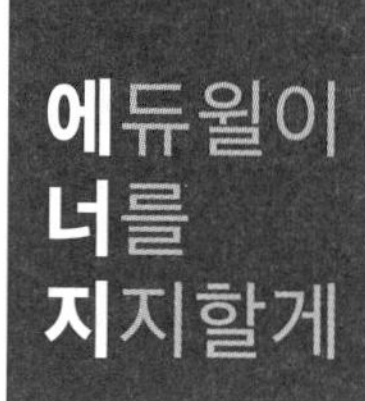

ENERGY

세상을 움직이려면

먼저 나 자신을 움직여야 한다.

– 소크라테스(Socrates)

기출OX / 보카
문제풀이 APP

1 에듀윌 합격앱 접속하기

QR코드
스캔하기

또는

에듀윌 합격앱
다운받기

2 기출OX / 보카 퀴즈 무료로 이용하기

하단 딱풀 메뉴에서 기출OX 또는 보카 선택 ▸ 과목과 PART 선택 ▸ 퀴즈 풀기

• 틀린 문제는 기출오답노트(기출 OX)에서 다시 확인할 수 있습니다.

3 교재 구매 인증하기

• 무료체험 후 7일이 지나면 교재 구매 인증을 해야 합니다(최초 1회 인증 필요).
• 교재 구매 인증화면에서 정답을 입력하면 기간 제한 없이 기출OX 퀴즈를 무료로 이용할 수 있습니다(정답은 교재에서 찾을 수 있음).

※기출OX 문제풀이에 한함
※에듀윌 합격앱 어플에서 회원 가입 후 이용하실 수 있는 서비스입니다.
※스마트폰에서만 이용 가능하며, 일부 단말기에서는 서비스가 지원되지 않을 수 있습니다.
※해당 서비스는 추후 다른 서비스로 변경될 수 있습니다.

2023

에듀윌 9급공무원

기본서

영어 | 어휘

CONTENTS

이 책의 차례

PART

I

수능 필수어휘

WHY? 수능 필수어휘

공시 영어는 채용시험이므로 출제되는 어휘의 난도가 예상보다 높다. 이러한 공시 실전 어휘에 들어가기 전 간과하기 쉬운 것은 직접 어휘 문제로 출제되지 않는 독해 지문 속 어휘에 대한 이해이다. 따라서, 해당 파트를 통해 이러한 어휘들을 완벽하게 숙지할 수 있도록 한다. 자주 출제되는 어휘의 의미를 '모두' 정리하였으므로 다의어 파트라고 생각하면 되겠다. 회독을 꾸준히 한다면, 해당 어휘의 대표 의미뿐만 아니라 모든 의미까지 완벽히 숙지할 수 있고 이를 통해 실제 지문 속에서 그 어휘의 의미를 명확히 파악할 수 있을 것이다.

수능 필수어휘

점수 잡는 학습법▶ 1회독 시에는 표제어를 먼저 외우고, 2회독부터는 다의어를 집중적으로 학습하면서 어휘의 의미를 하나씩 추가하여 암기한다는 생각으로 학습한다. 각 예문을 통해 해당 어휘의 의미가 얼마나 다양하게 쓰이는지 파악해야 한다. 또한 회독 시마다 체계적으로 암기하는 것이 효과적이다.

DAY 01

accompany [əkʌ́mpəni]

01 ~에 동반하다, 함께 가다

Her husband **accompanied** her on the trip.

그 여행에는 그녀의 남편이 그녀와 동행했다.

02 ~을 수반하다, 동시에 발생하다

Pollution has **accompanied** mankind for millions of years.

오염은 수백만 년 동안 인류와 함께 발생해 왔다. 2013 9급

03 반주하다

He **accompanied** the singer on the piano.

그는 그 가수의 노래를 피아노로 반주하였다.

accustomed [əkʌ́stəmd]

01 익숙한

The company's marketing strategy appeals to the consumers who are **accustomed** to paying bills by credit cards.

그 회사의 마케팅 전략은 신용카드로 돈을 결제하는 것이 익숙한 소비자를 겨냥하고 있다. 2012 9급

address [ædrés]

01 (호칭으로) 부르다, 말을 걸다

The judge should be **addressed** as 'Your Honor' in court.

법정에서는 판사를 '판사님'이라고 불러야 한다.

02 연설하다

Johansson will now **address** the meeting.

Johansson이 지금 회의에서 연설을 해 주시겠습니다.

03 연설, 강연

His inaugural **address** was hilarious.

그의 취임 연설은 웃겼다. 2010 9급

04 주소

Is that your office **address**?

그것이 당신의 사무실 주소인가요?

adopt [ə'dɑ:pt]

01 입양하다

Angelina Jolie **adopted** some children.

Angelina Jolie는 몇몇 어린이들을 입양하였다.

02 채택하다

Countries like China **adopt** a basic proglobalization strategy, adapt it to their own political, social, and economic conditions, and reap the benefits.

중국과 같은 나라는 기본적인 친 세계화 전략을 채택하고, 그것을 그들 고유의 정치, 사회, 그리고 경제적인 상황에 적용하여 이익을 거둔다. 2012 9급

05 **advance** [əd'væns]

01 진보, 발전, 향상

These developments have helped make many **advances** possible.

이 개발들은 많은 발전들이 가능해지는 데 도움이 되었다.

02 앞으로 나아가다, 전진하다

The enemy **advanced** smoothly and silently.

적군은 슬그머니 그리고 조용히 전진하였다.

03 사전의

There is an **advance** purchase requirement to join a club.

클럽에 들어가려면 사전 구매 요건이 있다.

affect [ə'fekt]

01 영향을 미치다

Among the findings that surprised him was how much the seat foam **affects** comfort.

그를 놀라게 한 많은 연구 결과들 중에는 의자의 매트리스가 편안함에 얼마나 큰 영향을 미치는지가 있었다. 2012 7급

afford
[ə'fɔ:rd, ə'fɔ:d]

01 ~할 여유가 있다

He can **afford** to buy a new car.

그는 새 차를 살 여유가 있다.

02 가져오다, 제공하다

Music **affords** great pleasure to many people.

음악은 많은 사람들에게 큰 기쁨을 제공한다.

agent
['eɪdʒənt]

01 대리인, 관리자

Our **agent** in Miami deals with all the U.S. sales.

Miami에 있는 저희 대리인이 모든 미국 판매를 담당합니다.

02 힘, 동인

Electricity is an important **agent** in the modern life.

전기는 현대 삶에서 중요한 힘이다.

alive
[ə'laɪv]

01 살아 있는

The lives of many people also revolve around farming, which gives them the driving force that keeps them **alive**.

또한 많은 이들의 삶이 농사를 중심으로 돌아가는데, 농사는 사람들이 살아 있게 유지하는 원동력을 준다. 2012 9급

02 의식하고 있는, 민감한

The general is fully **alive** to the dangers of the situation.

그 장군은 사태의 위험성을 충분히 의식하고 있다.

03 활발한, 힘찬

The dog is very much **alive**.

그 개는 매우 활발하다.

10

amount
[ə'maʊnt]

01 ~에 달하다, 이르다

My family's debts **amount** to twenty thousand dollars.

우리 가족의 빚은 2만 달러에 이른다.

02 액수, 총액

Major brand marketers often spend huge **amounts** on advertising to create brand awareness and to build preference and loyalty.

주요 브랜드 마케팅 담당자들은 브랜드 인지도를 만들고 고객의 선호도와 충성도를 구축하기 위해 종종 광고에 엄청난 액수를 지출한다. 2013 7급

answer
['ænsər]

01 해답

New research now suggests they may also be the **answer** to a good night's sleep.

현재 새로운 연구는 그것들이 역시 밤에 숙면하기 위한 해답일지도 모른다는 것을 보여준다. 2012 7급

02 대답하다, 대응하다

I've tried, but no one **answered**.

내가 시도해 봤지만, 아무도 대답하지 않았다. 2013 9급

apology
[ə'pɑ:lədʒi]

01 사과

A man who shoplifted from the Woolworth's store in Shanton in 1952 recently sent the shop an anonymous letter of **apology**.

1952년에 Shanton의 Woolworth 가게에서 물건을 훔친 남자가 최근 가게로 익명의 사과 편지를 보냈다. 2012 9급

appeal
[ə'pi:l]

01 매력

Teeth are ornamental: a significant aspect of appearance and sexual **appeal**.

치아는 외모와 성적 매력이라는 중요한 측면의 장식물이다. 2012 7급

02 호소하다, 간청하다

He **appealed** to Johansson for support.

그는 Johansson에게 지원을 호소했다.

03 마음에 들다, 매력이 있다

The picture **appeals** to me.

나는 그 그림이 마음에 든다.

apply
[ə'plaɪ]

01 적용되다

When does this rule **apply**?

이 규칙은 언제 적용됩니까?

02 적용하다

Names for solids with a noteworthy shape are taken to **apply** to objects of that kind; names for nonsolids with an arbitrary shape are taken to **apply** to substances of that kind.

뚜렷한 모양을 가지고 있는 고체들의 이름은 그런 종류의 물체에 적용하기 위해 쓰이고, 모양이 제멋대로인 딱딱하지 않은 물체들의 이름은 그런 종류의 물질에 적용하기 위해 쓰인다. 2014 9급

03 신청하다, 지원하다

Visaokay minimizes the complexity and time delays associated with **applying** for and obtaining travel visas.

Visaokay는 여행 비자를 신청하고 획득하는 것과 관련된 복잡함과 시간 지연을 최소화해 준다. 2013 9급

04 전념하다, 몰두하다

She **applied** herself to her new work.

그녀는 그녀의 새로운 연구에 전념했다.

15 **approach**
[ə'proʊtʃ]

01 연구 방법, 접근법

According to the teachers we work with, this highly scripted **approach** to reading instruction has produced many students who know how to sound out words, but that is where the process of reading ends for them.

우리와 함께 일하는 선생님들에 따르면, 읽기 지도에 대한 대본이 매우 잘 갖춰진 이 접근법은 단어를 소리 내어 읽는 법을 아는 많은 학생들을 배출해 왔지만, 학생들은 읽기 과정을 거기에서 끝내 버린다. 2014 9급

02 다가가다, 접근하다

Timberlake **approached** the team's camp.

Timberlake는 그 팀의 캠프에 다가갔다.

art
[ɑ:rt]

01 미술, 예술

He studied the **art** of the early European.

그는 초기 유럽인들의 미술을 연구했다.

02 기술

The **art** of soccer is not always easily learnt.

축구 기술이 항상 쉽게 터득되는 것은 아니다.

03 인문학

Bachelor of **Arts** degree provides a broad college experience.

문학사 학위는 넓은 대학의 경험을 제공한다.

assembly
[ə'sembli]

01 집회, 회합

In this country, the right of **assembly** in public is not allowed for citizens.

이 나라에서는 대중 집회권이 시민들에게 허용되지 않는다.

02 의회, 하원, 입법부

A bill is brought before the **Assembly**.

법안이 의회에 부의된다.

03 조립

In the 1920s, there were many ingenious machines in the world such as locomotives, **assembly** lines, telephones, airplanes, and so on.

1920년대에, 세계에는 기관차, 조립 라인, 전화, 비행기 등의 기발한 기계들이 많이 있었다. 2012 7급

associate
[əsə'ʊʃieɪt], [əsə'ʊʃɪət]

01 연상하다, 관련지어 생각하다

It's long been believed that the psychological burdens **associated** with being a 'low-status individual' grow lighter as people move up the social ladder.

'지위가 낮은 개인'이 되는 것과 연관된 심리적 부담은 사람들이 사회 계층 위쪽으로 이동함에 따라 더 가벼워진다고 오랫동안 믿어져 왔다. 2012 7급

02 교제하다

Johansson likes to **associate** with people who are her age.

Johansson은 자기 또래의 사람들과 교제하는 것을 좋아한다.

03 동료(= peer), 친구

She is one of my business **associates**.

그녀는 나의 회사 동료 중 한 명이다.

attack
[ə'tæk]

01 공격하다

Aliens **attacked** the house.

외계인들이 그 집을 공격했다.

02 달려들다

The puppy **attacked** the food as if he had not eaten anything.

그 강아지는 아무 것도 먹지 못했던 것처럼 그 음식에 달려들었다.

03 착수, 개시; (일 등에) 달려듦, [음악] 어택(성악, 기악에서 최초의 발성[발음])

At the piano, her **attack** was full of life.

피아노에서의 그녀의 (연주의) 시작은 생기로 가득 차 있었다.

20 **back** [bæk]

01 뒷받침하다(= underpin)

To **back** his theory, Grosz cited a study of Columbia University psychologists which suggested children who were highly praised performed worse academically.

그의 이론을 뒷받침하기 위해, Grosz는 칭찬을 많이 받은 아이들이 성적이 더 안 좋았다는 Columbia 대학 심리학자들의 한 연구를 인용했다. 2013 7급

02 거꾸로의, 뒤로 돌아가는

We need to make a scrutiny into the **back** current.

우리는 역류를 자세히 조사할 필요가 있다.

03 지지하다

Many of Timberlake's friends **backed** his plan.

Timberlake의 많은 친구들이 그의 계획을 지지했다.

04 뒤로, 물러나서

Stand **back**, please.

뒤로 물러서 주십시오.

balance [ˈbæləns]

01 균형, 평형

My grandfather fainted and lost his **balance**.

나의 할아버지는 기절하여 몸의 균형을 잃었다.

02 균형을 유지하다

This perhaps would not be a concern if the portrayals of crime and justice in the media were **balanced** in other aspects and presented various competing constructions of the world.

미디어에서 범죄와 정의의 묘사가 다른 면에서는 균형을 유지하고 세계의 다양한 경쟁 구조를 제시한다면 이것은 아마 문제가 되지 않을 것이다. 2013 7급

03 잔고, 잔액

Zero percent interest for the next six months, or even a year, on all **balance** transfers.

다음 6개월 동안, 또는 심지어 일 년 동안, 모든 잔고의 이체에 대하여 이자는 0퍼센트이다. 2010 9급

band [bænd]

01 무리, 떼, 일행

A **band** of people brought their computers.

한 무리의 사람들이 그들의 컴퓨터를 가져왔다.

02 음악대, 악단

After the ceremony, Obama joined marching **bands** and floats in the inaugural parade, which wound its way from Capitol Hill to the White House.

취임식이 끝난 후, Obama 대통령은 음악대와 차량 행렬이 이어지는 취임 축하 퍼레이드에 참가했는데, 그 행렬은 국회의사당에서 백악관까지 이어졌다.

03 일정한 범위로 나누다

We expect tax to be **banded** according to income.

우리는 세금이 소득에 따라 일정하게 범위가 나뉠 것으로 예상한다.

bank [bæŋk]

01 둑, 제방

The trees and flowers grew along each **bank** of the river.

나무들과 꽃들이 강둑을 따라 자랐다.

02 은행

With $1.25 billion in the **bank**, the makers of the sci-fi epic *Avatar* could hardly be any happier.

은행에 있는 12억 5천 달러 덕분에, SF 대작 Avatar의 제작자들은 이보다 더 행복할 수 없을 것이다. 2011 7급

03 은행에 예금하다

Many capitalists **bank** their money every week.

많은 자산가들이 그들의 돈을 매주 은행에 예금한다.

base
[beis]

01 근거를 두다, 기초를 두다

The old model, in place for over three decades, was **based** on industrial protectionism, foreign borrowing, the exploitation of natural resources, and domestic budget deficits.

30년 넘게 있던 구 모델은 산업 보호주의, 외화 차입, 천연 자원의 착취, 그리고 국내 예산의 적자에 근거를 두고 있었다. 2013 7급

02 ~에 본사[근거지]를 두다

I was a news reporter at the competing paper in the area, the South Florida Sun-Sentinel, **based** an hour south in Fort Lauderdale.

나는 포트 로더데일에서 남쪽으로 1시간 거리에 본사를 둔 이 지역에서 경쟁 신문사인 South Florida Sun-Sentinel의 신문 기자였다. 2011 7급

03 근거지, 본사

The company has its **base** in Korea.

그 회사는 한국에 본사가 있다.

04 주성분

This meal can be made using this vegetable **base**.

이 식사는 이 채소를 주성분으로 사용해서 만들 수 있다.

05 비열한, 천한

Because of Timberlake's **base** character, everyone disliked him.

Timberlake의 비열한 성격 때문에, 모든 사람들이 그를 싫어했다.

25 **bear**
[bɛər]

01 감당하다, 떠맡다

Taxpayers **bore** the costs of the devastation and will be required to do so once again, inevitably.

납세자는 폐허에 대한 비용을 감당했고 부득이하게 다시 한 번 그렇게 하도록 요구받게 될 것이다. 2013 7급

02 참다

The people can't **bear** this pain.

그 사람들은 이 고통을 참을 수가 없다.

03 맺다, 피우다

These trees **bear** no fruit this year.

이 나무들은 올해 열매를 전혀 맺지 못한다.

04 지니다

He **bears** the scars on his cheek.

그는 그의 뺨에 흉터를 지니고 있다.

05 지탱하다, 견디다

The ice is too thin to **bear** my weight.

그 얼음은 너무 얇아서 나의 무게를 지탱할 수 없다.

beat
[bi:t]

01 고동치다, 뛰다

My heart **beat** fast with joy.

나의 심장은 기쁨으로 빠르게 고동쳤다.

02 이기다, 물리치다

"Quality **beats** quantity all the time."

"언제나 품질이 양을 이긴다." 2013 7급

03 때리다, 치다

Timberlake was **beaten** until he was black and blue.

Timberlake는 멍이 들 때까지 맞았다.

04 고동 (소리), 맥박

I heard the **beat** of mom's heart.

나는 엄마의 심장 고동 소리를 들었다.

benefit
[bénəfit]

01 ~에게 이롭다, 이익이 되다

The new farm will **benefit** the district.

그 새로운 농장은 그 지역에 이로울 것이다.

02 이익, 혜택

What I'm trying to say is that there are many **benefits** we can get through the development of this technology.

내가 말하려고 하는 것은 이 기술의 개발을 통해 우리가 얻을 수 있는 많은 이익이 있다는 것이다. 2013 7급

besides
[bisáidz]

01 게다가

We are too tired to go; **besides**, it is raining.

우리는 너무 지쳐서 갈 수가 없다. 게다가, 비가 오고 있다.

02 ~ 외에

And **besides** the obvious difference in color, there are differences in morphology between the two reptiles, the researchers say.

그리고 색상의 명백한 차이 외에, 두 파충류 사이에는 형태의 차이가 있다고 연구자들은 말한다. 2012 9급

bit
[bit]

01 조각, 부분

The radio broke into **bits**.

그 라디오는 산산조각으로 부서졌다.

02 조금, 약간

The human race wouldn't have succeeded if the early pregnancy were so vulnerable to a little **bit** of anything.

만일 초기 임신이 어떤 것에 대해 조금이라도 그렇게 취약했다면 인류는 계속되지 못했을 것이다. 2013 7급

30

black
[blæk]

01 검은색

Don't you know navy blue never goes with **black**?

남색이 검은색과 전혀 어울리지 않는다는 것을 모르니? 2013 9급

02 흑인의

The hotel management registered the coach and the team but refused to assign a room to a **black** player named Charley Thomas.

호텔 관리인은 코치와 팀을 등록했지만 Charley Thomas라는 이름의 흑인 선수에게 방을 배정하는 것은 거부했다. 2011 9급

03 암담한, 비관적인

Most people don't think the future is as **black** as that.

대부분의 사람들은 미래가 그것만큼 암담하다고는 생각하지 않는다.

blame
[bleim]

01 비난하다

You shouldn't **blame** me.

당신은 나를 비난해서는 안 됩니다. 2014 9급

02 ~ 탓으로 돌리다, ~에게 책임지우다

We **blamed** the accident on Timberlake.

우리는 그 사고를 Timberlake의 탓으로 돌렸다.

03 책임

The judge laid the **blame** on the accused.

판사는 피고인에게 책임을 지웠다.

bloom
[blu:m]

01 꽃

This plant has many purple **blooms**.

이 식물은 많은 보라색 꽃을 피운다.

02 개화하다, 번영하다

Does the rose **bloom** this spring?

그 장미는 이번 봄에 개화할까?

03 전성기, 한창때

Brad Pitt is in the **bloom** of health now in his life.

Brad Pitt는 그의 인생에서 지금 건강의 전성기에 있다.

blow
[blou]

01 불다

There was a cold wind **blowing** from the northwest.

북서쪽에서 불어오는 찬바람이 있었다.

02 한 줄기의 바람

The forecasters said that we must prepare for a big **blow**.

그 예보관들은 우리가 강풍에 대비해야 한다고 말했다.

03 충격, 타격

It was a great **blow** to Timberlake when his mother died.

Timberlake의 어머니가 돌아가셨을 때 그에게는 커다란 충격이었다.

04 코를 풀다

Don't **blow** your nose in the office.

사무실에서 코를 풀지 마라.

05 터지다

The rear left tire has **blown**.

왼쪽 뒤 타이어가 터졌다.

blue
[bluː]

01 푸른

The sky was very **blue** those days.

그 즈음에 하늘은 매우 푸르렀다.

02 우울한, 낙담한

He feels **blue**.

그는 기분이 우울하다.

35 **bore**
[bɔːr]

01 지루하게 만들다

I don't want to **bore** you with statistics at least not for today.

적어도 오늘만은, 난 통계 수치로 여러분을 지루하게 만들고 싶진 않다.

02 (구멍을) 뚫다

This machine can **bore** through any wall.

이 기계는 어떤 벽도 뚫을 수 있다.

bow
[baʊ], [bóu]

01 (고개를) 숙이다

The student **bowed** his head.

그 학생은 그의 머리를 숙였다.

02 굴복하다

The government **bowed** to pressure.

정부는 압력에 굴복했다.

03 활

As one of the hunters placed an arrow in his **bow** and aimed it at the goose, he said, "That goose will make a fine stew."

사냥꾼 중 한 명이 그의 활에 화살을 놓고 거위를 겨냥하며 말했다. "저 거위는 맛있는 스튜가 될 것이다." 2013 9급

branch
[bræntʃ]

01 지점, 지사

The department store has **branches** all over the country.

그 백화점은 전국에 지점을 갖고 있다.

02 나뭇가지

Johansson climbed up the tree and hid among the **branches**.

Johansson은 나무에 올라가서 나뭇가지들 사이에 숨었다.

break
[breik]

01 끊다, 그만두다

They are also used to bring about a desired end, **break** a bad habit, or kill a natural or supernatural enemy.

그것들은 또한 바라는 목적을 달성하거나 나쁜 습관을 끊거나 자연적 또는 초자연적인 적을 죽이기 위해서 사용되기도 한다. 2011 7급

02 단절, 중단

The change is not a complete **break**.

그 변화가 완전한 단절은 아니다.

03 (지폐를 동전으로) 바꾸다

Could you **break** this $100 bill for me, please?

이 100달러 지폐를 잔돈으로 바꿔 주시겠습니까? 2011 7급

04 휴식 시간

We talked to each other during the coffee **break**.

우리는 커피 마시는 휴식 시간에 서로 대화를 나눴다.

burst
[bɜːrst]

01 터지다

But as experts predicted, the housing bubble **burst** by 2005.

하지만, 전문가들이 예측한 대로 2005년에 주택 거품이 터졌다.

02 파열, 폭발

There was a **burst** in the water main on the street.

거리의 수도관이 파열되었다.

03 갑자기 생기다, 갑자기 나타나다

A new idea **burst** upon me.

새로운 생각이 나에게 갑자기 떠올랐다.

40 **but**
[bət, bʌt]

01 그러나

I would like to go, **but** I can't.

나는 가고 싶어. 그러나 갈 수 없어.

02 ~을 제외하고, ~ 외에

All **but** Johansson were present at the meeting.

Johansson을 제외하고는 모두 그 모임에 참석하였다.

03 그저 ~뿐, 단지

They are **but** young students.

그들은 그저 어린 학생들일 뿐이다.

cancel
[kǽnsəl]

01 취소하다

You must **cancel** the appointment.

당신은 약속을 취소해야 합니다. 2011 9급

02 소인을 찍다

I have to sort the mail and **cancel** the stamps.

저는 우편물을 분류해서 우표에 소인을 찍어야 해요.

capital
[kǽpətl]

01 수도

Ottawa is the **capital** of Canada.

오타와는 캐나다의 수도이다.

02 대문자

The first letter must be a **capital**.

첫 글자는 대문자여야 한다.

03 자본금

In the past, entrepreneurs had few doors to knock on if they needed **capital** to start a new company.

과거에는, 사업가들이 새로운 회사를 시작하기 위한 자본을 필요로 할 때 두드릴 문이 거의 없었다. 2010 7급

04 사형의

This was a **capital** sentence.

이것은 사형 선고였다.

case
[keis]

01 사례, 경우, 예

Television, newspapers and blogs are filled with the **case** against college for the masses.

텔레비전, 신문, 그리고 블로그는 대중을 위한 대학에 반대하는 사례로 채워져 있다. 2013 7급

02 환자

A nurse attended the **case**.

간호사가 그 환자를 돌봐 주었다.

03 사건, 소송

The **case** was brought before a judge at a court.

그 사건은 법원에서 판사에게 소환되었다.

04 상자, 용기

Put your present in a packing **case**.

당신의 선물을 포장용 상자에 넣어라.

cast
[kæst]

01 (의혹 · 비난 등을) 제기하다; 묘사하다

Their achievement **cast** doubt on the idea that only humans have developed special nervous systems capable of recognizing subtle expressions.

그들의 성취는 단지 인간만이 미묘한 표정을 인지할 수 있는 특별한 신경 체계를 발전시켰다는 생각에 의구심을 제기했다. 2013 7급

02 던지다

The boys **cast** stones into the water.

그 소년들은 강물에 돌을 던졌다.

03 출연진, 배역

The film with a good **cast** is not a blockbuster.

출연진이 훌륭한 그 영화는 흥행작이 아니다.

45 **cause**
[kɔ:z]

01 야기하다, ~의 원인이 되다

Natural selection tends to eliminate genes that **cause** inherited diseases, acting most strongly against the most severe diseases.

자연 선택은 가장 심각한 질병들에 가장 강하게 작용하는 유전 질환을 야기하는 유전자를 제거하는 경향이 있다. 2013 7급

02 원인, 이유

Differences were the **cause** of the argument.

차이가 그 논쟁의 원인이었다.

03 주의, 대의명분

The president labored in the **cause** of liberty.

그 대통령은 자유주의를 위해서 진력했다.

change
[tʃeindʒ]

01 바꾸다

Neither threat nor persuasion could force him to **change** his mind.

협박도 설득도 그의 마음을 바꿀 수는 없었다. 2013 7급

02 변화

The importance of the new education system in terms of social **changes**

사회 변화 면에서 새로운 교육 시스템의 중요성 2013 7급

03 기분 전환, 색다른 것

Let's have dinner for a **change**.

기분 전환을 위해 저녁 식사하자.

04 잔돈, 거스름돈

He has no **change** with him.

그에게는 잔돈이 없다.

character
[kǽrəktər]

01 캐릭터, 등장인물

Rowling's revelation that the **character** Dumbledore was a homosexual has increased the political controversies surrounding the series.

Dumbledore 캐릭터가 동성애자라는 Rowling의 폭로는 이 시리즈들을 둘러싼 정치적 논란을 증가시켰다. 2011 7급

02 성격, 성질

Character is a respect for human beings and the right to interpret experience differently.

성품은 인간에 대한 존중이고, 경험을 다르게 해석할 권리이다. 2011 9급

03 인격, 평판

The magazine article damaged her **character**.

그 잡지 기사는 그녀의 인격을 손상시켰다.

04 글자, 문자

Latin **characters** are difficult to learn.

라틴어 글자는 배우기 어렵다.

charge
[tʃɑːrdʒ]

01 청구하다

How much do you **charge** for your new item?

당신의 새 물건에 얼마를 청구하시겠습니까?

02 공격하다

Suddenly the wild animals **charged** at visitors.

갑자기 그 야생 동물들이 방문객들을 공격했다.

03 명령하다, 지시하다

The step-mom **charged** her husband to look after his son.

새엄마는 남편에게 그의 아들을 돌보라고 명령했다.

04 요금, 경비

The **charge** for a front row seat is at least 100 dollars.

앞줄 좌석의 요금은 적어도 100달러이다.

05 책임, 담당

I think you're in **charge** of general office work.

나는 당신이 일반적인 사무실 업무를 책임지고 있다고 생각한다. 2010 7급

circumstance
[sɜ́rkəmstæns]

01 사정, 상황

I could not undertake the work because of unavoidable **circumstances**.

나는 불가피한 사정으로 그 일에 착수할 수 없었다. 2013 7급

02 환경, 처지, 사는 형편

They lived in a very comfortable **circumstance**.

그들은 매우 안락한 환경에서 살았다.

50

civil
[sívəl]

01 시민의, 민간의

We have **civil** rights and **civil** duties.

우리는 시민의 권리와 시민의 의무가 있다.

02 국내의

A **civil** war broke out in the country.

그 나라에 국내 전쟁(내전)이 발발했다.

03 예의 바른, 공손한

Try to be **civil** to her family.

그녀의 가족에게 예의 바르게 대하도록 노력하라.

DAY 02

class
[klæs]

01 학급, 반

This book is used in my **class**.

이 책은 우리 반에서 사용된다.

02 수업

There is no **class** on weekends for a month.

한 달 동안 주말에는 수업이 없다.

03 (사회) 계층

Nevertheless, some waves are more localized than others, and so it is useful to distinguish two broad **classes**.

그럼에도 불구하고, 일부 파장은 다른 것들보다 더 국한되어 있고, 그래서 두 개의 계층을 구별하는 것은 유용하다. 2013 7급

04 등급

When she took an airplane, she always bought a first-**class** ticket.

그녀는 비행기를 탈 때, 언제나 1등석 티켓을 샀다.

clear
[klir]

01 ~을 치우다, 깨끗이 하다

We **clear** the table after meals.

우리는 식사 후에 식탁을 치운다.

02 걷히다, 맑아지다

The clouds began to **clear** away.

구름이 걷히기 시작했다.

03 분명한, 확실한

It's **clear** who made the right decision.

누가 옳은 결정을 했는지는 분명하다.

2013 7급

04 맑은, 투명한

The morning air was still, **clear**, and fresh.

아침 공기는 잔잔하고, 맑고, 상쾌하였다.

climate
[kláimət]

01 기후

Climate change has no bearing on the development of biofuels.

기후 변화는 바이오 연료의 발전과 관련이 없다. 2013 7급

02 (어떤 특정 기후를 가진) 지방

a wet **climate**

습한 지방

03 분위기, 풍조

In a **climate** of political unrest, a dictator should not be allowed to seize power.

정치적으로 불안한 풍조에서, 독재자가 정권을 잡도록 허용해서는 안 된다.

close
[klouz], [klous]

01 끝내다, 폐업하다

Without celebrities, whole sections of the *New York Times* and the *Washington Post* would have to **close** down.

유명인이 없으면, New York Times와 Washington Post는 모든 난을 끝내야 할 것이다.

2011 7급

02 끝, 종결

At the **close** of the party, there were few guests.

파티가 끝날 때, 손님은 거의 없었다.

03 가까운

The church is **close** to the bank.

그 교회는 은행 가까이에 있다.

05 **cold**
[kould]

01 차가운, 추운

Cold water rushed over his head.

차가운 물이 그의 머리 위로 쏟아졌다.

02 감기, 추위

Put on your dressing gown or you'll catch a **cold**.

실내복을 걸치지 않으면 넌 감기에 걸릴 거야.

collect
[kəlékt]

01 수집하다, 모으다

The evidence so far **collected** by archaeologists and paleontologists suggests that the cradle of humankind was in East Africa, about five million years ago, when the Australopithecine first appeared.

지금까지 고고학자들과 고생물학자들에 의해 수집된 증거는 오스트랄로피테쿠스가 처음 나타났던 시기인 5백만 년 전쯤 인류의 발상지가 아프리카 동부였다는 점을 제시한다.

2011 7급

02 모금하다

They're **collecting** money for the famine victims.

그들은 기근의 희생자들을 위해 모금하고 있다.

command
[kəmǽnd]

01 명령하다, 지시하다

The steering committee **commanded** that work on the building should cease.

그 운영 위원회는 그 건설 공사를 중단할 것을 명령했다.

02 받다, 모으다, 불러일으키다

The woman is able to **command** everyone's respect.

그 여인은 모든 사람의 존경을 받을 수 있다.

03 (언어) 구사력

She has a good **command** of spoken English.

그녀는 영어 회화 구사력이 훌륭하다.

04 전망

The hill has the **command** of the whole town.

그 언덕은 마을 전체가 보이는 전망이 있다.

comment
[ˈkɒment]

01 의견을 말하다, 비평하다

Everyone **commented** on his new dress.

모두가 그의 새 옷에 대해 의견을 말했다.

02 의견, 비평, 논평

A **comment** like this indicates your commitment to getting the job.

이와 같은 의견은 일을 얻기 위한 당신의 의지를 나타낸다. 2013 9급

03 소문, 풍문

His strange behavior caused a great deal of **comment**.

그의 이상한 행동은 많은 소문을 야기했다.

common
[ˈkamən]

01 일반적인, 평범한, 보통의, 흔한

Hypersexuality is one **common** response to this type of behavior.

성욕 과도는 이러한 행동 양식에 대한 한 가지 일반적인 반응이다. 2013 7급

02 공원, 공유지

In summer time, we often perform plays on the **common**.

여름에, 우리는 자주 공원에서 연극을 공연한다.

03 공통의, 공동의

What do these countries have **in common**?

이 나라들에는 어떤 공통점이 있는가?

10

company
[kʌ́mpəni]

01 단체, 조직

She joined one of the theater **companies** in London.

그녀는 런던의 극단들 중 하나에 합류했다.

02 일행, 집단

A **company** of entertainers stood on stage and entertained people with songs and dance.

연예인들 일행은 무대에 서서 노래와 춤으로 사람들을 즐겁게 했다.

03 교제, 친구

Don't keep **company** with such a boy.

그런 녀석과 교제하지 마라.

04 회사, 상사

Oscar prizes were awarded to the computer graphic **company** responsible for *Avatar*'s revolutionary animation.

Oscar 상은 Avatar의 혁명적 애니메이션에 기여한 컴퓨터 그래픽 회사에게 수여되었다. 2011 7급

05 동행, 동석

His father didn't want any **company** around when he was working.

그의 아버지는 일하고 있을 때 주변에 누가 있는 것을 원하지 않았다.

06 손님

His **company** is coming for dinner.

그의 손님이 저녁을 먹으러 올 것이다.

complicate
[ˈkɒmplɪˌkeɪt], [ˈkamplɪkət]

01 복잡하게 하다

That would **complicate** the matter.

그것은 문제를 복잡하게 할 것이다.

02 복잡한

Don't ask him such **complicate** questions.

그에게 그렇게 복잡한 질문을 하지 마라.

concern
[kənsə́:rn]

01 염려하다, 걱정시키다; 걱정

She **concerns** herself about the future.

그녀는 그녀의 앞날을 염려하고 있다.

02 관심사

Furthermore, the design combines a graceful style with a typical American **concern** for comfort and function.

게다가, 그 디자인은 안락과 기능에 대한 미국인의 전형적인 관심과 우아한 스타일을 결합한다. 2010 7급

concrete
[ˈkɒŋkri:t]

01 콘크리트를 바르다

The workmen are busy **concreting** the road.

일꾼들이 도로에 콘크리트를 바르느라 바쁘다.

02 구체적인, 실제의; 명확한

Should we be concerned that the Copenhagen Climate Change Conference is not going to produce a **concrete** plan to reduce greenhouse-gas emissions?

우리는 코펜하겐 기후 변화 회의(Copenhagen Climate Change Conference)에서 온실가스 배출을 줄일 수 있는 구체적인 계획이 나오지 않을 것을 걱정해야 하는가? 2010 7급

conduct
[kάndʌkt], [kəndʌ́kt]

01 행동, 지휘, 안내

Proverbs may be a guide to good **conduct**.

속담은 선한 행동으로의 지침이 될 수 있다.

02 수행하다, 처리하다

The experiment was **conducted** first by Dr. Ash in the United States.

그 실험은 미국의 Ash 박사에 의해서 최초로 수행되었다. 2011 7급

03 지휘하다

Who **conducted** the orchestra?

누가 그 오케스트라를 지휘했나요?

04 안내하다

He has **conducted** on New York buses for 20 years.

그는 20년 동안 뉴욕 버스에서 안내를 해 왔다.

15 **consequence**
[ˈkɒnsəkwəns]

01 결과, 영향

Such praises lead to negative **consequences** later in life, when the children grow up and realize they cannot live up to the false high expectations.

그런 칭찬들은 아이들이 자라나 거짓된 높은 기대에 부합할 수 없다는 것을 알게 될 때, 훗날 삶에서 부정적인 결과를 초래한다. 2013 7급

02 중요성

An event of great **consequence** took place in 1919.

매우 중대한 사건이 1919년에 일어났다.

consider
[kənsídər]

01 ~로 간주하다, 여기다(= deem)

Nash was **considered** a genius.

Nash는 천재로 간주되었다. 2013 7급

02 고려하다, 참작하다

You must **consider** the feelings of other people.

당신은 다른 사람들의 감정을 고려해야 한다.

consume
[kənsú:m]

01 소비하다, 소모하다

His car **consumes** much gas.

그의 차는 휘발유를 많이 소모한다.

02 먹다, 마시다

Popcorn is the only acceptable snack to **consume** while watching a movie.

팝콘은 영화를 볼 때 유일하게 먹는 것이 허용되는 간식이다. 2010 7급

03 사로잡다

She is **consumed** with ambition.

그녀는 야망에 사로잡혔다.

content
[kənˈtent], [ˈkɑntent]

01 만족시키다, 자족하다

I **contented** myself with staying at home.

나는 집에 머무르는 것으로 만족했다.

02 만족하는

Beckham seems **content** just to sit by his daughter all day.

Beckham은 온종일 그의 딸 옆에 앉아 있는 것만으로도 만족해하는 것 같다.

03 만족감

The couple lives in **content** and peace.

그 부부는 만족스럽고 평화롭게 살고 있다.

04 내용, 기사, 항목

She didn't read the letter and so was unaware of its **contents**.

그녀는 그 편지를 읽지 않아서 그것의 내용을 모르고 있었다.

contract
[kən'trækt], ['kɒntrækt]

01 계약하다, 약정하다

He **contracted** to build a new house.

그는 새 집을 짓기로 계약했다.

02 계약(서), 협정(서)

Never sign a **contract** until you read it from beginning to end.

처음부터 끝까지 그것을 읽어 보기 전까지는 절대 계약서에 서명하지 마시오.

03 단축하다, 축약하다

In spoken English "do not" often **contracts** to "don't."

영어 회화에서 "do not"은 흔히 "don't"로 축약한다.

04 (병에) 걸리다

The dengue virus is **contracted** through contact with mosquitoes, and nearly half of the world's population is at risk of infection.

뎅기열 바이러스는 모기와의 접촉을 통해 걸리고, 세계 인구의 거의 절반은 감염 위험이 있다. 2013 9급

20 **correspond**
[kɔ̀:rəspɑ́nd]

01 나타내다, 표시하다

The blue lines on the map **correspond** to roads.

지도 위의 푸른 선은 길을 나타낸다.

02 일치하다

But you are stupid if you think that this public performance of theirs **corresponds** with the man within.

그러나 그들의 이러한 공개적인 모습이 그들의 내면의 모습과 일치한다고 생각한다면 당신은 어리석은 것이다. 2011 9급

03 서신 왕래를 하다

Brad Pitt is **corresponding** with Angelina Jolie.

Brad Pitt는 Angelina Jolie와 서신 왕래를 하고 있다.

04 조화되다, 부합하다

Johansson's white hat and shoes **correspond** with her white dress.

Johansson의 흰 모자와 구두는 그녀의 흰 드레스와 조화를 이룬다.

cost
[kɔ:st]

01 ~의 비용이 들다, (노력·시간을) 요하다

Making a dictionary **costs** much time and care.

사전을 만드는 데에는 많은 시간과 정성이 든다.

02 가격, 비용

Business owners who depend on citrus are hoping that spring growth will soon bring **costs** back to normal.

감귤류 사업에 의존하고 있는 경영주들은 봄 성장률이 가격을 곧 정상으로 되돌려 놓을 것이라 기대하고 있다. 2015 9급

03 희생, 손실

The dog saved her owner from the fire but at the **cost** of her own life.

그 개는 화재로부터 주인을 구했으나 그 자신의 목숨을 희생했다.

count
[kaʊt]

01 의존하다, 기대하다, 믿다(count on [upon])

Housewives came to **count on** certain brands of goods, which advertisers never allowed them to forget.

주부들은 광고자들이 결코 잊어버리지 못하게 하는 특정 브랜드 제품들에 의존하게 되었다. 2011 7급

02 ~으로 간주하다, 여기다

Yuna Kim is **counted** among the greatest skaters of the century.

김연아는 금세기 가장 위대한 스케이트 선수들 중 한 사람으로 간주된다.

03 세다, 계산하다

Do not **count** your chickens before they hatch.

부화하기 전까지 닭의 수를 세지 말라. 2013 9급

04 포함하다

There were fifty boys not **counting** the girls.

여자아이들을 포함하지 않고 남자아이들 50명이 있었다.

country
[kʌ́ntri]

01 국가, 나라

Jennifer's decision to quit her job is both risky and audacious, since the **country** is in a serious depression.

회사를 관두겠다는 Jennifer의 결정은 그 나라가 심각한 불황이기 때문에 위험하고 용감하다.

2012 7급

02 시골

Jane spent a pleasant day in the **country**.

Jane은 시골에서 즐거운 하루를 보냈다.

2013 7급

03 (전) 국민

The government has the support of most of the **country**.

정부는 국민 대다수의 지지를 받는다.

course
[kɔːrs]

01 노선

They can select a **course** of action among several **courses** open to them.

그들은 그들에게 개방된 여러 노선들 중에서 그들의 행동 노선을 선택할 수 있다.

02 방향

It was one of those new ideas that changed the **course** of history.

역사의 방향을 바꾼 것은 바로 그 새로운 생각들 중 하나였다.

03 과정

Finally, most also feel that their spouses have grown more interesting over the **course** of the marriage.

마지막으로, 대부분은 또한 그들의 배우자가 결혼의 과정을 통해 더 흥미로워졌다고 느낀다.

2012 7급

04 물론(of course)

Their achievement does not suggest, **of course**, that the pigeons had any idea what the human expressions meant.

물론, 그들의 성취가 인간의 표정이 무슨 의미인지 비둘기들이 알았다는 것을 시사하지는 않는다.

2013 7급

05 끝없이 흐르다

Tears **coursed** down his face.

눈물이 그의 얼굴을 타고 끝없이 흘러내렸다.

25

court
[kɔːrt]

01 법원, 법정

In many cases, it is carried out at the person's request but there are times when he may be too ill and the decision is made by relatives, medics or, in some instances, the **courts**.

많은 경우, 그것은 본인의 요구에 따라 이행되지만 그가 위중해 이 결정이 친척, 의사, 또는 때로 법원에 의해 이루어지는 때도 있다.

2012 9급 변형

02 코트, 경기장

The players are practicing volleyball in the **court**.

선수들은 코트에서 배구를 연습하고 있다.

03 궁전, 왕궁

Some of Shakespeare's plays were performed before the **court** of Queen Elizabeth I.

셰익스피어의 희곡 중 몇몇 작품이 엘리자베스 1세 여왕의 궁전 앞에서 상연되었다.

04 교제하다, 구애하다

Beckham **courted** his wife for a year before they were married.

Beckham은 결혼하기 전 1년간 그의 부인과 교제했다.

cover
[kʌ́vər]

01 ~을 덮다

She used a blanket to **cover** herself from rain.

그녀는 비를 맞지 않도록 몸을 덮기 위해 담요를 이용했다.

02 덮개, 이불

I liked warm **covers** on my bed.

나는 내 침대 위의 따뜻한 이불을 좋아했다.

03 (범위가) ~에 이르다, 포함하다

His father's farm **covers** several miles.

그의 아버지의 농장은 여러 마일에 걸쳐 있다.

04 ~을 가리다

He **covered** her face with his hands.

그는 손으로 그녀의 얼굴을 가렸다.

05 (겉)표지, 뚜껑

Don't judge a book by its **cover**.

겉표지로 책을 판단하지 마라.

06 은신처, 피난처

He tried to find **cover** from the storm.

그는 폭풍을 피할 수 있는 은신처를 찾으려 했다.

07 취재하다, 보도하다

Foreign reporters arrived in L.A. to **cover** the Olympics.

외국의 취재기자들이 올림픽을 취재하기 위해 L.A.에 도착했다.

08 ~을 다루다

For example, there are women's magazines **covering** fashion, cosmetics, and recipes as well as youth magazines about celebrities.

예를 들어, 유명 연예인들에 관한 젊은이들의 잡지뿐만 아니라 패션, 화장품, 그리고 조리법들을 다루는 여성 잡지들도 있다. 2014 9급

09 가다, 여행하다

If you go by bus, you can **cover** the distance in an hour.

버스로 가면, 너는 한 시간 안에 그 거리를 갈 수 있다.

cross
[krɔ:s]

01 건너다, 넘다

The biggest hurdle to **cross** is realizing that credit is not an extension of income.

넘어야 할 가장 큰 난관은 신용거래가 소득 확장이 아니라는 것을 깨닫는 것이다. 2010 9급

02 십자가; 십자형 (물건)

Johansson wore a tiny golden **cross**.

Johansson은 조그만 금 십자가를 찼다.

03 서로 겹치게 놓다, (팔 · 다리를) 꼬다

Jenny sat on the floor with her legs **crossed**.

Jenny는 다리를 꼬고 마루에 앉았다.

04 교차하다, 엇갈리다

They'll meet you in the place where the paths **cross**.

길이 교차하는 곳에서 그들이 너와 만날 것이다.

05 언짢은, 시무룩한

He was very **cross** with his son for staying out late.

그는 아들이 늦게까지 밖에 머물러 있어서 매우 언짢았다.

06 반대의, 거꾸로의

Strong **cross** winds made it difficult for the plane to leave the airport.

강한 역풍은 비행기가 공항을 떠나는 것을 어렵게 했다.

07 잡종, 이종교배

The animal is a **cross** between a female horse and a male donkey.

그 동물은 암컷 말과 수컷 당나귀의 잡종이다.

culture
[ˈkʌltʃər]

01 문화, 문명

But much of the research has been conducted with White, middle-class children and the results do not necessarily hold for other groups and **cultures**.

그러나 그 연구의 많은 부분은 백인 중산층의 아이들을 대상으로 수행되었고, 그 결과가 다른 그룹이나 문화들에 반드시 그대로인 것은 아니다. 2012 7급

02 교양

Brad Pitt is a man of **culture**.

Brad Pitt는 교양 있는 사람이다.

03 배양, 배양균

The scientist researched a **culture** of bacteria.

그 과학자는 박테리아 배양을 연구했다.

04 재배

The **culture** of cotton is decreasing in this country.

이 나라에서는 면화 재배가 줄어들고 있다.

current
[ˈkɜːrənt]

01 지금의, 현재의

Her analysis of the **current** situation was perfect.

현 상황에 대한 그녀의 분석은 정확했다.

02 해류

The **current** carried the small boat away.

해류가 작은 배를 휩쓸어 가 버렸다.

03 흐름, 추세, 경향

He swims with the **current** of the times.

그는 시대의 흐름에 순응한다.

30 **custom**
[kʌ́stəm]

01 관습, 관례

Myths also try to account for a society's **customs** and rituals.

신화들은 또한 사회의 관습들과 의례들을 설명하려고 노력한다. 2010 9급

02 고객, 단골

We should like to have a lot of **custom**.

저희는 고객이 많기를 바랍니다.

03 습관

It is my **custom** to get up early.

일찍 일어나는 것이 나의 습관이다.

04 [pl.] 세관, 관세

As soon as they'd got through **customs**, he felt at home.

그들이 세관을 통과하자마자, 그는 마음이 놓였다.

05 주문한, 맞춤의(custom-made)

The men are dressed in a **custom-made** suit.

그 남자들은 맞춤 정장을 입고 있다.

dash
[dæʃ]

01 튀기다, 끼얹다

Don't **dash** the paint on the wall like that.

그렇게 벽에 페인트를 튀기지 마라.

02 꺾다, 낙담시키다

The rain **dashed** their plans for the picnic.

비가 소풍을 가려는 그들의 계획을 꺾었다.

03 내던지다, 부수다

He **dashed** the plate against the door in anger.

그는 화가 나서 문에 대고 접시를 내던졌다.

04 돌진하다

Upon hearing the scream, she **dashed** out of the room and ran toward it.

외침 소리를 듣자마자, 그녀는 방에서 뛰어나와 그 소리를 향해 뛰어갔다.

05 단거리 경주

Those who contested lined up quickly for the 100-yard **dash**.

겨루는 선수들은 100야드 경주를 위해 재빨리 줄지어 섰다.

06 약간, 소량

Put a **dash** of salt and sugar into the cup.

컵에 소금과 설탕을 약간 넣어라.

07 대시 기호(—)

She does not know how to use **dashes** in sentences.

그녀는 문장에서 대시 기호를 사용하는 방법을 모른다.

dawn
[dɔːn]

01 동이 틀 무렵, 새벽

A few weeks earlier I had awoken just after **dawn** to find the bed beside me empty.

몇 주 전에 내가 동튼 후 일어나보니 내 옆 침대가 비어 있는 것을 발견했다. 2011 7급

02 날이 밝다, 동트다

The new day **dawned** brightly and sunnily.

새로운 날이 눈부시고 화창하게 밝았다.

deadly
[dédli]

01 치명적인, 생명을 앗아가는

She was suffering from a **deadly** disease.

그녀는 치명적인 병을 앓고 있었다.

02 극도의, 완전한

A **deadly** agony filled the classroom.

극도의 슬픔이 교실을 채웠다.

03 참을 수 없는, 매우 지루한

The song is **deadly** — let's leave.

그 노래는 참을 수 없다. 떠나자.

decay
[dikéi]

01 부패하다, 썩다; 부패시키다

If you eat too much candy, your teeth will **decay**.

사탕을 너무 많이 먹으면, 이가 썩을 것이다.

02 쇠퇴하다, 붕괴하다

History seems to teach us that all nations **decay** in the course of time.

역사는 모든 국가가 세월이 지남에 따라 쇠퇴한다고 우리들에게 가르쳐 주는 것 같다.

03 쇠퇴

That institute has fallen into **decay** in the last 50 years.

그 협회는 지난 50년 사이에 쇠퇴일로를 걸어왔다.

35 **decline**
[diˈklain]

01 사양하다, 거절하다

I **declined** the invitation.

나는 초대를 사양했다.

02 줄어들다(= drop off), 기울다, 쇠퇴하다

Her influence has begun to **decline** now that she is old.

이제 그녀가 나이 들었기 때문에 그녀의 영향력이 줄어들기 시작했다.

03 경사, 내리막

Our car rolled down the **decline**.

우리 차는 경사진 곳으로 굴렀다.

04 쇠퇴, 퇴보(= regression)

There is thus a **decline** in rural industries and food supply.

따라서 농촌 산업과 식량 공급이 쇠퇴하고 있다. 2013 7급

deep
[di:p]

01 깊은

When you feel yourself getting angry, take a long, **deep** breath, and as you do, say the number one to yourself.

화가 날 때, 길고 깊은 숨을 쉬고, 그렇게 할 때 마음속에서 숫자 1을 말하라. 2011 9급

02 깊이, 깊게

They must dig **deep** for water.

그들은 물을 얻기 위해서는 깊이 파야 한다.

03 한가운데, 한창

The night is most painful in the **deep** of winter.

한겨울의 밤이 가장 고통스럽다.

degree
[diˈgri:]

01 (각도·온도의) 도

The thermometer read five **degrees** below zero.

온도계는 영하 5도였다. 2013 7급

02 정도

Children have different **degrees** of ability.

아이들은 각기 다른 정도의 능력을 가지고 있다.

03 학위

This belief is strongest regarding the desirability of an undergraduate university **degree**, or a professional **degree** such as medicine or law.

학부 학위 또는 의학이나 법학 같은 전문직 학위의 매력에 관해서 이 믿음이 가장 강하다. 2011 9급

04 점차, 서서히(by degrees)

She is getting better **by degrees**.

그녀는 점차 몸이 나아지고 있다.

deliver
[diˈlivər]

01 전하다, 배달하다

The ideas that propagandists try to **deliver** are mostly biased.

선전원들이 전하고자 하는 견해는 대부분 편향되어 있다. 2012 7급

02 (의견 등을) 말하다, (연설·강연 등을) 하다

She **delivered** an excellent speech.

그녀는 훌륭한 연설을 했다.

03 ~을 분만시키다; 출산하다

The doctor **delivered** the child.

그 의사는 아이를 분만시켰다.

deposit
[diˈpɒzit]

01 예치하다, 맡기다

She has **deposited** quite a lot of money recently.

그녀는 최근에 꽤 많은 돈을 예금했다.

02 예금, 계좌

A savings account, certificate of **deposit**, mutual fund, or other investment may be accessed when you need funds.

여러분이 자금이 필요할 때 저축예금 계좌, 예금 증서, 뮤추얼 펀드, 또는 기타 투자가 이용될 수 있다. 2011 9급

03 매장물, 침전물

That country has a great amount of oil **deposits**.

그 나라는 엄청난 석유 매장량을 갖고 있다.

40 **descent**
[diˈsent]

01 내려오기, 하강

The plane began its **descent**.

비행기가 하강을 시작했다.

02 혈통, 출신, 가문

Even the dreamer himself, Dr. Martin Luther King, Jr., might not have imagined that 40 short years after his murder, we would be planning an inauguration of the first man of African **descent** to the presidency.

심지어 꿈꾸는 사람이었던 Dr. Martin Luther King, Jr.는 그 자신조차도 자신이 살해된 지 40년이 채 안 되어 우리가 첫 아프리카계 흑인 출신인 대통령의 취임식을 준비할 것이라고는 상상하지 못했을 것이다. 2011 9급

desert
['dezərt], [dɪ'zɜːrt]

01 황야, 사막, 황무지

The addax is a **desert** creature and hardly ever needs water except from the drops of water it gets from eating plants.

아닥스(아프리카 영양)는 사막 생물이며 그것이 식물을 먹음으로써 섭취하는 물 외에는 거의 물을 필요로 하지 않는다. 2014 9급

02 공과, 공적

The official was rewarded according to his **deserts**.

그 공무원은 그의 공과에 따라 보상받았다.

03 버리다, 떠나다

He did not **desert** his wife and children after losing his job.

그는 실직한 후에 아내와 자식들을 버리지 않았다.

design
[di'zain]

01 ~을 디자인하다, 고안하다

Jefferson **designed** it himself in a style he had admired in Italy.

Jefferson은 그가 이탈리아에서 감탄했었던 스타일로 그것을 스스로 디자인했다. 2010 7급

02 설계도, 디자인, 무늬

He is the man behind the **design** of the plane.

그는 그 비행기 설계도의 창시자이다.

03 계획, 의도

She failed in her **design** to win the election.

선거에서 이기려던 그녀의 계획이 실패했다.

develop
[di'veləp]

01 발달시키다, 개발하다(= pioneer)

Exercise **develops** many muscles.

운동은 많은 근육들을 발달시킨다.

02 현상되다; 현상하다

This film will **develop** in twenty minutes.

이 필름은 20분이면 현상될 것이다.

03 개발하다

The problems of climate change and the rising cost of oil have led to a race to **develop** environmentally-friendly biofuels, such as palm oil or ethanol derived from corn and sugar cane.

기후 변화와 석유 비용 상승의 문제는 옥수수와 사탕수수에서 비롯된 팜 오일 또는 에탄올과 같은 환경 친화적인 바이오 연료를 개발하기 위한 경쟁으로 이끌었다. 2013 7급

direct
[də'rekt], [daɪ'rekt]

01 ~로 향하다

Their exploration is **directed** mainly toward scientific discovery.

그들의 탐험은 주로 과학적인 발견 쪽으로 향하고 있다.

02 알려 주다, 안내하다

Can you **direct** me to Seoul Station?

서울역으로 가는 길을 알려 주시겠습니까?

03 직접적인, 최단 거리의

Even now, ancient India is still visible and accessible to us in a very **direct** sense.

지금도 고대 인도는 매우 직접적인 의미에서 여전히 볼 수 있고 접근 가능하다. 2010 7급

45 **dispute**
[di'spjuːt]

01 논쟁하다, 언쟁하다

They **disputed** with the professor on the subject for hours.

그들은 그 주제에 대해 여러 시간 동안 그 교수와 논쟁했다.

02 논쟁, 논의, 언쟁

It is true beyond **dispute**.

그것은 논의할 여지없이 진실이다.

distinguish
[dɪ'stɪŋgwɪʃ]

01 알아차리다, 감지하다

It is much too dark for the girl to **distinguish** anything.

너무나 어두워서 그 소녀는 어떤 것도 알아차릴 수 없다.

02 구별하다, 분류하다

So well before children know how the English language **distinguishes** individual objects from portions of a substance, they **distinguish** them on their own, and generalize words for them accordingly.

그래서 어린이들은 어떻게 영어라는 언어가 각각의 사물을 물질의 부분과 구별하는지를 알기 훨씬 전에, 스스로 그것들을 분류하고, 그에 따라 그들에 대한 단어들을 일반화한다. 2014 9급

03 돋보이게 하다, 눈에 띄게 하다(보통 재귀 용법)

She **distinguished** herself by doing well on the exam.

그녀는 시험을 잘 치름으로써 스스로를 돋보이게 했다.

drift
[drift]

01 표류하다, 떠돌다

The submarine was just **drifting** in the deep, its bow pointing down.

그 잠수함은 깊은 바다 속에서 그저 표류하고 있었고, 그것의 뱃머리는 아래쪽을 향하고 있었다.

02 대세, 경향

The general **drift** of affairs was not towards war.

일반적인 대세는 전쟁 쪽이 아니었다.

drill
[dril]

01 훈련하다

The troops had to **drill** in the desert.

그 군대는 사막에서 훈련을 해야만 했다.

02 구멍을 뚫다

His father **drilled** a hole in the board.

그의 아버지는 판자에 구멍을 뚫었다.

03 천공기, 송곳

The man needs a **drill** to make a hole.

그 남자는 구멍을 내기 위해서 천공기가 필요하다.

04 훈련

They took part in a fire **drill**.

그들은 소방 훈련에 참가했다.

drink
[driŋk]

01 마시다

But some scientific studies have found that contrary to popular belief, **drinking** milk may do more harm to our bodies than good.

그러나 일부 과학적 연구는 통념과는 반대로 우유를 마시는 것이 우리 몸에 좋은 것보다 더 많은 해를 끼칠 수 있다는 것을 발견했다. 2012 9급

02 음료

Manufacturers of junk food and sugary **drinks** spend around a billion dollars a year on commercials directed at children under twelve years old.

인스턴트 식품과 설탕이 든 음료 제조회사들은 12세 미만의 어린이들을 겨냥한 상업 광고에 연간 10억 달러를 사용한다. 2012 8급

03 술

The man is fond of **drink**.

그 남자는 술을 좋아한다.

50 **drive**
[draiv]

01 욕구; 추진력; 캠페인

Exploration is the basic **drive** in most fields of endeavor.

탐험은 대부분의 활동 분야 중에서 기본적인 욕구이다.

02 몰아내다, 쫓다

Masks and fetishes are used to **drive** out evil spirits and break a bad habit.

가면과 주물은 악령을 쫓고 나쁜 습관을 끊는 데 사용된다. 2011 7급

03 드라이브, 여행

The boys would like to go for a **drive**.

그 남자아이들은 드라이브하러 가기를 원한다.

04 태워 주다, 운전하다, 몰다

Can you **drive** us to the station?

우리를 역까지 태워다 주실 수 있습니까?

DAY 03

drop
[drɑp]

01 (물)방울

The cloud forms **drops** of water on the window.

그 구름은 창문에 물방울을 형성한다.

02 떨어지다

The stone **dropped** to the bottom of the pond.

그 돌이 연못 밑바닥으로 떨어졌다.

03 잠깐 들르다(drop by)

I'll **drop by** your place this evening if you are not busy.

당신이 바쁘지 않다면 오늘 저녁에 당신의 집에 잠깐 들르겠습니다. 2013 7급

due
[djuː]

01 만기가 된, 지급 기일이 된

This bill is **due**.

이 어음은 만기가 되었다.

02 적절한, 마땅한

My mother always drives with **due** care and attention.

우리 어머니는 항상 적절한 배려와 주의를 갖고 운전하신다.

03 ~할 예정인, ~하게 되어 있는(be due to + 동사원형, be set to + 동사원형)

The Prime Minister **is due to** speak tomorrow.

수상이 내일 연설하기로 되어 있다. 2012 7급

04 ~에 기인하는(be due to + 명사(구))

The accident **was due to** the drunken driver's failure to give a signal.

그 사고는 음주 운전자가 신호를 보내는 것의 실패에 기인했다.

ease
[iːz]

01 편하게 해 주다, (고통을) 덜어주다; 편해지다, (고통이) 덜해지다

Music **eased** my mind.

음악이 나의 마음을 편하게 해 주었다.

02 쉬움, 용이함, 편의성

She can walk twenty miles with **ease**.

그녀는 20마일을 쉽게 걸을 수 있다.

edge
[edʒ]

01 가장자리

At the **edge** of the Canadian plains, the Canadian Shield, a giant core of rock centered on the Hudson and James Bays, anchors the continent.

캐나다 평야 가장자리의, 허드슨 만과 제임스 만의 중심에 있는 암반의 거대한 중심인 캐나다 순상지는 이 대륙을 단단히 고정시킨다. 2015 9급

02 경계

The Voyager Interstellar Mission is to explore the outermost **edge** of the Sun's system.

Voyager 행성 간의 미션은 태양계의 가장 바깥쪽 경계를 탐사하는 것이다.

05 **effect**
[iˈfekt]

01 영향(= impact), 효과

We are discussing the **effect** of cigarette smoking.

우리는 흡연의 영향에 관해 논의하고 있다.

02 결과

Study the cause and **effect** of the matter.

그 문제의 원인과 결과를 연구해 보아라.

03 느낌, 감명, 인상

It produced an **effect** on his imagination.

그것은 그의 상상력에 (깊은) 인상을 주었다.

04 취지, 의미

She received his letter to that **effect**.

그녀는 그러한 취지의 그의 편지를 받았다.

elaborate
[ɪˈlæbəreɪt], [ɪˈlæbərət]

01 정교하게 만들어내다

In their plays in the 1800s, they took simple traditional tales from ancient times and **elaborated** them in details.

그들의 1800년대 희곡 작품에서, 그들은 고대로부터 단순하고 전통적인 이야기들을 가져와서 그것들을 정교하게 만들어 냈다.

02 상세히 설명하다, 잘 다듬다

The professor went on **elaborating** on the subject.

그 교수는 계속해서 그 주제를 상세하게 설명했다.

03 공들인, 정교한

We made **elaborate** preparation for the exploration.

우리는 탐험을 하기 위해 공들인 준비를 하였다.

encourage
[inˈkɜːridʒ]

01 권장하다, 격려하다, 고무하다

It provides feedback and **encourages** children to use adults as a resource.

그것은 피드백을 제공하고 아이들에게 성인을 자산으로 사용하도록 권장한다. 2013 7급

02 부추기다, 조장하다

Don't **encourage** his laziness by doing things for him.

그의 일을 대신 해줌으로써 그의 게으름을 부추기지 마라.

end
[end]

01 끝나다; 끝내다

The long road **ended** in the field.

길었던 그 길은 그 들판에서 끝났다.

02 종료, 종말

The **end** of the Cold War has resulted in the decrease of the U.S. military.

냉전 종료는 미국 군대의 감소를 야기했다. 2013 7급

03 목적, 존재 이유

What is the **end** of your life?

당신의 인생의 목적은 무엇인가?

endow
[inˈdaʊ]

01 ~에게 주다, 부여하다

Nature **endowed** her with a good eyesight.

자연은 그녀에게 좋은 시력을 주었다.

02 기부하다

The remaining $100 million is to be used to **endow** the school.

남은 1억 달러는 학교에 기부하는 데 쓰일 것이다.

10 **engagement**
[inˈgeidʒmənt]

01 약혼; 참여; 관계함

Our **engagement** was announced.

우리의 약혼이 발표되었다.

02 약속, 예약

She could not meet me because she had another **engagement**.

그녀는 다른 약속이 있어서 나를 만날 수 없었다.

03 교전

Although it was a short **engagement**, a lot of men were killed or badly wounded.

비록 그것은 짧은 교전이었지만, 많은 병사들이 전사하고 심한 부상을 입었다.

04 [pl.] 채무

He should meet my **engagements** within a month.

그는 한 달 이내로 나의 채무를 갚아야 한다.

equal
[ˈikwəl]

01 동등한

It's not like I can't get on a plane. It's just ... all things being **equal**, I would prefer to be on the ground.

그것은 내가 비행기를 못 타는 것과 같지는 않다는 거야. 그것은 단지 … 모든 것이 동등하다면, 나는 지상에 있는 것을 더 선호한다는 거지. 2011 7급

02 동등한 것

The girl is not Johansson's **equal** in beauty.

그 소녀는 아름다움에 있어서 Johansson과 동등할 수 없다.

03 감당할 수 있는

He is not quite **equal** to the job.

그는 그 일을 충분히 감당하지 못한다.

04 필적하다, 맞먹다

No one can **equal** Yuna Kim as a skater.

스케이트 선수로서 김연아에 필적할 수 있는 사람은 아무도 없다.

estimate
[ˈestəmeit], [ˈestəmət]

01 추정하다, 평가하다

An **estimated** 1.3 million employees in the construction and general industry face significant asbestos exposure on the job.

추정된 130만 명의 직원들이 건설 및 일반 산업에서 작업 중 상당량의 석면 노출에 직면해 있다. 2011 7급

02 평가

My **estimate** of his character was wrong.

그의 성격에 대한 나의 평가는 빗나갔다.

03 견적을 내다

She **estimated** for the repair of a building.

그녀는 건물의 수리 견적을 내었다.

04 견적(서)

They got two or three **estimates** before having the roof repaired, and accepted the lowest.

그들은 지붕을 수리하기 전에 2~3종의 견적서를 받아 가장 낮은 것을 받아들였다.

even
['i:vən]

01 ~조차, ~도

The early pregnancy is very vulnerable to **even** a little caffeine.

임신 초기에는 약간의 카페인조차도 매우 취약하다. 2013 7급

02 더욱, 훨씬

This is **even** more suitable.

이것이 훨씬 더 잘 어울린다.

03 짝수의

2 is an **even** number.

2는 짝수이다.

04 공정한

We will receive an **even** decision.

우리는 공정한 결정을 받아들일 것이다.

exchange
[ɪks'tʃeɪndʒ]

01 바꾸다, 교역하다

Johansson **exchanged** hats with Beckham.

Johansson은 Beckham과 모자를 바꾸었다.

02 교환

We need to promote an **exchange** of various ideas.

우리는 다양한 생각들의 교환을 장려할 필요가 있다.

03 환전하다

She **exchanged** won for euros for a trip.

그녀는 여행을 위해 원화를 유로화로 환전했다.

04 대화, 언쟁

Thus, a distant and formal tone is appropriate for this kind of conventional **exchange**.

따라서, 거리를 두고 격식을 차린 어조가 이런 종류의 관습적인 대화에 적합하다. 2013 7급

15 **excuse**
[ɪk'skju:z], [ɪk'skju:s]

01 핑계를 대다, 변명하다

Nothing can **excuse** such behavior.

그런 행동은 그 무엇으로도 변명이 안 된다.

02 변명, 해명

You don't have a word to say in **excuse**.

너는 변명할 말이 한마디도 없다.

03 용서하다

Please **excuse** my rudeness.

제 무례함을 용서해 주십시오.

04 면제해 주다

They will **excuse** you from the test.

그들은 너를 그 시험에서 면제해 줄 것이다.

exercise
['eksərsaiz]

01 운동하다, 훈련시키다

She **exercises** by fencing.

그녀는 펜싱을 운동 삼아 한다.

02 훈련, 연습, 실습

The first is to invent new motor patterns for themselves such as new **exercises** and gymnastics.

첫 번째는 새로운 훈련 및 체조와 같은 새로운 운동 패턴을 스스로 개발하는 것이다. 2013 7급

exert
[ig'zɜ:rt]

01 노력하다

She **exerted** herself all year to earn good marks.

그녀는 좋은 점수를 받기 위해 일년 내내 노력했다.

02 발휘하다, (힘·능력 등을) 쓰다

Timberlake **exerted** all his strength to lift the heavy trunk.

Timberlake는 무거운 여행 가방을 들어 올리는 데 온 힘을 썼다.

03 (영향을) 가하다, 행사하다

Local identity and other social forces **exert** a stronger influence than even TV on how dialects evolve.

지역의 정체성과 다른 사회적 영향력들은 방언이 어떻게 진화하는지에 텔레비전보다 더 강력한 영향을 미친다. 2014 9급

experiment
[ik'sperəment], [ik'sperəmənt]

01 실험하다

The researcher is **experimenting** with new materials.

그 연구원은 새 물질들로 실험하는 중이다.

02 실험

For his **experiments**, therefore, he used animals.

그러므로, 그는 그의 실험을 위해 동물을 사용하였다. 2013 7급

express
[ik'spres]

01 표현하다, 나타내다

Tom says that it is much easier for him to **express** his thoughts in Russian than in English.

Tom은 영어보다 러시아어로 자기 생각을 표현하는 것이 훨씬 더 쉽다고 말한다. 2013 9급

02 급행의

I would like an **express** ticket to New York.

뉴욕행 급행표 한 장 주세요.

03 명시된, 명확한

Her **express** wish is that you will be with her.

그녀의 명확한 소망은 당신이 그녀와 함께 있는 것이다.

20 **extravagant**
[ik'strævəgənt]

01 낭비하는, 사치스러운

He's an **extravagant** man.

그는 사치스러운 사람이다.

02 턱없이 비싼, 터무니없는

The price of property in the city is **extravagant**.

그 도시의 부동산 가격은 턱없이 비싸다.

03 도를 지나친, 얼토당토않은

The teacher can't tolerate such an **extravagant** behavior.

그 선생님은 그러한 도를 지나친 행동을 참아 줄 수 없다.

face
[feis]

01 ~에 닥치다, 다가오다

Another kind of challenge **faced** the Egyptians about five thousand years ago.

또 다른 종류의 도전이 대략 5천 년 전에 이집트인들에게 닥쳤다.

02 정면으로 대하다, 맞서다

She had to **face** the problems.

그녀는 그 문제들과 맞서야 했다.

03 얼굴, 표정

Not only that, but they were able to correctly identify the same expressions on photographs of unfamiliar **faces**.

그뿐만 아니라, 그들은 사진 속의 낯선 얼굴들의 동일한 표정들도 정확히 구별할 수 있었다. 2013 7급

04 면, 사면

The people climbed the north **face** of Mt. Everest.

그 사람들은 에베레스트 산의 북사면을 올랐다.

facility
[fə'sıləti]

01 재능, 재주(= ingenuity), 능숙, 유창

Her **facility** with language is surprising.

그녀의 언어 재능은 놀랍다.

02 [pl.] 편의시설, 설비; 편리

Clean **facilities** and friendly staff also go far to erase the negative experiences.

깨끗한 편의시설과 친절한 직원 또한 부정적인 경험을 지우는 데 성공적이다. 2014 9급

faculty
['fækəlti]

01 재능, 능력

She has the **faculty** to learn languages easily.

그녀에게는 언어를 쉽게 배우는 능력이 있다.

02 교수단, 교직원

The college newspaper prints only the news that is of interest to the students and **faculty**.

대학 신문은 학생 및 교직원이 관심을 가지는 뉴스만 인쇄한다. 2012 9급

fair
[fer]

01 공정한

These exchanges may not always seem **fair**, but at every age, there are some advantages.

이러한 교류는 항상 공정해 보이지 않을 수도 있지만, 모든 연령대에서 몇 가지 장점이 있다. 2012 7급

02 금발의

He has **fair** hair, unlike his sisters.

그는 자기 누나들과는 달리 금발이다.

03 맑은

The day was warm and the sky was **fair**.

날씨는 따뜻하고 하늘은 맑았다.

04 창백한, 흰 피부의

It seems that those who work indoors usually have **fair** complexion.

실내에서 일하는 사람들은 대개 안색이 창백한 것 같다.

05 박람회(= exhibition), 시장

The exhibitors at the trade **fair** pass out free samples to stimulate interest.

무역 박람회에서 전시 주최자들은 흥미를 자극하기 위해 무료 샘플들을 나누어준다. 2014 9급

false
[fɔːls]

25

01 인공의, 가짜의

She has **false** teeth.

그녀는 의치를 하고 있다.

02 거짓의, 잘못된

Such praises lead to negative consequences later in life, when the children grow up and realize they cannot live up to the **false** high expectation.

아이들이 성장해서 잘못된 높은 기대에 부응할 수 없음을 깨닫게 되면, 그러한 칭찬은 인생에 있어서 훗날 부정적인 결과를 초래한다. 2013 7급

03 불성실한, 기만적인

She was a **false** friend to me.

그녀는 내게 불성실한 친구였다.

familiar
[fəˈmɪliər]

01 잘 아는, 익숙한

Pigeons can identify only the expressions of people they are **familiar** with.

비둘기는 그들이 잘 알고 있는 사람들의 표정만 알아볼 수 있다. 2013 7급

02 친한, 스스럼없는

She has a few **familiar** friends.

그녀는 몇 명의 친한 친구들이 있다.

fashion
[ˈfæʃən]

01 형성하다, 만들다

She **fashioned** clay into a vase.

그녀는 진흙으로 꽃병을 만들었다.

02 방식, ~풍

According to Dr. Weil, green tea is prepared in a much more gentle **fashion** than ordinary black tea.

Weil 박사에 따르면, 녹차는 일반 홍차보다 훨씬 더 부드러운 방식으로 준비된다. 2014 9급

03 유행(cf. buzzword 유행어)

A short skirt is very much in **fashion** now.

짧은 스커트가 현재 크게 유행이다.

04 상류 사회 (사람들), 사교계 (사람들)

All the famous **fashion** of the city will be present at the party.

그 도시의 유명한 사교계 인사들이 모두 그 파티에 참석할 것이다.

fault
[fɔːlt]

01 잘못, 책임

By others' **fault**, wise men correct their own.

현명한 사람은 다른 사람의 잘못에 의해서 자신의 잘못을 고친다.

02 단층

How much do you know about the **fault** of the earth?

너는 지구의 단층에 대해서 얼마나 아니?

feature
[ˈfiːtʃər]

01 특집 기사

She writes **features** for magazines.

그녀는 잡지들의 특집 기사를 쓴다.

02 대서특필하다

They **featured** her as the writer of the year.

그들은 그녀를 그 해의 작가로 대서특필했다.

03 특징, 특색

The globalization is a bit different. It has also one overarching **feature**: integration.

세계화는 약간 다르다. 그것은 또한 한 가지 대단히 중요한 특징을 가지고 있는데, 바로 통합이다. 2013 7급

04 주연시키다

He is **featured** in the new film as an exciting role.

그는 새 영화에서 흥미 있는 역할로 주연을 맡았다.

30 **ferment**
[fəˈrment]

01 소란, 대소동

The store was in a **ferment**.

가게에 소란이 있었다.

02 불러일으키다, 흥분하게 하다

Her speeches **fermented** trouble among the workers.

그녀의 연설은 노동자들 사이에서 문제를 야기시켰다.

03 발효시키다; 발효되다

Let it **ferment** for two days.

이틀 동안 발효시키세요.

field
[fi:ld]

01 들판, 밭

Produce from the **fields** was taken to market.

밭에서 재배된 농산물이 시장에 출하되었다. 2012 7급

02 경기장

This soccer **field** is a part of the school playground.

이 축구장은 학교 운동장의 일부이다.

03 분야, 연구 방면

It prompted the construction of competing theories to try to explain natural phenomena; in the **field** of law, the result was the adversarial legal system.

그것은 자연 현상을 설명하기 위한 경쟁 이론의 구축을 촉진했고, 법학 분야에 있어서, 그 결과는 대립적 법체계였다(대립적인 사법제도가 결과로 생겼다). 2015 9급

figure
[ˈfɪgjər]

01 모양, 모습, 외관

He was a father **figure** to her.

그는 그녀에게 아버지상이었다.

02 인물

She will no longer look to men or male **figures** as saviors.

그녀는 더 이상 남자 또는 남성 인물을 구원자로 기대하지 않을 것이다. 2013 7급

03 수치, 숫자, 합계

According to government **figures**, the preponderance of jobs in the next century will be in service-related fields, such as health and business.

정부 수치에 따르면, 다음 세기에 우세한 직업은 건강 및 사업과 같은 서비스 관련 분야에 있을 것이다. 2011 9급

04 계산, 산수

I'm a good hand at **figures**.

나는 계산을 잘한다.

fine
[fain]

01 좋은, 맑은

It is also a **fine** example of early 19th century American architecture.

그것은 또한 19세기 초 미국 건축의 좋은 예이다. 2010 7급

02 고운, 미세한

The beautiful beach is covered with **fine** sand.

그 아름다운 해변은 고운 모래로 덮여 있다.

03 벌금을 부과하다

If caught smoking, chewing or even possessing tobacco by the police, an underaged offender could be **fined** as much as $100, yanked off the street or out of the shopping mall and taken home in the backseat of a squad car.

만약 담배를 피우거나 씹거나 아니면 소지하고 있다가 경찰에게 걸린다면, 미성년 위반자는 최대 100달러의 벌금이 부과되고, 길거리나 쇼핑몰에서 추방당하며, 경찰차의 뒷좌석에 태워 집으로 보내질 수 있다. 2011 7급

firm
[fɜ:rm]

01 굳다

Clay **firms** quickly.

점토는 빨리 굳는다.

02 회사, 상사

She has been working at a foreign **firm**.

그녀는 외국계 회사에서 일해 오고 있다.

03 굳건히, 견고히

She always holds **firm** to her beliefs.

그녀는 항상 자기 신념을 굳건히 지킨다.

04 확고한, 단호한

Kennedy faced the religion issue frankly, declaring his **firm** belief in the separation of church and state.

Kennedy는 교회와 국가의 분리에서 자신의 확고한 신념을 선언하면서 종교 문제에 솔직하게 맞섰다. 2010 7급

35 **fit** [fit]

01 알맞은, 적당한, 어울리는

The house is just **fit** for your family to live in.

그 집은 너의 가족이 살기에 꼭 알맞다.

02 건강한, 강한

These days she looks **fitter** than I've ever seen her.

요즈음 그녀는 내가 그녀를 지금까지 보았던 것보다 더 건강해 보인다.

03 발작, 경련

From early school days, he had **fits** and loss of memory.

초기 학창 시절부터, 그는 발작 증세와 기억 상실증을 겪었다.

04 어울리게 하다, 적합하게 하다

Peter has been trying to **fit** in to his new environment.

Peter는 새로운 환경에 어울리기 위해 노력하고 있다.

05 ~을 설치하다

The old doors are **fitted** with new locks.

그 오래된 문들에는 새 자물쇠들이 갖추어져 있다.

floor [flɔːr]

01 바닥

Hot springs are found on every continent and on the ocean **floor** of the earth.

온천은 모든 대륙과 지구 바다의 바닥에서 찾을 수 있다. 2011 9급

02 층

Their apartment is on the 25th **floor**.

그들의 아파트는 25층이다.

03 발언권

He now has the **floor** for the next five minutes.

그는 지금부터 5분간 발언권이 있다.

force [fɔːrs]

01 무력

Japan planned to take Korea by **force**.

일본은 한국을 무력으로 침략할 계획을 세웠다.

02 병력, 세력

The naval **forces** were powerful at that time.

해군은 그 당시에 막강했다.

03 강요하다, ~하게 만들다

Neither threat nor persuasion could **force** him to change his mind.

협박도 설득도 그의 결심을 뒤집도록 강요할 수는 없었다. 2013 7급

frame [freɪm]

01 장면

After several **frames**, the woman noticed a splendid donkey through the viewfinder.

몇 장면 뒤에, 그 여자는 뷰파인더를 통해 훌륭한 당나귀 한 마리를 보았다.

02 테, 틀

He wore sunglasses with black **frames**.

그는 검은 테 선글라스를 썼다.

03 액자에 넣다

Once you develop all this film, I want this picture **framed**.

일단 이 필름을 모두 현상하면, 이 사진은 액자에 넣어 주세요.

free [friː]

01 석방하다, 자유롭게 하다

Johansson **freed** the bird from its cage.

Johansson은 새장에서 그 새를 놓아주었다.

02 한가한, 자유로운

She'll be **free** in ten days.

그녀는 10일 후에 한가해질 것이다.

03 무료의

The Brookfield Zoo was honored for programs such as Zoo Adventure Passport, which provides **free** field trips to low-income families.

Brookfield 동물원은 저소득층 가족에게 무료 현장 학습을 제공하는 동물원 모험 여권과 같은 프로그램으로 상을 받았다. 2014 9급

04 ~이 없는

The road is **free** of snow.

그 길에는 눈이 없다.

05 면제된

I would like to be **free** from some of my responsibilities.

나는 나의 책임에서 어느 정도 면제되고 싶다.

40 **freeze**
[fri:z]

01 얼다, 얼리다

If our sun behaved like that, the earth would boil and **freeze** repeatedly.

만약 우리의 태양이 그렇게 작용한다면, 지구는 끓고 얼기를 반복할 것이다. 2014 9급

02 frozen: 얼어붙은

Look at the **frozen** tree.

얼어붙은 나무를 보시오.

gather
[ˈgæðər]

01 채집하다, 모으다

At the beginning of the twentieth century, some Indian communities still lived as all our primeval ancestors must once have lived, by hunting and **gathering**.

20세기 초반에, 일부 인도 사회는 우리의 모든 원시 시대의 조상이 한때 분명히 사냥하고 채집하며 살았던 것처럼 여전히 생활했다. 2010 7급

02 추측하다, 알다, (~이라고) 결론을 내리다

We **gather** he's ill, and that's why he hasn't come.

우리는 그가 아프다고 추측하는데, 그래서 그가 못 온 것 같다.

glance
[glæns]

01 훑어보다

The man **glanced** round the room before he left.

그 남자는 떠나기 전에 방을 둘러보았다.

02 훑어봄

One **glance** at her face told me she was ill.

그녀의 얼굴을 한 번 보자 나는 그녀가 아프다는 것을 알 수 있었다.

gloomy
[ˈglu:mi]

01 우울한, 어두운

People think that prisons are dark and **gloomy**.

사람들은 감옥이 어둡고 우울하다고 생각한다.

02 비관적인

The mood in this country is so **gloomy** now.

이 나라의 분위기는 지금 매우 비관적이다.

good
[gʊd]

01 훌륭한

A philosopher tries to discover what a **good** life is.

철학자는 훌륭한 삶이 무엇인지를 알아내려고 한다.

02 선(善)

What is **good** and what is evil?

무엇이 선이고 무엇이 악인가?

03 유익한, 좋은

Some geographers say that urbanization is a **good** thing because it relieves pressure on the land and in many countries on the land there are too many people for the work available.

일부 지리학자는 도시화는 좋은 것이라고 말하는데, 이것은 토지에 대한 압박을 덜 수 있고 많은 나라에서 구할 수 있는 일자리에 너무 많은 사람들이 그 토지에 있기 때문이다. 2013 7급

04 goods: 물건, 상품

The company must produce **goods** at competitive prices.

회사는 경쟁력 있는 가격으로 물건을 생산해야 한다.

45 **gossip**
[ˈgɑsɪp]

01 소문, 험담

Don't believe all the **gossip** you hear.

들리는 소문을 다 믿지는 마라.

02 수다쟁이, 남의 일을 말하기 좋아하는 사람

He is an old **gossip**.

그는 노련한 수다쟁이다.

grade
[greɪd]

01 학년

Our first **grade** is the same as your 10th **grade**.

우리의 1학년은 너희의 10학년과 같다.

02 성적, 평점

He got very good **grades** in all his subjects.

그는 모든 과목에서 매우 좋은 성적을 받았다.

03 등급

This **grade** of coal can be sold at a higher price.

이 등급의 석탄은 보다 더 비싼 가격에 팔릴 수 있다.

grave
[greiv]

01 무덤

Someone stamped on her **grave**.

누군가 그녀의 무덤을 짓밟았다.

02 근엄한, 진지한

She had a **grave** look on her face.

그녀는 근엄한 얼굴 표정을 지었다.

03 중대한

We have some **grave** matters to discuss.

우리는 의논해야 할 몇 가지 중대한 문제들이 있다.

04 심상치 않은, 위독한

The condition of the patient is **grave**.

그 환자의 상태는 심상치 않다.

habitat
[ˈhæbətæt]

01 서식지

130 Siberian tigers were found in wildlife **habitats** in Russia.

시베리아 호랑이 130마리가 러시아의 야생 서식지에서 발견되었다.

02 거주지

People are losing their **habitats** more and more.

사람들은 그들의 거주지를 점점 더 잃어 가고 있다.

hand
[hænd]

01 소유

The property is no longer in his **hands**.

그 재산은 더 이상 그의 소유가 아니다.

02 능력, 솜씨

It does not matter that they are multiples or that we cannot actually see the artists' **hand** in the facture of the work.

그들이 대량 생산한 미술 작품이라는 것이나 우리가 실제로 그 작품의 질적인 면에서 예술가의 능력을 알아보지 못한다는 것은 중요하지 않다.

03 전문가, ~에 뛰어난 사람

I'm a great **hand** at inventing.

나는 발명하는 데 뛰어난 전문가이다.

04 필체

Our French teacher writes a good **hand**.

우리 프랑스어 선생님은 필체가 좋다.

05 일꾼

The farm employed ten extra **hands**.

그 농장은 10명의 일꾼을 추가로 고용했다.

06 도움

Do you need a **hand**?

도움이 필요하신가요?

07 건네주다

Please **hand** him that album.

그에게 그 앨범 좀 건네주세요.

50 **handle**
[ˈhændl]

01 처리하다, 다루다

The machines allow man to **handle** many problems easily.

그 기계는 인간이 많은 문제들을 쉽게 처리할 수 있게 해 준다.

02 손잡이

Hold on to the **handle** tightly.

손잡이를 꼭 잡으세요.

hang [hæŋ]

01 매달다, 걸다, 치다

An old lady's portraits are **hanging** on the dining-room wall.

한 노부인의 초상화들이 식당 벽에 걸려 있다.

02 교수형에 처하다

The criminal was **hanged** in the prison yard three years ago.

3년 전 그 죄수는 교도소 마당에서 교수형에 처해졌다.

03 (아래로) 늘어지다

The lion's tongue was **hanging** out.

그 사자의 혀가 밖으로 늘어지고 있었다.

04 hang out with: ~와 시간을 보내다, 어울리다

You'd better **hang out with** her.

너는 그녀와 시간을 보내는 것이 낫다.

2014 9급

hard [hɑ:rd]

01 어려운, 힘든

cf. hardship 고난

It is **hard** to say who is better.

누가 더 낫다고 말하기 어렵다.

02 열심히

The State of California is working **hard** to enhance the quality of its telephone service.

캘리포니아 주는 전화 서비스의 질을 향상시키기 위해 열심히 일하고 있다. 2011 7급

03 딱딱한

The cheese was too **hard** to eat.

그 치즈는 너무 딱딱해서 먹을 수가 없었다.

04 심하게

It was raining **harder** than ever.

그 어느 때보다 비가 더 심하게 내리고 있었다.

haunt [hɔ:nt]

01 유령이 출몰하다, 자주 나타나다

In the past, Mr. Cage owned the "most **haunted** house in America" and even a castle in Germany.

과거에 Cage 씨는 "미국에서 가장 유령이 많이 출몰하는 집"을 소유하고 있었고, 심지어 독일에 성도 소유하고 있었다.

02 머리에서 떠나지 않다, 늘 따라다니다

I was **haunted** by her last words.

그녀의 마지막 말이 내 머리에서 떠나지 않았다.

03 자주[즐겨] 가는 곳

The park is the children's favorite **haunt**.

그 공원은 아이들이 가장 자주 가는 곳이다.

head [hed]

01 이끌다

Charles Thomson **headed** the expedition.

Charles Thomson이 그 탐험대를 이끌었다.

02 나아가다, 향하다

They **headed** towards the house.

그들은 그 집으로 향했다.

03 상단 부분, 윗부분

He put his address at the **head** of the letter.

그는 편지의 상단에 그의 주소를 썼다.

04 두뇌, 지력

Teaching can be more like guiding and assisting than forcing information into a supposedly empty **head**.

가르침이란 비어 있다고 생각되는 머리에 정보를 집어넣는 것이라기보다는 길을 안내하고 도와주는 것과 더 같을 수도 있다. 2011 7급

05 **heart** [hɑ:rt]

01 핵심부, 중심

These experiments reveal the paradox at the **heart** of today's computer science.

이 실험들은 오늘날 컴퓨터 공학의 핵심부에 자리잡은 역설을 드러내 보인다.

02 심장

Just like it's better to maintain a healthy **heart** than recover from a heart attack, dealing with emotional issues is easier before the chaos of a crisis breaks.

건강한 심장을 유지하는 것이 심장 마비에서 회복되는 것보다 더 나은 것과 마찬가지로, 위기의 혼란이 시작되기 전에 감정적인 문제들을 처리하는 것이 더 쉽다. 2011 7급

03 연정, 동정

Her mother said that she had died of a broken **heart**.

그녀의 어머니는 그녀가 실연으로 죽었다고 말했다.

heavy
['hevi]

01 무거운

The rock is too **heavy** for the boy to lift.

그 바위는 그 소년이 들어올리기에는 너무 무겁다.

02 대량의, 강한

Sounds great! But I've heard there will be a **heavy** snowfall.

좋습니다! 그런데 폭설이 내릴 거라고 들었습니다. 2012 7급

03 우울한, 힘겨운

It is with a **heavy** heart that I pass on the sad news.

그 슬픈 소식을 전하게 되어 무거운 마음입니다.

04 둔하고 느린, 서투른
cf. laid-back 태평스러운

He recognized her **heavy** step on the street.

그는 거리에서 그녀의 느릿한 발걸음을 알아차렸다.

high
[haɪ]

01 높이, 높게

A jet plane flies very **high**.

제트 비행기는 매우 높이 비행한다.

02 높은

The act of teaching is looked upon as a flow of knowledge from a **higher** source to an empty container.

가르치는 행위는 더 높은 근원에서 빈 그릇까지 지식의 흐름으로서 간주된다. 2011 7급

03 값비싼, 귀중한

The price of this ring is **high**.

이 반지의 가격은 비싸다.

hit
[hit]

01 ~에 이르다, 도착하다

You will need such an interest when you **hit** the forties.

여러분이 40대에 이르렀을 때는 그런 흥미거리를 필요로 할 것이다.

02 생각이 나다, 떠오르다

Then I look at the man who sits next to me for the first time — and suddenly it **hits** me.

그때 나는 처음으로 내 옆에 앉은 남자를 본다. 그리고 갑자기 그것이 떠오른다. 2011 7급

03 혹평하다, 괴롭히다

The readers **hit** her new novel harshly.

독자들은 그녀의 새로운 소설을 신랄하게 혹평했다.

04 타격을 주다, ~에 영향을 미치다

The bad news **hit** us very hard.

그 나쁜 소식은 우리에게 매우 큰 타격을 주었다.

05 충돌하다, 부딪치다

The taxi **hit** the car at the bus stop.

그 택시는 버스 정류소에서 그 차와 충돌했다.

hold
[hoʊld]

01 열다, 개최하다

They are going to **hold** a meeting next Saturday.

그들은 다음 주 토요일에 모임을 열 것이다.

02 수용하다

This room can **hold** fifty people.

이 방은 50명의 사람을 수용할 수 있다.

03 유지하다

He had trouble **holding** his balance.

그는 균형을 유지하느라 애를 먹었다.

04 가지고 있다

Everything we experience and everybody we encounter will carry the scent we **hold** in our mind.

우리가 경험하는 모든 것과 마주치는 모든 사람은 우리가 마음속에 지니는 향기를 가져올 것이다. 2011 7급

10 **homely**
['hoʊmli]

01 못생긴, 매력 없는

Johansson is beautiful, but her friend is **homely**.

Johansson은 아름다운데, 그녀의 친구는 못생겼다.

02 검소한, 세련되지 않은

Even though she is famous, she hasn't forgotten her **homely** manners.

그녀는 유명함에도 불구하고, 검소한 태도를 잊지 않았다.

03 따뜻한, 가정적인

What a cozy, **homely** atmosphere!

얼마나 아늑하고 따뜻한 분위기인가!

horror
['hɒrə], ['hɔːrər]

01 공포, 혐오

I will discuss the case of cannibalism, which of all savage practices is no doubt the one that inspires the greatest **horror** and disgust.

저는 식인주의에 관해 논의할 것인데, 이것이 모든 야만 풍습 중에서도 가장 큰 공포심과 혐오감을 불러일으키는 행동임은 의심할 여지가 없다. 2012 9급

hospitality
[hɒspə'tæləti]

01 환대

She gave **hospitality** to me.

그녀는 나를 환대해 주었다.

house
[haʊs], [haʊz]

01 집, 주택

How long does it take from my **house** to his office?

우리 집에서 그의 사무실까지 얼마나 걸려? 2017 9급

02 의회

She is a member of the **House** of Parliament.

그녀는 영국 국회 의원이다.

03 저장하다, 간수하다

The pyramid-tomb **housed** his or her body with treasure.

피라미드 무덤은 시체를 보물과 함께 안치하였다.

humble
['hʌmbl]

01 겸손한

Many famous people are very **humble**.

많은 유명인들이 매우 겸손하다.

02 검소한, 초라한

It was a **humble** but comfortable house.

그곳은 검소하지만 안락한 집이었다.

03 겸허하게 하다

His own origin serves to **humble** us.

그의 태생을 생각해 보면 우리는 절로 겸허한 생각을 갖게 된다.

04 꺾다, 낮추다

The great king's forces were **humbled** by the enemy forces.

그 위대한 왕의 군대는 적군에 의해서 무너졌다.

15

imagine
[i'mædʒin]

01 상상하다

"The kind of people you can't **imagine** life without," says psychologist Laura Carstenson.

"이 사람들이 없는 삶은 상상할 수 없다."라고 심리학자 Laura Carstenson은 말한다. 2013 7급

02 생각하다

I **imagine** you're right.

나는 당신이 옳다고 생각한다.

03 추측하다

I cannot **imagine** what you mean.

나는 당신이 무엇을 말하는지 추측할 수 없다.

implant
[ɪm'plænt]

01 이식하다

They tried to **implant** his liver to her.

그들은 그의 간을 그녀에게 이식하기 위해서 애썼다.

02 심다, 주입하다

The government has to **implant** loyalty in citizens.

그 정부는 시민들에게 충성심을 심어야 한다.

indifferent
[in'difərənt]

01 무관심한(= apathetic)

He was **indifferent** about his painting and enjoyed only frivolity.

그는 자신의 그림에 대해 무관심하고 까불기만 하였다. 2013 7급

02 그저 그런, 평범한

I didn't like the restaurant much — the food was **indifferent** and the service rather slow.

나는 그 식당이 그렇게 마음에 들진 않았다. 음식은 그저 그랬고 서비스는 다소 굼떴다.

industry
[indəstri]

01 산업

The home shopping **industry** started almost 30 years ago.

홈쇼핑 산업은 거의 30년 전에 시작되었다. 2013 7급

02 근면

Not only ability but also **industry** is needed for success.

능력뿐만 아니라 근면도 성공에 필요하다.

infinite
[infənət]

01 무한한

Changeable conclusions are **infinite**.

바뀔 수 있는 결론은 무한하다. 2015 9급

02 막대한

There are an **infinite** number of stars in the night sky.

밤하늘에는 막대한 수의 별들이 있다.

20 **inherit**
[in'herit]

01 물려받다, 상속하다

Now, however, fathers have nothing for their children to **inherit**.

그러나 지금, 아버지들은 자신의 아이들이 물려받을 어떤 것도 갖고 있지 않다. 2012 9급

initiate
['iniʃieit]

01 시작하다, 창시하다

The printing press certainly **initiated** an 'information revolution' on par with the Internet today.

인쇄기는 확실히 오늘날의 인터넷과 동등하게 '정보 혁신'을 시작했다. 2011 9급

02 원리를 가르치다, 비법을 전수하다

She **initiated** us into the mysteries of science.

그녀는 우리에게 과학의 신비를 가르쳐 주었다.

03 가입시키다, 입회시키다

We decided to **initiate** the man into our secret club.

우리는 그 남자를 우리의 비밀 클럽에 가입시키기로 결정했다.

instrument
['instrəmənt]

01 악기

What do you say to learning how to play a new **instrument**?

새로운 악기를 연주하는 법을 배워 보는 건 어떨까요?

02 도구, 기구

Timothy Osborn and Keith Briffa of UEA analyzed **instrument** measurements of temperatures from 1856 onwards to establish the geographic extent of recent warming.

UEA(이스트앵글리아 대학교)의 Timothy Osborn과 Keith Briffa는 최근 온난화의 지리학적 범위를 정립하기 위해 1856년부터 계속 온도의 도구 측정을 분석했다. 2010 9급

intend
[ɪn'tend]

01 ~할 작정이다

He **intends** that this reform shall be carried through this year.

그는 금년에 이 개혁을 성취할 작정이다.

02 의도하다

Affiliative speech is **intended** to establish and maintain relationships.

친화적 말하기란 관계를 맺고 유지하기 위해 의도된 것이다. 2012 7급

interest
['ɪntrəst]

01 흥미를 주다

I talked about everything that **interested** me.

나는 나에게 흥미를 주는 모든 것들에 대해 이야기했다.

02 관심(사), 호기심

Up to the middle of the 19th century, the chief **interest** of the historian and of the public alike lay in the ruling classes.

19세기 중반까지, 역사가들과 대중들의 주요 관심사는 모두 지배 계층에 있었다. 2013 7급

03 이자, 이익

She borrowed 500 dollars at a hundred percent **interest**.

그녀는 100%의 이자로 500달러를 빌렸다.

25 **interview**
['ɪntərvjuː]

01 면접, 인터뷰

I had an **interview** with the boss and he offered me a slightly higher salary.

나는 상사와 인터뷰를 했고 그는 나에게 약간 더 높은 급여를 제시했다. 2011 7급

02 취재, 방문

According to **interviews** in a Ms. magazine with women who have undergone breast implant surgery, many women felt effects like crippling fatigues, joint pain, and irritable skin which leads to skin rashes.

유방 확대 수술을 받은 여성들에 대한 여성 잡지 취재에 따르면, 많은 여성들이 극심한 피로, 관절통, 피부 발진을 초래하는 과민성 피부 등과 같은 영향을 느꼈다고 한다. 2010 7급

03 회견, 대담

At her press **interview**, she was asked how she felt about the result.

기자 회견에서 그녀는 그 결과에 관하여 어떻게 느꼈는지 질문받았다.

invalid
[ˈɪnvəliːd], [ɪnˈvælɪd]

01 환자

He was so weak as to be considered an **invalid**.

그는 매우 몸이 약해서 환자로 여겨질 정도였다.

02 무효의

A will without a signature is **invalid**.

서명이 되어 있지 않은 유언장은 무효이다.

jam
[dʒæm]

01 밀어 넣다, 채워 넣다

I can't **jam** another thing into this small bag.

나는 이 작은 가방 속에 또 다른 것을 밀어 넣을 수 없다.

02 혼잡

The man was late for the meeting because of a traffic **jam**.

그 남자는 교통 혼잡 때문에 모임에 늦었다.

03 잼

My daughter likes strawberry **jam**.

나의 딸은 딸기잼을 좋아한다.

join
[dʒɔin]

01 합류하다

Someone is asked to **join** a group who is helping to study the discrimination of length.

오랜 차별에 대한 연구를 도와줄 누군가가 그룹에 합류하도록 요구된다. 2011 7급

02 연결하다, 결합하다

North America and South America are **joined** by Central America.

북아메리카와 남아메리카는 중앙아메리카에 의해서 연결된다.

joint
[dʒɔint]

01 이음새, 연결 부위

The **joints** of the chair are loose.

그 의자의 이음새가 느슨하다.

02 관절

The **joint** sensory receptors and muscles send signals about the movement of the muscles and the position in which the body is.

관절 감각 수용기와 근육들은 근육들의 움직임 그리고 신체가 어떤 위치에 있는지에 대해 신호를 보낸다. 2013 9급

03 공동의, 연합의

The women were **joint** owners of the land.

그 여성들은 그 땅의 공동 소유자들이었다.

30

judge
[dʒʌdʒ]

01 판단하다

Be sure to **judge** whether or not the level of exercise activity is appropriate as you are participating in the sport.

당신이 운동에 참여할 때 운동 활동의 수준이 적절한지 아닌지 확실히 판단하도록 하라. 2011 9급

02 판사

At last, the **judge** sentenced the murderer to death.

마침내, 판사는 그 살인자에게 사형 선고를 내렸다.

03 심판, 심사원

The panel of **judges** included several well-known businessmen.

심사원단 중에는 몇 명의 유명한 사업가들도 포함되어 있었다.

justification
[dʒʌstɪfɪˈkeɪʃən]

01 정당화(하는 것), 타당한 이유

He has a strong **justification** for believing it.

그는 그것을 믿을 만한 강력한 정당성을 가지고 있다.

02 변명

He has a **justification** of the crime.

그는 그 범죄에 대한 변명을 하고 있다.

keen
[ki:n]

01 날카로운

The sword was old, but it had a **keen** edge.

그 검은 낡았지만, 날카로운 날을 갖고 있었다.

02 열망하는, 몹시 하고 싶어하는

They were **keen** about going on a picnic.

그들은 소풍 가는 것을 몹시 원했다.

03 예민한, 예리한

Politicians are **keen** on setting concrete moral standards with respect to greenhouse-gas emission.

정치인들은 온실가스 배출에 대한 구체적인 도덕적 기준 설정에 예민하다. 2010 7급

keep
[ki:p]

01 오래가다

This kind of fruit **keeps** the longest in summer.

여름에는 이런 종류의 과일이 가장 오래간다.

02 계속 ~하게 하다, 두다

I'm sorry that I **kept** you waiting, but I don't feel very well today.

계속 기다리게 해서 미안한데, 난 오늘 몸이 별로 좋지 않아. 2011 7급

labor
[ˈleɪbər]

01 노동하다, 애쓰다

Let us **labor** for a better life.

더 나은 삶을 위하여 노력합시다.

02 노동자, 노동

So are the libraries of a law office, a weather bureau, a **labor** union, a museum, an arboretum, or an encyclopedia publishing firm.

법률 사무소, 기상청, 노동 조합, 박물관, 수목원, 또는 백과사전 출판회사의 도서관들도 그러하다. 2012 9급

03 산고, 진통

His wife is now in **labor**.

그의 아내는 지금 진통 중이다.

35 **land**
[lænd]

01 육지, 땅

When Nero died, the new emperor, Vespasian, destroyed Nero's house in order to give the **land** back to the people.

Nero가 죽었을 때, 새로운 황제 Vespasian은 국민들에게 땅을 돌려주기 위해서 Nero의 집을 부쉈다. 2012 9급

02 나라, 국토

We visited many **lands** during our travels.

우리는 여행하는 동안 많은 나라를 방문했다.

03 착륙하다, 떨어지다

The air hostess with the French plait is smiling down at me. "We've **landed**."

한 가닥으로 땋은 머리를 한 비행기 여승무원은 나를 쳐다보며 웃고 있다. "저희는 착륙했습니다." 2011 7급

last
[læst], [lɑ:st]

01 지속하다, 계속하다

These tires will **last** for a long time.

이 타이어들은 오랫동안 지속될 것이다.

02 지난

I didn't sleep a wink **last** night.

나는 지난밤에 한숨도 자지 않았다. 2013 7급

03 마지막의

He saw her for the **last** time.

그는 그녀를 마지막으로 보았다.

04 마지막으로, 최후에

I **last** heard from my son when he was in Kuwait, two days before the war began on March 20.

나는 아들이 쿠웨이트에 있을 때 마지막으로 소식을 들었는데, 그날은 3월 20일 전쟁이 일어나기 이틀 전이었다.

lay
[lei]

01 놓다, 두다

Lay the books on the table.

책들은 테이블 위에 두어라.

02 매장하다, 눕히다

He saw them **lay** the body in the grave.

그는 그들이 시신을 무덤에 묻는 것을 보았다.

03 (알을) 낳다

We shared the wonder of owning a goose that could **lay** golden eggs.

우리는 황금알을 낳는 거위를 갖는 경이로움을 공유했다. 2012 9급

lead
[li:d], [led]

01 이어지다, 이끌다, 연결되다

Such praises **lead** to negative consequences later in life.

그러한 칭찬들은 향후 인생에서 안 좋은 결과로 이어진다. 2013 7급

02 선두, 우세

The black horse took the **lead** again.

검정색 말이 다시 선두에 섰다.

03 납

A belt with two to seven pounds of **lead** in it will help them to stay down.

2 내지 7파운드의 납을 담은 벨트는 그들이 (물) 아래에서 머물도록 도와줄 것이다.

leave
[li:v]

01 떠나다

Animals that engage in aggressive behavior are mainly attempting to force the weaker members to **leave** the area.

공격적인 행동을 하는 동물들은 더 약한 구성원들이 그 지역을 떠나도록 주로 압력을 행사하고 있다. 2011 7급

02 ~인 채로 남겨 두다

Leave the windows open when it is hot.

더울 땐 창문들을 열어 두어라.

03 남기다, 두고 가다

She didn't **leave** her son much money.

그녀는 아들에게 많은 돈을 남기지 않았다.

04 휴가

We have only two **leaves** in a year.

우리는 일 년에 오직 두 번의 휴가가 있다.

05 허락

Only give us **leave** to go home.

우리가 집에 가도록 허락만 해 주십시오.

letter
[ˈletər]

01 글자

There are 24 **letters** in Han-geul, the Korean alphabet.

한국의 글자인 한글에는 24글자가 있다.

02 편지

Are there any **letters** for him?

그에게 온 편지가 있습니까?

03 [pl.] 문학

She grew up to be a woman of **letters**.

그녀는 자라서 여류 문학자가 되었다.

level
[ˈlevəl]

01 정도[수준], 고도, 높이

This distinction is predicated on a theory of economic growth where there is long-term growth in the economy and price **level**, which is widely accepted in economics.

이 구별은 경제학에서 널리 받아들여지는 경제와 가격 수준에 장기 성장이 존재한다는 경제 성장 이론에 입각한 것이다. 2013 7급

02 평평하게 하다

He **levelled** off the wet concrete with a piece of wood.

그는 나무 조각 하나로 젖은 콘크리트를 평평하게 했다.

lie
[lai]

01 눕다

You must be tired. **Lie** down and sleep.

너는 틀림없이 피곤할 것이다. 누워서 자거라.

02 위치해 있다, 놓여 있다

A person's value **lies** not so much in what he has as in what he is.

사람의 가치는 그가 가진 것이 아니라 그가 누구인지에 있다. 2013 7급

03 위치, 방향, 형세

She set out to determine the **lie** of the land.

그녀는 땅의 형세를 알아내기 위해 출발했다.

04 거짓말

Don't tell a **lie**.

거짓말하지 말아라.

lift
[lift]

01 들어 올리다

Beckham **lifted** out a necklace from the window.

Beckham은 진열창에서 목걸이를 들어 올렸다.

02 엘리베이터, 승강기

Brad Pitt and Angelina Jolie took the **lift** to the 63rd floor.

Brad Pitt와 Angelina Jolie는 63층까지 엘리베이터를 탔다.

03 철폐하다, 해제하다

In order to curb Chinese regional ambitions, the U.S. must strive to **lift** the economic embargo, open diplomatic relations, and support the cause of economic reform in Vietnam.

중국의 지역적 야심을 억제하기 위해, 미국은 경제 봉쇄를 철폐하고, 외교 관계를 수립하며, 베트남 경제 개혁의 대의를 지원하기 위해 노력해야만 한다. 2013 7급

light
[laɪt]

01 비추다

While we both were watching TV, the pictures brightly **lighted** the dark living room.

우리 둘 다 TV를 보고 있는 동안, 화면들이 어두운 거실을 밝게 비추었다.

02 밝은

The room is always **light**.

그 방은 항상 밝다.

03 빛

The astronomer saw a **light** in the distance.

천문학자는 멀리서 빛을 보았다.

04 가벼운

She was wearing a **light** coat.

그녀는 가벼운 코트를 입고 있었다.

05 깊지 않은, 얕은

He is a **light** sleeper.

그는 선잠을 잔다.

45 **likely**
[ˈlaɪkli]

01 있을 법한

This is a very **likely** story.

이것은 대단히 그럴 듯한 이야기이다.

02 유망한, 가망 있는

Which is the most **likely** candidate?

어느 쪽이 가장 유망한 후보인가?

03 ~할 것 같은

Whereas a baby might show fear of an adult stranger, he or she is **likely** to smile and reach out for an unfamiliar infant.

아기는 낯선 성인에게는 두려움을 보이는 반면, 낯선 다른 아기에게는 웃으며 다가갈 것 같다. 2012 7급

limit
[ˈlɪmɪt]

01 제한하다, 한정하다

The man was told to **limit** the expense to two hundred dollars.

그 남자는 비용을 200달러로 제한하라는 지시를 받았다.

02 한계, 제한

Latin America reached the **limits** of one model of economic development in the early 1980s, and is shifting rapidly to another.

라틴 아메리카는 1980년대 초에 경제 발전의 한 모델의 한계에 도달했고, 다른 것으로 빠르게 바뀌고 있다. 2013 7급

03 범위

the upper **limit** of the tidal reaches

조수가 닿는 최고 범위

limp
[lɪmp]

01 축 늘어진, 기운이 없는

Flowers and plants often look **limp** in hot weather.

꽃들과 식물들은 무더운 날씨에 종종 축 늘어진 것처럼 보인다.

02 표지가 얇은, 부드러운

The books had **limp** covers.

그 책들은 표지가 얇았다.

03 다리를 절다

She **limps** along the road.

그녀는 절뚝거리며 길을 걸어간다.

04 절뚝거림

She walks with a **limp**.

그녀는 절뚝거리며 걷는다.

list
[list]

01 목록, 명단, 명부

Here's the **list** of our responsibilities.

여기 우리의 책임 목록이 있다. 2012 7급

02 목록을 작성하다

He **listed** the articles he was going to buy.

그는 사려는 품목들의 목록을 작성했다.

litter
['lɪtər]

01 어지럽히다, 더럽히다

His yard was **littered** with bottles and cans.

그의 마당은 병들과 깡통들로 어질러져 있었다.

02 어질러져 있는 것들

The floor was covered with a **litter** of magazines, clothes, and empty cups.

바닥에는 온통 잡지들, 옷가지들, 그리고 빈 컵들이 어질러져 있었다.

03 짚을 깔다

The farmers **littered** the stall down.

농부들은 마구간에 짚을 깔았다.

04 깃, 깔짚

She spread lots of **litter** in the stall.

그녀는 많은 짚을 마구간에 뿌렸다.

50 **live**
[lɪv], [laɪv]

01 살다

The payment of his debts left him nothing to **live** on.

그는 빚을 갚고 나니 먹고 살아갈 수가 없게 되었다. 2013 7급

02 살아 있는

We brought back **live** animals to the zoo.

우리는 살아 있는 동물들을 동물원으로 다시 데려왔다.

03 생방송의, 실황의

It was a **live** broadcast, not a recording.

그것은 생방송이며, 녹음이 아니었다.

DAY 05

locate
['loʊkeɪt]

01 ~의 위치를 찾아내다, 알아내다

She **located** the town that I was looking for.

그녀는 내가 찾고 있는 마을의 위치를 찾아냈다.

02 (특정 위치에) 두다, 설치하다

We **located** our new office on main street.

우리는 (시내) 중심가에 새 사무소를 차렸다.

03 ~에 위치하다

Located on a hill near Charlottesville, Virginia, it has a beautiful view of the surrounding countryside.

Virginia 주 Charlottesville 근처의 언덕에 위치한 그곳은 시골에 둘러싸여 아름다운 전망을 가지고 있다. 2010 7급

long
[lɔːŋ]

01 갈망하다

We are **longing** to see the new baby.

우리는 새 아기를 만나는 것을 간절히 바라고 있다.

02 긴

That will start a **long** argument about whether "east central Europe" or "central Europe" is the best way of describing the ex-communist region.

그것은 "중동부 유럽" 또는 "중앙 유럽"이 이전 공산주의 지역을 설명하는 가장 좋은 방법인지에 대한 긴 논쟁을 시작할 것이다. 2011 7급

lose
[luːz]

01 줄이다

She started to eat less and less to **lose** weight.

그녀는 체중을 줄이기 위해 점점 더 적게 먹기 시작했다. 2010 7급

02 지다, 패하다

The team played well, but **lost** the game again.

그 팀은 경기를 잘했으나, 또 지고 말았다.

03 (시계가) 늦다

This watch **loses** two minutes a day.

이 시계는 하루에 2분씩 늦는다.

04 잃다, 빼앗기다

Because of illness, she **lost** the chance of getting a place in the team.

병 때문에, 그녀는 그 팀에 배치될 기회를 잃었다.

lounge
[laʊndʒ]

01 라운지, 휴게실

Let's meet him at the hotel **lounge**.

호텔 라운지에서 그와 만납시다.

02 어슬렁거리다, 빈둥거리다

The cats **lounge** around the park.

그 고양이들은 공원을 어슬렁거린다.

05 **lower**
[ˈloʊər]

01 ~을 낮추다

Lower your aim before you shoot.

쏘기 전에 표적을 낮춰라.

02 ~을 내리다

We **lowered** the flag at sundown.

우리는 해가 지자 깃발을 내렸다.

03 품위를 떨어뜨리다

She would never **lower** herself by taking bribes.

그녀는 결코 뇌물을 받음으로써 스스로 품위를 떨어뜨리지 않을 것이다.

04 더 낮은, 아래쪽의

Lower rates and other deals sound great, until you find out what you're really paying.

더 낮은 요금과 다른 거래들은 당신이 진짜 무엇을 지불하고 있는지 알아내기 전까지는 좋게 들린다. 2010 9급

main
[mein]

01 주된, 주요한

Observations have revealed that there are probably four **main** ways in which animals in confined spaces try to overcome their monotony.

관찰은 제한된 공간에 있는 동물들이 자신의 단조로움을 극복하려고 노력하는 데는 아마도 네 가지 주된 방법들이 있다는 것을 보여주었다. 2013 7급

02 (수도 · 가스 등의 배관에서) 본관

Numerous leaks have developed from broken water pipes and **mains**.

수많은 누출은 부서진 수도관들과 본관들에서 발생했다.

major
[ˈmeidʒər]

01 ~을 전공하다

What do they **major** in at the university?

그들은 대학에서 무엇을 전공하니?

02 전공

The **major** of most students was computer science.

대부분의 학생들의 전공은 컴퓨터 공학이었다.

03 소령

He was a **major** in the army.

그는 육군 소령이었다.

04 주요한, 큰 쪽의, 대부분의

Traditional education policies, based principally on extending coverage to more students, are inadequate to the **major** social and economic changes currently sweeping the region.

더 많은 학생들에게 혜택을 확장하는 원칙을 기본으로 하는 기존의 교육 정책은 현재 그 지역을 휩쓸고 있는 주요 사회적 · 경제적 변화에는 적절하지 않다. 2013 7급

make up

01 화해하다

First, we fight and then we **make up**.

먼저, 우리는 싸우고 나서 화해한다.

02 보상하다

We will **make up** for your losses.

우리가 너의 손실을 보상하겠다.

03 화장하다; 화장

The girl **made up** her face.

그 소녀는 얼굴에 화장을 했다.

04 구성하다

Twelve players **make up** a team.

12명의 선수가 한 팀을 구성한다.

manage
[ˈmænidʒ]

01 경영하다, 관리하다

Companies must **manage** their brands carefully.

회사는 브랜드를 신중하게 관리해야 한다. 2013 7급

02 조종하다, 조작하다, 다루다

The man knows how to **manage** a sailing-boat.

그 남자는 범선을 조종하는 방법을 알고 있다.

03 용케 ~해내다

In spite of those insults, he **managed** to keep his temper.

그러한 모욕에도 불구하고, 그는 용케 참아냈다.

10 **manual**
['mænjuəl]

01 수동의; 육체 노동의

Manual workers often earn more than office workers.

육체 노동자들은 사무직 노동자들보다 흔히 더 많은 돈을 번다.

02 안내서, 소책자, 입문서

I didn't look into the **manual** hard enough.

나는 안내서를 꼼꼼히 들여다보지 않았다.

mark
[mɑːrk]

01 표시하다; 표시

You have to **mark** it on the calendar.

너는 달력에 그것을 표시해야만 한다.

2011 9급

02 기념하다, 축하하다

They held the party to **mark** the anniversary.

그들은 그 기념일을 축하하기 위해 파티를 열었다.

03 특징짓다, 눈에 띄이게 하다

He has the qualities that **mark** a good nurse.

그는 훌륭한 간호사를 특징짓는 자질을 갖고 있다.

04 점수

The girl always receives high **marks** for her work.

그 소녀는 일에 대해 항상 높은 점수를 받는다.

mass
[mæs]

01 대중의, 대규모의

It did not become a powerful **mass** movement.

그것은 강력한 대중 운동이 되지 못했다.

02 일반 대중

The educated American **masses** helped create the American century, as some economists have written.

몇몇 경제학자들이 기술한 것처럼, 교육을 받은 미국의 대중은 미국의 세기를 만드는 데 일조하였다.

2013 7급

03 덩어리

The ship cut its way slowly through **masses** of ice.

그 배는 얼음 덩어리들 사이를 통해 천천히 나아갔다.

04 집단, 다수(= legion)

There are **masses** of students in here.

여기에 많은 학생들이 있다.

05 미사, 미사 의식

My family goes to **mass** on Sundays.

우리 가족은 일요일마다 미사를 드린다.

06 모이다

The students **massed** in London in May.

학생들은 5월에 런던에서 모였다.

master
['mæstər]

01 거장, 대가

She was recognized as a **master** of animation.

그녀는 애니메이션의 거장으로 인정받았다.

02 주인

Every dog knows its **master**.

모든 개는 자기 주인을 안다.

03 원본, 원판

From the **master** copy, make a second one.

그 원본으로부터, 복사본을 만들어라.

04 숙달하다

Reading is much more complex than simply **mastering** phonemic awareness and alphabet recognition.

독해는 단순히 음소 인식과 알파벳 인식을 숙달하는 것보다 훨씬 더 복잡하다.

2014 9급

match
[mætʃ]

01 아주 잘 어울리는 것; 어울리다

The yellow shirt and gray tie are a good **match**.

노란색 셔츠와 회색 넥타이는 서로 잘 어울리는 것이다.

02 적수, 경쟁 상대(= competitor)

Beckham is no **match** for his brother at chess.

Beckham은 체스에서 자기 형의 적수가 못된다.

03 시합, 경기

Who won the **match**?

누가 그 시합에서 이겼니?

04 성냥

She bought a box of **matches** at the store.

그녀는 상점에서 성냥 한 갑을 샀다.

05 연결시키다

The most important high-tech threat to privacy is the computer, which permits nimble feats of data manipulation, including retrieval and **matching** of records that were almost impossible with paper stored in file cabinets.

개인 정보 보호에 대한 가장 중대한 첨단 기술의 위협은 컴퓨터인데, 컴퓨터는 캐비닛에 보관된 문서로는 거의 불가능했던 기록의 검색과 연결을 포함한 데이터 조작이라는 민첩한 업무를 허용한다. 2013 9급

15 **matter** [ˈmætər]

01 문제

Extrapolation from animal models will always remain a **matter** of hindsight.

동물 견본에서 나온 추정은 항상 뒤늦은 깨달음의 문제로 남을 것이다. 2013 9급

02 (걱정·고민 등의 원인이 되는) 일[문제]

Why? What's the **matter**?

왜? 무슨 일이야? 2013 7급

03 물질

Scientists have calculated the entire amount of **matter** in the universe.

과학자들은 우주 내의 물질의 전체 양을 산출해 냈다.

04 중요하다

Your happiness is the only thing that **matters**.

당신의 행복만이 유일하게 중요하다.

mean [mi:n]

01 돈, 재산(보통 means)

She has the **means** with which to buy the car.

그녀는 그 자동차를 살 만한 재산을 갖고 있다.

02 수단, 방법(보통 means)

Some students make the mistake of thinking that mathematics consists solely of solving problems by **means** of formulas and rules.

어떤 학생들은 수학이 전적으로 수식과 규칙의 방법으로 문제들을 해결하는 것으로 구성되어 있다고 잘못 생각한다. 2010 9급

03 ~을 의미하다

Their achievement does not suggest, of course, that the pigeons had any idea what the human expressions **meant**.

물론 그들의 성취가 인간의 표정이 무엇을 의미했는지 비둘기가 알았다는 말은 아니다. 2013 7급

04 평균의, 보통의

The **mean** yearly rainfall in the region is 20 inches.

그 지역의 연평균 강우량은 20인치이다.

measure [ˈmeʒər]

01 조치, 정책

Politicians are not taking any effective **measure** to reduce greenhouse effects.

정치가들은 온실 효과를 감소하기 위한 아무런 효율적인 조치도 취하고 있지 않다. 2010 7급

02 도량 단위

Inches and feet are **measures** frequently used in the U.S.

인치 및 피트는 미국에서 자주 쓰이는 도량 단위이다.

03 기준, 척도

This test is a good **measure** of reading comprehension.

이 테스트는 독해력에 대한 훌륭한 척도가 된다.

04 재다, 측정하다

He **measured** his waist.

그는 그의 허리둘레를 재었다.

meet [mi:t]

01 만나다

We often **meet** on the street.

우리는 거리에서 자주 만난다.

02 교차하다

The two roads **meet** just north of London.

그 두 길은 런던의 바로 북쪽에서 교차한다.

03 충족시키다, 채우다

They bought shares in new wind turbines, which generated the capital to build 11 large land-based turbines, enough to **meet** the entire island's electricity needs.

그들은 새로운 풍력 터빈 주식을 샀는데, 그것은 섬 전체의 전기 수요를 충족시키기에 충분한 11대의 큰 육상 터빈을 지을 수 있는 자본을 창출했다. 2014 9급

mind
[maɪnd]

01 마음, 정신; 의향, 생각

Meditation involves focusing the **mind** on a single object or word.

명상은 하나의 사물이나 단어에 마음을 집중시키는 것을 포함한다.

02 (정신·지적 소유자로서의) 인간, 사람

She is one of the greatest **minds** of the day.

그녀는 오늘날의 위대한 사람들 중 하나이다.

03 꺼리다

He doesn't **mind** getting a letter from her.

그는 그녀에게서 편지 받는 것을 꺼려하지 않는다.

04 돌보다

Beckham **minded** the baby while his wife was out.

아내가 외출 중일 때 Beckham은 아기를 돌보았다.

20 **mine**
[maɪn]

01 나의 것

This car is **mine**.

이 차는 내 것이다.

02 지뢰

Many of them were killed by an enemy **mine**.

그들 중 다수가 적의 지뢰에 목숨을 잃었다.

03 보고, 축적

The old men are a **mine** of information about the village.

그 노인들은 그 마을에 대한 정보의 보고 같은 존재이다.

04 광산

Her father owns a gold **mine**.

그녀의 아버지는 금광을 소유하고 있다.

05 채굴하다

The laborers are **mining** for gold.

그 인부들은 금맥을 채굴하고 있다.

miss
[mɪs]

01 (겨냥한 것을) 놓치다, 빗맞히다

Two players **missed** the ball.

두 선수는 그 공을 놓쳤다.

02 그리워하다

I'll **miss** you when you leave.

당신이 떠나면 난 당신을 그리워할 것이다.

03 ~을 피하다, 면하다

He just **missed** burning his hand.

그는 가까스로 그의 손을 델 뻔한 것을 면했다.

04 이해하지 못하다

He **missed** the point of her speech.

그는 그녀의 연설의 요점을 이해하지 못했다.

05 빠뜨리다

She **missed** his name on her list.

그녀는 그녀의 명단에서 그의 이름을 빠뜨렸다.

06 실수, 실패

After three **misses** she gave up trying to hit the target.

세 번의 실수 후에 그녀는 그 과녁을 맞추려는 시도를 포기했다.

07 미혼 여성, 아가씨

"Excuse me, **miss**?" "What?" I look up dazedly.

"아가씨, 실례합니다." "무슨 일이시죠?" 나는 멍하니 올려다본다. 2011 7급

moderate
['mɒdəreɪt], ['mɒdərət]

01 누그러지다, 완화하다

The wind was too strong all day, but it **moderated** after sunset.

바람이 온종일 너무 세게 불었지만, 해가 진 뒤에는 누그러졌다.

02 알맞은, 적당한

The bus was travelling at a **moderate** speed.

버스는 적당한 속도로 달리고 있었다.

03 온건한

He is a man of **moderate** opinions.

그는 온건한 생각을 가진 사람이다.

motion
['moʊʃən]

01 몸짓, 손짓

This fluid senses **motion** and the direction of **motion** like forward, backward, up or down.

이 액체는 움직임과 앞, 뒤, 위 또는 아래와 같은 움직임의 방향을 감지한다. 2013 9급

02 제안, 제의, 동의(動議)

The **motion** was defeated by vote.

그 제안은 투표에 의해 부결되었다.

03 운동, 움직임

Newton was wondering about the question of **motion**.

뉴턴은 운동에 대한 의문점에 대해 궁금해하고 있었다.

04 [법률] 명령 신청

The defense had to file a **motion** for a court order to force the prosecution to turn over the rest of the evidence.

검사가 나머지 증거를 뒤집을 수 있도록 피고 측은 법원 명령을 위한 (법률) 명령 신청을 제출해야 했다.

05 배변, 변통(便通)

Symptoms include frequent bowel **motions**, a sense of fullness.

증상은 잦은 장의 배변 활동, 팽만감을 포함한다.

06 손짓하다

She opened the door and **motioned** me into the room.

그녀는 문을 열고 나에게 방으로 들어오라고 손짓했다.

move
[muːv]

01 이동시키다, 옮기다

Mr. Rickey took the manager aside and said he would **move** the entire team to another hotel unless the black athlete was accepted.

Rickey 씨는 관리자를 한쪽으로 데려가서 흑인 선수를 받아들이지 않으면 다른 호텔로 팀 전체를 이동시킬 것이라고 말했다. 2011 9급

02 흔들리다

The leaves are **moving** in the strong wind.

나뭇잎들이 강한 바람에 흔들리고 있다.

03 감동시키다

He was deeply **moved** by the story.

그는 그 이야기에 깊이 감동받았다.

04 (안건 등을) 제안[제출]하다

They **moved** a resolution for reform.

그들은 개혁을 위한 결의안을 제출했다.

25 **murmur**
['mɜːrmər]

01 중얼거리다

The child is **murmuring** in her sleep.

그 어린이는 자면서 중얼거리고 있다.

02 투덜거림, 중얼거림

She obeyed her sister without a **murmur**.

그녀는 언니의 말에 투덜거리지 않고 복종했다.

03 졸졸거리는 소리, 속삭임

Children are listening to the **murmur** of the creek.

어린이들이 졸졸 흐르는 시냇물 소리에 귀를 기울이고 있다.

narrow
['næroʊ]

01 좁은

We fought on a **narrow** road.

우리는 좁은 길에서 싸웠다.

02 아슬아슬하게 된, 간신히 얻은

She had a **narrow** escape.

그녀는 간신히 달아났다.

03 ~을 좁히다, 줄이다

She will also work hard to make Brazil a better country for everyone, **narrowing** the gap between the rich and the poor.

그녀는 또한 빈부의 격차를 줄이며 브라질을 모든 사람에게 더 좋은 나라로 만들기 위해 열심히 일할 것이다.

native
['neɪtɪv]

01 태어난 곳의, ~출신의

Canada is my **native** land.

캐나다는 내가 태어난 나라이다.

02 모국어인, 모국어를 하는

He is a **native** speaker of English.

그는 영어가 모국어인 사람이다.

03 원주민의, 토착민의

She didn't like the term **Native** American any more than my mother did.

그녀는 나의 엄마가 그랬던 것만큼이나 아메리카 원주민이라는 용어를 좋아하지 않았다. 2013 9급

nature
['neɪtʃər]

01 본질

The first step in considering the **nature** of sign language is to eradicate traditional misconceptions about its structure and function.

수화의 본질을 고려할 때 첫 번째 단계는 그 구조와 기능에 대한 기존의 오해를 근절하는 것이다. 2010 9급

02 천성

She was polite by **nature**.

그녀는 천성적으로 예절이 바른 사람이었다.

noble
['noʊbəl]

01 고귀한, 숭고한

Giving her life to save the child was a **noble** thing to do.

그 아이를 구하기 위해 그녀의 생명을 바친 것은 고귀한 행동이었다.

02 귀족의

The men are of **noble** birth.

그 사람들은 귀족 집안 태생이다.

03 귀족, 상류층

Some of the **nobles** joined the army.

귀족들 중 일부가 군에 입대했다.

30 **note**
[noʊt]

01 적어 두다

The student carefully **noted** down every word the teacher said.

그 학생은 선생님이 하신 말씀을 낱낱이 주의 깊게 적어 두었다.

02 주목하다, 주의하다

It is reassuring to **note** that even if you've passed some of your "prime," you still have other prime years to experience in the future.

만약 당신이 "전성기"의 일부를 지났을지라도 당신에게는 아직 경험할 수 있는 다른 전성기가 미래에도 남아있다는 사실에 주목하는 것이 고무적이다. 2012 7급

03 기색, 어조

There was a **note** of anger in what she said.

그녀가 한 말에는 분노의 기색이 있었다.

04 noted: 유명한

The Grand Canyon is **noted** for its beautiful shape.

그랜드 캐니언은 아름다운 모습으로 유명하다.

notice
['noʊtis]

01 알아채다

Students **notice** how dew is the same thing as rain.

학생들은 어떻게 이슬이 비와 똑같은지를 알아차린다.

02 ~이 눈에 띄다

I haven't **noticed** anyone in class that I could fall in love with!

나는 학급에서 내가 사랑에 빠질 만한 누군가가 눈에 띈 적이 없다! 2014 9급

03 주의, 주목

Their silence escaped my **notice**.

그들의 침묵은 나의 주의를 끌지 못했다.

04 통보

Interest rates are subject to fluctuation without **notice**.

이자율은 통보 없이 변동에 영향을 받는다.

object
['ɑːbdʒikt], [əb'dʒekt]

01 것, 물건, 물체

As far as mankind is concerned, it is a perfectly useless **object**.

인류에 관한 한, 그것은 완전히 쓸모없는 것이다.

02 목적, 목표

If so, the artist's **object** was mimesis. Beginning during the Renaissance, mimesis was considered the pinnacle of artistic achievement.

그렇다면, 그 예술가의 목적은 모사였다. 르네상스 시대부터, 모사는 예술적 성취의 절정으로 간주되었다. 2012 7급

03 목적어

the **object** of the verb

동사의 목적어

04 ~에 반대하다(object to)

Do you **object to** smoking in a building?

너는 건물 안에서의 흡연에 반대하니?

observe
[əbˈzɜːrv]

01 관찰하다, 지켜보다

Zoologists at SUNY have **observed** how sea turtles develop into males or females.

SUNY(뉴욕 주립대학교)의 동물학자들은 어떻게 바다거북이 수컷이나 암컷으로 성장하는지 관찰해 왔다. 2012 9급

02 지키다, 준수하다

He was careful to **observe** the law.

그는 주의 깊게 그 법을 지켰다.

03 말하다, 진술하다

She **observed** that the plan would cost too much.

그녀는 그 계획이 비용이 많이 들 것이라고 말했다.

occasion
[əˈkeɪʒən]

01 기회, 경우

I want to take this **occasion** to thank her.

나는 이번 기회에 그녀에게 감사드리고 싶다.

02 (특별한) 행사, 의식

Why are they crying on this great **occasion**?

저들은 이 좋은 행사에서 왜 울고 있니?

03 이유, 원인

There is no **occasion** for such behavior.

그러한 행동에 대한 아무런 이유가 없다.

04 원인이 되다, 불러일으키다

The girl's behavior **occasioned** her parents much anxiety.

그 소녀의 행동은 그녀의 부모에게 큰 걱정을 끼쳤다.

35 **occupy**
[ˈɑːkjəpaɪ]

01 (토지·가옥 등을) 점유하다, 사용하다

Many restaurants **occupy** old buildings, so ventilation systems must be checked out regularly.

많은 식당들이 오래된 건물을 점유하고 있기 때문에, 환기 시스템이 정기적으로 검사되어야만 한다.

02 [수동태] 종사하다

Before independence, all the top jobs were **occupied** by whites.

독립 이전에는, 모든 상위 직업들에 백인들이 종사했다.

03 차지하다

She **occupies** a good position in her company.

그녀는 회사에서 좋은 위치를 차지하고 있다.

04 (마음을) 끌다

Mothers **occupied** the children with coloring books.

엄마들이 색칠하기 책들로 자녀들의 마음을 끌었다.

operate
[ˈɑːpəreɪt]

01 경영하다, 관리하다, 운영하다

Homeless shelters in the United States are usually **operated** by a non-profit agency or a municipal agency, or are associated with a church.

미국의 노숙자 보호소는 대개 비영리 기관이나 지방 자치기관에 의해 운영되거나 또는 교회와 연결되어 있다. 2013 9급

02 효과를 나타내다

The medicine **operated** gradually.

그 약은 서서히 효과를 나타냈다.

03 작동하다

The machines don't **operate** properly yet.

기계들이 아직 제대로 작동되지 않는다.

04 수술을 하다

The doctors **operated** on the wounded soldier.

의사들은 부상병을 수술했다.

operation
[ˌɒːpəˈreɪʃən]

01 수술

Even after a series of **operations**, he still had limited mobility.

연속적인 수술 후에도 그는 여전히 움직이는 데 제약이 있었다. 2013 9급

02 작전, 전략(= stratagem, strategy, tactic)

General Yi Sun-shin is famous for his brilliant naval **operations**.

이순신 장군은 그의 빛나는 해상 작전들로 유명하다.

03 조작, 운전

The **operation** of a new machine can be easy to learn.

새 기계의 조작법은 배우기 쉬울 수 있다.

04 기업, 사업체

Two banks underwent a merger and combined into one huge **operation**.

두 은행은 합병을 했고 하나의 거대한 기업으로 결합되었다. 2013 9급

order
[ˈɔːrdər]

01 명령하다

Maximilien Robespierre was a vegetarian and he **ordered** thousands of people to be killed during the French Revolution.

Maximilien Robespierre는 채식주의자였는데, 그는 프랑스 혁명 동안 수천 명의 사람들을 죽이라고 명령했다. 2011 9급

02 명령, 지시

Mother's **orders** are that you must be home by six.

어머니의 명령은 네가 틀림없이 6시까지 집에 와야 한다는 것이다.

03 순서

So was birth **order** or political affiliation. Even social class had a limited effect.

출생 순서나 정치적 소속도 그러하였다. 심지어 사회적 계층도 제한된 효과를 가졌다. 2014 9급

04 질서

Some teachers find it difficult to keep their classes in **order**.

일부 교사들은 그들의 학급의 질서 유지를 힘들어한다.

05 out of order: 고장 난

My telephone is **out of order**.

내 전화는 고장이다.

origin
[ˈɔːrɪdʒɪn]

01 기원, 근원

Ruling families in several ancient civilizations found justification for their power in myths that described their **origin** in the world of the gods or in heaven.

몇몇 고대 문명의 통치 가문은 신들의 세상 또는 하늘에서 그들의 기원을 설명하는 신화로부터 자신의 권력에 대한 정당성을 찾았다. 2010 9급

02 [pl.] 출신, 가문, 혈통

We cannot escape our **origins**; however hard we try.

우리가 아무리 노력해도 우리의 출신을 벗어날 수 없다.

03 [해부] (근육·신경의) 기점(起點)

It is normally placed on a level above and below the condyloid **origin** of flexor carpi ulnaris.

보통 그것은 척측수근굴근의 타원 관절 기점에서 한 단계 위와 아래에 위치해 있다.

04 [수학] (좌표의) 원점

Given ABC, we may assume its vertices lie on a circle centered at the **origin** of a Cartesian coordinate system.

세 점 ABC를 고려하면, 우리는 그것의 꼭지점들이 직교 좌표계의 원점에 중심을 가지는 원에 놓여 있다는 것을 추측할 수도 있다.

40 **otherwise**
[ˈʌðərwaɪz]

01 다른 방법으로, 다르게

She had no choice and could not do **otherwise**.

그녀는 달리 선택의 여지가 없었다.

02 그렇지 않으면

You have to press the green button; **otherwise** it won't work.

여러분은 초록색 단추를 눌러야 한다. 그렇지 않으면 그것은 작동하지 않을 것이다.

2014 9급

03 다른 점에서는, 그 외에는

She is slow, but **otherwise** she is a good worker.

그녀는 동작이 느리지만, 그밖에는 훌륭한 일꾼이다.

outline
['aʊtˌlaɪn]

01 윤곽을 그리다

The cliff is sharply **outlined** against the sky.

그 절벽은 하늘을 향해 날카롭게 윤곽을 그리고 있다.

02 윤곽, 외형

Can you draw an **outline** map of Africa?

넌 아프리카의 윤곽 지도를 그릴 수 있겠니?

03 대강을 말하다, 개요를 말하다

I will **outline** my trip to France.

나의 프랑스 여행에 대해 대강 말할 것이다.

04 개요

She gave them an **outline** of the main points of the talk.

그녀는 그들에게 대화의 요점에 대한 개요를 주었다.

over
['oʊvər]

01 ~을 통해서

He said **over** a loudspeaker.

그는 확성기를 통해서 말했다.

02 ~ 이상의, ~이 넘는

Each autumn the seals begin a remarkable journey that carries them **over** three thousand miles.

매년 가을 물개는 3천 마일 이상 이동하는 놀라운 여행을 시작한다.

2012 7급

03 ~ 위에

A bridge **over** the river collapsed because of a typhoon.

강 위에 다리는 태풍 때문에 붕괴되었다.

04 끝이 난

The conference will soon be **over**.

그 회의는 곧 끝날 것이다.

05 뒤집어서, 거꾸로

Turn the paper **over** and write your name on the other side.

종이를 뒤집어서 다른 쪽에 이름을 쓰시오.

06 ~에 관하여

Why is she angry **over** that?

그 일에 관해 그녀가 왜 화를 내지?

07 ~에 걸쳐, ~ 동안

"A brand is a living entity," says a former Disney executive, "and it is enriched or undermined cumulatively **over** time."

"브랜드는 살아 있는 기업입니다."라고 이전 디즈니 간부는 말한다. "그리고 그것은 시간에 걸쳐 점증적으로 강화되거나 훼손됩니다."

2013 7급

08 ~하면서

They had a talk **over** a cup of coffee.

그들은 커피 한 잔을 하면서 이야기를 했다.

09 ~의 전면에

Europeans spread all **over** the continent.

유럽인들이 그 대륙 전역에 퍼져 있다.

overlook
['oʊvərlʊk]

01 내려다보다, 바라보다

From his house he can **overlook** the city.

그의 집에서 그는 그 도시를 내려다볼 수 있다.

02 간과하다, 못 보고 넘어가다

It provokes such an emotional reaction that the performance deviation itself is apt to be **overlooked**.

그것은 너무 감정적인 반응을 불러일으켜서 업무의 편차 자체가 간과되기 쉽다. 2014 9급

03 눈감아주다, 봐주다

He decided to **overlook** the small faults in your report.

그는 너의 보고서에서 작은 결함들을 그냥 넘어가기로 결정했다.

own
[oʊn]

01 소유하다(= possess)

The government must clarify who **owns** what and what a property is worth.

정부는 누가 무엇을 소유하고 있는지 그리고 자산의 가치가 얼마인지 명확히 해야 한다. 2013 9급

02 인정하다, 받아들이다

She **owns** she was wrong.

그녀는 자기가 잘못했음을 인정한다.

03 자신의

Once they reach the great sheets of winter ice, each female harp seal will claim her **own** space on which to give birth to a single pup.

일단 겨울 얼음의 큰 평평한 지역에 도달하면, 각 암컷 하프 바다표범은 새끼 한 마리를 낳기 위한 자신의 구역을 요구할 것이다. 2012 7급

45 **pain**
[peɪn]

01 고통

Several years ago, a research scientist wanted to prove that acupuncture didn't really stop **pain**.

몇 년 전, 연구 과학자는 침술이 사실 고통을 멈추게 하는 것은 아니라는 것을 증명하고자 했다. 2013 7급

02 노력, 수고

She took **pains** to impress her new master.

그녀는 새 주인의 마음에 들려고 노력했다.

paralyze
[ˈpærəlaɪz]

01 마비시키다

The effect of the drug is to **paralyze** the nerves.

그 약의 효과는 신경을 마비시키는 것이다.

02 무력하게 만들다

They were **paralyzed** with fear.

그들은 공포로 무력해졌다.

particular
[pəˈrɪkjələr]

01 특정한

Dinosaurs became extinct due to a **particular** calamity.

공룡은 특정 재앙 때문에 멸종되었다. 2013 9급

02 특별한

One **particular** innovation has penetrated our lives for good.

한 가지 특별한 혁신이 완전히 우리의 삶을 관통했다.

pass
[pæs]

01 전해주다, 건네다

Ways of thinking are usually **passed** on from generation to generation through learning.

사고 방식들은 대개 학습을 통해서 대대로 전해진다.

02 움직이다, 지나가다

He was trying to warn hikers against taking the right trail because there is a bear in the area through which it **passes**.

그는 그 지역을 지나다니는 곰이 있기 때문에 등산객들에게 오른쪽 산길을 선택하지 말라고 경고하려고 하는 중이었다. 2017 9급

03 합격하다

I couldn't dream that I am able to **pass** the examination at the first attempt.

내가 단번에 그 시험에 합격할 수 있으리라고는 꿈에도 생각하지 못했다. 2011 7급

04 통과하다

A prism is a glass object that produces beautiful colors when white light **passes** through it.

프리즘은 백광이 이를 통과할 때 아름다운 색을 발산하는 유리 물질이다.

05 승차권, 통행증

I have a free **pass** to go from L.A. to Vancouver.

나는 L.A.에서 밴쿠버까지 갈 수 있는 무임 승차권을 가지고 있다.

past
[pæst]

01 과거

The consumers who use home shopping are now trendier than in the **past**.

홈쇼핑을 이용하는 소비자들은 이제 과거보다 더 유행에 민감하다. 2013 7급

02 지난, 이전의, 최근의

They speak openly about their life at home, hopes for the future, how they got through the **past** year.

그들은 집에서의 삶, 미래에 대한 희망, 지난 해를 어떻게 보냈는지에 대해 솔직하게 말한다. 2012 7급

50 **patch** [pætʃ]

01 작은 땅; 조각

They have a vegetable **patch** beside our house.

그들은 우리 집 곁에 채소밭을 가지고 있다.

02 헝겊을 대고 깁다, 때우다

The mother **patched** the little boy's trousers.

그 어머니는 어린 소년의 바지에 헝겊을 대고 기웠다.

DAY 06

patient [ˈpeɪʃənt]

01 인내심이 강한, 끈기 있는

She is **patient** in spite of the long wait.

그녀는 오랜 기다림에도 인내심이 많다.

02 환자

A trained staff, supportive volunteers, pleasant surroundings, and a sense of community all help **patients** cope with anxiety about death.

훈련된 직원, 도와주는 자원봉사자, 쾌적한 환경, 그리고 공동체 의식은 모두 환자들이 죽음에 대한 불안을 극복하는 데 도움을 준다. 2012 7급

physical [ˈfɪzɪkəl]

01 자연 과학적인

I am studying the **physical** features of the earth.

나는 지구의 자연 과학적인 특징들을 공부하고 있다.

02 물리적인, 물리학의

Most waves move through a supporting medium, with the disturbance being a **physical** displacement of the medium.

대부분의 파동은, 교란이 매체의 물리적 이동이 되면서, 보조하는 매체를 통해서 움직인다. 2013 7급

03 육체의, 신체의

Skin color and certain other **physical** characteristics may be advantageous or disadvantageous in given environments.

피부색과 어떤 다른 신체적 특성들은 주어진 환경에서 유리하거나 불리할 수 있다. 2012 7급

04 자연의, 물질의

Children are interested in the **physical** world around them.

어린이들은 그들 주위의 자연 세계에 흥미를 가지고 있다.

pickle [ˈpɪkəl]

01 ~을 소금물[식초]에 절이다

My mother **pickled** cabbage to make kimchi with her sister.

우리 어머니는 이모와 함께 김치를 담그기 위해 배추를 소금에 절였다.

02 절인 것, 피클

Westerners eat cucumber **pickle**.

서양 사람들은 오이 절임을 먹는다.

03 난처한 입장, 궁지

She is in a **pickle** due to her dishonesty.

그녀는 그녀의 부정직함 때문에 곤경에 빠져 있다.

04 근소한 양

Many a **pickle** makes a mickle.

티끌 모아 태산이다.

picture
[ˈpɪktʃər]

01 모습, 묘사

The **picture** of good mothering which emerges from observational studies is of the mother who provides a stimulating and sensitive environment.

관찰 연구에서 나온 좋은 보살핌에 대한 모습은 자극을 주고 세심한 환경을 제공하는 어머니이다. 2013 7급

02 꼭 닮은 것

He is the **picture** of his mother.

그는 자기 어머니를 꼭 닮았다.

03 그리다, 사진으로 나타내다

The artist has **pictured** himself as a young man.

그 예술가는 스스로를 젊은 사람으로 그렸다.

05 **place**
[pleɪs]

01 ~에 놓다, 두다, 배치하다

In front of it she **placed** a great stone.

그것의 정면에 그녀는 큰 돌을 놓았다.

02 (지위에) 앉히다, 임명하다

She was **placed** in command of the fleet.

그녀는 함대의 지휘관에 임명되었다.

03 장소, 곳, 위치

People are less tolerant of smokers in public **places**.

사람들은 공공장소들에서의 흡연자들을 덜 용인하고 있다. 2012 7급

plain
[pleɪn]

01 명료한, 명백한

In many cases the volunteer, faced with this unanimity, denies the **plain** evidence of his senses, and agrees.

많은 경우 이런 만장일치에 직면한 지원자는 자신의 감의 명백한 증거를 거부하고 (그에) 동의한다. 2011 7급

02 쉬운, 간단한

Please ask the question in **plain** Korean.

쉬운 한국어로 질문해 주세요.

03 평범한, 수수한

The girl felt ashamed of her **plain** dress.

그 소녀는 자신의 평범한 드레스에 창피함을 느꼈다.

04 솔직한, 꾸밈없는

To be **plain** with you, I don't like them.

솔직히 말해서, 나는 그들을 좋아하지 않는다.

05 평지, 평원

My family crossed the **plains** in an old truck.

나의 가족은 낡은 트럭으로 평원을 가로질렀다.

plant
[plænt]

01 식물

The man is watering the **plant**.

그 남자는 식물에 물을 주고 있다.

02 공장, (기계류의) 시설

The islanders exchanged their oil-burning furnaces for centralized **plants** that burned leftover straw or wood chips to produce heat and hot water.

섬 주민들은 그들의 기름 연소 용광로를 열과 뜨거운 물을 생산하기 위해 남은 짚이나 나무 조각을 연소하는 집중 시설로 대체했다. 2014 9급

03 심다

Big pine trees were **planted** along the road.

큰 소나무들이 길을 따라 심어졌다.

play
[pleɪ]

01 (경기 · 놀이를) 하다

People like to **play** various games.

사람들은 각종 경기를 하기 좋아한다.

02 악기를 연주하다

Johansson sang and Timberlake **played** the piano.

Johansson은 노래를 불렀고 Timberlake는 피아노를 연주했다.

03 희곡, 연극

The **play** reads better than it acts.

그 희곡은 상연되는 것보다 책으로 읽는 편이 더 낫다. 2013 7급

please
[pliːz]

01 제발, 부디

Could you break this $100 bill for me, **please**?

이 100달러 지폐를 잔돈으로 바꿔 주시겠습니까? 2011 7급

02 기쁘게 하다, 만족시키다

Many people are **pleased** about it.

많은 사람들이 그것에 기뻐한다. 2010 9급

03 ~하고 싶어 하다, 좋아하다

Come anytime and stay as long as you **please**.

언제든 오셔서 있고 싶은 대로 오랫동안 머무르십시오.

10

plot
[plɑt]

01 음모를 꾸미다

The thieves **plotted** their immoral schemes at a series of secret meetings in an abandoned warehouse.

도둑들은 버려진 창고에서 가진 일련의 비밀 회의에서 그들의 부도덕한 계획을 꾸몄다. 2013 7급

02 음모, 책략

He made a **plot** to kill the king.

그는 왕을 살해하려는 음모를 꾸몄다.

03 작은 땅

They grow potatoes on their little **plot** of land.

그들은 좁은 땅에 감자를 기른다.

04 플롯, 줄거리, 구상

According to Aristotle, the **plot** should have a beginning, a middle, and an end.

아리스토텔레스에 의하면, 플롯에는 시작, 중간, 끝이 있어야 한다.

point
[pɔint]

01 지점, 장소, 공간

The time dependence of the displacement at any single **point** in space is often an oscillation about some equilibrium position.

공간 안의 어느 단일 지점에서의 이동의 시간 의존성은 흔히 평형 수준 주위의 진동이다. 2013 7급

02 항목, 문제

The propagandist gives a one-sided message, emphasizing the good **points** of one position and the bad **points** of another position.

선전원은 한 위치에서의 좋은 점과 다른 위치에서의 나쁜 점을 강조하여 일방적인 메시지를 전달한다.

03 요점, 핵심

She seems to miss the **point**.

그녀는 요점을 놓치는 듯하다.

04 지적하다, 가리키다

Jane **pointed** out this problem to him yesterday.

Jane은 어제 이 문제를 그에게 지적했다.

poor
[pʊr]

01 가난한

The organization donated a lot of money to help the **poor**.

그 단체는 가난한 사람들을 돕기 위해 많은 돈을 기부했다. 2014 9급

02 메마른

The harvest will be small because the soil is **poor**.

땅이 메말라서 수확량이 적을 것이다.

03 불쌍한

The **poor** girl is tired.

그 불쌍한 여자아이는 지쳐 있다.

popular
[ˈpɑːpjələr]

01 대중적인, 일반적인

It seems that science is losing the **popular** support to meet the future challenges of pollution, security, energy, education, and food.

과학은 오염, 안보, 에너지, 교육, 그리고 식량이라는 미래의 과제들을 충족하기 위한 대중의 지지를 잃고 있는 것처럼 보인다. 2014 9급

02 평판이 좋은, 인기가 있는

Johansson is very **popular** with students.

Johansson은 학생들에게 매우 인기가 있다.

03 유명한

This **popular** newspaper gives too much attention to unimportant matters.

이 유명한 신문은 사소한 일에 너무 많은 관심을 쏟는다.

pose
[poʊz]

01 ~인 체하다, 자세를 취하다

The man **posed** as an authority on that subject.

그 남자는 그 문제의 권위자인 체하였다.

02 자세

Sherlock found the dead man seated in a strange **pose**.

Sherlock은 죽은 사람이 이상한 자세로 앉아 있음을 발견하였다.

03 제기하다, 주장하다

L'Osservatore Romano said that Harry Potter, who promotes witchcraft and occult, was the wrong kind of hero and **poses** a danger to children around the world.

L'Osservatore Romano는 마법과 점술을 고취시킨 Harry Potter가 잘못된 종류의 영웅이고 전 세계 어린이들에게 위험을 제기한다고 말했다. 2011 7급

15 **power**
[paʊər]

01 능력, 힘

Female **power** is strong and creative.

여성의 능력은 강하고 창조적이다. 2013 7급

02 열강, 권력

The U.S.A. is one of the great **powers** of the world.

미국은 세계의 위대한 열강들 중의 하나이다.

03 동력, 에너지

Water is an alternative source of **power**.

물은 대안 전력원이다.

04 동력을 공급하다

This airplane is **powered** by three jet engines.

이 비행기는 세 개의 제트 엔진에 의해 동력을 공급받는다.

practice
[ˈpræktɪs]

01 환자, 사건 의뢰인

Dr. Kim had a large **practice**.

김 선생님은 환자가 많았다.

02 개업하다, 업으로 하다

My sister is now **practicing** law in a small city.

나의 언니는 한 작은 도시에서 지금 변호사로 일하고 있다.

03 연습하다

Before she traveled to Mexico last winter, she needed to brush up on her Spanish because she had not **practiced** it since college.

그녀는 대학 이후에 스페인어를 연습하지 않았기 때문에, 지난 겨울 멕시코 여행을 하기 전에 스페인어를 다시 공부해야 했다. 2014 9급

04 관행, 관례

Overbooking is an airline industry's unrealistic **practice** to give hardship to clients.

초과 예약은 고객에게 어려움을 주는 항공 산업의 비현실적인 관행이다. 2012 7급

prescribe
[prɪˈskraɪb]

01 처방하다

Patients at a hospice should take medication as **prescribed** by their doctors.

호스피스에 있는 환자들은 자신의 의사가 처방한 대로 약을 복용해야 한다. 2012 7급

02 규정하다

The company **prescribed** the terms of the surrender.

회사는 양도 조건을 규정했다.

present
[ˈpreznt], [prɪˈzent]

01 선물

The fan gave Johansson a **present**.

그 팬은 Johansson에게 선물을 주었다.

02 참석한, 출석해 있는

Timberlake was **present** at the meeting.

Timberlake는 그 모임에 참석했다.

03 현재의
(cf. presence 존재, 출석)

The geological capital in the shape of fuel and minerals which has made our **present** achievements possible will have been exhausted and is unlikely to be renewed.

우리가 현재 달성한 것을 가능하게 해 주었던 연료와 광물 형태의 지질적 자원은 고갈될 것이고 더 이상 재생되지 않을 것 같다. 2010 9급

04 주다

Timberlake **presented** Johansson with some flowers.

Timberlake는 Johansson에게 꽃 몇 송이를 주었다.

preserve
[prɪˈzɜːrv]

01 보존하다, 유지하다

Green tea leaves are steamed, rolled and dried to **preserve** the antioxidant compounds that give us health benefits.

녹차 잎은 우리에게 건강상의 유익함을 주는 산화억제 요소를 보존하기 위해 찌고, 말리고, 건조된다. 2014 9급

02 금렵지(수렵 금지 구역)

They saw many deer in the **preserve**.

그들은 금렵 지역에서 많은 사슴들을 보았다.

03 잼, 설탕 절임

Mother gave us a jar of orange **preserves**.

어머니께서 우리에게 오렌지 잼 한 병을 주셨다.

press
20 [pres]

01 누르다

If you need more information, **press** “two” now.

더 많은 정보가 필요하시면, 지금 “2번”을 누르세요.

02 다리다

This shirt **presses** easily.

이 셔츠는 쉽게 다려진다.

03 조르다, 강요하다

He **pressed** his guest to stay a little longer.

그는 손님에게 좀 더 있으라고 졸랐다.

04 언론, 보도기관

In a democratic country, the power of the **press** is very great.

민주주의 국가에서는, 언론의 힘이 굉장하다.

private
[ˈpraɪvət]

01 사유의, 개인적인

Because the American people did not want him to work for **private** companies.

미국 사람들은 그가 사기업에서 일하는 것을 원하지 않았기 때문이었다. 2012 7급

02 비밀의

Please keep this **private** forever.

제발 이것을 영원히 비밀로 해 주세요.

produce
[ˈprɒdjuːs], [prəˈdjuːs]

01 농산물

Produce from the fields was taken to market.

밭에서 재배한 농산물이 시장에 출하되었다. 2012 7급

02 생산하다

New ideas in science don’t automatically **produce** new machines.

과학의 새로운 아이디어가 자동적으로 새 기계를 만들어 내지는 않는다. 2012 7급

03 제출하다, 제시하다

Can I **produce** a question paper?

질문지를 제출해도 되나요?

04 연출하다, 상연하다

The famous dramatist **produced** a new play last year.

그 유명한 극작가는 작년에 새로운 연극을 연출했다.

profession
[prəˈfeʃən]

01 직업

This pretense of public spirit is so consistently maintained that most of these men come presently to believe in their own **professions**’ worth.

이런 대중의 정신의 허상은 매우 지속적으로 유지되어서 이 사람들의 대부분은 머지않아 그들의 직업의 가치를 믿게 된다. 2011 7급

02 고백, 선서

They were baptized on **profession** of faith.

그들은 신앙 고백으로 세례를 받았다.

progress
['prɑːgres], [prə'gres]

01 진보, 발달

You can make slow but steady **progress** as a reader simply by reading more extensively to increase your base of knowledge.

지식의 토대를 넓히기 위해 그저 더 많이 읽는 것만으로 당신은 독자로서 느리지만 꾸준히 진보할 수 있다. 2011 9급

02 진행, 진전

An examination is now in **progress**.

지금 시험이 진행 중이다.

03 진행하다, 전진하다

In three hours they hardly **progressed** at all.

세 시간 동안 그들은 거의 전혀 전진하지 못했다.

25 **prompt**
[prɒːmpt]

01 신속한, 기민한

Sensitivity takes many forms but involves an awareness of children's behavior, a reasonably accurate interpretation of their behavior, as well as **prompt** and appropriate responses.

세심함은 다양한 형태를 취하지만, 신속하고 적절한 대응뿐만 아니라 아이들의 행동의 인식, 그들의 행동에 대한 합리적으로 정확한 해석까지 포함한다. 2013 7급

02 자극하다, 유발하다

Hunger **prompted** her to steal.

굶주림은 그녀가 도둑질을 하도록 자극했다.

proper
['prɒːpər]

01 알맞은, 적합한

Sometimes a sentence fails to say what you mean because its elements don't make **proper** connections.

때때로 문장은 그것의 구성요소들이 알맞게 연결되어 있지 않아서 의미하는 바를 전달하는 데 실패한다. 2014 9급

02 고유의, 독특한

This is a custom **proper** to France.

이것은 프랑스 고유의 관습이다.

propose
[prə'poʊz]

01 제안하다

The EU has **proposed** that 10% of all fuel used in transport should come from biofuels by 2020 and the emerging global market is expected to be worth billions of dollars a year.

유럽 연합(EU)은 교통에 사용되는 모든 연료의 10%는 2020년까지 바이오 연료에서 나와야 한다고 제안했는데, 신흥 글로벌 시장은 1년에 수십억 달러의 가치가 기대된다. 2013 7급

02 의도하다, ~할 마음을 먹다

I **propose** to talk about my father.

나는 나의 아버지에 대해서 말하고자 한다.

03 청혼하다

Will he **propose** to you?

그가 너에게 청혼할까?

protest
[prə'test], ['proʊtest]

01 항의하다, 주장하다

She **protested** that she had never done such a thing.

그녀는 그런 일은 결코 한 적이 없다고 주장했다.

02 시위, 항의

Indeed, while activists prepare to unfurl **protest** banners, politicians are scrambling for a face-saving way to declare the summit a success.

사실, 활동가들이 시위 현수막을 펼 준비를 하는 동안, 정치인들은 정상 회담의 성공을 선언하기 위한 체면치레의 방안에 대해 논쟁을 하고 있다. 2010 7급

pull
[pʊl]

01 끌다, 끌어(잡아) 당기다

He **pulled** the door open.

그는 문을 잡아당겨 열었다.

02 끌어 당기는 힘, 견인력

This comes from the earth's gravitational **pull**.

이것은 지구의 중력으로부터 온다.

03 빼다, 뽑다, 빼어 들이대다

He **pulled** a gun on her.

그는 총을 뽑아 그녀에게 들이댔다.

04 뽑아내다, 빼다

They almost always have board members **pulled** from various sectors of the community.

그들은 거의 항상 임원진들을 지역사회의 다양한 부문에서 뽑아왔다. 2013 9급

05 (액체 또는 담배의) 한 모금

He took a **pull** on his cheroot.

그는 궐련 한 모금을 들이쉬었다.

30 **punctual**
[ˈpʌŋktʃuəl]

01 시간을 엄수하는

Being **punctual** is the virtue everyone has to have.

시간을 엄수하는 것은 모든 사람들이 갖추어야 할 미덕이다. 2014 9급

02 punctuate: 강조하다

She **punctuated** her remarks with gestures.

그녀는 몸짓으로 그녀의 말을 강조했다.

03 punctuality: 시간 엄수

Punctuality may be one of his virtues.

시간 엄수는 그의 장점들 중의 하나일 것이다.

put
[put]

01 (어떤 상태·조건에) 처하게 하다

Rescue workers **put** their lives and health in harm's way.

구조대원들은 그들의 삶과 건강을 위험에 처하게 한다. 2013 7급

02 (어떤 장소·위치에) 놓다, 두다, 넣다

As he lay down to take a nap, his grandson decided to have a little fun by **putting** cheese on grandfather's mustache.

그가 낮잠을 자기 위해 눕자, 손자는 할아버지의 콧수염 위에 치즈를 올려놓는 장난을 치기로 했다. 2011 7급

qualify
[ˈkwɑːlɪfaɪ]

01 자격을 얻다

He wanted to know what to do to **qualify** for the job.

그는 그 직업에 대한 자격을 갖추려면 무엇을 해야 하는지 알고 싶었다.

quarter
[ˈkwɔːtr]

01 15분

It is a **quarter** past ten.

10시 15분이다.

02 4분의 1, 4등분

The country is a small one with the three **quarters** of the land surrounded by the sea.

그 나라는 국토의 4분의 3이 바다로 둘러싸여 있는 소국이다. 2014 9급

03 25센트

She had two **quarters** in her pocket.

그녀는 그녀의 호주머니에 25센트짜리 동전 두 개를 갖고 있었다.

race
[reɪs]

01 바쁘게 돌아가다, 급히 가다

The patient's heart was **racing** when he went into the emergency room.

그가 응급실에 들어갔을 때, 그 환자의 심장은 빨리 뛰고 있었다.

02 경주하다

They enjoy the excitement of **racing** in a car around a track.

그들은 자동차로 트랙을 경주하는 흥분감을 만끽한다.

03 경주

Johansson came second in the **race**.

Johansson은 그 경주에서 2등을 했다.

04 민족, 인종

The human **race** wouldn't have succeeded if the early pregnancy was so vulnerable to a little bit of anything.

임신 초기가 작은 것에 너무 취약하다면 인류는 계속될 수 없었을 것이다. 2013 7급

35 **raise**
[reɪz]

01 들어올리다

She **raised** her hand and waved.

그녀는 손을 들어 흔들었다.

02 인상, 상승

Even that small increase in trust is like getting a thirty six percent pay **raise**, the researchers calculate.

그 조그마한 신뢰감 상승조차도 36% 월급 인상을 받는 것과 같다고, 연구원들은 계산한다. 2013 9급

03 (자금 · 사람을) 모으다

The church is **raising** money for the new building.

그 교회는 새 건물을 짓기 위한 돈을 모으고 있다.

04 재배하다, 기르다

We are **raising** corn in the field.

우리는 밭에 옥수수를 재배하고 있다.

05 ~을 기운 나게 하다, (희망 등을) 품게 하다

The good news **raised** our hopes for success.

좋은 소식은 우리가 성공에 대한 희망을 품게 했다.

ramble
[ˈræmbəl]

01 어슬렁거리다, 목적 없이 거닐다

They **rambled** through the woods.

그들은 숲속을 어슬렁거렸다.

02 산보, 산책

She went for a **ramble** to the park.

그녀는 공원으로 산책을 나갔다.

03 횡설수설 말하다, 장황하게 이야기하다

He had lost track of what he was saying and began to **ramble**.

그는 무슨 말을 하던 중이었는지를 잊어버리고 횡설수설하기 시작했다.

04 무성하게 퍼지다

The wild roses **rambled** all over the fence.

들장미가 울타리에 무성하게 퍼졌다.

range
[reɪndʒ]

01 범위, 영역(= realm)

Today, customers come to know a brand through a wide **range** of contacts and touch points.

오늘날, 고객은 광범위한 접촉과 접점을 통해서 브랜드를 알게 된다. 2013 7급

02 열, 줄; 산맥

The Europe continent is broken by a few mountain **ranges**.

유럽 대륙은 몇 개의 산맥에 의해 나뉜다.

03 줄짓게 하다, 정렬시키다

The general **ranged** his men along the river bank.

장군은 자신의 병사들을 강둑을 따라 줄지어 배치했다.

04 ~을 가담시키다, ~ 편에 앉히다

Japan **ranged** itself against the European nations.

일본은 유럽 국가들에 대립하는 편에 가담했다.

05 헤매다, 돌아다니다

The girls **ranged** the hills and valleys.

소녀들은 언덕과 골짜기들을 헤매고 다녔다.

rank
[ræŋk]

01 (군대의) 계급, 지위

an army officer of high **rank**

높은 지위의 육군 장교

02 (사회의) 계급, 계층

Position and **rank** within an organization mean very little.

조직 안에서의 신분과 계급은 별 의미가 없다.

03 (등급 · 순위를) 차지하다

He is **ranked** number two in the world.

그는 세계 2위를 차지했다.

04 줄, 열

The building was guarded by **ranks** of policemen.

그 건물은 경찰대열들이 지키고 있었다.

05 정렬시키다, 분류하다

Snacks were **ranked** in orderly rows.

과자들은 정돈된 열로 정렬되었다.

rate
[reɪt]

01 속도

He always drives at a dangerous **rate**.

그는 항상 위험한 속도로 운전을 한다.

02 비율

the highest suicide **rate** in the world

세계에서 가장 높은 자살률 2013 9급

03 요금, 가격

Night telephone **rates** are much cheaper than day **rates** in most countries.

대부분의 나라에서 야간 통화 요금이 주간 통화 요금보다 훨씬 더 싸다.

04 평가하다, 간주하다

I **rate** that performance (as) one of the best I've ever seen.

나는 그 공연을 내가 본 가장 훌륭한 것 중의 하나로 평가한다.

40 **rather**
[ˈræðər]

01 조금, 다소

She looks **rather** ill.

그녀는 조금 아파 보인다.

02 차라리, 오히려

Children usually want the crisp and clean punishment followed by fellowship **rather** than living with uncertainty.

아이들은 대개 불안하게 사는 것보다 차라리 뒤끝이 없고 깔끔한 처벌과 그 후의 유대감을 원한다. 2013 9급

raw
[rɔː]

01 가공하지 않은, 날것의

This information is sent to our brains in **raw** form where perception comes into play.

이 정보는 인식이 작동하기 시작하는 우리의 뇌에 가공하지 않은 상태로 보내진다. 2014 9급

02 피부가 벗겨져 쓰라린

Her hands were **raw** from working in the garden.

그녀의 두 손은 정원에서의 작업으로 쓰라렸다.

realize
[ˈrɪəlaɪz]

01 깨닫다, 인식하다

Silence is a precious value, now I come to **realize**.

고요함이 귀중한 가치라는 것을 나는 이제 깨닫게 되었다.

02 실현하다

Her dream of going abroad was **realized**.

해외에 가고자 하는 그녀의 꿈이 실현되었다.

reason
[ríːzn]

01 추론하다

Human beings have developed the ability to **reason** on a high level.

인간은 고차원으로 추론하는 능력을 발전시켜 왔다.

02 이유

If that's right, can you explain the **reason** more clearly?

만약 그게 사실이라면, 이유를 좀 더 명확하게 설명해 주시겠어요? 2013 7급

03 이성

A vast sector of modern advertising is different; it does not appeal to **reason** but to emotion; like any other kind of hypnoid suggestion, it tries to impress its customers emotionally and then make them submit intellectually.

현대 광고의 상당 분야는 다르다. 그것은 이성에 호소하지 않고 감정에 호소한다. 최면에 의한 어떤 다른 종류의 암시처럼, 그것은 고객들을 감성적으로 감동시키려 하고, 그리하여 그들을 지적으로 복종하게 만든다. 2010 9급

recommend
[ˌrekəˈmend]

01 추천하다

She **recommended** the young man to our company.

그녀는 그 젊은이를 우리 회사에 추천했다.

02 제의하다, 권고하다

This is about half the **recommended** dietary allowance for an individual per day.

이것은 개인에게 권장된 1일 영양 허용치의 절반 정도이다. 2012 9급

45 **regard**
[rɪˈgɑːrd]

01 ~라고 생각하다

It is not wise to **regard** credit as a part of income.

신용 거래를 수입의 일부라고 생각하는 것은 현명하지 않다. 2010 9급

02 존중하다

She does not **regard** my advice.

그녀는 나의 충고를 존중하지 않는다.

03 존중, 존경

I hold him in high **regard**.

나는 그를 매우 존경한다.

04 관계, 관련

Her remark has no special **regard** to the matter.

그녀의 말은 그 문제와 특별한 관련이 없다.

register
['redʒistər]

01 등록하다

In 2007, UNESCO **registered** it as a World Heritage Site.

2007년에, UNESCO는 그것을 세계문화유산으로 등록했다.

02 등기로 부치다

I **registered** a letter.

나는 편지를 등기로 부쳤다.

03 기록부, 명부

The teacher can't find his school attendance **register**.

선생님은 그의 학교 출석부를 찾을 수가 없다.

regular
['regjələr]

01 통상의

I bought the shoes at 40 percent off the **regular** price.

나는 그 신발을 정상가의 40% 할인가에 샀다.

02 규칙적인

She keeps **regular** hours.

그녀는 규칙적인 생활을 한다.

03 일정한

She has no **regular** work.

그녀는 일정한 직업이 없다.

04 보통의, 정상적인

The library will maintain **regular** hours during the weekdays, but shorter hours noon to 7 p.m. on Saturdays and Sundays.

그 도서관은 주중에는 정상 근무 시간으로 운영될 것이지만, 토요일과 일요일에는 정오부터 오후 7시로 단축될 것이다. 2014 9급

relative
['relətɪv]

01 친척, 집안

He has been visiting his **relatives**.

그는 친척들을 방문해 오고 있다.

02 비교상의, 상대적인

The **relative** superiority of artistic gifts can be easily determined by certain criteria.

예술적 재능의 상대적 우월성은 특정 기준에 의해 쉽게 결정될 수 있다. 2012 7급

03 ~와 관련된(relative to)

Does he know the facts **relative to** this?

그는 이것과 관련된 사실들을 알고 있니?

04 ~에 비례하는

Price is **relative** to the demand.

가격은 수요에 비례한다.

relax
[rɪ'læks]

01 (사람 · 마음 등을) 쉬게 하다; 편히 쉬다

You must be **relaxed** now.

당신은 지금 쉬어야 합니다. 2011 7급

02 (법 · 제한 등을) 완화하다

Some restrictions may be **relaxed** soon.

일부 규제들은 곧 완화될 수도 있다.

50

relief
[rɪ'liːf]

01 휴식

She worked from noon until dark with no **relief**.

그녀는 휴식도 없이 정오부터 어두워질 때까지 일했다.

02 진정, 경감, 완화

This medicine will give a little **relief**.

이 약은 약간의 진정 효과가 있을 것이다.

03 안도, 안심

It was a **relief** to get out of the storm.

폭풍에서 벗어나 안심이 되었다.

04 구호물자, 구호품

The government provides **relief** for poor people.

정부는 가난한 사람들에게 구호품을 지급한다.

05 [문학] (연극 · 소설 등의) 기분 전환

The program does provide light **relief**.

그 프로그램은 정말로 가벼운 기분 전환을 제공한다.

06 교대; 교체자, 교대병
cf. interchangeable 교체할 수 있는

We had this math class with a **relief** teacher because our normal teacher was off sick.

정규 선생님이 병가를 내셔서 우리는 이번 수학 수업을 대체 선생님과 함께 했다.

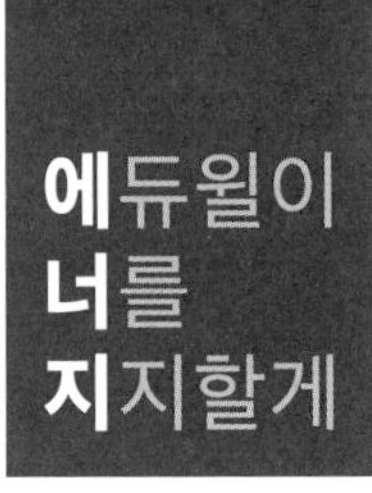

ENERGY

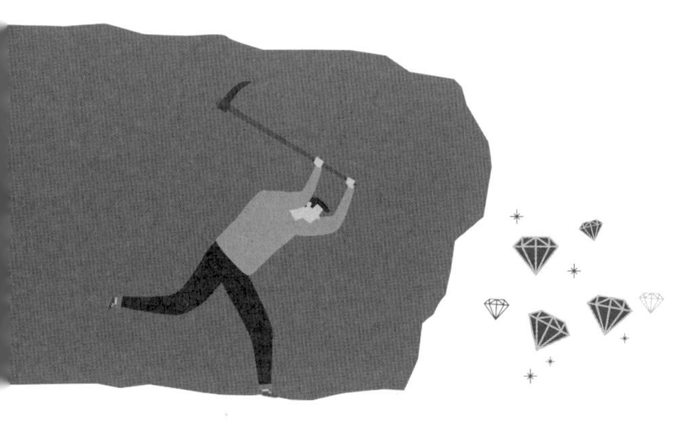

행운이란
100%의 노력 뒤에 남는 것이다.

– 랭스턴 콜먼(LANGSTON COLEMAN)

DAY 07

relieve
[ri'liv]

01 면제해 주다

That **relieved** him of all responsibility.

그것은 그에게 모든 책임을 면제해 주었다.

02 구출하다, 구제하다

She devoted herself to **relieving** the distressed.

그녀는 빈민을 구제하는 데 헌신했다.

03 안심시키다, 안도하게 하다

She was much **relieved** to hear his laugh.

그녀는 그가 웃는 소리를 듣고 크게 안심했다.

04 누그러뜨리다, 완화시키다

Some geographers say that urbanization is a good thing because it **relieves** pressure on the land.

어떤 지리학자들은 도시화가 토지에 대한 중압을 완화시켜 줄 수 있기 때문에 좋은 것이라고 말한다. 2013 7급

05 없애다

To spend money with a plan will **relieve** you of the stress of barely making both ends meet.

계획에 의한 지출은 당신에게 빠듯하게 수입과 지출을 맞춰야 하는 스트레스를 없애 줄 것이다. 2010 9급

remark
[rɪ'mɑ:rk]

01 말하다

He **remarked** we'd better go at once.

그는 우리가 당장 떠나는 게 좋겠다고 말했다.

02 의견, 말, 비평

They made some **remarks** about this problem.

그들은 이 문제에 대하여 몇 마디 의견을 말했다.

03 알아채다, 깨닫다

I **remarked** the unpleasant odor as soon as I entered the house.

나는 그 집에 들어가자마자 불쾌한 냄새가 나는 것을 알아차렸다.

04 주목, 주의

This is nothing worthy of **remark**.

이것은 주목할 가치가 없다.

replace
[rɪ'pleɪs]

01 제자리에 놓다, 되돌리다

Replace the dictionary on the shelf.

사전을 선반 위 제자리에 갖다 놓아라.

02 대체하다

These days, the question of whether to remove the towels from their room has been **replaced** by the question of whether to re-use the towels during the course of their stay.

오늘날, 그들의 방에서 수건을 없애는지 여부의 문제는 그들이 머무르는 동안 수건을 재사용하는지 여부의 문제로 대체되었다. 2012 7급

report
[rɪ'pɔ:rt]

01 말하다, 전하다, 공표하다

For example, some research **reports** that girls are more likely to cooperate and to talk about caring.

예를 들어, 어떤 연구는 여자아이들이 협력하고 배려에 대해 이야기할 가능성이 더 높다고 말한다. 2012 7급

02 나타나다, 출두하다

He was required to **report** to the police station by this week.

그는 이번 주까지 경찰서로 출두하기를 요청받았다.

03 기사를 쓰다, 취재하다

She **reports** for *The Korea Herald*.

그녀는 코리아 헤럴드에 기사를 쓴다.

04 보고, 기사

She made a **report** for the boss.

그녀는 사장에게 보고했다.

05 소문

Don't listen to idle **reports**.

헛소문에 귀를 기울이지 마라.

06 평판

She had a bad **report** this year.

그녀는 올해 좋지 않은 평판을 얻었다.

05 **representative**
[ˌreprɪ'zentətiv]

01 대표하는

The Congress is **representative** of the people.

의회는 국민을 대표한다.

02 대표자(= rep), 대리인

He came to clash with **representatives** of the liberal current, and opposed both the Moldavian revolution of 1848 and the country's union with Wallachia.

그는 자유주의 대표들과 충돌하게 되었고, 1848년 몰다비아 혁명과 왈라키아와의 국가 연합을 모두 반대하였다. 2011 7급

require
[rɪˈkwaɪr]

01 필요로 하다, 요구하다

Innovation **requires** noticing signals outside the company itself: signals in the community, the environment, and the world at large.

혁신은 회사 자체 외부의 신호들, 즉 지역 사회, 환경, 그리고 전반적인 세계에서 들려오는 신호들을 알아차릴 것을 필요로 한다.

02 (직권으로) ~하라고 명하다, 요청하다 (= call for)

He will be **required** to attend for a cross-examination.

그는 반대 심문에 출석하도록 요청받을 것이다.

reserve
[rɪˈzɜːrv]

01 준비해 두다

This food is **reserved** for special guests.

이 음식은 특별 손님을 위해 준비해 둔 것이다.

02 예약하다

These seats are **reserved** for our special guests.

이 자리들은 우리의 특별 손님을 위해 예약되어 있다.

03 유보하다

All rights of this book are **reserved**.

이 책의 모든 권리는 유보되어 있다.

04 매장량

Some countries still have major coal, gas, and uranium **reserves**.

여전히 일부 국가들은 많은 양의 석탄, 가스, 그리고 우라늄 매장량을 보유하고 있다.

05 비축, 저장; 비축된 것

Such large numbers are necessary since blood **reserves** are perishable and constantly need to be replenished.

혈액 비축분이 잘 상하고 지속적으로 보충이 필요하기 때문에 이러한 많은 양이 필요하다. 2014 9급

respect
[rɪˈspekt]

01 존경

Character is a **respect** for human beings and the right to interpret experience differently.

성품이란 인간에 대한 존경이며 경험을 다르게 해석할 수 있는 권리이다. 2011 9급

02 측면, 관점(= standpoint, perspective, speculation)

They resemble each other in one **respect**.

그들은 한 가지 면에서 서로 닮았다.

rest
[rest]

01 휴식을 취하다

I always **rest** for an hour after dinner.

나는 언제나 저녁식사 후 한 시간 동안 쉰다.

02 휴식, 평안

Try to get some **rest**.

휴식을 좀 취하도록 해라.

03 나머지

Eat the **rest** of your dinner.

너의 나머지 저녁 식사 음식을 모두 먹어라.

04 ~에 있다

The tennis ball **rested** on the grass.

그 테니스 공은 잔디밭에 놓여 있었다.

05 ~에 달려 있다, 의지하다(rest on[upon])

A measure of his greatness may **rest on** what he did after he left the White House.

그의 위대함의 척도는 그가 백악관을 떠난 후 그가 무엇을 했는지에 달려 있을 지도 모른다. 2012 7급

10 **resume**
[rɪˈzuːm], [ˈrezjʊmeɪ]

01 다시 시작하다[시작되다]

Korea's space shuttle program **resumed**.

한국의 우주선 왕복선 프로그램이 재개되었다.

02 (장소 · 자리 등을) 다시 차지하다

After speaking, she **resumed** her seat.

그녀는 연설을 끝낸 뒤, 자기 자리에 다시 앉았다.

03 이력서(résumé)

Beckham's **résumé** is indeed decent.

Beckham의 이력서는 사실 괜찮다.

retreat
[rɪˈtriːt]

01 물러가다, 후퇴하다

Many animals can be seen playing, pawing, advancing, and **retreating** from their food before eating it.

많은 동물들이 음식을 먹기 전에 음식을 가지고 놀고, 발톱을 세우고, 앞으로 왔다, 뒤로 가는 모습을 볼 수 있다. 2013 7급

right
[raɪt]

01 오른쪽

Turn **right** and you will find the building.

오른쪽으로 돌면 그 건물을 찾을 수 있을 것이다.

02 권리

Johansson fought for women's **rights**.

Johansson은 여성의 권리를 위해 투쟁했다.

03 옳은, 올바른

I hope you're doing the **right** thing.

저는 당신이 올바른 일을 하고 있는 것이기를 바랍니다.

04 곧바로, 즉시

Well, I didn't know that. I'm a little on edge **right** now.

글쎄, 난 그걸 몰랐어. 지금 당장은 약간 긴장이 돼. 2012 7급

05 적당한, 적절한

He is the **right** man for the job.

그는 그 일에 적합한 사람이다.

06 바로잡다, 정정하다

She was a reformer determined to **right** a great wrong.

그녀는 큰 잘못을 바로잡기로 결심한 개혁자였다.

rise
[raɪz]

01 부피가 늘다, 부풀어 오르다

Sometimes the river **rose** when the moon was new.

때로는 초승달일 때 강물이 불었다.

02 일어나다

He cannot **rise** because of his broken leg.

그는 그의 부러진 다리 때문에 일어날 수가 없다.

03 오르다

While I was shopping at the market yesterday, I realized that the prices of many items have **risen** in recent weeks.

어제 시장에서 쇼핑을 하면서, 나는 최근 몇 주 동안 많은 물건들의 가격이 올랐다는 것을 깨달았다. 2012 7급

04 상승, 인상

The economy will be on the **rise** soon.

경제가 곧 상승세를 탈 것이다.

room
[ruːm]

01 공간, 자리

People made **room** for the old lady.

사람들은 그 노부인을 위해 자리를 만들었다.

02 기회, 여지

There is no **room** for argument on that point.

그 점에 관해서는 논쟁의 여지가 없다.

03 실(室), 방

Where's the fitting **room**?

탈의실이 어디에 있나요? 2013 7급

15 **round**
[raʊnd]

01 둥근, 공 모양의

Apples are **round**.

사과는 둥글다.

02 ~ 둘레에

We saw them seated **round** the table.

우리는 그 테이블 둘레에 앉은 그들을 보았다.

03 순회, 순시

The policeman makes his **rounds** every hour.

그 경찰은 매시간마다 순찰을 한다.

04 회, 라운드

The champion was knocked out in the third **round**.

그 챔피언은 제3라운드에서 녹아웃 되었다.

05 일상적인 일

the daily **round** of school life

학교 생활에서의 일상적인 일과

row
[roʊ]

01 줄, 열

We had to sit in the front **row**.

우리는 첫 번째 줄에 앉아야만 했다.

02 말다툼, 분쟁

We had a small **row** but quickly made up.

우리는 약간의 말다툼이 있었으나 곧 화해했다.

03 노를 젓다

He is **rowing** a boat easily.

그는 쉽게 노를 젓고 있다.

ruin
[ˈruːɪn]

01 파괴하다, 망가뜨리다

Years later, the battles ended and the Louvre was half-**ruined**.

수년 후, 전투가 끝났고 루브르 박물관은 절반이 파괴됐다. 2011 9급

02 폐허

I passed the **ruins** of an old castle.

나는 폐허가 된 옛 성을 지나갔다.

03 파멸의 원인

The girl's beauty was her **ruin**.

그 소녀의 미모가 파멸의 원인이었다.

rule
[ruːl]

01 지배하다

The Scots do not like being **ruled** by Westminster.

스코틀랜드인들은 웨스트민스터로부터 통치받는 것을 싫어한다.

02 지배, 통치

Despite its situation, and its **rule** by the Ottoman Empire from 1571, it was overwhelmingly inhabited by Greeks.

그곳의 상황과 1571년부터 Ottoman 제국에 의한 통치에도 불구하고, 그곳에는 압도적으로 그리스인들이 많이 거주했다. 2011 7급

03 규칙

The moral wisdom of the Black community is extremely useful in defying oppressive **rules** or standards of "law and order" that degrade Blacks.

흑인 공동체의 도덕적 지혜는 흑인을 비하하는 "법과 질서"에 대한 억압적인 규칙이나 표준에 대항하는 데 대단히 유용하다. 2013 7급

ruler
[ˈruːlər]

01 지배자, 통치자

Thomas Hobbes believed that a social contract existed between the **ruler** and the masses.

Thomas Hobbes는 지배자와 대중 사이에 사회적 계약이 존재한다고 믿었다. 2010 9급

02 자

Use a **ruler** to measure that cloth.

그 천을 재기 위해서 자를 사용하라.

20 **run**
[rʌn]

01 작동하다; 작동시키다

I bought this computer only a week ago, but it just isn't **running** right.

나는 겨우 일주일 전에 이 컴퓨터를 샀지만, 그것은 제대로 작동하지 않고 있다. 2013 7급

02 출마하다

Politicians **running** for office try to project the best possible image of themselves while pointing out all the flaws of their opponents.

정계에 출마하는 정치인들은 상대의 모든 결함을 지적하면서 자기 자신의 최상의 이미지를 보이려고 한다. 2012 7급

03 유효하다

The permit **runs** for five months.

그 허가증은 5개월 동안 유효하다.

04 (경주에) 참가하다[뛰다]

Timberlake will **run** a race tomorrow.

Timberlake는 내일 경주에 참가할 것이다.

05 (~라고) 쓰여 있다

Her statement **runs** as follows.

그녀의 말은 다음과 같이 쓰여 있다.

06 이동하다, 운행하다

The boat **runs** between Miami and Mexico.

그 배는 마이애미와 멕시코 사이를 다닌다.

07 뻗다

The street **runs** north and south.

그 거리는 남북으로 뻗어 있다.

08 흐르다, 퍼지다

The news of her death **ran** all over the country.

그녀의 사망 소식이 온 나라에 퍼졌다.

09 경영하다, 관리하다

Her father **runs** a bus company.

그녀의 아버지는 버스 회사를 경영하신다.

safe
[seɪf]

01 안전한, 무사한; 무사히

We are anxious for him to return home **safe**.

우리는 그가 집으로 무사히 돌아오기를 간절히 바라고 있다. 2013 7급

02 금고

Every **safe** will be opened.

모든 금고는 열릴 것이다.

save
[seɪv]

01 절약하다

They should all **save** their energy.

그들은 모두 자신의 에너지를 절약해야만 한다. 2010 7급

02 구하다

She **saved** the boy from drowning.

그녀는 그 소년을 물에 빠진 것에서 구했다.

03 저축하다

He **saved** some money for his old age.

그는 노년기를 대비해서 얼마간의 돈을 저축했다.

04 덜다, 생략하다

That will **save** you a lot of trouble.

그것은 너의 많은 수고를 덜어 줄 것이다.

05 ~을 제외하고

Everyone **save** Johansson seemed affected by the news.

Johansson을 제외한 모든 사람이 그 소식에 감동 받은 것 같았다.

scare
[sker]

01 무서워하다, 겁먹다

Some children **scare** easily at night.

어떤 아이들은 밤에 쉽게 겁먹는다.

02 두려움, 공포

That was the greatest **scare** I ever had.

그것은 내가 지금껏 느껴본 가장 큰 두려움이었다.

03 놀라게 하다, 겁주어 쫓아버리다

Masks and fetishes are often used to **scare** off bad things such as evil spirits, witches or ghosts.

가면들과 주물들은 악마와 마녀 또는 유령과 같은 나쁜 것들을 놀라게 해서 쫓아내기 위해 종종 사용된다. 2011 7급

school
[skuːl]

01 학교

In some of these states, the teaching of evolutionary biology in **schools** is prohibited.

이런 몇몇 주에서는, 학교에서 생물 진화론을 가르치는 것이 금지되어 있다. 2013 7급

02 학파

The old **school** refused to accept the new idea.

구학파는 새로운 사상을 받아들이기를 거부했다.

03 수업(= tuition)

School begins at eight in the morning.

수업은 오전 8시에 시작한다.

04 학교 교육

What do you plan to do when you finish **school**?

당신은 학교 교육을 마치면 무엇을 할 계획인가요?

05 (물고기 등의) 떼

They saw a **school** of fish in the sea.

그들은 바다에서 물고기 한 떼를 보았다.

06 전교생, 교사와 학생 전체

The head teacher addressed the whole **school**.

교장 선생님이 전교생에게 연설을 했다.

07 교육하다

The child sits quietly, **schooled** by the hazards to which he has been earlier exposed.

그 아이는 조용히 앉아서, 그가 이전에 노출되었던 위험들에 의한 교육을 받았다. 2011 7급

25 **second** [ˈsekənd]

01 초

Sixty **seconds** make up one minute.

60초는 1분이 된다.

02 두 번째의

Then the participants were divided into two groups: the first group was told that they were clever, and the **second** group was praised upon their efforts.

그런 뒤 참가자들은 두 개의 그룹으로 나뉘었다. 첫 번째 그룹은 그들이 똑똑하다는 말을 들었고, 두 번째 그룹은 그들의 노력에 대해 칭찬을 받았다. 2013 7급

03 또 하나의, 제2의

A **second** movement started a violent campaign against British rule in 1955.

또 하나의 운동이 1955년 영국의 지배에 반대하는 폭력적인 캠페인에 시동을 걸었다. 2011 7급

04 잠깐

She looked hard at the girl for a few **seconds**.

그녀는 잠시 동안 그 소녀를 면밀히 보았다.

05 지지하다, 후원하다

The committee **seconded** our motion.

그 위원회는 우리의 발의를 지지했다.

06 (at) any second: 언제라도, 곧

Sit down because the game is going to start **any second**.

경기가 곧 시작될 것이므로 앉아 주십시오.

see [siː]

01 보(이)다

I **see** some people in the garden.

나는 정원에서 몇 사람을 본다.

02 만나다, 방문하다

I hope to **see** more of you.

나는 너를 더 자주 만났으면 좋겠다. 2011 7급

03 이해하다

Do you **see** what he means?

당신은 그의 말뜻을 이해합니까?

04 의사의 진찰을 받다

They think he ought to **see** a doctor.

그들은 그가 의사의 진찰을 받아야 한다고 생각한다.

senior [ˈsiːniər]

01 상급자의, 고위의

Beckham is a **senior** man in this bank.

Beckham은 이 은행에서 상급자이다.

02 아버지(의)

Mr. Beckham, Junior is the image of Mr. Beckham, **Senior**.

아들 Beckham 씨는 아버지 Beckham 씨를 빼 닮았다.

03 연상인, 손위의

He is five years **senior** to me.

그는 나보다 다섯 살 연상이다.

04 상사, 상관

The three presidents are all my **seniors**.

그 세 명의 사장이 모두 나의 상관이다.

05 상급생, 선배

The **seniors** defeated the juniors by 3-1.

선배들이 후배들을 3대 1로 이겼다.

06 연장자

She was my **senior** by two years.

그녀는 나보다 2살 연장자였다.

07 노인, 어르신, 연장자

Seattle, the biggest city in the Pacific Northwest, has a low violent crime rate and, like Portland, offering excellent health care and transportation services for **seniors**.

태평양 북서부에서 가장 큰 도시인 시애틀은 폭력 범죄의 비율이 낮으며, 포틀랜드처럼 노인들에게 훌륭한 건강 돌봄 서비스와 교통 서비스를 제공한다. 2012 9급

serve
[sɜːrv]

01 복역하다, 형기를 치르다

She has **served** five years of her sentence.

그녀는 자신의 형기 중 5년을 복역했다.

02 공급하다

We are all **served** with gas in this city.

이 도시에서 가스는 우리 모두에게 공급되고 있다.

03 ~을 위해 일하다

He **served** the family well for twenty years.

그는 20년 동안 가족을 잘 부양했다.

04 복무하다

The man **served** three years in the Army.

그 남자는 군대에서 3년간 복무했다.

05 ~의 역할을 하다

A British Crown Colony from 1925 **served** as an important military base during World War II and the Suez Crisis.

1925년부터 영국 제국 식민지는 제2차 세계대전 그리고 Suez 위기 때 중요한 군사기지 역할을 했다. 2011 7급

service
[ˈsəːrvɪs]

01 서비스, 봉사, 도움

By the way, our customers deserve friendly **service** every time they walk in our store.

그런데, 우리 고객들은 저의 상점에 들어올 때마다 친절한 서비스를 받아야 마땅합니다. 2013 7급

02 운행편

The train **service** in this town is good.

이 마을의 열차편은 좋다.

03 근무, 복무

She has been in the civil **service** for many years.

그녀는 수년간 공직에 근무하고 있다.

30 **set**
[set]

01 수상기

The signals can be changed into sounds and pictures by a TV **set**.

신호는 텔레비전 수상기에 의해 소리와 그림으로 바뀔 수 있다.

02 세트

She won the first **set** in the game easily.

그녀는 그 경기의 첫 세트를 쉽게 이겼다.

03 경향, 추세

The **set** of her political beliefs was clear to everyone.

그녀의 정치적 신념의 경향은 모두에게 명백했다.

04 놓다

Johansson **set** her glasses down on the side table.

Johansson은 옆 탁자 위에 자기 안경을 놓았다.

05 만들다, 세우다

Those who persevere recognize that they are ultimately responsible not just for pursuing their goals, but for **setting** them.

포기하지 않는 사람들은 그들 스스로 목표를 추구하는 것만이 아니라 스스로 목표를 세우는 것에 대한 궁극적 책임 역시 자신들에게 있다는 것을 인지한다. 2011 9급

settle
[ˈsetl]

01 해결하다, 확정하다

They don't know if this bet was **settled**.

그들은 이 내기가 해결되었는지 알지 못한다.

02 안정시키다

The leader **settled** the argument by suggesting that when they caught the goose, half should be stewed and half should be roasted.

그 리더는 그들이 그 거위를 잡으면 반은 스튜로, 반은 구워져야 하는 것을 제안함으로써 그 논쟁을 진정시켰다. 2013 9급

03 정착하다

The English **settled** in North America in the 1600's.

영국 사람들은 1600년대에 북아메리카에 정착했다.

shame
[ʃeɪm]

01 망신, 수치심

She felt **shame** at her weakness.

그녀는 자신의 약점에 수치심을 느꼈다.

02 ~을 부끄럽게 하다

Their failure in the game **shamed** all of us.

그들이 그 경기에 진 것은 우리 모두를 수치스럽게 했다.

sheer
[ʃir]

01 비치는, 얇은

That dress is too **sheer** to wear without a slip.

저 드레스는 너무 비쳐서 슬립 없이는 입을 수 없다.

02 순수한, 순전한, 절대적인

The actor drew laughter of **sheer** delight from the children.

그 배우는 어린아이들로부터 순수한 기쁨의 웃음을 이끌어냈다.

03 가파른, 깎아지른 듯한

The mountain was too **sheer** for me to climb.

그 산은 너무 가팔라서 나는 올라갈 수 없었다.

shield
[ʃiːld]

01 순상지(방패 모양의 땅), 방패

Centered on the Hudson and James Bays is a giant core of rock, the Canadian **Shield**.

거대한 암석의 중심지인 캐나다 순상지는 허드슨 만과 제임스 만 중심에 있다. 2015 9급

02 보호하다(= shelter)

Children all over the world live in a commercialized world and should not be entirely **shielded** from it.

상업화된 세상에 사는 전 세계의 어린이들은 그것으로부터 완전히 보호될 수는 없다.

35 **shift**
[ʃift]

01 옮기다, 바꾸다

Latin America reached the limits of one model of economic development in the early 1980s, and is **shifting** rapidly to another.

라틴 아메리카는 1980년대 초에 경제 발전의 모델 중 하나의 한계에 도달했고, 다른 것으로 빠르게 이동하고 있다. 2013 7급

02 교대, 교대 시간

Her father works the night **shift** at the factory.

그녀의 아버지는 공장에서 밤 교대 시간에 일하신다.

since
[sɪns]

01 ~ 이래, ~한 때부터

Korea had used Chinese letters **since** the Shilla Dynasty.

한국은 신라 왕조 이래로 한자를 사용했었다.

02 ~이기 때문에

How that would happen, however, was far from clear, **since** the government initially offered no funding, tax breaks or technical expertise.

그러나, 어떻게 그것이 일어날지는 분명하지 않았는데, 왜냐하면 처음에 정부가 자금 지원, 세금 감면 또는 기술적 전문 지식을 지원하지 않았기 때문이었다. 2014 9급

single
[ˈsɪŋgəl]

01 단 하나의

This globalization system is also characterized by a **single** word.

이 세계화 시스템은 또한 단 한마디로 특징지어진다. 2013 7급

02 독신의

We shared a room with another **single** woman.

우리는 또 다른 독신 여성과 방을 함께 썼다.

03 선발하다

We have **singled** him out among all the candidates.

우리는 모든 후보자들 중에서 그를 선발했다.

slip
[slɪp]

01 미끄러지다

We had much snow yesterday, which caused lots of people to **slip** on the road.

어제 눈이 많이 와서, 많은 사람들이 길에서 미끄러졌다. 2012 9급

02 (기억에서) 사라지다

Her name has **slipped** my mind.

그녀의 이름이 내 머릿속에서 사라졌다.

03 몰래 들어가다[나오다][in/out]

We **slipped out** through a back door.

우리는 뒷문으로 몰래 빠져나왔다.

04 (낮은 수준으로) 내려가다, 쇠퇴하다

Market share **slipped** from 9% to 8%.

시장 점유율이 9%에서 8%로 내려갔다.

05 슬립(여성용 속옷)

The **slip** she wore was much too long.

그녀가 입은 슬립은 너무나 길었다.

smart
[smɑːrt]

01 단정한, 말쑥한

The girls liked his **smart** appearance.

그 소녀들은 그의 말쑥한 용모를 좋아했다.

02 영리한, 재치 있는

Well, if you're **smart**, maybe you.

그래, 당신이 똑똑하다면, 당신일 수도 있다. 2010 9급

03 쑤시고 아프다, 욱신거리다

Her face **smarted** from the slap.

그녀의 얼굴은 맞아서 쓰렸다.

40 **society**
[səˈsaɪəti]

01 사회

This focus is not always an advantage in a modern consumer **society**.

이 초점이 현대 소비 사회에서 항상 유리하지는 않습니다. 2010 9급

02 단체, 협회

He decided to join the local dramatic **society**.

그는 지방 연극 단체에 가입하기로 결심했다.

03 교제, 사교

The man is skilled in **society** and a perfect gentleman.

그 남자는 교제에 능숙하고 완벽한 신사이다.

sort
[sɔːrt]

01 종류

This type of advertising impresses the customers by all **sorts** of means such as the repetition of the same formula again and again.

이런 광고 유형은 소비자들에게 계속해서 같은 형태를 반복하는 것과 같은 모든 종류의 방법으로 깊은 인상을 준다. 2010 9급

02 분류하다, 가려내다

Sort these cards according to their numbers.

이 카드들을 그것들의 숫자에 따라 분류하시오.

sound
[saʊnd]

01 건전한, 건강한

A **sound** mind is in a **sound** body.

건전한 육체에 건전한 정신이 깃든다.

02 소리

Asbestos became increasingly popular among manufacturers and builders in the late 19th century due to its resistance to heat, electricity and chemical damage, its **sound** absorption and tensile strength.

석면은 열과 전기 그리고 화학 손상을 견디며 소리 흡수력과 항장력이 있기 때문에, 19세기 후반에 제조업체와 건축업자 사이에서 점점 인기 있게 되었다. 2011 7급

03 푹, 충분히

Beckham was still **sound** asleep.

Beckham은 여전히 푹 잠들어 있었다.

04 ~처럼 들리다[보이다]

Lower rates and other deals **sound** great, until you find out what you're really paying.

당신이 실제로 무엇을 지불하고 있는지 알기 전까지는, 낮은 가격과 다른 거래들이 좋아 보인다. 2010 9급

space
[speɪs]

01 우주

The gas prevents parts of the heat from escaping into **space**.

그 가스는 열의 일부가 우주로 빠져나가지 못하게 한다.

02 자리, 공간

In general, men as a group excel at tasks that involve orienting objects in **space**.

일반적으로, 집단으로서의 남성들은 공간에서 물체들의 위치 지각에 관여된 과제에 뛰어나다. 2010 9급

03 간격을 두고 배치하다

The good pictures in the gallery were well **spaced** out.

화랑의 훌륭한 그림들은 일정한 간격으로 잘 배치되었다.

spell
[spel]

01 ~의 철자를 쓰다

She **spelled** the word 'w-a-t-e-r' onto her teacher's free hand.

그녀는 선생님의 맨손에 'w-a-t-e-r'라는 단어의 철자를 썼다.

02 주문, 주술

The **spell** of the wicked fairy was broken easily.

사악한 요정의 주문이 쉽게 깨져 버렸다.

03 ~을 뜻하다

Nuclear conflict would **spell** the end of life as we know it.

핵 분쟁은 우리가 알다시피 생의 종말을 뜻할 것이다.

45 **spirit**
['spɪrɪt]

01 독한 술

It is not the custom to drink **spirits** like whisky in the middle of the day.

대낮에 위스키처럼 독한 술을 마시는 것은 관례가 아니다.

02 영혼

People believed that pandas could protect them from evil **spirits** and natural disasters.

사람들은 판다들이 그들을 사악한 영혼과 자연 재해로부터 보호해 줄 수 있다고 믿었다.

03 인물, 사람

Johansson is such a kind **spirit**.

Johansson은 매우 친절한 사람이다.

04 기분, 원기

Taking time to clear your mind through meditation can boost your **spirits** and your immunity.

명상을 통하여 당신의 마음을 깨끗하게 하는 시간을 가지는 것은 당신의 기분과 면역력을 증강시킬 수 있다. 2012 9급

spread
[spred]

01 바르다, 칠하다, 덮다

He **spread** butter on his bread quickly.

그는 재빨리 빵에 버터를 발랐다.

02 펴다, 펼치다(= unfold)

He **spread** a cloth on the table.

그는 식탁에 보를 폈다.

03 퍼지다

Democratic governance has **spread** throughout much of the region.

민주적 통치는 지역 대부분에 퍼져 왔다. 2013 7급

04 보급, 확장

The **spread** of learning has been promoted by the radio.

학문의 보급은 라디오에 의해 촉진되었다.

spring
[sprɪŋ]

01 봄

Thousands of harp seal pups are born and nurtured here each **spring**.

수천 마리의 하프 바다표범 새끼들은 매년 봄에 여기서 태어나고 양육된다. 2012 7급

02 용수철

The toys are worked by a **spring**.

그 장난감들은 용수철로 작동된다.

03 샘, 우물

There was a **spring** here in my town.

우리 마을에는 여기에 샘이 있었다.

04 튀어 오르다

The boy **sprang** out of bed.

그 소년은 침대에서 벌떡 일어났다.

stage
[steɪdʒ]

01 실행하다, 수행하다

They used Korea to **stage** an invasion of China.

그들은 중국 침략을 수행하기 위해서 한국을 이용했다.

02 무대

I'm not sure whether I can walk out onto the **stage**.

나는 내가 저 무대 위로 걸어 나갈 수 있을지 모르겠다. 2011 7급

03 단계

Fighting at the final **stage** is more violent than ever.

마지막 단계에서의 싸움은 어떤 것보다 더 격렬하다. 2012 9급

stand
[stænd]

01 견디다, 참다

He couldn't **stand** it.

그는 그것을 참을 수 없었다.

02 서다, 서 있다, 일어서다; 서기, 서 있기

We **stood** fixed to the spot for an hour.

우리는 한 시간 동안 그 자리에 꼼짝 않고 서 있었다.

03 비용을 부담하다

The man will **stand** drinks all round.

그 남자는 모두에게 술을 살 것이다.

04 유효하다

The agreement still **stands**.

그 계약은 여전히 유효하다.

05 (기계·자동차 등이) 정지해 있다; 정지, 멈추어 서기

the train now **standing** at platform 1

현재 1번 승강장에 서 있는 기차

06 (어떤 상태·태도를) 취하다, 끝까지 지키다

We will **stand** firm.

우리는 완강히 버틸 것이다.

07 (문제 등에 대한) 입장, 태도

If you have a child, you must take a **stand** on environmental issues.

만약 자녀가 있다면, 당신은 환경 문제들에 대해 입장을 취해야만 한다.

08 키가 ~이다

He **stands** 6 feet and 2 inches tall.

그는 키가 6피트 2인치(약 188cm)이다.

50 **starve**
[stɑːrv]

01 ~을 갈망하다

She is **starving** for affection.

그녀는 애정을 갈망하고 있다.

02 굶다, 굶어 죽다

The female prisoner **starved** to death.

그 여자 죄수는 굶어 죽었다.

DAY 08

state
[steɪt]

01 진술하다, 말하다

For instance, both men and women typically **state** that their spouses are "their best friends," and that they like their spouses as people.

예를 들어, 남성과 여성은 일반적으로 자신의 배우자가 "자신의 가장 친한 친구"이며 자신의 배우자를 사람으로서 좋아한다고 말한다.
2012 7급

02 정하다

Theater tickets must be used on the **stated** date.

극장 입장권은 정해진 날짜에 써야 한다.

03 주, 국가

the southern **states** of the US

미국 남부의 (여러) 주들

04 상태

She is in a poor **state** of health.

그녀는 건강 상태가 좋지 않다.

steady
[ˈstedi]

01 안정시키다, 진정시키다

He needs someone to **steady** him.

그는 자신을 안정시켜 줄 누군가를 필요로 하고 있다.

02 꾸준한, 지속적인

At a **steady** flow throughout the winter months, hundreds of thousands of mature harp seals swim through iceberg-filled waters from their summer homes in the northwest Atlantic to the solid ice packs in the Gulf of St. Lawrence in eastern Canada.

동절기 수개월 내내 꾸준한 흐름으로 수십만 마리의 성숙한 하프 바다표범은 빙하로 덮여 있는 바닷물을 헤엄쳐 북서부 대서양의 여름 서식지로부터 캐나다 동부의 St. Lawrence 만의 단단한 얼음 덩어리로 간다. 2012 7급

03 go steady: 꾸준히 사귀다, 진지하게 사귀다

Sally has been **going steady** with John.

Sally는 John과 꾸준히 사귀어 오고 있다.

04 확고하게, 단단히

Hold this rope **steady**.

이 밧줄을 꽉 붙잡아라.

05 일정한, 규칙적인

All the time the sun continues to send out a **steady** supply of heat and light.

언제나 태양은 일정한 양의 열과 빛을 공급하는 것을 계속한다. 2014 9급

06 성실한, 착실한

They are **steady** workers.

그들은 성실한 일꾼들이다.

still
[stɪl]

01 움직이지 않는, 조용한

The damp summer air was **still**.

축축한 여름 공기가 정지한 채로 있었다.

02 여전히, 한층 더

This could be more of an illusion than reality because the U.S. **still** maintains both the air and naval capability to assert itself in East Asia.

이것은 실제보다 더 큰 착각을 하게 하는데, 왜냐하면 미국은 동아시아에서 권위를 확고히 할 공군과 해군 능력을 여전히 유지하고 있기 때문이다. 2013 7급

03 그래도, 그럼에도 불구하고

It's raining. **Still**, the people must go out.

비가 오고 있다. 그래도, 사람들은 나가야만 한다.

stress
[stres]

01 강조하다

In fact, newspapers and magazines often **stress** that they print the news "straight."

사실, 신문과 잡지는 종종 그들이 뉴스를 "정직하게" 내보낸다는 점을 강조한다. 2014 9급

02 ~에 강세를 두다

She **stressed** the first vowel of "object," which was the wrong pronunciation for the verb.

그녀는 "object"의 첫 모음에 강세를 두었는데, 이는 동사의 경우 틀린 발음이었다.

03 압박

She is under **stress** of poverty.

그녀는 가난의 압박에 시달리고 있다.

05 **stretch**
[stretʃ]

01 잡아늘이다

The men **stretched** the rope tight.

그 남자들은 밧줄을 팽팽히 잡아당겼다.

02 뻗다, 늘어지다

He **stretched** out his hand for the book.

그는 책을 집으려고 손을 뻗었다.

03 기간, 시간

The couple met again after a **stretch** of three years.

그 연인들은 3년의 기간 후에 다시 만났다.

subject
[ˈsʌbdʒikt], [səbˈdʒekt]

01 주제

Poetry is a good **subject** for discussion.

시는 토론하기에 좋은 주제이다.

02 국민

Beckham is a British **subject**.

Beckham은 영국 국민이다.

03 대상

The Harry Potter series of novels have been the **subject** of a number of legal proceedings, largely stemming from claims by the American religious groups that the magic in the books promotes witchcraft among children.

소설 Harry Potter 시리즈는 책 속의 마법들이 아이들에게 마법을 장려한다는 미국 종교 단체들의 주장에서 비롯된 수많은 소송 과정의 대상이 되어 왔다. 2011 7급

04 신하

The men were **subjects** of the king.

그 남자들은 왕의 신하들이었다.

05 ~을 받기 쉬운, ~에 걸리기 쉬운

The child is **subject** to ill health.

그 아이는 병에 걸리기 쉽다.

06 영향을 받는

It may be wiser to request dollar-amount vouchers, which usually are not **subject** to blackout dates and have fewer limitations.

금액이 표시된 교환권을 요구하는 것이 현명할 것인데, 그것은 보통 날짜가 소멸되는 것의 영향을 받지 않고 제약이 더 적다. 2012 7급

07 지배를 받는

Man is **subject** to the law of nature.

인간은 자연의 법칙에 지배를 받는다.

08 ~을 받게 하다; 예속시키다

These guilty people were **subjected** to punishment by the king.

죄를 지은 이 사람들은 왕에 의해 처벌받도록 되어 있었다.

submit
[səbˈmɪt]

01 제출하다

This is the new theory **submitted** by researchers at Fox University, U.S.

이것은 미국 Fox 대학의 연구원들이 제출한 새 이론이다.

02 복종하다

It tries to impress its customers emotionally and then make them **submit** intellectually.

그것은 고객들을 감성적으로 감동시키려 시도해서, 그들을 지적으로 복종하게 만들고자 한다. 2010 9급

succeed
[səkˈsiːd]

01 성공하다

a mission which could not possibly **succeed**

도저히 성공할 수 없는 임무

02 상속하다

Their only son **succeeded** to all his wealth.

그들의 외아들이 그의 전 재산을 상속했다.

03 계승하다, 후임이 되다

Elizabeth **succeeded** her half-sister to the throne.

Elizabeth는 이복 언니의 왕좌를 물려받았다.

04 이어지다

The star fell sick, and what **succeeded** was an outpouring of concern from his fans.

그 인기 배우는 병이 났는데, 이어진 것은 팬들의 폭발적인 걱정이었다.

05 ~의 뒤에 오다

Autumn **succeeds** summer.

가을은 여름 뒤에 온다.

suit
[suːt]

01 어울리다

Painters discover a style of painting that **suits** them.

화가들은 그들에게 어울리는 회화 스타일을 알아낸다.

02 소송

The men brought a **suit** against their employer.

그 남자들은 그들의 고용주를 상대로 소송을 냈다.

03 짝패

A **suit** is one of four sets of playing cards.

짝패는 카드 놀이의 4개 세트들 중의 하나이다.

04 옷

First, lightweight jogging **suits** in terry cloth, velour, and even plastic dot the paths in parks and along streets.

먼저, 테리 직물이나 벨루어, 심지어 플라스틱 재질의 초경량 조깅복들이 공원이나 길거리에 여기저기 흩어져 있다. 2011 9급

10

superior
[sʊˈpɪriər]

01 (~보다) 위의, 상급의

A **superior** court will review decisions of a lower court.

상급 법원은 하급 법원의 판결을 재심리할 것이다.

02 우수한, 뛰어난

That is, **superior** ability in the use of language is a prerequisite to becoming successful problem solvers.

즉, 언어 사용에서의 뛰어난 능력은 성공적인 문제 해결사가 되는 선행 조건이다. 2010 9급

03 잘난 체하는, 거만한

The importance of making money is no argument for acting **superior** about poetry.

돈벌이가 중요하다는 것은 시에 대해 잘난 체하는(시를 업신여기는) 것에 대한 논거가 될 수 없다.

04 (~에 있어서) 뛰어난 사람, 상사, 선배

The boy is happy because, in university, there are many **superiors** he can be taught by.

그 소년은 대학에서 그가 가르침을 받을 수 있는 뛰어난 사람들[선배들]이 많기 때문에 만족해 한다.

supply
[sə'plaɪ]

01 공급, 지급

There is thus a decline in rural industries and food **supply**.

그러므로 농촌 산업과 식량 공급의 감소가 있다. 2013 7급

02 공급하다, 대주다

Others consider that urbanization is a bad thing because a city depends very much on food being **supplied** from the surrounding countryside.

다른 이들은 도시화를 나쁜 것으로 간주하는데, 왜냐하면 도시는 도시 외곽으로부터 공급되는 음식에 너무 많이 의존하기 때문이다. 2013 7급

suppose
[sə'poʊz]

01 생각하다

Teaching is **supposed** to be a professional activity requiring long and complicated training as well as official certification.

가르침은 공식적인 자격증뿐만 아니라 길고 복잡한 훈련을 요구하는 전문적인 행위로 생각된다. 2011 7급

02 추측하다, 가정하다

For example, **suppose** 10 people view an accident.

예를 들어, 10명이 사고를 목격했다고 가정해 보라. 2014 9급

03 만약 ~라면(supposing)

Supposing your parents knew it, what would they say?

만약 너의 부모님이 그것을 아신다면, 그분들이 뭐라고 말씀하시겠니?

survive
[sər'vaɪv]

01 살아남다

For the next couple of months, the crucial task is finding enough food to **survive**.

다음 두 달 동안, 중요 업무는 살아남기 위해 충분한 음식을 찾는 것이다. 2010 7급

02 ~보다 오래 살다

The old woman has **survived** her husband and children.

그 노부인은 자기 남편과 자식들보다 오래 살았다.

03 견디다

Do you think the bear can **survive** this severe winter?

너는 그 곰이 이 혹심한 겨울철을 견뎌낼 수 있다고 생각하니?

swallow
['swɑːloʊ]

01 삼키다

It is dangerous to **swallow** food without chewing.

씹지 않고 음식을 삼키는 것은 위험하다.

02 한 번 삼키는 양, 한 모금

I took a **swallow** of water.

나는 물 한 모금을 마셨다.

03 보이지 않게 하다, 몽땅 없애다

The airplanes were **swallowed** up in the clouds.

그 비행기들은 구름 속으로 사라졌다.

04 제비

To build their nests, **swallows** use their bills as needles.

제비들은 둥지를 만들기 위하여 자신들의 부리를 바늘처럼 사용한다. 2012 7급

15 **system**
['sɪstəm]

01 학설, 가설

These discoveries added support to the Copernican **system**.

이 발견들은 코페르니쿠스 학설을 뒷받침해 주었다.

02 제도, 조직, 체계

the new education **system** needed for the new economic development model

새로운 경제 개발 모델을 위해 필요한 새 교육 제도 2013 7급

tear
[ter], [tɪr]

01 찢다

He **tore** the paper into two pieces.

그는 그 종이를 두 조각으로 찢었다.

02 눈물, 슬픔(= grief)

Her eyes were filled with **tears**.

그녀의 눈은 눈물로 가득 찼다.

term
[tɜːrm]

01 용어

While 'parenthood' is the **term** often used, in practice sensitivity is perceived as a key element of mothering rather than fathering.

한편 '부모 되기'는 종종 사용되는 용어인데, 실제로 세심함은 아버지 노릇보다 어머니 노릇의 핵심 요소로 인식된다. 2013 7급

02 교제 관계, 친한 사이

They got along with each other on good **terms**.

그들은 서로 사이좋게 지냈다.

03 in terms of: ~면에서, ~에 관하여

Although the biofuels themselves emit fewer greenhouse gases, they all have higher costs **in terms of** biodiversity loss and destruction of farmland.

바이오 연료 자체가 더 적은 온실 가스를 배출하지만, 그것들은 모두 생물 다양성 손실과 농지 파괴의 측면에서 더 높은 비용을 치러야 한다. 2013 7급

04 기간

The **term** of office is a year.

재직 임기는 1년이다.

terrible
[ˈterəbəl]

01 지독한

What a **terrible** smell!

정말 지독한 냄새군!

02 형편없는

The performance was **terrible** last week.

지난주는 공연이 형편없었다.

03 끔찍한, 무서운

There was a **terrible** fire that destroyed much of Rome in AD 69 during the reign of Nero.

Nero 황제 통치 시기 동안인 AD 69년에 로마의 많은 부분을 파괴시켰던 끔찍한 화재가 있었다. 2012 9급

04 굉장한, 엄청난

The roar of a tiger can be a **terrible** sound.

호랑이의 포효는 엄청난 소리일 수 있다.

threaten
[ˈθretn]

01 ~할 듯하다, 조짐을 보이다

The clouds **threatened** a heavy rain.

저 구름으로 봐서도 비가 많이 올 듯했다.

02 위협하다, 협박하다

There are many problems which **threaten** world peace.

세계 평화를 위협하는 문제들이 많다.

03 위태롭게 하다, 다가오고 있다

A storm **threatens** the house.

폭풍우가 그 집을 위태롭게 하고 있다.

20

throughout
[θruːˈaʊt]

01 도처에, 곳곳에

But emotional and other costs were also borne by families, friends, and fellow citizens **throughout** the country.

그러나 감정 및 기타 비용은 또한 전국 곳곳의 가족, 친구, 그리고 동료 시민이 부담했다. 2013 7급

02 ~ 동안, 내내

It snowed **throughout** the night.

밤새 눈이 내렸다.

03 전부, 모든 점에서

The government is trying to follow a sound policy **throughout**.

정부는 모든 점에서 건전한 정책을 취하려고 하고 있다.

04 처음부터 끝까지

He read the book **throughout**.

그는 책을 처음부터 끝까지 읽었다.

time
[taɪm]

01 시기, 시대

Around the same **time**, much of Europe decided that universal high school was a waste.

비슷한 시기에, 대부분의 유럽은 보편적인 고등학교는 낭비라고 결정했다. 2013 7급

02 번, 회

Oh, I'm sorry. It has been marked several **times**. Now it's $14.99.

어머나, 죄송합니다. 여러 번 가격이 찍혔네요. 지금 가격은 14.99달러입니다. 2013 7급

03 times: ~배, ~곱

Two **times** five is ten.

2 곱하기 5는 10이다.

toast
[toʊst]

01 굽다

Mother often **toasted** bread for us.

어머니는 종종 우리를 위해 빵을 구우셨다.

02 토스트, 구운 빵

He had two slices of **toast** for breakfast.

그는 아침식사로 토스트 두 쪽을 먹었다.

03 따뜻하게 하다

Tom was **toasting** his feet by the fire.

Tom은 난로 옆에서 그의 발을 따뜻하게 하고 있었다.

04 건배, 축배

They drank a **toast** to the gold medalists.

그들은 금메달리스트들을 위해 건배했다.

tongue
[tʌŋ]

01 혀

This year they are offering new dishes such as insect eggs, scorpions, and venison **tongue**.

올해 그들은 곤충 알, 전갈, 그리고 사슴의 혀와 같은 새로운 요리를 제공하고 있다. 2013 9급

02 입

Hold your **tongue**.

입 다물고 있어라.

03 국어, 언어 능력

She almost forgot her mother **tongue**.

그녀는 모국어를 거의 잊어버렸다.

total
[toʊtl]

01 총계가 ~에 이르다

The world population **totaled** about 500 million in 1650.

세계 인구는 1650년에 총 약 5억이었다.

02 전부의, 전체적인

New hiring in public companies generally does not exceed 3 percent of **total** employment.

공공 기업의 신규 고용은 일반적으로 전체 고용의 3%를 초과하지 않는다. 2013 9급

03 총계, 총합

The farm employed a **total** of forty workers.

그 농장은 총 40명의 근로자들을 고용했다.

25

touch
[tʌtʃ]

01 만지다, 닿다

She **touched** a strand of her own hair.

그녀는 자신의 머리카락 한 가닥을 만졌다.

02 가볍게 한 번 치기[누르기]

Virgin Atlantic solved the problem of making one piece of furniture serve two purposes with the **touch** of a button.

Virgin Atlantic은 버튼을 누름으로써 가구 한 점으로 두 가지 목적을 충족시키는 문제를 해결했다. 2012 7급

03 촉감

The girl had to rely on her sense of smell and **touch**.

그 소녀는 후각과 촉각에 의존해야만 했다.

04 솜씨, 특징, 수법

The girl's painting showed the **touch** of a master.

그 소녀의 그림은 거장의 솜씨를 보여주었다.

05 감동시키다

He was very **touched** by the movie.

그는 그 영화에 매우 감동을 받았다.

06 언급하다, 다루다

This film **touches** upon the eternal theme of life and death.

이 영화는 삶과 죽음이라는 영원한 주제를 다루고 있다.

train
[treɪn]

01 기차

The last **train** is pulling into the station now.

마지막 기차가 이제 역으로 들어오고 있다.

02 열, 연속(= string, sequence), 행렬

What **train** of events led to the discovery?

어떤 일련의 사건이 그 발견을 가져왔는가?

03 수행원

The king is always surrounded by his **train**.

그 왕은 항상 그의 수행원에게 둘러싸여 있다.

04 훈련하다, 가르치다

Therefore, the company needs to **train** its people to be customer-centered.

그러므로, 회사는 고객 중심이 되도록 직원들을 훈련시켜야 한다. 2013 7급

transfer
[træns'fɜ:r]

01 이동시키다, 옮기다

The office was **transferred** from L.A. to Seattle.

사무실이 L.A.에서 시애틀로 이전되었다.

02 갈아타다

We took the train and **transferred** to a bus.

우리는 기차를 탔다가 버스로 갈아탔다.

03 전학시키다

She was **transferred** to another school.

그녀는 다른 학교로 전학 갔다.

04 이전, 전임

The assumption that the budget should nevertheless be balanced meant that public finance was dominated by **transfers** from income tax-payers to bondholders.

그럼에도 불구하고 예산이 균형적이어야만 한다는 가정은 공공 재정이 소득 납세자에서 채권자로의 이전에 의해서 주도되었던 것을 의미했다. 2012 9급

treasure
['treʒər]

01 보물, 귀중품

In 1793, the national assembly decided to open all the **treasures** in the Louvre to the public.

1793년, 국민 의회는 루브르 박물관에 있는 모든 보물들을 대중에게 공개하기로 결정했다. 2011 9급

02 소중히 하다

He **treasured** her letters for long.

그는 그녀의 편지들을 오랫동안 소중히 간직하였다.

treat
[tri:t]

01 다루다, 취급하다

Don't **treat** him as a child.

그를 어린애로 취급하지 말아요.

02 치료하다

But the study by French scientists published in the journal Analytical Chemistry suggests that the lead salt in the cosmetics helps prevent and **treat** eye illness.

그러나 Analytical Chemistry 저널에 게재된 프랑스 과학자들의 연구에 따르면 화장품의 소금 납은 눈의 질병을 예방하고 치료하는 데 도움을 준다. 2014 9급

03 대접하다

Air Canada **treated** us to dinner and wine.

캐나다 항공은 우리에게 저녁과 와인을 대접했다.

04 큰 기쁨

It's always a **treat** to get away from the noise of the city.

도시의 소음으로부터 벗어나는 것은 언제나 큰 즐거움이다.

30 **trick**
[trɪk]

01 재주, 요술

We improve our reading by learning certain **tricks**.

우리는 특정한 재주를 배움으로써 읽기 기술을 향상시킨다. 2011 9급

02 버릇

He has a **trick** of repeating himself.

그는 같은 말을 되풀이하는 버릇이 있다.

03 속임수, 장난

The boss knows he got the money by a **trick**.

사장은 그가 속임수로 그 돈을 갖게 되었다는 것을 알고 있다.

04 속이다

They **tricked** the old man into giving them his money.

그들은 그 노인을 속여서 그들에게 그의 돈을 주도록 했다.

trouble
['trʌbəl]

01 근심거리, 고민

But there are new **troubles** in the peculiar paradise that science has created.

그러나 과학이 만든 독특한 낙원에는 새로운 문제점들이 있다. 2014 9급

02 괴롭히다, 애먹이다

Johansson was **troubled** over the matter.

Johansson은 그 문제로 괴로워했다.

trust
[trʌst]

01 신뢰하다, 믿다; 믿음

You can't always **trust** these types of information.

너는 이런 종류의 정보를 항상 믿어서는 안 된다. 2014 9급

02 맡기다, 위탁하다

I wouldn't **trust** her with such a large sum of money.

나는 그녀에게 그렇게 많은 돈을 맡기지 않겠다.

turn
[tɜːrn]

01 바뀌다; ~을 바꾸다

Teaching may become propaganda if it **turns** into indoctrination.

가르침은 만약 그것이 세뇌로 바뀌면 선전이 될 수 있다. 2012 7급

02 돌다

The earth **turns** round the sun.

지구는 태양 주위를 돈다.

03 ~쪽으로 방향을 돌리다

Please **turn** right.

오른쪽으로 돌아가시오.

04 선회, 방향 전환

In this year things took a sharp **turn** for the worse.

올해에는 모든 일들이 좋지 않은 쪽으로 급선회했다.

05 차례, 순번

It's his **turn** to talk now.

이제 그가 이야기 할 차례다.

They were conquered in **turn** by the Spanish.

그들은 차례로 스페인인에게 점령당했다.

urge
[ɜːrdʒ]

01 몰아대다, 재촉하다

The rider **urged** his horse to greater speed.

그 기수는 그의 말이 더 빠른 속도를 내도록 몰아댔다.

02 설득하여 ~하게 하다, 촉구하다

You and your family are **urged** to read this Guide carefully and learn what to do in emergency situations before they happen.

당신과 당신의 가족은 이 설명서를 주의 깊게 읽고 응급 상황이 일어나기 전에 무엇을 해야 할지를 배울 것이 촉구된다. 2012 7급

03 충동, 욕구

She has an **urge** to travel.

그녀는 여행하고 싶은 충동이 있다.

35 **use**
[juːs], [juːz]

01 소용, 유용, 효과

But it's of no **use**.

하지만 그것은 소용이 없다.

02 익힘, 습관

Once a **use**, forever a custom.

한 번 익히면, 영원히 습관이 된다.

03 be[get] used to -ing: ~에 익숙하다

She **was used to** sleeping late.

그녀는 늦잠을 자는 데 익숙해 있었다.

04 쓰다, 사용하다

Thus a different type of language behavior is **used** to maintain a relationship.

따라서 상이한 유형의 언어 행동이 관계를 유지하는 데 사용된다. 2013 7급

05 부당하게 이용하다

I couldn't help feeling that she was **using** me.

나는 그녀가 나를 이용하고 있다고 생각할 수 밖에 없었다.

06 소비하다, 써 버리다

We have **used** all the available funds.

우리는 쓸 수 있는 자금을 모두 써 버렸다.

value
[ˈvæljuː]

01 가치, 값어치, 진가, 고마움

Poetry may enrich the **value** of words.

시는 단어의 가치를 높일 것이다.

A person's **value** lies not so much in what he has as in what he is.

한 사람의 가치는 재산보다도 오히려 인격에 있다. 2013 7급

02 값, 가격

market **value**

시장 가치[가격]

03 소중히 여기다, ~을 중요시하다, 존중하다

I have always **valued** their friendship very highly.

나는 항상 그들의 우정을 매우 소중하게 여겨왔다.

04 평가하다

They **valued** the house and lot at $20,000.

그들은 그 가옥과 대지를 20,000달러로 평가했다.

vision
[ˈvɪʒən]

01 시력

With such poor **vision**, she really needs glasses.

그녀는 시력이 너무 나빠서 정말로 안경을 필요로 한다.

02 선견지명, 비전

City planning requires great **vision**.

도시 계획은 훌륭한 선견지명을 필요로 한다.

03 환영, 환각

As a child the girls and the boys saw a **vision** of the Virgin Mary.

어렸을 때 그 소녀들과 소년들은 동정녀 마리아의 환영을 보았다.

volume
[ˈvɑːljəm]

01 책, 서적

She wrote them only for a scholarly **volume**.

그녀는 단지 학술 서적을 위해서 그것들을 썼다.

02 용량, 양, 규모

Pecuniary interest in the continued growth of the town, hence any creditable misrepresentation of the town's **volume** of business traffic, population, tributary farming community, or natural resources, is rated as serviceable to the common good.

지역의 지속적인 성장에서의 금전적 이익, 그로 인한 그 지역의 사업 거래의 규모, 인구, 보조적인 농업 공동체, 또는 천연자원에 대한 어떤 훌륭한 그릇된 진술도 공익에 도움이 되는 것으로 여겨진다. 2011 7급

03 음량, 크기

He has a voice of great **volume**.

그는 성량이 대단하다.

walk
[wɔːk]

01 걷다, 걸어가다

He missed the bus and had to **walk** home.

그는 버스를 놓쳐 집까지 걸어가야 했다.

02 걸음걸이

I recognized her at once by her **walk**.

나는 걸음걸이로 즉시 그녀를 알아봤다.

03 행동 범위, 활동 영역

There are people from all **walks** of life.

각계각층의 사람들이 있다.

04 보행 거리

The school is a short **walk**.

그 학교는 걸어서 얼마 안 되는 거리에 있다.

40 **water**
[ˈwɑːtər]

01 물을 공급하다

There was the season of planting after the Nile **watered** the land.

나일강이 그 땅에 물을 공급한 후 곡식을 심는 시기가 있었다.

02 물

The prisoners were given only bread and **water**.

죄수들에게는 빵과 물만이 주어졌다.

well
[wel]

01 훌륭하게, 잘, 상당히

Unlike particles, which have **well**-defined positions and trajectories, waves are not localized in space.

잘 정제된 위치와 궤도를 가지고 있는 입자와는 다르게, 파장은 공간에 국한되어 있지 않다. 2013 7급

02 완전히, 전적으로

She was **well** into her work.

그녀는 완전히 자신의 일에 몰두해 있었다.

03 [동사 바로 앞에 두어 동사를 강조] 완전히, 적절히

I **well** understood your intentions.

나는 너의 의사를 완벽하게 이해했다.

04 건강이 좋은, 건강한

I don't feel very **well**.

나는 몸이 별로 좋지 않아.

05 우물

There was a natural **well** behind the cabin.

오두막집 뒤에 천연 우물이 있었다.

06 분출하다, 솟아나다

Tears **welled** up in my eyes.

눈물이 나의 눈에서 솟아났다.

will
[wil]

01 의지

Love is essentially good **will**.

사랑이란 본질적으로 선의이다.

02 유서, 유언

There is nothing for them in grandfather's **will**.

할아버지의 유서에는 그들에 대한 것은 아무것도 없다.

03 ~할[일] 것이다

As you grow older, you **will** come to realize the meaning of this saying clearly.

네가 나이가 들어감에 따라, 너는 이 속담의 의미를 분명히 알게 될 것이다. 2013 7급

wind
[waɪnd], [wɪnd]

01 구부러지다, 굽이치다

Europe's historic Rhine River **winds** past steep cliffs.

유럽에서 유서 깊은 라인 강은 가파른 절벽을 지나 구불구불 흐른다.

02 ~을 감다, 두르다

The young lady **wound** a scarf around her neck.

그 젊은 아가씨는 자신의 목에 스카프를 둘렀다.

03 바람

Johannes Kepler believed that there would one day be "celestial ships with sails adapted to the **winds** of heaven" navigating the sky, filled with explorers "who would not fear the vastness" of space.

Johannes Kepler는 언젠가 우주의 "광대함을 두려워하지 않는" 탐험가들로 가득 채워진 하늘을 항해하는, "하늘의 바람에 적응하는 돛을 가진 천체의 배"가 있을 것이라고 믿었다. 2014 9급

wire
[waɪr]

01 ~에 철사를 달다, 끼우다

He **wires** beads together.

그는 염주 알을 철사로 꿴다.

02 전보를 치다

She **wired** me that I had passed the examination.

그녀는 나에게 내가 시험에 합격했다고 전보를 보냈다.

03 전보, 전신

Let us know the result by **wire**.

전보로 결과를 알려 주게.

45 **wish**
[wiʃ]

01 소원, 소망

People should make their thoughts or **wishes** known to one another.

사람들은 자기들의 생각이나 소원을 서로에게 알리도록 해야 한다.

02 원하다, ~하고 싶다

If they **wish**, they can reject both. But they can also receive drugs for pain control if they choose.

그들이 원한다면, 둘 다 거절할 수 있다. 그러나 그들이 선택한다면 또한 고통을 조절하기 위한 약품을 받을 수 있다. 2012 7급

03 ~을 기원하다

The girl blew out the candles on her birthday cake and **wished** for a new doll.

그 소녀는 자신의 생일 케이크 위의 촛불을 끄고 나서 새 인형이 하나 있으면 하고 기원했다.

wonder
['wʌndər]

01 놀라운 일, 경이

The life cycle of the harp seal is one of the great **wonders** of nature.

하프 바다표범의 생애 주기는 자연의 위대한 경이 중 하나이다. 2012 7급

02 놀라다

I **wondered** to see him standing there.

나는 그가 거기에 서 있는 것을 보고 놀랐다.

03 궁금해 하다, 의아하게 여기다

Have you ever **wondered** why some highways in the United States have names like Mohawk trail?

당신은 미국의 고속도로가 왜 Mohawk trail과 같은 이름인지 궁금해 한 적이 있는가?

work
[wɜːrk]

01 일하다; 일

I've never ever **worked** in an office before.

이전에 나는 사무실에서 일해 본 적이 없다.

02 작품

Those beautiful paintings are **works** of art.

저 아름다운 그림들은 예술 작품이다.

03 작동하다

The elevator is not **working** right now.

엘리베이터가 현재는 작동하고 있지 않다.

04 풀다(work out)

She **worked out** the problem.

그녀는 그 문제를 해결했다.

05 효과가 있다

He believed that acupuncture **worked** mostly on the mind, reducing pain only if people believed it would.

그는 사람들이 그럴 것이라 믿는 경우에만 침술이 통증을 줄여 주고 주로 마음에 효과가 있다고 믿었다. 2013 7급

06 작용하다, 움직이다

We don't know how the brain **works**.

우리는 두뇌가 어떻게 작용하는지 모른다.

07 연구하다

Those who **work** with the earth science study the earth.

지구 과학을 연구하는 사람들은 지구를 연구한다.

worry
['wɜːri]

01 걱정하다

Blessed is the man who is too busy to **worry** in the day and too tired to lie awake at night.

낮에는 너무 바빠 걱정할 틈도 없고 밤에는 너무 피곤해서 깨어 있을 수 없는 사람은 복 받은 사람이다. 2011 9급

02 괴롭히다, 걱정시키다

Don't **worry** your family with your problems.

너의 문제로 가족을 못살게 굴지 마라.

03 걱정, 근심, 불안

Worry is bad for your health.

근심은 건강에 나쁘다.

wrap
[ræp]

01 감싸다, 덮다

Ski masks cover their faces, woolen caps hide their hair, and heavy scarves are **wrapped** snugly around their necks.

스키 마스크는 그들의 얼굴을 덮고, 양털 모자는 머리를 감추며, 두꺼운 목도리는 포근하게 그들의 목을 감싼다. 2011 9급

02 포장하다

He **wrapped** the package.

그는 꾸러미를 포장했다.

03 ~에 열중하다(wrap in)

He is so **wrapped** up in her that he can't see her faults.

그는 너무도 그녀에게 열중해 있어서 그녀의 결점을 볼 수가 없다.

50 **yield**
[ji:ld]

01 산출고

Farmers had a good **yield** last year.

농부들은 작년에 풍작을 이루었다.

02 얻다, 산출하다

This old tree still **yields** oranges every year.

이 노목은 아직도 매년 오렌지를 산출한다.

03 굴복하다, 항복하다

The digital world offers us many advantages, but if we **yield** to that world too completely we may lose the privacy we need to develop a self.

디지털 세상은 우리에게 많은 이점을 주지만, 우리가 그 세계에 너무 전적으로 굴복한다면 우리는 자신을 개발하는 데 필요한 사생활을 잃을 수 있다. 2014 9급

04 인정하다

He **yielded** that point in the argument.

그는 토론에서 그 논점을 인정했다.

05 휘다, 부서지다

The shelf is beginning to **yield** under those heavy weights.

그 선반은 무거운 무게 때문에 휘기 시작하고 있다.

PART

II

공시 실전어휘

WHY? 공시 실전어휘

공시 실전어휘는 진정한 공시 영어의 시작에 해당되는 파트이다. 공시 영어 중 추상적인 개념을 묻는 고난도 독해 또는 어휘 문제를 대비할 수 있는 영역이기 때문이다. 어휘의 난도가 중상 이상이므로, 수험생들은 정확한 의미 파악은 물론 유의어 암기에 초점을 맞춰야 한다. 또한, 다른 파트보다 더 많은 회독이 이루어져야 하므로 플래너를 활용하여 체계적이고 효율적으로 학습하자.

공시 실전어휘

점수 잡는 학습법▶ 어휘의 의미를 암기하는 것은 물론이고 반드시 유의어까지 학습하도록 한다. 유의어는 여러 번 회독하면서 외운 어휘를 체크박스에 표시하며 학습하는 것이 효율적이다. 실제 공시 영어에서 유의어를 묻는 유형으로 문제가 출제되므로 실전에 대비하는 마음으로 꾸준히 회독하여 암기하도록 한다.

DAY 09

abandon [əˈbændən]
ⓥ 버리다, 그만두다, 포기하다, 떠나다
| 유의어 |
□ leave □ give up
□ discard □ cut off
□ dump □ halt
□ cease □ break off
□ abdicate □ jettison

abase [əˈbeɪs]
ⓥ (지위·품격 등을) 떨어뜨리다, 낮추다, 창피를 주다
| 유의어 |
□ debase □ degrade
□ demean □ humble
□ belittle

abash [əˈbæʃ]
ⓥ 당황하게 하다
| 유의어 |
□ confound □ confuse
□ discomfit □ disconcert
□ embarrass

abate [əˈbeɪt]
ⓥ 줄이다, (강도가) 약해지다
| 유의어 |
□ lessen □ ease
□ dwindle □ relent
□ slacken □ wane
□ diminish □ bate
□ decline □ de-escalate

05 **abbreviate** [əˈbriːvieɪt]
ⓥ 요약하다, 생략하다
| 유의어 |
□ shorten □ abridge
□ curtail

abdicate [ˈæbdɪkeɪt]
ⓥ 포기하다, 그만두다, 왕위를 버리다, 퇴위하다
| 유의어 |
□ abandon □ forsake
□ resign □ surrender
□ renounce □ relinquish
□ forgo □ abnegate
□ step aside (from)

abduct [æbˈdʌkt]
ⓥ 유괴하다, 납치하다
| 유의어 |
□ kidnap □ snatch
□ capture □ hijack

aberrant [æˈberənt]
ⓐ 비정상적인, 정도를 벗어난, 엉뚱한
| 유의어 |
□ abnormal □ atypical
□ untypical □ anomalous
□ deviant □ bizarre

abeyance [əˈbeɪəns]
ⓝ 정지, 중지, 미정
| 유의어 |
□ pause □ intermission
□ dormancy □ suspension

10 **abhor** [æbˈhɔːr]
ⓥ 몹시 싫어하다, 증오하다
| 유의어 |
□ abominate □ execrate
□ loathe □ detest

abide [əˈbaɪd]
ⓥ ~에 살다, 머무르다, 견디다, (규칙 등을) 준수하다(abide by)
| 유의어 |
□ live □ stay
□ remain □ survive
□ bear □ tolerate
□ put up with □ endure

abjure [əbˈdʒʊr]
ⓥ (공식적으로) 포기하다, 철회하다
| 유의어 |
□ retract □ withdraw
□ recant □ abnegate

ablaze [əˈbleɪz]
ⓐ 불길에 휩싸인, (물질이) 빛나는, (감정·에너지 등이) 가득 찬
| 유의어 |
□ aflame □ lighted

abominate [əˈbɑːməneɪt]
ⓥ 몹시 싫어하다, 진저리를 내다
| 유의어 |
□ abhor □ detest

15 **aboriginal**
[ˌæbəˈrɪdʒɪəl]
ⓐ 최초의, 원시의, 토착의, 원주민의
| 유의어 |
☐ primitive ☐ primordial
☐ indigenous ☐ autochthonous
☐ native

abortion
[əˈbɔːrʃən]
ⓝ 낙태, 유산, (계획 등의) 실패, 불발
| 유의어 |
☐ miscarriage ☐ stillbirth
☐ failure

abortive
[əˈbɔːrtiv]
ⓐ (일이) 무산된, 수포로 돌아간, 실패의
| 유의어 |
☐ futile ☐ ineffective
☐ ineffectual ☐ unproductive
☐ vain ☐ stillborn
☐ unavailing ☐ unsuccessful
☐ fruitless

abrade
[əˈbreɪd]
ⓥ 문질러 벗겨지게 하다, 닳게 하다
| 유의어 |
☐ rub ☐ wear
☐ chafe ☐ excoriate
☐ corrode ☐ erode
☐ fray

abridge
[əˈbrɪdʒ]
ⓥ 요약하다, 단축하다, 줄이다
| 유의어 |
☐ cut ☐ reduce
☐ curtail ☐ abbreviate
☐ shorten ☐ abstract

20 **abrogate**
[ˈæbrəgeɪt]
ⓥ (법률 · 습관 등을) 폐지하다, 그만두다, 끝내다
| 유의어 |
☐ annul ☐ invalidate
☐ abolish ☐ avoid
☐ cancel ☐ negate
☐ nullify ☐ repeal

abscond
[æbˈskɑːnd]
ⓥ 도망치다, 자취를 감추다
| 유의어 |
☐ run away ☐ flee
☐ retreat ☐ escape

absolve
[əbˈzɑːlv]
ⓥ ~을 무죄로 하다
| 유의어 |
☐ discharge ☐ exculpate
☐ acquit ☐ exonerate
☐ vindicate

abstinence
[ˈæbstənəns]
ⓝ 금욕, 금주
| 유의어 |
☐ continence ☐ sobriety
☐ temperance

absurd
[əbˈsɜːrd]
ⓐ 불합리한, 바보 같은, 우스꽝스러운
| 유의어 |
☐ irrational ☐ unreasonable
☐ ridiculous ☐ foolish
☐ preposterous

25 **abuse**
[əˈbjuːs]
ⓥ 남용하다, 악용하다, 학대하다, 모욕하다
ⓝ 폭행, 욕설
| 유의어 |
☐ waste ☐ misuse
☐ assault

abysmal
[əˈbɪzməl]
ⓐ 최악의, 끔찍한, 심연의
| 유의어 |
☐ terrible ☐ worst
☐ bottomless ☐ appalling

accessible
[əkˈsesəbəl]
ⓐ 접근 가능한, 이용 가능한, 사용하기 쉬운
| 유의어 |
☐ within reach ☐ near
☐ available

acclaim
[əˈkleɪm]
ⓥ 갈채하다 ⓝ 호평, 찬사
| 유의어 |
☐ applause ☐ praise
☐ accolade

accommodate
[əˈkɑːmədeɪt]
ⓥ 적응시키다, 숙박시키다, 수용하다, 배려하다
| 유의어 |
☐ take in ☐ lodge
☐ care ☐ adapt

30 **accomplice**
[əˈkɑːmplɪs]
ⓝ 공범
| 유의어 |
☐ ally ☐ accessory
☐ confederate

accost
[əˈkɑːst]
ⓥ (대담·성급하게) 말을 붙이다
| 유의어 |
☐ hail ☐ interject

acquaint
[əˈkweɪnt]
ⓥ 익히다[숙지하다], 알리다, 소개하다
| 유의어 |
☐ accustom ☐ familiarize
☐ inform ☐ notify
☐ introduce

acquit
[ə'kwɪt]
ⓥ 무죄를 선고하다, 무죄로 하다, 석방하다
| 유의어 |
☐ release ☐ exonerate
☐ set free

acrimonious
[ˌækrə'moʊniəs]
ⓐ 신랄한, 매서운, 호된
| 유의어 |
☐ bitter ☐ acid
☐ acute

35 **acute**
[ə'kjuːt]
ⓐ 예민한, 날카로운, 급성의
| 유의어 |
☐ sensitive ☐ penetrating
☐ sharp

adamant
['ædəmənt]
ⓐ 단호한, 매우 단단한
ⓝ 비길 데 없이 견고한 것
| 유의어 |
☐ hard ☐ firm
☐ strict

addict
['ædɪkt]
ⓥ 중독시키다 ⓝ 중독자
| 유의어 |
☐ fan ☐ abuser
☐ druggie ☐ junkie
☐ aficionado ☐ devotee
☐ maniac

adjacent
[ə'dʒeɪsənt]
ⓐ 인접한, 이웃의, 부근의
| 유의어 |
☐ close ☐ near
☐ nearby ☐ contiguous
☐ abutting ☐ adjoining

adjourn
[ə'dʒɜːrn]
ⓥ (재판·회의 등을) 연기하다, 휴정하다
| 유의어 |
☐ postpone ☐ suspend
☐ defer ☐ discontinue
☐ prorogue ☐ recess

40 **admit**
[ædmít]
ⓥ 인정하다; 자백하다; 입장을 허락하다; 입원시키다
| 유의어 |
☐ accept ☐ acknowledge
☐ recognize ☐ confess

admonish
[əd'mɑːniʃ]
ⓥ 훈계하다, 권고하다, 간곡히 타이르다
| 유의어 |
☐ warn ☐ reprove
☐ call down ☐ advise
☐ exhort ☐ reprimand

adulterate
[ə'dʌltəreɪt]
ⓥ ~의 품질을 떨어뜨리다, 불순물을 섞다
| 유의어 |
☐ alloy ☐ contaminate
☐ taint ☐ pollute

adverse
['ædvɜːrs]
ⓐ 부정적인, 반대의, 불리한, 적대적인
| 유의어 |
☐ negative ☐ counter
☐ inimical ☐ unfriendly
☐ disadvantageous

affable
['æfəbəl]
ⓐ 상냥한, 붙임성 있는, 사근사근한
| 유의어 |
☐ kind ☐ social
☐ friendly

45 **affectionate**
[ə'fekʃənət]
ⓐ 다정한, 애정 어린
| 유의어 |
☐ loving ☐ devoted
☐ fond ☐ tender

affiliation
[əˌfili'eiʃən]
ⓝ 가입, 제휴, 협력
| 유의어 |
☐ alliance ☐ conjunction
☐ connection

affinity
[ə'fɪnəti]
ⓝ 애호[좋아함], 공감, 친밀감, 유사성
| 유의어 |
☐ affection ☐ empathy
☐ inclination ☐ analogy
☐ resemblance ☐ similarity
☐ likeness

affirmation
[ˌæfər'meɪʃən]
ⓝ 확언, 단언, 증언, 확인
| 유의어 |
☐ assertion ☐ asseveration
☐ declaration ☐ protestation

affirmative
[ə'fɜːrmətɪv]
ⓐ 긍정의, 동의하는 ⓝ 긍정의 말, 동의
| 유의어 |
☐ approbative ☐ approbatory
☐ favorable ☐ approving
☐ yes

50 **affluence**
['æfluəns]
ⓝ 풍요, 부유, 유입
| 유의어 |
☐ opulence ☐ wealth
☐ inpouring ☐ influx

DAY 10

affray [əˈfreɪ]
ⓝ 공개 싸움, 소란, 난투
| 유의어 |
□ brawl □ fracas
□ fray

agape [əˈgeɪp]
ⓐ (놀람 등으로) 입을 벌리고[벌린], 아연실색한
| 유의어 |
□ open-mouthed □ aghast
□ dismayed □ astounded

agenda [əˈdʒendə]
ⓝ 협의 사항, 의사 일정, 비망록, 여행 일정
| 유의어 |
□ timetable □ itinerary

aggrandize [əˈgrændaiz]
ⓥ (권력·재산·지위 등을) 증대하다
| 유의어 |
□ amplify □ magnify
□ augment

05 **aggregate** [ˈægrɪgət], [ˈægrɪgeɪt]
ⓐ 합계의, 전체의, 총계의 ⓝ 합계, 총계
ⓥ 모으다, 총계가 ~이 되다
| 유의어 |
□ total □ gross
□ sum □ amount to
□ come to □ holistic

aggressive [əˈgresɪv]
ⓐ 공격적인, 진취적인, 적극적인(= proactive)
| 유의어 |
□ combative □ assertive
□ strident

aghast [əˈgæst]
ⓐ 겁에 질린, 경악한
| 유의어 |
□ shocked □ dismayed
□ frightened □ agape
□ terrified □ spooked

agile [ˈædʒəl]
ⓐ 민첩한, 명민한, 기민한
| 유의어 |
□ lively □ nimble
□ brisk □ active
□ quick-moving

agility [əˈdʒɪləti]
ⓝ 민첩함, 영민함
| 유의어 |
□ promptness □ dexterity
□ nimbleness

10 **agitate** [ˈædʒɪteɪt]
ⓥ 선동시키다, 교란시키다
| 유의어 |
□ stir □ provoke
□ perturb

agnostic [ægˈnɑːstɪk]
ⓝ 불가지론자 ⓐ 불가지론의
| 유의어 |
□ atheist □ skeptic

agrarian [əˈgreriən]
ⓐ 토지나 경작지의, 농업의
| 유의어 |
□ agricultural □ arable

ailment [ˈeɪlmənt]
ⓝ 질병
| 유의어 |
□ sickness □ disease
□ illness

aimlessly [ˈeimlisli]
ⓐⓓ 목적 없이, 지향 없이
| 유의어 |
□ purposelessly □ hit or miss
□ anyhow □ desultorily

15 **ajar** [əˈdʒɑːr]
ⓐ (문이) 조금 열린

albeit [ɔːlˈbiːɪt]
ⓒⓞⓝ 비록 ~일지라도
| 유의어 |
□ although □ though
□ while

alienate [ˈeɪliəneɪt]
ⓥ 따돌리다, 멀리하다, 양도하다
| 유의어 |
□ antagonize □ estrange

alimentary [ˌæləˈmentəri]
ⓐ 영양이 되는
| 유의어 |
□ nutritional □ nutritive

all thumbs
손재주 없는, 투미한
| 유의어 |
□ clumsy □ timber-headed

20 **allay** [əˈleɪ]
ⓥ 가라앉히다, 진정시키다, 완화시키다
| 유의어 |
□ alleviate □ appease
□ soothe

allege
[ə'ledʒ]

ⓥ (증거 없이) 혐의를 제기하다[주장하다], 우겨대다

| 유의어 |
- assert
- aver
- affirm
- declare

allusive
[ə'lu:sɪv]

ⓐ 암시적인

| 유의어 |
- suggestive
- implied
- connotational
- indirect

alternative
[ɑ:l'tɜ:rnətɪv]

ⓝ 대안, 대체 ⓐ 대신의, 다른

| 유의어 |
- other
- different
- second

altruistic
[ˌæltru'ɪstɪk]

ⓐ 애타적인, 이타적인, 이타주의적인

| 유의어 |
- other-oriented
- charitable
- beneficent
- benevolent
- humanitarian
- philanthropic

25 **ambience**
['æmbiəns]

ⓝ 분위기, 환경, 주위

| 유의어 |
- atmosphere
- mood
- environment

ambitious
[æmbíʃəs]

ⓐ 야망 있는, 야심찬; 열망하는

| 유의어 |
- aspiring

ambivalent
[æm'bɪvələnt]

ⓐ 반대 감정이 병존하는, 애증이 엇갈리는

| 유의어 |
- conflicted

ambush
['æmbuʃ]

ⓝ 매복, 잠복, 복병

| 유의어 |
- trap
- snare
- blitz
- incursion

amenity
[ə'menəti]

ⓝ 위락 시설, 편의시설, 쾌적함

| 유의어 |
- leisure complex
- facility
- comfortableness

30 **amicable**
['æmɪkəbəl]

ⓐ 우호적인, 평화적인, 타협적인

| 유의어 |
- friendly
- peaceful
- agreeable
- harmonious

amid
[ə'mɪd]

ⓟⓡⓔ ~가운데에[속에서, 중에]

| 유의어 |
- among

amorphous
[ə'mɔ:rfəs]

ⓐ 무정형의, 비결정질의, 조직이 없는

| 유의어 |
- unformed
- shapeless
- unstructured

anachronism
[ə'nækrənɪzəm]

ⓝ 시대착오, 시대에 뒤진 것, 시대착오적인 것

analogous
[ə'næləgəs]

ⓐ 유사한, 비슷한, 닮은

| 유의어 |
- similar
- akin
- cognate

35 **anomie**
['ænəmi]

ⓝ 사회적 무질서

anonymous
[ə'nɑnɪməs]

ⓐ 익명의, 작자 불명의, 작가미상의

| 유의어 |
- unknown
- nameless
- unnamed
- unidentified

antagonistic
[ænˌtægə'nɪstɪk]

ⓐ 적대의, 적대적인

| 유의어 |
- hostile

anthropology
[ˌænθrə'pɑlədʒi]

ⓝ 인류학, 인간학, 문화인류학

antidote
['æntidoʊt]

ⓝ 해독제, 교정 수단, 치료법

| 유의어 |
- treatment
- medicine
- cure

40 **aphasia**
[ə'feɪziə]

ⓝ 실어(증)

- language loss
- language attrition
- dysphasia

apparel
[ə'pærəl]

ⓝ 의복, 복장 ⓥ 옷을 입히다

| 유의어 |
- clothes
- attire

appease
[ə'pɪ:z]

ⓥ 달래다, 진정시키다, (식욕을) 만족시키다, 유화하다, 양보하다, 가라앉히다

| 유의어 |
- assuage
- conciliate
- mollify
- pacify
- palliate
- placate
- propitiate

appellation
[ˌæpəˈleɪʃən]

ⓝ 명칭, 칭호

| 유의어 |
- ☐ title ☐ name
- ☐ cognomen ☐ compellation
- ☐ designation

append
[əˈpend]

ⓥ 첨부하다, 첨가하다, ~을 매달다

| 유의어 |
- ☐ add ☐ attach
- ☐ annex

45 **applause**
[əˈplɔːz]

ⓝ 박수, 칭찬

| 유의어 |
- ☐ clapping ☐ acclaim
- ☐ praise ☐ ovation

apportion
[əˈpɔːrʃən]

ⓥ (몫을) 나누다, 배분하다

| 유의어 |
- ☐ allocate ☐ allot
- ☐ assign ☐ distribute

apposite
[ˈæpəzət]

ⓐ 적당한, 적절한, 적합한

| 유의어 |
- ☐ appropriate ☐ suitable
- ☐ relevant

appraise
[əˈpreɪz]

ⓥ 평가하다, 감정하다

| 유의어 |
- ☐ evaluate ☐ assess

appreciate
[əˈpriːʃieit]

ⓥ 고맙게 여기다, 시세가 오르다, 이해하다, 식별하다, 감상하다, 평가하다

| 유의어 |
- ☐ cherish ☐ esteem
- ☐ apprehend ☐ cognize
- ☐ comprehend ☐ fathom

50 **apprehend**
[ˌæprɪˈhend]

ⓥ 체포하다, 감금하다, 걱정하다, 이해하다

| 유의어 |
- ☐ arrest ☐ indict
- ☐ discern ☐ restrain
- ☐ appreciate ☐ comprehend
- ☐ perceive

DAY 11

apprehensive
[ˌæprɪˈhensɪv]

ⓐ 염려하는, 걱정하는, 이해가 빠른, 감지하는, 통찰력이 있는

| 유의어 |
- ☐ anxious ☐ worried
- ☐ solicitous

apprise
[əˈpraɪz]

ⓥ 알리다

| 유의어 |
- ☐ notify ☐ inform
- ☐ signify

approbation
[ˌæprəˈbeɪʃən]

ⓝ 허가, 인가, 승인

| 유의어 |
- ☐ agreement ☐ approval
- ☐ permission ☐ blessing
- ☐ sanction ☐ recognition

appropriate
[əˈprouprieɪt],
[əˈprouprɪət]

ⓥ 제 것으로 하다, 전유하다, 몰수하다
ⓐ 적당한

| 유의어 |
- ☐ arrogate ☐ commandeer
- ☐ confiscate ☐ seize

05 **appurtenance**
[əˈpəːrtənəns]

ⓝ 부속물

| 유의어 |
- ☐ accessory ☐ appendix
- ☐ appendage ☐ adjunct

apropos
[ˌæprəpou]

ⓐ 적절한, 알맞은 ⓐⓓ 적당히, 적절하게

| 유의어 |
- ☐ relevant ☐ apt
- ☐ applicable ☐ apposite
- ☐ pertinent ☐ germane

aptitude
[ˈæptɪtuːd]

ⓝ 적성, 소질, 재능, 습성

| 유의어 |
- ☐ ability ☐ inclination
- ☐ bent ☐ talent
- ☐ faculty ☐ flair

arbitrary
[ˈɑːrbətrəri]

ⓐ 임의의, 독단적인, 제멋대로의

| 유의어 |
- ☐ random ☐ variable
- ☐ dictatorial ☐ imperious
- ☐ aimless ☐ volatile
- ☐ desultory ☐ autocratic

arboretum
[ˌɑːrbəˈriːtəm]

ⓝ 수목원, 삼림 공원, 식물원

| 유의어 |
- ☐ tree garden ☐ botanical garden

10 **archipelago**
[ˌɑ:kəˈpeləgoʊ]

ⓝ 다도해, 군도

| 유의어 |
☐ a group of islands

arduous
[ˈɑ:rdʒuəs]

ⓐ 힘든, 고된, 분투적인

| 유의어 |
☐ hard ☐ difficult
☐ tough ☐ rough

arid
[ˈærɪd]

ⓐ 불모의, 건조한, 무미건조한

| 유의어 |
☐ dry ☐ boring
☐ colorless ☐ waterless
☐ sere

articulate
[ɑ:rˈtɪkjəleɪt]

ⓐ 명료한, 분명한 ⓥ 명백히 표현하다

| 유의어 |
☐ clear ☐ distinct
☐ lucid ☐ eloquent
☐ fluent ☐ apparent

asset
[ˈæset]

ⓝ 자산, 재산(= property), 유산, 이점

| 유의어 |
☐ capital ☐ fortune
☐ opulence ☐ means
☐ benefit ☐ advantage
☐ strength ☐ patrimony

15 **assimilate**
[əˈsɪməleɪt]

ⓥ 동화하다

| 유의어 |
☐ adapt oneself to

associative
[əˈsoʊʃətɪv]

ⓐ 연합의, 결합의

| 유의어 |
☐ associable

assure
[əˈʃʊr]

ⓥ 확신시키다, 보장하다, 확인하다, 분명히 ~이다

| 유의어 |
☐ convince ☐ confirm

astronomer
[əˈstrɑ:nəmər]

ⓝ 천문학자, 천문대장

asymmetrical
[ˌeɪsəˈmetrɪkəl]

ⓐ 비대칭적인

| 유의어 |
☐ unsymmetrical ☐ lopsided
☐ irregular

20 **atrocity**
[əˈtrɑ:səti]

ⓝ 잔학 행위, 포악, 큰 실수

| 유의어 |
☐ brutality ☐ violence
☐ tyranny

atrophy
[ˈætrəfi]

ⓥ 위축시키다 ⓝ 위축, 쇠약

| 유의어 |
☐ shrink ☐ dampen
☐ cower

auditory
[ˈɒ:ditɔ:ri]

ⓐ 귀의, 청각의, 청력의

| 유의어 |
☐ aural ☐ auricular

automation
[ˌɔ:təˈmeɪʃən]

ⓝ 자동화

| 유의어 |
☐ mechanization ☐ robotization

avaricious
[ˌævəˈrɪʃəs]

ⓐ 탐욕스러운, 탐욕적인, 몹시 원하는

| 유의어 |
☐ greedy ☐ desirous
☐ acquisitive ☐ avid
☐ coveting

25 **aviation**
[ˌeɪviˈeɪʃən]

ⓝ 비행, 항공, 비행술

| 유의어 |
☐ flight ☐ fly

awe
[ɒ:]

ⓝ 경외감, 두려움

| 유의어 |
☐ wonder ☐ fear
☐ admiration ☐ amazement
☐ astonishment

awkward
[ˈɒ:kwərd]

ⓐ 어색한, 서투른, 다루기 힘든

| 유의어 |
☐ clumsy ☐ graceless
☐ inelegant ☐ uncomfortable
☐ uneasy ☐ botched
☐ inept ☐ inexpert

awry
[əˈraɪ]

ⓐ 왜곡된, 구부러진

| 유의어 |
☐ askance ☐ askew
☐ crooked ☐ lopsided
☐ oblique ☐ tilted

azure
[ˈæʒər]

ⓐ 하늘색의, 구름 한 점 없는

| 유의어 |
☐ skyey ☐ sky-blue

30 **babble**
[ˈbæbəl]

ⓥ 쓸데없이 재잘거리다, 더듬거리며 말하다

| 유의어 |
☐ gibber ☐ prate
☐ prattle

badger
['bædʒər]

ⓥ ~해 달라고 조르다

| 유의어 |
- ☐ press
- ☐ pester

badinage
[ˌbædən'ɑ:ʒ]

ⓝ 가벼운 놀림, 농담

| 유의어 |
- ☐ banter
- ☐ persiflage

baffle
['bæfəl]

ⓥ 좌절시키다, 당황하게 하다

| 유의어 |
- ☐ frustrate
- ☐ thwart
- ☐ confuse
- ☐ disconcert
- ☐ embarrass
- ☐ puzzle

bagatelle
[ˌbægə'tel]

ⓝ 하찮은 것, 사소한 것

| 유의어 |
- ☐ triviality
- ☐ bauble

35 **bait**
[beɪt]

ⓥ 괴롭히다, 귀찮게 하다 ⓝ 미끼

| 유의어 |
- ☐ annoy
- ☐ bother
- ☐ badger
- ☐ decoy
- ☐ lure

baleful
['beɪlfəl]

ⓐ 치명적인, 파괴적인, 재앙의, 해로운, 악의 있는

| 유의어 |
- ☐ baneful
- ☐ malign
- ☐ pernicious

balmy
['bɑ:mi]

ⓐ 온화한, 향기로운

| 유의어 |
- ☐ aromatic
- ☐ fragrant
- ☐ mild

banal
[bə'næl]

ⓐ 평범한, 진부한, 케케묵은

| 유의어 |
- ☐ platitudinous
- ☐ hackneyed

bane
[beɪn]

ⓝ 독, 해악, 골칫거리, 불행의 원인

| 유의어 |
- ☐ poison
- ☐ venom
- ☐ affliction
- ☐ curse

40 **baneful**
['beɪnfəl]

ⓐ 해로운, 독이 있는

| 유의어 |
- ☐ bad
- ☐ baleful
- ☐ harmful
- ☐ noxious
- ☐ pernicious
- ☐ adverse
- ☐ detrimental

bargain
['bɑ:rgɪn]

ⓝ 싼 물건, 헐값, 매매 계약
ⓥ 흥정하다, 협상하다

| 유의어 |
- ☐ trade
- ☐ deal
- ☐ accord
- ☐ agreement

barren
['bærən]

ⓐ 불모의, 메마른, 불임의, 재미없는

| 유의어 |
- ☐ infertile
- ☐ desolate
- ☐ unproductive
- ☐ sterile
- ☐ fruitless
- ☐ impotent
- ☐ abortive
- ☐ futile
- ☐ bare

beat-up

ⓐ 써서 낡은, 못쓰게 된, 지쳐 빠진

| 유의어 |
- ☐ worn-out
- ☐ used-up
- ☐ dilapidated
- ☐ down-at-heel
- ☐ run-down
- ☐ threadbare

becoming
[bɪ'kʌmɪŋ]

ⓐ 어울리는, 알맞은 ⓝ 생성

| 유의어 |
- ☐ right
- ☐ proper
- ☐ appropriate
- ☐ suitable

45 **beef up**

ⓥ 증강시키다, 보강시키다

| 유의어 |
- ☐ increase
- ☐ strengthen
- ☐ fortify
- ☐ amplify
- ☐ intensify
- ☐ boost

benign
[bɪ'nain]

ⓐ 친절한, 온화한, 자비로운

| 유의어 |
- ☐ kindly
- ☐ benevolent
- ☐ mild
- ☐ moderate
- ☐ genial
- ☐ temperate
- ☐ gentle

beset
[bɪ'set]

ⓥ 괴롭히다, 에워싸다

| 유의어 |
- ☐ anguish
- ☐ bedevil
- ☐ afflict
- ☐ besiege
- ☐ excruciate
- ☐ encompass
- ☐ surround

besiege
[bɪ'si:dʒ]

ⓥ 포위하다, 쇄도하다, 밀어닥치다

| 유의어 |
- ☐ beleaguer
- ☐ beset
- ☐ surround
- ☐ enclose
- ☐ swamp
- ☐ flood
- ☐ inundate

beverage ['bevərɪdʒ]	ⓝ 음료, 마실 것 ❙ 유의어 ❙ ☐ drink ☐ quencher ☐ bevvy
50 **biennial** [baɪ'eniəl]	ⓐ 2년에 한 번의, 2년마다의 ⓝ 2년생 식물, 2년마다 있는 행사 ❙ 유의어 ❙ ☐ every two years

DAY 12

bifurcate ['baɪfərkeɪt]	ⓥ 두 갈래로 나뉘다 ❙ 유의어 ❙ ☐ bisect ☐ divide ☐ disunite ☐ split
bigotry ['bɪgətri]	ⓝ 완고, 편협한 행위, 편협, 심한 편견 ❙ 유의어 ❙ ☐ stubbornness ☐ obstinacy
bilateral [baɪ'lætərəl]	ⓐ 쌍방의, 쌍무적인, 양당의 ❙ 유의어 ❙ ☐ mutual
blackout [blǽkàut]	ⓝ 정전, 소등, 암전, (법률 등의) 일시적 기능 정지, 일시적 기억 상실 ❙ 유의어 ❙ ☐ power failure ☐ power cut ☐ power outage ☐ lights go out ☐ insensibility ☐ knockout
05 **blanch** [blæntʃ]	ⓥ (충격 혹은 공포로) 안색이 창백해지다, (음식을) 데치다, (햇빛을 가려) 희게 하다 ❙ 유의어 ❙ ☐ pale ☐ whiten ☐ discolor ☐ bleach ☐ fade
blast [blæst]	ⓝ 폭발, 강한 바람 ⓥ 폭발시키다, 비난하다, 크고 불쾌한 소리를 내다 ❙ 유의어 ❙ ☐ explosion ☐ detonation ☐ eruption ☐ outburst ☐ explode ☐ blow ☐ blow up ☐ storm
blithe [blaið]	ⓐ 즐거운, 쾌활한, 명랑한 ❙ 유의어 ❙ ☐ merry ☐ jolly ☐ festive
blunt [blʌnt]	ⓐ 솔직한, 무딘, 퉁명스러운 ⓥ 둔화시키다 ❙ 유의어 ❙ ☐ dull ☐ obtuse ☐ not sharp ☐ insensitive ☐ disedge
blur [blɜːr]	ⓥ 흐리게 하다, 흐릿해지다 ⓝ 얼룩 ❙ 유의어 ❙ ☐ dim ☐ veil ☐ obscure

10 **blush**
[blʌʃ]

ⓥ 얼굴이 붉어지다, 부끄럼을 타다 ⓝ 홍조

| 유의어 |
☐ turn red ☐ glow
☐ flush

bluster
[ˈblʌstər]

ⓥ 거세게 몰아치다, 고함치다
ⓝ 거칠게 몰아침

| 유의어 |
☐ shout ☐ shriek
☐ bawl ☐ rant

boisterous
[ˈbɔɪstərəs]

ⓐ 잠시도 가만히 있지 않는, 거친, 떠들썩한, 명랑한

| 유의어 |
☐ noisy ☐ uproarious
☐ clamorous ☐ vociferous

bombshell
[bάmʃèl]

ⓝ 몹시 충격적인 소식

| 유의어 |
☐ surprise ☐ shock
☐ upset ☐ jaw-dropper

bout
[baʊt]

ⓝ 한 시합, 한 차례, 발작, 일시적인 기간

| 유의어 |
☐ game ☐ competition
☐ event ☐ fit

15 **breakthrough**
[ˈbreɪkˌθru]

ⓝ 큰 발전, 약진, 돌파구

| 유의어 |
☐ enhancement ☐ improvement
☐ refinement

brevity
[ˈbrevəti]

ⓝ 짧음, 간결함, 간결성

| 유의어 |
☐ conciseness ☐ briefness
☐ shortness ☐ succinctness
☐ concision

brink
[briŋk]

ⓝ 직전, 위기, 벼랑
cf. blink 깜박거리다

| 유의어 |
☐ end ☐ side
☐ limit ☐ verge

bristle
[brisəl]

ⓥ (동물이) 털을 곤두세우다, (화가 나서) 발끈하다 ⓝ 거센 털

| 유의어 |
☐ get tensed up ☐ stand up
☐ fly into a rage ☐ fly off the handle
☐ stiff hair

bulky
[ˈbʌlki]

ⓐ 부피가 큰, 큰, 거대한

| 유의어 |
☐ large ☐ big
☐ great ☐ cumbersome

20 **buoyancy**
[ˈbɔiənsi]

ⓝ 부력, 부양성, 상승, 경향

| 유의어 |
☐ lifting power ☐ buoyance

burgeon
[ˈbɜːrdʒən]

ⓥ 빠르게 성장하다[발전하다]

| 유의어 |
☐ thrive ☐ prosper
☐ flourish ☐ overgrow
☐ proliferate

burnish
[bɜːrniʃ]

ⓥ 문질러서 윤나게 하다

| 유의어 |
☐ shine ☐ gloss
☐ polish ☐ illuminate

bustle
[ˈbʌsl]

ⓥ 재촉하다, 분주히 돌아다니다 ⓝ 웅성거림

| 유의어 |
☐ rush ☐ hurry
☐ turmoil ☐ commotion
☐ disturbance

butcher
[ˈbʊtʃər]

ⓝ 정육점 주인, 도살업자, 잔인한 살인자
ⓥ (고기를 얻기 위해 동물을) 도살하다, 잔인하게 살해하다

| 유의어 |
☐ massacre ☐ mow down
☐ slaughter

25 **buttress**
[ˈbʌtrəs]

ⓝ 부벽, 지지물 ⓥ 지지하다, 강화하다

| 유의어 |
☐ prop ☐ advocate
☐ uphold ☐ bulwark
☐ support ☐ corroborate
☐ reinforce

cabal
[kəˈbæl]

ⓝ 소규모 비밀 결사단, 음모단

| 유의어 |
☐ junto ☐ plot

cacophony
[kəˈkɑːfəni]

ⓝ 불협화음

| 유의어 |
☐ discordance ☐ dissonance

cadaver
[kəˈdævər]

ⓝ 시체

| 유의어 |
☐ corpse ☐ corpus

cadence
[ˈkeɪdəns]
ⓝ 억양, 리듬, 운율
| 유의어 |
☐ intonation ☐ accent
☐ tones

30 **cajole**
[kəˈdʒoʊl]
ⓥ 꼬드기다, 아첨하다
| 유의어 |
☐ beguile ☐ coax
☐ wheedle ☐ blandish

calamity
[kəˈlæməti]
ⓝ 재앙, 재난, 큰 불행
| 유의어 |
☐ catastrophe ☐ disaster
☐ misadventure ☐ tragedy

caliber
[ˈkæləbər]
ⓝ 재간, 능력
| 유의어 |
☐ ability ☐ capability
☐ capacity ☐ talent

calligraphy
[kəˈlɪgrəfi]
ⓝ 달필, 필적, 서법
| 유의어 |
☐ chirography ☐ handwriting
☐ longhand ☐ penmanship

callous
[ˈkæləs]
ⓐ 냉담한, 무정한
| 유의어 |
☐ affectless ☐ cold-blooded
☐ compassionless
☐ unsympathetic

35 **callow**
[ˈkæloʊ]
ⓐ 미숙한, 아직 깃털이 나지 않은
| 유의어 |
☐ immature ☐ juvenile
☐ unfledged

calumniate
[kəlʌ́mnièit]
ⓥ 비방하다, 중상하다
| 유의어 |
☐ asperse ☐ defame
☐ slander ☐ traduce
☐ vilify

calumny
[ˈkæləmni]
ⓝ 악의적인 거짓 진술, 비방, 중상
| 유의어 |
☐ belittlement ☐ defamation
☐ slander

canard
[kəˈnɑːrd]
ⓝ 유언비어, 허위 보고
| 유의어 |
☐ rumor ☐ propaganda
☐ grapevine

candor
[ˈkændər]
ⓝ 정직, 솔직, 공평무사
| 유의어 |
☐ honesty ☐ integrity
☐ impartiality

40 **capitalize**
[ˈkæpitəlaɪz]
ⓥ 이용하다(= employ), 자본화하다, ~을 대문자로 쓰다, 계산하다
| 유의어 |
☐ utilize ☐ exploit
☐ calculate

carve
[kaːrv]
ⓥ (글씨를) 새기다, 파다; 조각하다; 개척하다
| 유의어 |
☐ engrave ☐ sculpt
☐ etch

catalyst
[ˈkætlɪst]
ⓝ 자극, 계기, 기폭제
| 유의어 |
☐ stimulation ☐ opportunity

catchy
[ˈkætʃi]
ⓐ 재미있고 외우기 쉬운, 사람의 마음을 끄는
| 유의어 |
☐ memorable

caviler
[kǽvələr]
ⓝ 트집 잡는 사람, 덮어놓고 심하게 책망하는 사람, 트집쟁이
| 유의어 |
☐ faultfinder ☐ nit-picker
☐ censurer ☐ criticizer
☐ disparager

45 **censor**
[ˈsensər]
ⓝ 검열관, 까다롭게 남의 흠을 잡는 사람
ⓥ 검열하다
| 유의어 |
☐ corrector ☐ inspector
☐ muster-master

chagrin
[ʃəˈgrɪn]
ⓝ 분함, 원통함, 유감
| 유의어 |
☐ resentment ☐ indignation
☐ disappointment

chilling
[ˈtʃɪlɪŋ]
ⓐ 무서운, 으스스한, 쌀쌀맞은
| 유의어 |
☐ frightening ☐ frosty
☐ creepy ☐ fearsome
☐ hair-raising ☐ bloodcurdling

chronological
[ˌkrɒːnəˈlɒdʒɪkəl]
ⓐ 연대순의, 발생 순서에 따른
| 유의어 |
☐ in order of time ☐ sequential

churlish
[ˈtʃɜːrlɪʃ]

ⓐ 야비한, 무례한

| 유의어 |
- ☐ boorish ☐ coarse
- ☐ discourteous ☐ loutish

50 **cipher**
[ˈsaɪfər]

ⓝ 암호, 보잘것없는 사물[사람], 제로(0)
ⓥ 계산하다, 산출하다

| 유의어 |
- ☐ code ☐ password
- ☐ triviality ☐ nobody
- ☐ inferior ☐ nonentity

DAY 13

circuitous
[sɜːrˈkjuːɪtəs]

ⓐ 우회로의

| 유의어 |
- ☐ indirect ☐ roundabout

circumlocution
[ˌsɜːrkəmləˈkjuːʃən]

ⓝ 넌지시 둘러 말하기, 완곡한 표현

| 유의어 |
- ☐ a roundabout expression
- ☐ euphemism

circumspect
[ˈsɜːrkəmspekt]

ⓐ 신중한, 충분히 고려한

| 유의어 |
- ☐ considerate ☐ chary
- ☐ wary

circumvent
[ˌsɜːrkəmˈvent]

ⓥ 우회하다, ~을 포위하다, 교묘히 회피하다

| 유의어 |
- ☐ avoid ☐ escape
- ☐ weasel out

05 **cite**
[saɪt]

ⓥ 예로 들다; 인용하다; 언급하다; 소환하다

| 유의어 |
- ☐ say ☐ state
- ☐ remark ☐ summon

classification
[ˌklæsɪfɪˈkeɪʃən]

ⓝ 분류, 등급

| 유의어 |
- ☐ system ☐ order
- ☐ organization

claustrophobic
[ˌklɑːstrəˈfoʊbik]

ⓐ 폐쇄 공포증의, 폐쇄 공포증을 유발하는
ⓝ 폐쇄 공포증 환자

clement
[ˈklemənt]

ⓐ 관대한

| 유의어 |
- ☐ mild ☐ gentle
- ☐ sympathetic ☐ merciful

clog
[klɒg]

ⓥ ~의 행동·운동 등을 방해하다
ⓝ 고장, 방해하는 것

| 유의어 |
- ☐ obstruct ☐ block

10 **coalition**
[ˌkoʊəˈlɪʃən]

ⓝ 연합, 연대, 단체, 동맹, 통합

| 유의어 |
- ☐ society ☐ union
- ☐ league ☐ alliance

codify
[ˈkəʊdɪfaɪ]
ⓥ 성문화하다, 법전으로 편찬하다, 체계적으로 정리하다

coerce
[ˈkoʊɜːrs]
ⓥ 강제하다, 강요하다
| 유의어 |
☐ force ☐ compel
☐ oblige ☐ push

coherent
[kəʊˈhɪərənt]
ⓐ 논리적인, 일관된, 일관성 있는, 응집성의
| 유의어 |
☐ logical ☐ consistent

coincide
[koʊənˈsaɪd]
ⓥ 일치하다, 동시에 일어나다
| 유의어 |
☐ agree ☐ match
☐ accompany ☐ concur

15 **collaborate**
[kəˈlæbəreɪt]
ⓥ 공동으로 일하다, 협력하다, 협조하다
| 유의어 |
☐ band together ☐ cooperate
☐ team (up) ☐ unite

collate
[kəˈleɪt]
ⓥ 대조하다, 신빙성을 입증하기 위해 조사하다
| 유의어 |
☐ compare ☐ contrast

colleague
[ˈkɑːliːg]
ⓝ 동료, 동업자
| 유의어 |
☐ associate ☐ co-worker

colloquial
[kəˈloʊkwiəl]
ⓐ 구어의, 대화의, 구어체의
| 유의어 |
☐ interlocutory ☐ dialogic

collusion
[kəˈluːʒən]
ⓝ 공모, 결탁
| 유의어 |
☐ complicity ☐ connivance

20 **colossal**
[kəˈlɑːsəl]
ⓐ 거대한, 어마어마한
| 유의어 |
☐ huge ☐ gigantic
☐ mammoth

comatose
[ˈkəʊmətəʊs]
ⓐ 혼수 상태에 있는, 몹시 졸리는
| 유의어 |
☐ lethargic ☐ torpid

combustible
[kəmˈbʌstəbəl]
ⓐ 가연성의
| 유의어 |
☐ flammable ☐ inflammable

comely
[ˈkʌmli]
ⓐ 매력적인, 유쾌한
| 유의어 |
☐ beautiful ☐ attractive
☐ drop-dead ☐ handsome
☐ well-favored

commandeer
[ˌkɑːmənˈdɪər]
ⓥ 징발하다, 징집하다
| 유의어 |
☐ usurp ☐ seize
☐ confiscate

25 **commemorative**
[kəˈmemərətɪv]
ⓐ 기념의
| 유의어 |
☐ memorial ☐ commemorational

commencement
[kəˈmensmənt]
ⓝ 시작, 졸업식
| 유의어 |
☐ start ☐ launch
☐ beginning

commensurate
[kəˈmensərət]
ⓐ 비례하는, 균형이 잡힌, 같은 분량의
| 유의어 |
☐ proportional ☐ answerable

commiserate
[kəˈmɪzəreɪt]
ⓥ 가엾게 여기다, 동정하다
| 유의어 |
☐ sympathize ☐ compassionate

commiseration
[kəˌmɪzəˈreɪʃn]
ⓝ 동정, 동정의 말, 가엾게 여김
| 유의어 |
☐ feeling ☐ comfort
☐ sympathy ☐ compassion

30 **commodious**
[kəˈmoʊdiəs]
ⓐ 넓은, 널찍한, 편리한, 간편한
| 유의어 |
☐ capacious ☐ spacious

commodity
[kəˈmɑːdəti]
ⓝ 상품, 생필품, 원자재
| 유의어 |
☐ product ☐ stock
☐ supply

communal
[ˈkɑːmjuːnəl]
ⓐ 공동의, 공용의, 공동 사회의
| 유의어 |
☐ conjoint ☐ conjunct
☐ mutual

commuter [kə'mju:tər]	ⓝ 통근자 ❙ 유의어 ❙ ☐ day pupil ☐ daily passenger
compact ['ka:m,pækt], [kəm'pækt]	ⓝ 계약, 맹약, 분첩, 소형차 ⓐ 압축된, 단단한, 소형의 ❙ 유의어 ❙ ☐ covenant ☐ contract ☐ agreement ☐ bargain
35 **compassion** [kəm'pæʃən]	ⓝ 동정, 연민, 측은하게 여기는 마음 ❙ 유의어 ❙ ☐ sympathy ☐ feeling ☐ comfort
compatible [kəm'pætəbəl]	ⓐ 일치하는, 양립할 수 있는, 적합한 ❙ 유의어 ❙ ☐ congenial ☐ consistent ☐ sympathetic
compelling [kəm'peliŋ]	ⓐ 강압적인, 마음을 끄는, 흥미진진한 ❙ 유의어 ❙ ☐ compulsory ☐ forced ☐ obligatory ☐ compulsive
compendium [kəm'pendiəm]	ⓝ 개론, 요약 ❙ 유의어 ❙ ☐ digest ☐ abridgement ☐ syllabus
compensatory [,kɒmpən'seɪtəri]	ⓐ 보증의, 보상의, 배상의 ❙ 유의어 ❙ ☐ compensational ☐ reparative
40 **competent** ['ka:mpitənt]	ⓐ 유능한, 역량이 있는, 만족스러운, 합법적인 ❙ 유의어 ❙ ☐ able ☐ expert ☐ professional
compilation [,kampə'leɪʃən]	ⓝ 편집, 편찬, 도표나 책으로 통계자료를 엮는 일 ❙ 유의어 ❙ ☐ editing ☐ redaction
complacent [kəm'pleɪsənt]	ⓐ 자기만족의, 만족해하는 ❙ 유의어 ❙ ☐ self-satisfied ☐ self-contented ☐ smug
complaisant [kəm'pleɪzənt]	ⓐ 비위를 맞추는, 공손한, 고분고분한 ❙ 유의어 ❙ ☐ agreeable ☐ good-tempered ☐ submissive
complement ['kampləmənt], ['kɒmpləment]	ⓥ 보충하다, 보완하다 ⓝ 보어 ❙ 유의어 ❙ ☐ supplement ☐ compensate ☐ replenish ☐ refill
45 **complex** [,ka:m'pleks], ['ka:mpleks]	ⓐ 복잡한, 복합의 ⓝ 콤플렉스, 복합건물 ❙ 유의어 ❙ ☐ complicated ☐ sophisticated ☐ intricate
compliance [kəm'plaɪəns]	ⓝ 유순함, 고분고분함, 준수 ❙ 유의어 ❙ ☐ acquiescence ☐ docility ☐ tractability
compliant [kəm'plaiənt]	ⓐ 고분고분한, 순종하는 ❙ 유의어 ❙ ☐ acquiescent ☐ submissive
complicity [kəm'plɪsəti]	ⓝ 공모, 연루 ❙ 유의어 ❙ ☐ collusion ☐ connivance ☐ machination
complimentary [,ka:mplə'mentəri]	ⓐ 칭찬하는, 칭찬의, 무료의 ❙ 유의어 ❙ ☐ laudatory ☐ commendatory ☐ eulogistic ☐ adulatory ☐ free ☐ free-of-charge ☐ gratuitous
50 **component** [kəm'pounənt]	ⓝ 구성 요소, 성분, 부분, 부품 ❙ 유의어 ❙ ☐ constituent ☐ element ☐ ingredient

DAY 14

comport
[kəm'pɔ:rt]
ⓥ 처신하다, 행동하다(comfort oneself)
| 유의어 |
☐ bear ☐ conduct
☐ demean ☐ deport

composure
[kəm'poʊʒər]
ⓝ 침착, 태연
| 유의어 |
☐ equanimity ☐ phlegm
☐ imperturbability

comprehensive
[ˌkɑ:mprɪ'hensɪv]
ⓐ 포괄적인, 종합적인
| 유의어 |
☐ inclusive ☐ overall

comprise
[kəm'praɪz]
ⓥ ~을 포함하다, ~으로 이루어지다, ~을 구성하다
| 유의어 |
☐ compose ☐ constitute
☐ make up

05 **compromise**
['kɑ:mprəˌmaɪz]
ⓥ 타협하다, 절충하다, 손상시키다, 양보하다, 위험에 노출시키다
| 유의어 |
☐ come to terms ☐ blend
☐ assassinate

compunction
[kəm'pʌŋkʃən]
ⓝ 양심의 가책, 뉘우침
| 유의어 |
☐ contrition ☐ remorse
☐ repentance

compute
[kəm'pju:t]
ⓥ 산출하다, 산정하다, 계산하다
| 유의어 |
☐ calculate ☐ reckon

concatenate
[kankǽtənèit]
ⓥ 사슬모양으로 잇다, 연결시키다
ⓐ 연쇄상의, 이어진
| 유의어 |
☐ integrate ☐ interlink
☐ catenate ☐ catenary

concave
[kɑ:n'keɪv]
ⓐ 오목한
| 유의어 |
☐ reentrant ☐ dished

10 **conceit**
[kən'si:t]
ⓝ 기괴한 발상, 자만, 자부심, 비유, 사견, 호의 ⓥ 추켜세우다
| 유의어 |
☐ crotchet ☐ egotism
☐ self-conceit ☐ vanity
☐ pride

conception
[kən'sepʃən]
ⓝ 고안, 개념, 구상, 임신
| 유의어 |
☐ concept ☐ apprehension
☐ notion ☐ perception

concession
[kən'seʃən]
ⓝ 허용, 양보, 면허, 특권
| 유의어 |
☐ allowance ☐ conciliation
☐ compromise

conciliatory
[kən'sɪlɪətɔ:ri]
ⓐ 달래는, 회유적인
| 유의어 |
☐ propitiatory ☐ placatory
☐ coaxing ☐ placating

concise
[kən'saɪs]
ⓐ 간결한, 간명한
| 유의어 |
☐ compendious ☐ laconic
☐ pithy ☐ succinct
☐ terse

15 **conclave**
['kɑ:nkleiv]
ⓝ 비밀 회의
| 유의어 |
☐ closed-door conference
☐ secret session
☐ chamber council

conclusive
[kən'klu:sɪv]
ⓐ 결정적인, 설득력 있는, 최종적인
| 유의어 |
☐ definitive ☐ determinant

concoct
[kən'kɑ:kt]
ⓥ 섞어서 만들다, 조합하다, 꾸며 내다, 구상하다
| 유의어 |
☐ contrive ☐ devise
☐ invent

concomitant
[kən'kɑ:mɪtənt]
ⓝ 동반, 수반, 부산물 ⓐ 동반하는, 부수적인
| 유의어 |
☐ accompaniment
☐ companion

concord
['kɑnkɔ:rd]
ⓝ 일치, 조화, 협조, 협약, 평화
| 유의어 |
☐ accord ☐ agreement
☐ concordance ☐ harmony

20 **concur** [kən'kɜ:r]

ⓥ 동의하다, 일치하다, 동시에 일어나다, 협력하다

| 유의어 |
☐ consent ☐ harmonize

concurrent [kən'kɜ:rənt]

ⓐ 동시에 발생하는

| 유의어 |
☐ contemporary ☐ simultaneous
☐ synchronous

condense [kən'dens]

ⓥ 응축하다, 압축하다, 간략하게 하다, 응결하다

| 유의어 |
☐ cut ☐ reduce
☐ contract

condescend [ˌkɑ:ndɪ'send]

ⓥ 겸손하게 ~하다, 자신을 낮추다, 생색내다

| 유의어 |
☐ deign ☐ patronize

condole [kəndóul]

ⓥ 문상하다, 조의를 표하다, 위로하다, 동정하다

| 유의어 |
☐ offer one's condolence to
☐ console

25 **confer** [kən'fɜr]

ⓥ 수여하다, 협의하다, 상담하다

| 유의어 |
☐ give ☐ provide
☐ accord ☐ bestow

confident [kɑ́nfədənt]

ⓐ 자신감 있는, 확신하는

| 유의어 |
☐ assured ☐ assertive
☐ convinced ☐ certain

confiscate ['kɑ:nfəskeɪt]

ⓥ 몰수하다, 압수하다, 징발하다

| 유의어 |
☐ usurp ☐ seize
☐ commandeer

conform [kən'fɔ:rm]

ⓥ 일치시키다, 순응시키다, 따르다

| 유의어 |
☐ comply with ☐ correspond to
☐ follow ☐ obey

congest ['kəndʒést]

ⓥ 혼잡하게 하다, 꽉 채우다, 가득 차다

| 유의어 |
☐ fill ☐ swarm
☐ jam-pack

30 **congruent** ['kɑ:ŋgruənt]

ⓐ 일치하는, 알맞은, 적절한

| 유의어 |
☐ coincident ☐ accordant
☐ coherent ☐ compatible
☐ in accord (with)

congruous [kɑ́ŋgruəs]

ⓐ 일치하는, 조화로운

| 유의어 |
☐ harmonious ☐ coherent
☐ concurrent

conjugal ['kɒndʒəgəl]

ⓐ 부부의, 혼인상의, 혼인의

| 유의어 |
☐ marital ☐ wedded
☐ nuptial

conscience ['kɑ:nʃəns]

ⓝ 양심, (양심의) 가책, 도덕심, 의식

| 유의어 |
☐ regret ☐ shame
☐ sorrow

conscript [kɑn'skrɪpt]

ⓥ 징집하다 ⓝ 징집병 ⓐ 징집된

| 유의어 |
☐ recruit ☐ enlistee
☐ draftee

35 **consecutive** [kən'sekjətɪv]

ⓐ 연속되는, 연속적인, 논리가 일관된

| 유의어 |
☐ continuous ☐ successive
☐ straight

consensus [kən'sensəs]

ⓝ 합의, 일치, 의견

| 유의어 |
☐ agreement ☐ match
☐ opinion

consent [kən'sent]

ⓥ 동의하다, 승낙하다 ⓝ 동의, 승낙

| 유의어 |
☐ assent ☐ agree

conserve [kən'sɜ:rv]

ⓥ ~을 보존하다, 보호하다, 절약하다

| 유의어 |
☐ keep ☐ store

consonant ['kɑ:nsənənt]

ⓐ 일치하는, 조화하는 ⓝ 자음

| 유의어 |
☐ congruous ☐ reconcilable
☐ accordant

40 **constrict** [kən'strɪkt]

ⓥ 제한하다, 수축되다, 축소되다

| 유의어 |
☐ shrink ☐ contract

constructive
[kən'strʌktɪv]

ⓐ 건설적인, 발전적인

| 유의어 |
☐ positive ☐ valuable
☐ useful

consumption
[kən'sʌmpʃən]

ⓝ 소비, 소비량, 폐결핵

| 유의어 |
☐ spend ☐ use

contagious
[kən'teɪdʒəs]

ⓐ 전염성의, 옮기 쉬운

| 유의어 |
☐ infectious ☐ transmitting

contempt
[kən'tempt]

ⓝ 경멸, 모욕, 수치

| 유의어 |
☐ disdain ☐ scorn
☐ derision ☐ disgrace

45 **context**
['kɑ:ntekst]

ⓝ 문맥, 상황

| 유의어 |
☐ the line of thought
☐ situation ☐ case

contingency
[kən'tɪndʒənsi]

ⓝ 우연성, 우발, 우발 사건

| 유의어 |
☐ chance ☐ coincidence
☐ fortuity

contingent
[kən'tɪndʒənt]

ⓝ 대표단, 파견대
ⓐ ~의 여부에 따라(contingent on[upon])

| 유의어 |
☐ delegation ☐ conditional
☐ dependent (on[upon])

continually
[kən'tinjuəli]

ⓐⓓ 계속해서, 지속적으로, 끊임없이, 자꾸

| 유의어 |
☐ all the time ☐ forever
☐ constantly

contortion
[kən'tɔ:rʃən]

ⓝ 뒤틀림, 비틀림

| 유의어 |
☐ deformity ☐ deformation

50 **contraband**
['kɑ:ntrəbænd]

ⓐ 금지된 ⓝ 밀수품, 밀수, 암거래

| 유의어 |
☐ banned ☐ disapproved
☐ forbidden ☐ illegal

DAY 15

contravene
[ˌkɑ:ntrəvi:n]

ⓥ (법·관습을) 위반하다, (진술·주의를) 논박하다, 공박하다

| 유의어 |
☐ offend ☐ transgress
☐ trespass

contrite
['kɑ:ntraɪt]

ⓐ 회개하는, 잘못을 깊이 뉘우치는

| 유의어 |
☐ repentant ☐ apologetic
☐ compunctious

contrived
[kən'traɪvd]

ⓐ 만들어 낸, 지어낸

| 유의어 |
☐ devised ☐ invented

contumacious
[ˌkɑ:ntu'meɪʃəs]

ⓐ 반항적인, 완강한, 권위에 저항하는

| 유의어 |
☐ insubordinate ☐ insurgent
☐ rebellious

05 **convene**
[kən'vi:n]

ⓥ 소집하다, 소환하다, 모이다, 회합하다

| 유의어 |
☐ assemble ☐ convoke
☐ summon

conventional
[kən'venʃənəl]

ⓐ 전통적인, 관습적인, 회의의

| 유의어 |
☐ customary ☐ orthodox

converge
[kən'vɜ:rdʒ]

ⓥ 한 점에 모이다, 집중하다

| 유의어 |
☐ concentrate ☐ focus

conversant
[kən'vɜ:rsənt]

ⓐ ~에 정통한, 친한, 친교가 있는, ~에 친숙한

| 유의어 |
☐ skilled ☐ acquainted

converse
[kən'vɜ:s]

ⓐ 반대의 ⓝ 반대, 역 ⓥ 대화하다

| 유의어 |
☐ contradictory ☐ contrary
☐ opposite ☐ antithesis

10 **convex**
['kɑ:nveks]

ⓐ 볼록면의, 볼록한

| 유의어 |
☐ bulbous ☐ gibbous
☐ bunchy

convince
[kən'vɪns]
ⓥ 설득하다, 확신시키다, 납득시키다
| 유의어 |
☐ argue ☐ persuade
☐ assure

convoke
[kən'voʊk]
ⓥ 소집하다
| 유의어 |
☐ assemble ☐ congregate
☐ convene ☐ summon

copious
['koʊpiəs]
ⓐ 많은
| 유의어 |
☐ abundant ☐ ample
☐ bounteous ☐ bountiful
☐ plenteous

cordial
['kɔ:rdʒəl]
ⓐ 따뜻한, 정중한, 우호적인, 진심의, 진심에서 우러나는
| 유의어 |
☐ warm ☐ kind
☐ social ☐ friendly

15 **corollary**
['kɔ:rəleri]
ⓝ (당연한) 결과
| 유의어 |
☐ consequence ☐ sequence
☐ upshot ☐ outcome

corporeal
[kɔ:r'pɔ:riəl]
ⓐ 신체상의, 육체적인, 물질적인
| 유의어 |
☐ carnal ☐ fleshly
☐ physical ☐ somatic

correlate
['kɑrə,leɪt]
ⓥ 서로 관련시키다, 상관관계를 입증하다
ⓝ 상관물
| 유의어 |
☐ concern ☐ relate
☐ couple

correlation
[,kɑrə'leɪʃən]
ⓝ 상호 관계
| 유의어 |
☐ mutual relation ☐ interrelation
☐ interrelationship

corroborate
[kə'rɑ:bəreɪt]
ⓥ 확증을 주다, 확증하다, 입증하다
| 유의어 |
☐ authenticate ☐ confirm
☐ verify ☐ prove

20 **corrosive**
[kə'roʊsiv]
ⓐ 부식성의, 좀먹는; 신랄한, 통렬한
ⓝ 부식제
| 유의어 |
☐ mordant ☐ caustic
☐ corroder

corrupt
[kə'rʌpt]
ⓐ 부패한, 부정한, 타락한, 손상된
ⓥ 부패시키다, 부패하다
| 유의어 |
☐ dishonest ☐ unethical
☐ damaged

countenance
['kaʊntənəns]
ⓥ 지지하다, 장려하다, 시인하다, 인정하다
ⓝ 용모, 생김새, 안색, 지지, 후원
| 유의어 |
☐ approbate ☐ endorse
☐ support ☐ encourage

counteract
[,kaʊntər'ækt]
ⓥ ~에 반대로 작용하다, ~을 방해하다, 좌절시키다
cf. confrontational 대립을 일삼는
| 유의어 |
☐ oppose ☐ confront
☐ frustrate

countermand
[kaʊntər'mɑ:nd]
ⓥ 철회하다, 취소하다 ⓝ 철회, 취소
| 유의어 |
☐ recall ☐ rescind
☐ withdraw

25 **counterpart**
['kaʊntərpɑ:rt]
ⓝ 대응되는 인물, 흡사한 물건, 짝의 한쪽, 닮은 물건, 사본, 부본
| 유의어 |
☐ other party ☐ one's opponent
☐ partner ☐ complement

couple
[kʌpl]
ⓥ 맺어 주다, 결합시키다
| 유의어 |
☐ coalesce ☐ combine
☐ conjoin ☐ connect

courier
['kə:riər]
ⓝ 전령, 급사, 급한 소식을 전하는 사람, (관광 회사의) 가이드
| 유의어 |
☐ envoy ☐ messenger

covenant
['kʌvənənt]
ⓝ 계약, 서약
| 유의어 |
☐ agreement ☐ compact
☐ contract ☐ convention
☐ transaction

coverage
['kʌvərɪdʒ]
ⓝ 보상 범위, 적용 범위, 취재
| 유의어 |
☐ collection of data
☐ news gathering

30 **covert**
['koʊvərt]
ⓐ 비밀의, 감춰진, 암암리의
| 유의어 |
☐ stealthy ☐ furtive
☐ clandestine ☐ surreptitious

cower
[kaʊər]
ⓥ (겁을 먹고) 움츠리다
| 유의어 |
☐ cringe ☐ quail
☐ wince

cozen
['kʌzən]
ⓥ 속이다, 현혹시키다, 사취하다
| 유의어 |
☐ beguile ☐ deceive
☐ defraud

cozy
[koʊzi]
ⓐ 아늑한
| 유의어 |
☐ easy ☐ safe
☐ warm

crackdown
['krækdaʊn]
ⓝ 단호한 단속, 법률의 엄격한 시행, 일제 단속

35 **cramped**
[kræmpt]
ⓐ 경련을 일으킨, 비좁고 갑갑한, 쥐가 난
| 유의어 |
☐ crowded ☐ packed
☐ restricted

crass
[kræs]
ⓐ 품위가 없는, 우둔한
| 유의어 |
☐ coarse ☐ gross
☐ raw ☐ uncouth
☐ unrefined

credence
['kri:dəns]
ⓝ 신념, 신용
| 유의어 |
☐ faith ☐ credit

credulous
['kredʒələs]
ⓐ 속기 쉬운, 잘 믿는, 쉽사리 믿는
| 유의어 |
☐ ready to believe
☐ gullible

creed
[kri:d]
ⓝ (종교적·윤리적) 신조, 신념
| 유의어 |
☐ credo ☐ belief
☐ dogma

40 **crestfallen**
['krest͵fɔ:lən]
ⓐ 낙담한, 기가 죽은
| 유의어 |
☐ downcast ☐ dejected
☐ depressed ☐ disconsolate
☐ dispirited

cryptic
['krɪptɪk]
ⓐ 비밀의, 숨은, 몸을 숨기기에 알맞은
| 유의어 |
☐ secret ☐ underground
☐ private

cull
[kʌl]
ⓥ 고르다, 발췌하다
| 유의어 |
☐ choose ☐ select
☐ elect ☐ pick

culminate
['kʌlməneɪt]
ⓥ 최고점에 달하다, 끝나다, 완결시키다
| 유의어 |
☐ end ☐ close

culmination
[͵kʌlmə'neɪʃən]
ⓝ 최고점에 달함, 절정, 전성기
| 유의어 |
☐ acme ☐ apex
☐ apogee ☐ climax
☐ peak ☐ pinnacle
☐ summit ☐ zenith

45 **culprit**
['kʌlprɪt]
ⓝ 형사 피고인, 미결수, 범죄 용의자, 원인
| 유의어 |
☐ (the) accused ☐ cause

cultivate
['kʌltɪveɪt]
ⓥ 양성하다, 재배하다, 개발하다, 발전시키다, 조성하다
| 유의어 |
☐ work ☐ help
☐ grow

culvert
['kʌlvərt]
ⓝ 배수구, 암거, 지하수로
| 유의어 |
☐ scupper ☐ ditch
☐ weeper

cumbersome
['kʌmbərsəm]
ⓐ 부담스러운, 거추장스러운, 성가신, 다루기 어려운
| 유의어 |
☐ burdensome ☐ tiresome
☐ troublesome ☐ annoying
☐ unwieldy

cupidity
[kjʊ'pɪdəti]
ⓝ 탐욕
| 유의어 |
☐ greed ☐ avarice
☐ avidity ☐ rapacity
☐ voracity

50 **curse**
[kɜ:rs]
ⓥ 저주하다 ⓝ 저주, 욕설, 재앙
| 유의어 |
☐ abuse ☐ swear
☐ insult

DAY 16

cursory [kə́:rsəri]
ⓐ 날림의, 서두르는, 세심한 주의를 하지 않는, 임시의, 급하게 이루어진, 겉핥기의
| 유의어 |
□ shallow □ superficial

curtail [kə:rtéil]
ⓥ 줄이다, 단축하다, 삭감하다
| 유의어 |
□ abbreviate □ abridge
□ retrench

custodial [kʌˈstoʊdiəl]
ⓝ 성보 그릇, 유물함 ⓐ 보관의
| 유의어 |
□ reliquary □ feretory

customarily [kʌ́stəmèrəli]
ⓐⓓ 관습적으로, 습관적으로
| 유의어 |
□ by habit □ habitually
□ usually

05 **cutlery** [kʌ́tləri]
ⓝ 식기, 식탁용 날붙이, 날붙이 제조업
| 유의어 |
□ edged tool
□ cutting-instrument

dally [dǽli]
ⓥ 가지고 놀다, 우물우물 시간을 보내다
| 유의어 |
□ dawdle □ drag
□ loiter □ procrastinate

dank [dæŋk]
ⓐ 축축한
| 유의어 |
□ damp □ moist

daunt [dɔ:nt]
ⓥ 겁나게 하다
| 유의어 |
□ appall □ dismay
□ horrify □ intimidate

deadlock [ˈdedlɑk]
ⓝ 교착 상태, 막다른 상태, 정체
| 유의어 |
□ dilemma □ predicament
□ quandary □ stalemate

10 **deadpan** [dédpæn]
ⓐ 무표정한, 덤덤한
| 유의어 |
□ expressionless □ vacant

debacle [deibɑ́:kl]
ⓝ 깨짐, 와해
| 유의어 |
□ breakdown □ collapse
□ crash

debase [dibéis]
ⓥ (품위를) 떨어뜨리다, 저하시키다
| 유의어 |
□ abase □ degrade
□ demean □ humble
□ humiliate □ lower

debilitate [dibílətèit]
ⓥ 쇠약하게 하다, 약화시키다, 나약하게 하다
| 유의어 |
□ weaken □ attenuate
□ enfeeble □ extenuate

debris [ˈdəbri:]
ⓝ 부스러기, 잔해, 파편
| 유의어 |
□ dregs □ dross

15 **decadence** [dékədəns]
ⓝ 타락, 퇴폐, 쇠퇴, 붕괴, 쇠망
| 유의어 |
□ declination □ degeneracy
□ deterioration □ downgrade

decelerate [di:sélərèit]
ⓥ 감속하다
| 유의어 |
□ slow □ retard
□ deboost □ deaccelerate

deceptive [diséptiv]
ⓐ 속이는, 현혹시키는
| 유의어 |
□ delusive □ illusory
□ shuffling

decide [disáid]
ⓥ 결정하다; 판결을 내리다
| 유의어 |
□ determine □ conclude
□ resolve □ settle

decimate [désəmèit]
ⓥ (전염병·전쟁 등이) 많은 ~을 죽이다
| 유의어 |
□ annihilate □ slaughter

20 **decipher** [disáifər]
ⓥ 판독하다, 해독하다 ⓝ 판독
| 유의어 |
□ read □ understand
□ solve □ decode

declaim
[dɪˈkleɪm]
ⓥ 열변을 토하다; 암송[낭독]하다, 연설하다

| 유의어 |
☐ make an impassioned speech
☐ enthuse ☐ recite

decomposition
[dìːkɑmpəzíʃən]
ⓝ 부패, 분해

| 유의어 |
☐ disintegration ☐ resolution
☐ breakdown

decoy
[díːkɔi]
ⓝ 유혹, 미끼

| 유의어 |
☐ lure ☐ seducement
☐ temptation

decrepitude
[dikrépətjùːd]
ⓝ 노폐, 노쇠

| 유의어 |
☐ debility ☐ feebleness
☐ infirmity

25 **deducible**
[didjúːsəbl]
ⓐ 추론할 수 있는

| 유의어 |
☐ deductive ☐ derivable

deduct
[didʌ́kt]
ⓥ 공제하다, 빼다, 감하다

| 유의어 |
☐ remove ☐ discount
☐ withdraw

defamation
[dèfəméiʃən]
ⓝ 명예 훼손, 비방, 중상

| 유의어 |
☐ belittlement ☐ calumny
☐ depreciation

default
[difɔ́ːlt]
ⓝ 불이행, 재판정에서의 결석, 디폴트(초기 설정)

| 유의어 |
☐ delinquency ☐ dereliction
☐ neglect

defeatist
[dɪˈfiːtist]
ⓝ 패배주의자 ⓐ 패배주의적인

| 유의어 |
☐ pessimist

30 **defection**
[difékʃən]
ⓝ 탈퇴, 변절, 망명, 탈당

| 유의어 |
☐ desertion ☐ secession
☐ apostasy ☐ cave

deference
[défərəns]
ⓝ 순종, 복종, 존경, 경의

| 유의어 |
☐ obeisance ☐ reverence

defiant
[difáiənt]
ⓐ 반항적인, 도전적인, 시비조의

| 유의어 |
☐ bold ☐ challenging
☐ provocative

deficiency
[dɪˈfɪʃənsi]
ⓝ 부족, 결함

| 유의어 |
☐ lack ☐ defect
☐ absence ☐ deficit

defile
[difáil]
ⓥ 더럽히다, 모독하다

| 유의어 |
☐ contaminate ☐ desecrate
☐ besmirch

35 **definitive**
[dɪˈfɪnətɪv]
ⓐ 최종적인, 결정적인, 한정적인 ⓝ 한정사

| 유의어 |
☐ conclusive ☐ ultimate

defray
[difréi]
ⓥ 지불하다

| 유의어 |
☐ pay ☐ make payment

deft
[deft]
ⓐ 손재주가 뛰어난

| 유의어 |
☐ adroit ☐ dexterous

defunct
[difʌ́ŋkt]
ⓐ (사람이) 죽은, (법률 등이) 소멸한

| 유의어 |
☐ deceased ☐ extinct
☐ vanished

defuse
[diːfjúːz]
ⓥ 완화시키다, 진정시키다, 신관을 제거하다

| 유의어 |
☐ temper ☐ mitigate
☐ assuage

40 **degenerate**
[didʒénərèit]
ⓥ 퇴보하다, 타락하다

| 유의어 |
☐ decline ☐ deprave
☐ descend ☐ deteriorate
☐ retrograde ☐ vitiate

degraded
[digréidid]
ⓐ 지위가 낮아진, 가치가 저하된, 타락한

| 유의어 |
☐ deteriorated ☐ venal
☐ putrid ☐ miscreant

deify
[díːəfài]
ⓥ 신으로 모시다, 숭배하다

| 유의어 |
☐ worship ☐ divinize
☐ apotheosize

deign
[dein]

ⓥ 자존심을 버리고 ~하다, 하사하다, ~해 주시다

| 유의어 |
- ☐ give ☐ grant
- ☐ vouchsafe ☐ confer
- ☐ bestow

deject
[didʒékt]

ⓥ ~의 기를 꺾다, 낙담시키다, ~을 풀죽게 하다

| 유의어 |
- ☐ disappoint ☐ depress
- ☐ discourage

45 **deleterious**
[dèlitíəriəs]

ⓐ 해로운

| 유의어 |
- ☐ harmful ☐ detrimental
- ☐ injurious ☐ nocuous

deliberate
[dilíbəreit]

ⓥ 숙고하다
ⓐ 고의의, 의도적인; 신중한

| 유의어 |
- ☐ cerebrate ☐ cogitate
- ☐ meditate ☐ muse
- ☐ ponder ☐ ruminate
- ☐ reflect ☐ speculate

delineate
[dilínièit]

ⓥ 묘사하다, 그리다

| 유의어 |
- ☐ depict ☐ describe
- ☐ limn ☐ portray

delirious
[dɪˈlɪəriəs]

ⓐ (고열로 인해) 헛소리를 하는, 기뻐 날뛰는, 무아지경의

| 유의어 |
- ☐ frantic ☐ distracted
- ☐ furious

delirium
[dilíəriəm]

ⓝ 정신 착란

| 유의어 |
- ☐ craziness ☐ derangement
- ☐ insanity

50 **delude**
[dilú:d]

ⓥ 속이다, 미혹시키다

| 유의어 |
- ☐ beguile ☐ deceive

DAY 17

delusion
[dilú:ʒən]

ⓝ 기만, 미혹, 환각

| 유의어 |
- ☐ deceit ☐ deception
- ☐ illusion

delusive
[dilú:siv]

ⓐ 기만적인, 망상적인, 믿을 수 없는

| 유의어 |
- ☐ deceitful ☐ deceptional

delve
[delv]

ⓥ 탐구하다, 연구하다, 조사하다(delve into)

| 유의어 |
- ☐ explore ☐ inquire
- ☐ investigate

demean
[dimí:n]

ⓥ 품위를 떨어뜨리다, 수치를 주다

| 유의어 |
- ☐ abase ☐ belittle
- ☐ debase ☐ decry
- ☐ degrade

05 **demise**
[dimáiz]

ⓝ 서거, 사망

| 유의어 |
- ☐ decease ☐ doom
- ☐ end ☐ dissolution
- ☐ death ☐ fatality

demographic
[dèməgrǽfik]

ⓐ 인구 통계학의
ⓝ 인구 통계적 집단

demonstrate
[démənstrèit]

ⓥ 시위하다, 증명하다, 입증하다, 나타내다, 설명하다

| 유의어 |
- ☐ show ☐ present
- ☐ establish

dent
[dent]

ⓝ 표면의 움푹한 곳, 치아

| 유의어 |
- ☐ hollow

dependable
[dipéndəbl]

ⓐ 신뢰할 수 있는, 의존할 수 있는, 신뢰할 만한

| 유의어 |
- ☐ reliable ☐ trustworthy
- ☐ responsible

10 **deplorable**
[diplɔ́:rəbl]

ⓐ 비통한, 비참한

| 유의어 |
- ☐ wretched ☐ miserable
- ☐ disastrous

deployment
[dɪˈplɔɪmənt]
ⓝ 배치
| 유의어 |
☐ arrangement ☐ disposition

depredation
[dèpridéiʃən]
ⓝ 약탈, 파괴, 약탈 행위
| 유의어 |
☐ looting ☐ plunder
☐ pillage ☐ sack

descendant
[diséndənt]
ⓝ 후손, 문하생
| 유의어 |
☐ children ☐ successor

descry
[diskrái]
ⓥ 어렴풋이 알아보다, 발견하다
| 유의어 |
☐ discern ☐ distinguish
☐ perceive

15 **desecrate**
[désikrèit]
ⓥ 신성함을 더럽히다
| 유의어 |
☐ defile ☐ pollute

desiccate
[désikèit]
ⓥ 건조시키다, 말리다
| 유의어 |
☐ dehydrate ☐ dry
☐ exsiccate

designate
[dézignèit]
ⓥ 지정하다, 지명하다, 선정하다
| 유의어 |
☐ name ☐ appoint
☐ nominate

desolate
[désəleit]
ⓥ 황폐하게 하다, 저버리다
| 유의어 |
☐ devastate ☐ ravage

desperate
[ˈdespərət]
ⓐ 자포자기의, 절망적인, 필사적인, 극도의, 지독한
| 유의어 |
☐ suicidal ☐ despairing

20 **despicable**
[dèspíkəbl]
ⓐ 야비한, 비열한
| 유의어 |
☐ contemptible ☐ disgraceful
☐ infamous

despise
[dispáiz]
ⓥ 경멸하다, 멸시하다
| 유의어 |
☐ contemn ☐ disdain
☐ scorn

despondent
[dispάndənt]
ⓐ 낙담한, 풀이 죽은
| 유의어 |
☐ dejected ☐ depressed

despotic
[dispάtik]
ⓐ 전제적인, 횡포한, 포악한
| 유의어 |
☐ hard ☐ strict
☐ severe

despotism
[déspətìzm]
ⓝ 폭정, 압제, 독재, 억압
| 유의어 |
☐ autocracy ☐ dictatorship
☐ totalitarianism ☐ tyranny

25 **destitute**
[déstətjù:t]
ⓐ 빈곤한, 궁핍한, ~을 갖지 않은
| 유의어 |
☐ impecunious ☐ impoverished
☐ indigent ☐ penurious

desuetude
[déswitjù:d]
ⓝ 폐지 (상태)
| 유의어 |
☐ cease ☐ cessation
☐ closure ☐ disuse

detached
[ditǽtʃt]
ⓐ 무심한; 공정한; 분리된
| 유의어 |
☐ aloof ☐ disinterested
☐ indifferent ☐ uninterested
☐ dispassionate ☐ neutral

detain
[ditéin]
ⓥ 지체하게 하다, 구류하다, 붙들다
| 유의어 |
☐ keep ☐ catch
☐ arrest

determinate
[ditə́:rminət]
ⓐ 확정적인, 확고한
| 유의어 |
☐ constant ☐ immovable
☐ unmodifiable

30 **deterrent**
[ditə́:rənt]
ⓝ 방해물 ⓐ 제지하는
| 유의어 |
☐ obstacle ☐ prevention

detonation
[dètənéiʃən]
ⓝ 폭발
| 유의어 |
☐ explosion ☐ blast
☐ burst ☐ eruption

detraction [ditrǽkʃən]

ⓝ 욕설, 비난, 중상

| 유의어 |

- ☐ aspersion ☐ calumny
- ☐ defamation ☐ depreciation
- ☐ vilification

detriment [détrəmənt]

ⓝ 손해, 손상, 피해

| 유의어 |

- ☐ harm ☐ damage
- ☐ injury ☐ disadvantage
- ☐ loss ☐ impairment
- ☐ mischief

devaluate [di:vǽljuèit]

ⓥ 평가를 절하하다, ~의 가치를 감소하다

| 유의어 |

- ☐ underestimate ☐ underrate
- ☐ belittle ☐ misvalue
- ☐ undervalue ☐ misesteem

35 **deviate** [dí:vièit]

ⓥ 벗어나다, 빗나가다, 이탈하다

| 유의어 |

- ☐ digress ☐ diverge
- ☐ stray ☐ swerve

devious [dí:viəs]

ⓐ 일탈적인, 상도를 벗어난

| 유의어 |

- ☐ crooked ☐ deviating
- ☐ errant ☐ stray

devoid [divɔ́id]

ⓐ ~이 없는, 결핍된

| 유의어 |

- ☐ destitute ☐ empty

devolve [diválv]

ⓥ 양도하다, 위임하다

| 유의어 |

- ☐ delegate ☐ depute

devout [diváut]

ⓐ 헌신적인, 믿음이 깊은, 경건한, 열렬한

| 유의어 |

- ☐ godly ☐ holy
- ☐ pious ☐ ardent
- ☐ fervid

40 **dexterous** [dékstərəs]

ⓐ 솜씨 좋은

| 유의어 |

- ☐ adept ☐ adroit
- ☐ deft ☐ expert

diabolical [dàiəbálikəl]

ⓐ 잔인한, 극악무도한

| 유의어 |

- ☐ demoniac ☐ fiendish
- ☐ satanic

diagnosis [ˌdaɪəɡˈnəʊsɪs]

ⓝ 진단, 식별, 진찰

| 유의어 |

- ☐ (medical) examination
- ☐ (medical) analysis
- ☐ identification (of diseases)
- ☐ identification (of some phenomena)
- ☐ diagnostication

diaphanous [daiǽfənəs]

ⓐ 비치는, 투명한

| 유의어 |

- ☐ flimsy ☐ gossamer
- ☐ transparent

diatribe [dáiətràib]

ⓝ 통렬한 비난, 욕설

| 유의어 |

- ☐ harangue ☐ tirade

45 **dichotomy** [daikátəmi]

ⓝ 양분, 분열, 이분법

| 유의어 |

- ☐ divergence ☐ dichotomization

dictum [díktəm]

ⓝ 권위 있고 무게 있는 말, (전문가의) 의견, 격언, 금언

| 유의어 |

- ☐ saying ☐ proverb
- ☐ adage

didactic [daidǽktik]

ⓐ 가르치기 위한, 교훈적인

| 유의어 |

- ☐ exhortative ☐ hortative
- ☐ moral

diffidence [dífidəns]

ⓝ 자신 없음, 수줍음

| 유의어 |

- ☐ shyness ☐ timidity
- ☐ coyness

diffident [ˈdɪfɪdənt]

ⓐ 자신 없는, 소심한, 숫기 없는

| 유의어 |

- ☐ timid ☐ bashful
- ☐ shy ☐ sheepish

50 **diffusion** [difjú:ʒən]

ⓝ 확산, 유포, 보급

| 유의어 |

- ☐ dispersion ☐ dissemination
- ☐ distribution

DAY 18

digression [daigréʃən], [digréʃən]
ⓝ 본론에서 벗어남, 탈선, 일탈
| 유의어 |
☐ deflection ☐ deviation
☐ discursion ☐ divergence

digressive [daigrésiv], [digrésiv]
ⓐ 본론을 떠난, 주제를 벗어나기 쉬운, 지엽적인

dilapidate [dilǽpidèit]
ⓥ 황폐케 하다, 파손하다, 탕진하다
| 유의어 |
☐ ravage ☐ harry
☐ desolate ☐ ruin
☐ waste

dilapidation [dilæ̀pidéiʃən]
ⓝ 소홀함으로 못쓰게 됨, 황폐
| 유의어 |
☐ desolation ☐ devastation
☐ waste ☐ ruin
☐ abandonment

05 **dilate** [dailéit]
ⓥ 팽창하다, 넓히다, 부연하다, 상세히 설명하다
| 유의어 |
☐ augment ☐ amplify
☐ distend ☐ enlarge
☐ extend ☐ expand
☐ increase ☐ inflate
☐ swell

dilatory [dílətɔ̀:ri]
ⓐ 꾸물거리는, 느린, 더딘
| 유의어 |
☐ laggard ☐ slow
☐ delaying

dilemma [dilémə]
ⓝ 진퇴양난, 궁지
| 유의어 |
☐ bewilderment ☐ perplexity
☐ predicament

dilute [dailú:t]
ⓥ 묽게 하다, 희석하다
ⓐ 묽게 한, 희석한, 묽은, 심심한
| 유의어 |
☐ water down

diminish [dimíniʃ]
ⓥ 줄이다, 감소하다, 줄다, 감소되다
cf. diminution 감소
| 유의어 |
☐ cut ☐ reduce
☐ decline ☐ slow to a trickle

10 **disabled** [diséibld]
ⓐ 장애의, 불편한, 부상의
ⓝ (the ~) 장애인들, 불구자
| 유의어 |
☐ handicapped ☐ vulnerable

disappear [dìsəpíər]
ⓥ 사라지다, 실종되다
| 유의어 |
☐ evanesce ☐ evaporate
☐ fade ☐ vanish
☐ slip away

disappoint [dìsəpɔ́int]
ⓥ 실망시키다, 낙담시키다, 기대에 어긋나다, 망치다
| 유의어 |
☐ frustrate ☐ discourage
☐ let down ☐ unnerve

disapprove [ˌdɪsəˈpru:v]
ⓥ 반대하다, 비난하다
| 유의어 |
☐ object to ☐ condemn

disavow [dìsəváu]
ⓥ ~의 책임을 부정하다, ~과의 관계를 부인하다, ~을 거부하다
| 유의어 |
☐ refuse ☐ deny

15 **disciplinary** [dísəplənèri]
ⓐ 규율상의, 훈련의, 징계적인
| 유의어 |
☐ training

discourse [ˈdɪskɔ:rs]
ⓥ 이야기하다 ⓝ 담화, 토론, 논설
| 유의어 |
☐ put speaking ☐ talk
☐ conference

discrepancy [diskrépənsi]
ⓝ 모순, 불일치, 차이
| 유의어 |
☐ difference

discrimination [diskrìmənéiʃən]
ⓝ 차별, 편견, 차이, 구별, 분별
| 유의어 |
☐ prejudice ☐ difference
☐ contrast

disenchantment [ˌdɪsɪnˈtʃɑ:ntmənt]
ⓝ 각성, 환멸

20 **disentangle** [disentǽŋgl]
ⓥ 풀리다, ~의 얽힘을 풀다, ~을 해방하다
| 유의어 |
☐ liberate ☐ emancipate
☐ become disentangled

disgrace [disgréis]
ⓝ 불명예 ⓥ 명예를 더럽히다
| 유의어 |
☐ scandal ☐ disrepute
☐ dishonor
☐ cast stain on one's fame

disinclination [ˌdɪsɪŋkləˈneɪʃən]
ⓝ 마음이 내키지 않음, 싫증
| 유의어 |
☐ aversion ☐ distaste
☐ indisposition

disingenuous [dìsindʒénjuəs]
ⓐ 불성실한, 부정직한
| 유의어 |
☐ feigned ☐ insincere
☐ uncandid

disjointed [disdʒɔ́intid]
ⓐ 탈골된, 해체된, 일관성이 없는
| 유의어 |
☐ discontinuous ☐ disordered
☐ incoherent

25 **dismantle** [dismǽntl]
ⓥ 해체하다, 분해하다
| 유의어 |
☐ dismember ☐ take apart

dismiss [dismís]
ⓥ 해고하다, 해산시키다, 기각하다, 일축하다
| 유의어 |
☐ lay off ☐ disband
☐ liberate

disorientation [dɪsˌɔ:riənˈteɪʃən]
ⓝ 혼미, 혼란, 방향 상실

disoriented [disɔ́:riəntid]
ⓐ 방향 감각을 잃은, (정신적) 혼란에 빠진
| 유의어 |
☐ in turmoil ☐ baffled
☐ bemused ☐ bewildered

disparate [díspərit]
ⓐ 근본적으로 다른, 관련이 없는, 여러 가지의
| 유의어 |
☐ dissimilar ☐ distinct
☐ diverse

30 **disparity** [dispǽrəti]
ⓝ 부등, 차이, 불균형
| 유의어 |
☐ dissimilarity ☐ distinction

dispassionate [dispǽʃənət]
ⓐ 감정적이 아닌, 냉정한, 공정한
| 유의어 |
☐ equitable ☐ impartial
☐ unbiased ☐ unprejudiced

dispatch [dɪˈspætʃ]
ⓝ 파견, 발송 ⓥ 파견하다, 발송하다
| 유의어 |
☐ sending

dispel [dispél]
ⓥ 쫓아버리다, 흩뜨리다, 분산시키다
| 유의어 |
☐ disperse ☐ dissipate

disperse [dispə́:rs]
ⓥ 흩뜨리다, 흩어지게 하다
| 유의어 |
☐ dispel ☐ dissipate

35 **dispirited** [dispíritid]
ⓐ 기가 죽은, 의기소침한
| 유의어 |
☐ dejected ☐ depressed
☐ disconsolate ☐ downcast
☐ melancholy

dispose [dispóʊz]
ⓥ 처리하다, 배치하다, 폐기하다
| 유의어 |
☐ arrange ☐ place

disputatious [dìspju:téiʃəs]
ⓐ 논쟁적인, 논쟁을 좋아하는
| 유의어 |
☐ contentious ☐ controversial
☐ polemical

disqualify [diskwɑ́ləfài]
ⓥ 자격을 박탈하다, 부적격으로 간주하다
| 유의어 |
☐ rule off ☐ eliminate
☐ incapacitate

disquisition [dìskwizíʃən]
ⓝ 논문, 논술
| 유의어 |
☐ thesis ☐ treatise
☐ dissertation

40 **disrupt** [dìsrʌ́pt]
ⓥ 붕괴시키다, 분열시키다, 혼란케 하다
ⓐ 분열한, 분쇄한
| 유의어 |
☐ disturb ☐ disorganize
☐ disarrange

dissection [disékʃən]
ⓝ 분석, 분류, 해부, 해체
| 유의어 |
☐ examination ☐ inspection
☐ scrutiny

dissemble [disémbl]
ⓥ 숨기다, 감추다, 위장하다
| 유의어 |
☐ camouflage ☐ dissimulate

disseminate
[disémənèit]

ⓥ (사상·주의 등을) 유포하다, 보급시키다

| 유의어 |
☐ diffuse ☐ disperse
☐ spread

dissent
[disént]

ⓝ 의견의 불일치 ⓥ 의견을 달리하다

| 유의어 |
☐ discord ☐ demur

45 **dissertation**
[dìsərtéiʃən]

ⓝ 격식을 갖춘 논문, 학위 논문

| 유의어 |
☐ thesis ☐ treatise
☐ disquisition

dissimulate
[disímjulèit]

ⓥ (감정·의사 등을) 숨기다, 시치미 떼다

| 유의어 |
☐ camouflage ☐ disguise
☐ dissemble

dissolution
[dìsəlú:ʃən]

ⓝ 용해, 타락, 분리, 붕괴, 해산

| 유의어 |
☐ dissolving ☐ rupture
☐ decomposition ☐ degradation

dissonance
[dísənəns]

ⓝ 불협화음, 부조화, 불일치

| 유의어 |
☐ conflict ☐ discord
☐ disharmony ☐ dissension

dissuade
[diswéid]

ⓥ 설득하여 단념시키다

| 유의어 |
☐ discourage ☐ deter

50 **distant**
[dístənt]

ⓐ 소원한, (태도가) 쌀쌀한, (거리적으로) 떨어진

| 유의어 |
☐ unsociable ☐ far
☐ faraway ☐ remote

DAY 19

distend
[disténd]

ⓥ 넓히다, 부풀리다, 팽창시키다

| 유의어 |
☐ dilate ☐ inflate
☐ swell

distill
[distíl]

ⓥ 증류하다, 정제하다

distraction
[distrǽkʃən]

ⓝ 주의 산만, 혼란, 정신이 흐트러짐, 오락, 기분 전환
cf. distractor 정신을 산만하게 하는 것, 선택지

| 유의어 |
☐ confusion ☐ entertainment
☐ amusement

distrait
[distréi]

ⓐ 멍한, 넋이 나간

| 유의어 |
☐ abstracted ☐ distraught

05 **diurnal**
[daiə́:rnl]

ⓐ 매일의, 주간의, 낮의

| 유의어 |
☐ day-by-day ☐ daily

diverge
[daivə́:rdʒ]

ⓥ 갈리다, 분기하다, 벗어나다, 빗나가다

| 유의어 |
☐ deviate ☐ digress
☐ swerve

divergent
[divə́:rdʒənt]

ⓐ (선·길·의견 등이) 갈리는, 분기하는

| 유의어 |
☐ disparate ☐ dissimilar

diversification
[daɪˌvɜːrsɪfɪˈkeɪʃən]

ⓝ 다양화, 다양성, 다각화

| 유의어 |
☐ variety ☐ multiplicity

diversity
[daɪˈvɜːsəti]

ⓝ 다양성, 상이, 변화

| 유의어 |
☐ variety ☐ multiformity

10 **divest**
[daivést]

ⓥ 벗기다, 박탈하다

| 유의어 |
☐ denude ☐ bereave

divination
[dìvənéiʃən]

ⓝ 예언, 예측, 점(占)

| 유의어 |
☐ augury ☐ prediction
☐ prophecy

divisible [divízəbl]
ⓐ 나눌 수 있는
| 유의어 |
□ dividable

divulge [divʌ́ldʒ]
ⓥ 누설하다, 폭로하다, 공표하다
| 유의어 |
□ disclose □ reveal
□ betray □ uncover
□ expose

docile [dɑ́sl, dóusail]
ⓐ 다루기 쉬운, 순종하는
| 유의어 |
□ amenable □ tractable
□ pliant

15 **doff** [dɑːf]
ⓥ 벗다, 버리다
| 유의어 |
□ remove □ shed

doggerel [dɔ́ːgərəl]
ⓐ 우스꽝스러운 ⓝ 서투른 시
| 유의어 |
□ droll □ laughable
□ pawky □ waggish

dogmatic [dɔːgmǽtik]
ⓐ 고압적인, 독단적인
| 유의어 |
□ authoritarian □ authoritative
□ doctrinaire

dolorous [dóulərəs]
ⓐ 슬픈, 괴로운
| 유의어 |
□ lugubrious □ melancholy
□ mournful □ plaintive

domestic [dəméstik]
ⓐ 국내의, 국산의, 자국의, 가정의
| 유의어 |
□ national □ household

20 **donate** [dóuneit]
ⓥ 기부하다, 기증하다
| 유의어 |
□ contribute □ present

dormant [dɔ́ːrmənt]
ⓐ 잠복의, 잠자는, (화산이) 활동을 중지하고 있는
| 유의어 |
□ latent □ potential
□ quiescent

dorsal [dɔ́ːrsl]
ⓐ [신체] 등의, 등에 관한

dose [dous]
ⓝ 복용량, 1회분
| 유의어 |
□ taking medicine
□ application □ dosage

doughty [dáuti]
ⓐ 용감한
| 유의어 |
□ courageous □ dauntless
□ intrepid

25 **dour** [duər]
ⓐ 뚱한, 완고한
| 유의어 |
□ crabbed □ morose
□ stubborn

down-to-earth
ⓐ 실제적인, 현실적인, 철저한, 더할 나위 없는
| 유의어 |
□ practical □ realistic

drastic [drǽstik]
ⓐ 격렬한, 과감한, 극단적인
| 유의어 |
□ violent □ strong

drawback [drɔ́ːbæ̀k]
ⓝ 결점, 단점, 장애, 고장, 환불금
| 유의어 |
□ disadvantage □ defect
□ handicap □ shortcoming

dregs [dregz]
ⓝ 침전물, 찌꺼기
| 유의어 |
□ deposit □ precipitate
□ sediment

30 **drizzle** [drízl]
ⓝ 이슬비, 보슬비 ⓥ 이슬비가 내리다
| 유의어 |
□ misty rain □ fog rain

droll [droul]
ⓐ 익살스러운
| 유의어 |
□ comic □ ludicrous

drudgery [drʌ́dʒəri]
ⓝ 힘들고 따분한 일
| 유의어 |
□ vile labor □ menial task

dulcet [dʌ́lsit]
ⓐ 소리가 감미로운
| 유의어 |
□ songful □ tuneful
□ ariose □ canorous

duplicity [djuːplísəti]
ⓝ 이중성, 표리부동
| 유의어 |
☐ deceit ☐ guile

35 **durable** [ˈdʊrəbəl]
ⓐ 영속적인, 오래 견디는, 튼튼한 ⓝ 내구재
| 유의어 |
☐ lasting ☐ enduring
☐ strong

durance [ˈdjʊərəns]
ⓝ 금고, 감금, 수감
| 유의어 |
☐ imprisonment ☐ committal
☐ incarceration ☐ immurement

earmark [ˈɪrmɑrk], [ˈɪəmɑːk]
ⓥ 귀표를 하다, 배당하다 ⓝ 귀표
| 유의어 |
☐ apportion ☐ allot

ebullient [ibʌ́ljənt]
ⓐ 열광적인, 끓어 넘치는, 넘칠 듯한
| 유의어 |
☐ zealous ☐ ardent
☐ ecstatic

edge [edʒ]
ⓝ 변두리, 가장자리, 장점 ⓥ 날카롭게 하다
| 유의어 |
☐ verge ☐ advantage

40 **efficient** [ifíʃənt]
ⓐ 효율적인, 유효한, 유능한, 능률적인
| 유의어 |
☐ businesslike ☐ competent
☐ streamlined

elastic [ilǽstik]
ⓐ 탄력 있는, 신축성이 있는
| 유의어 |
☐ pliable ☐ flexible
☐ resilient ☐ supple

eligible [élidʒəbl]
ⓐ 적격의, 적임의, 자격이 있는
| 유의어 |
☐ entitled ☐ qualified

eloquent [éləkwənt]
ⓐ 웅변의, 설득력 있는, 감동적인
| 유의어 |
☐ convincing ☐ persuasive
☐ forceful

embody [imbɑ́di]
ⓥ 구현하다, 구체화하다, 통합하다, 포함하다
| 유의어 |
☐ incorporate

45 **embrace** [imbréis]
ⓥ 포용하다, 받아들이다, 포옹하다, 이용하다, ~을 포함하다
| 유의어 |
☐ comprehend ☐ imply
☐ include

embroider [imbrɔ́idər]
ⓥ 수를 놓다[장식하다], (이야기를) 꾸미다
| 유의어 |
☐ stitch ☐ decorate
☐ elaborate (on) ☐ embellish

emerge [ɪˈmɜːrdʒ]
ⓥ 떠오르다, 나타나다, (어려움에서) 벗어나다, 명백해지다
| 유의어 |
☐ come out ☐ appear
☐ take form

eminent [émənənt]
ⓐ 저명한, 탁월한
| 유의어 |
☐ celebrated ☐ noted
☐ illustrious ☐ of repute

emphasize [émfəsàiz]
ⓥ 강조하다, 중요시하다, 힘주어 말하다, 역설하다
| 유의어 |
☐ stress ☐ accentuate

50 **empower** [imˈpaʊər]
ⓥ ~에게 권능을 부여하다, 권리를 주다, 지위를 향상시키다
| 유의어 |
☐ vest with power
☐ authorize

DAY 20

emulate [émjulèit]
ⓥ 모방하다, ~와 우열을 겨루다
| 유의어 |
☐ imitate ☐ copy

encapsulate [ɪnˈkæpsjəleɪt]
ⓥ 요약하다, 캡슐에 싸다, 조심스럽게 보호하다
| 유의어 |
☐ summarize ☐ sum up

encompass [inkʌ́mpəs]
ⓥ ~을 둘러싸다, 포위하다, ~을 포함하다
| 유의어 |
☐ surround ☐ enclose
☐ environ

encounter [inkáuntər]
ⓥ 우연히 마주치다, 조우하다
| 유의어 |
☐ come across ☐ run into
☐ meet ~ by chance
☐ bump into

05 **endogenous** [endádʒənəs]
ⓐ 내생(內生)의, 내인성의, 내생적인
| 유의어 |
☐ endotrophic ☐ endogenic

enervate [inə́:rveit]
ⓥ ~의 힘을 약화시키다, ~을 무기력하게 하다, 기운을 빼앗다
| 유의어 |
☐ wilt ☐ break the back of

engross [ingróus]
ⓥ 몰두시키다, 열중시키다, ~에 모조리 쏟게 하다
| 유의어 |
☐ saturate ☐ immerse
☐ preoccupy

enkindle [inkíndl]
ⓥ 타오르게 하다(= kindle), ~을 불태우다, 부채질하다
| 유의어 |
☐ inflame ☐ emblaze

enlighten [ɪnˈlaɪtn]
ⓥ 계몽하다, 가르치다
cf. enlightenment 계몽
| 유의어 |
☐ educate ☐ edify

10 **enmesh** [inméʃ]
ⓥ 말려들게 하다, 그물에 걸다, 빠뜨리다
| 유의어 |
☐ involve ☐ entangle
☐ let in

ennoble [inóubl]
ⓥ 기품을 주다, 고귀하게 하다; 작위를 내리다
| 유의어 |
☐ dignify

ensue [insjú:]
ⓥ 잇따라 일어나다, ~의 결과로서 일어나다, 계속하여 일어나다
| 유의어 |
☐ follow ☐ succeed
☐ supervene

enthrall [inθrɔ́:l]
ⓥ 매혹하다, 마음을 빼앗다, ~을 사로잡다
| 유의어 |
☐ charm ☐ bewitch
☐ fascinate

entrepreneur [à:ntrəprənə́:r]
ⓝ 기업가, 흥행주, 청부인
| 유의어 |
☐ businessman ☐ industrialist

15 **entrust** [intrʌ́st]
ⓥ 일을 맡기다, 위임하다
| 유의어 |
☐ assign ☐ charge
☐ commission ☐ task
☐ commend

enumerate [injú:mərèit]
ⓥ 열거하다, ~을 하나하나 열거하다, 차례로 들다
| 유의어 |
☐ list ☐ mention
☐ go through the list

epitomize [ipítəmàiz]
ⓥ 요약하다
| 유의어 |
☐ summarize ☐ digest
☐ abridge ☐ outline
☐ sum up

equilibrium [ì:kwəlíbriəm]
ⓝ 평형 상태, 균형, 평정
| 유의어 |
☐ a state of balance
☐ balance ☐ equanimity

equivalent [ikwívələnt]
ⓐ 동등한, 상당하는, 동 가치의, 같은
| 유의어 |
☐ tantamount ☐ same

20 **equivocally** [ikwívəkəli]
ⓐⓓ 분명치 않게, 애매모호하게
| 유의어 |
☐ ambiguously

erode
[iróud]
ⓥ 침식하다, 부식하다, 부식되다
| 유의어 |
☐ corrode ☐ eat away
☐ wash out

erudite
[ˈerədaɪt]
ⓐ 박학한, 박식한
| 유의어 |
☐ scholarly ☐ learned
☐ well-read

esthetic
[esθétik]
ⓐ 미학의, 미적인, 미의
| 유의어 |
☐ aesthetic

estrangement
[istréindʒmənt]
ⓝ 반목, 불화, (관계의) 소원
| 유의어 |
☐ alienation

25 **eternal**
[ɪˈtɜːrnəl]
ⓐ 영원한, 불멸의, 무한한, 불변의, 천추의
| 유의어 |
☐ endless ☐ everlasting
☐ undying

euthanasia
[jùːθənéiʒiə]
ⓝ 안락사, 안락사술
| 유의어 |
☐ an easy death ☐ mercy-killing

evacuate
[ivǽkjuèit]
ⓥ 대피시키다, 철수하다, 비우다, 배설하다
| 유의어 |
☐ empty

evince
[ivíns]
ⓥ 명시하다, 분명히 나타내다
| 유의어 |
☐ clarify ☐ specify

evoke
[ivóuk]
ⓥ 일깨우다, 불러일으키다, 자아내다
| 유의어 |
☐ open eyes ☐ awaken
☐ arouse

30 **evolve**
[iválv]
ⓥ 진화하다, 발전하다, 변하다
| 유의어 |
☐ develop ☐ prosper
☐ grow

excavate
[ˈekskəveɪt]
ⓥ 발굴하다
| 유의어 |
☐ exhume ☐ unearth

exclusively
[iksklúːsivli]
ⓐⓓ 배타적으로, 독점적으로, 오로지, 단지
| 유의어 |
☐ solely ☐ only
☐ merely ☐ monopolistically

excrete
[ikskríːt]
ⓥ 배설하다, 분비하다
| 유의어 |
☐ secrete ☐ void
☐ pass

exemplary
[igzémpləri]
ⓐ 전형적인, 모범적인, 본보기의
| 유의어 |
☐ typical ☐ full-blooded
☐ emblematic

35 **exhaustively**
[igzɔ́ːstivli]
ⓐⓓ 철저하게, 남김없이, 속속들이
| 유의어 |
☐ comprehensively
☐ inside out ☐ to the bone

exhortation
[ègzɔːrtéiʃən]
ⓝ 권고, 충고의 말, 권장 ⓐ 권고적인
| 유의어 |
☐ advice ☐ counsel
☐ recommendation
☐ expostulation

exonerate
[igzánərèit]
ⓥ 면제하다, 해방하다, 무죄로 하다
| 유의어 |
☐ exempt ☐ release
☐ excuse

exorbitant
[igzɔ́ːrbitənt]
ⓐ 지나친, 엄청난, 터무니없는
| 유의어 |
☐ excessive ☐ inordinate

expediency
[ikspíːdiənsi]
ⓝ 편의, 유리, 편의주의
| 유의어 |
☐ convenience ☐ facility
☐ benefit ☐ advantage

40 **expel**
[ɪkˈspel]
ⓥ 추방하다, 내뿜다
| 유의어 |
☐ banish ☐ deport

expire
[ikspáiər]
ⓥ 만기가 되다, 끝나다, 숨을 거두다
| 유의어 |
☐ become due
☐ serve out one's time

explicit
[iksplísit]

ⓐ 명백한, 명쾌한

| 유의어 |
- ☐ distinct ☐ obvious
- ☐ apparent ☐ lucid
- ☐ perspicuous ☐ visible

exploit
[ɪkˈsplɔɪt]

ⓥ 개발하다, 개척하다, 착취하다, 이용하다
cf. exploitatively 착취적으로

| 유의어 |
- ☐ impose on[upon]
- ☐ take advantage of

extemporaneous
[ikstèmpəréiniəs]

ⓐ 준비 없이 하는, 즉흥적인, 즉석의, 임시 변통의

| 유의어 |
- ☐ improvised ☐ makeshift
- ☐ ad hoc

45 **extension**
[iksténʃən]

ⓝ 연장, 확장, 연기, 확대, 내선번호

| 유의어 |
- ☐ prolongation ☐ expansion
- ☐ increase

extensive
[iksténsiv]

ⓐ 광대한, 넓은

| 유의어 |
- ☐ large ☐ huge
- ☐ broad

extinction
[ɪkˈstɪŋkʃən]

ⓝ 멸종, 소멸, 폐지

| 유의어 |
- ☐ annihilation ☐ decimation
- ☐ desolation ☐ extermination

extortion
[ikstɔ́:rʃən]

ⓝ 착취, 강탈

| 유의어 |
- ☐ exaction ☐ blackmail

extraneous
[ikstréiniəs]

ⓐ 외래의, 이질적인, 관계가 없는

| 유의어 |
- ☐ foreign ☐ irrelevant

50 **extrovert**
[ékstrəvə̀:rt]

ⓝ 외향형, 외향성인 사람 ⓐ 외향성의

| 유의어 |
- ☐ extravert ☐ extroverted

DAY 21

facet
[fǽsit]

ⓝ 양상, 작은 면, 일면

| 유의어 |
- ☐ aspect ☐ phase
- ☐ condition ☐ appearance

faint
[feint]

ⓐ 희미한 ⓥ 기절하다

| 유의어 |
- ☐ indistinct ☐ faraway
- ☐ blear
- ☐ lose consciousness

fallacious
[fəléiʃəs]

ⓐ 그릇된, 오류의

| 유의어 |
- ☐ faulty ☐ mistaken
- ☐ erroneous

fallout
[fɔ́:làut]

ⓝ 부산물, 결과, 죽음의 재

| 유의어 |
- ☐ by-product ☐ residual product
- ☐ outgrowth

05 **falter**
[fɔ́:ltər]

ⓥ 비틀거리다, 말을 더듬다, 중얼거리다

| 유의어 |
- ☐ totter ☐ stagger
- ☐ reel

famine
[fǽmin]

ⓝ 기근, 기아, 굶주림

| 유의어 |
- ☐ shortage ☐ dearth
- ☐ failure of crops ☐ starvation

far-fetched

ⓐ 빙 둘러서 말하는, 억지의, 무리한, 부자연스러운

| 유의어 |
- ☐ forced

fastidious
[fæstídiəs]

ⓐ 까다로운

| 유의어 |
- ☐ picky ☐ choosy
- ☐ fussy ☐ squeamish
- ☐ particular

fatuous
[fǽtʃuəs]

ⓐ 어리석은, 얼빠진, 바보의

| 유의어 |
- ☐ silly ☐ stupid
- ☐ foolish

10 **faulty**
[fɔ́:lti]

ⓐ 결점이 있는, 불완전한, 도덕상 비난을 받아야 할

| 유의어 |
- ☐ flawed ☐ defective

felicity
[filísəti]
ⓝ 적절한 표현, 적절함, 지복, 경사
| 유의어 |
☐ beatitude ☐ supreme bliss
☐ the highest good

fiasco
[fiǽskou]
ⓝ 대실패, 큰 실수, 완패
| 유의어 |
☐ flake-out ☐ blooper
☐ clanger ☐ screwup

fictitious
[fiktíʃəs]
ⓐ 허구의, 거짓의, 가공의
| 유의어 |
☐ fictional ☐ fabled

fidelity
[fidéləti]
ⓝ 충실도, 엄수, 충성
| 유의어 |
☐ loyalty ☐ strict observation

15 **figurehead**
[fígjərhèd]
ⓝ 명목상의 우두머리, 선수상, 허수아비
| 유의어 |
☐ scarecrow ☐ dummy

finite
[ˈfaɪnait]
ⓐ 유한한, 유한의, 한정된
| 유의어 |
☐ bounded ☐ terminate
☐ definite ☐ terminable

firsthand
[ˈfɜːrstˈhænd]
ⓐ 직접 구입한, 직접 얻은 ⓐⓓ 직접
| 유의어 |
☐ direct ☐ in person
☐ directly ☐ personally

fitful
[fítfəl]
ⓐ 발작적인, 간헐적인
| 유의어 |
☐ sporadic ☐ convulsive
☐ on-again ☐ galvanic
☐ paroxysmal

flag
[flæg]
ⓥ 축 늘어지다, 국기를 게양하다 ⓝ 국기
| 유의어 |
☐ decline ☐ deteriorate
☐ languish

20 **flagrant**
[fléigrənt]
ⓐ 악명 높은, 극악한
| 유의어 |
☐ notorious ☐ egregious
☐ gross ☐ heinous

flair
[fleər]
ⓝ 재능, 재주, 육감
| 유의어 |
☐ talent ☐ gift
☐ ability ☐ aptitude

flake
[fleik]
ⓝ 플레이크, 얇은 조각, 눈
ⓥ 벗겨지다, 눈이 펄펄 내리다
| 유의어 |
☐ slice ☐ shive
☐ peel off

flatter
[ˈflætər]
ⓥ 아첨하다, 비위를 맞추다, 기분이 우쭐하게 하다
| 유의어 |
☐ adulate

flippant
[flípənt]
ⓐ 건방진, 경박한, 경솔한
| 유의어 |
☐ cocky ☐ funny
☐ saucy ☐ fluffy
☐ lippy

25 **flourish**
[ˈflʌrɪʃ]
ⓥ 번성하다, 잘 자라다
| 유의어 |
☐ multiply ☐ thrive
☐ prosper

flout
[flaʊt]
ⓥ 업신여기다, 거절하다, 조롱하다
| 유의어 |
☐ jeer ☐ scoff
☐ sneer

fluctuate
[flʌ́ktʃuèit]
ⓥ 오르락내리락하다, 변동하다
| 유의어 |
☐ move up and down

flush
[flʌʃ]
ⓥ 붉어지다, 물을 내리다, 내보내다
| 유의어 |
☐ turn red ☐ redden
☐ blush

foible
[fɔ́ibl]
ⓝ 약점, 결점
| 유의어 |
☐ frailty ☐ defect
☐ fault ☐ flaw
☐ imperfection

30 **foil**
[fɔil]
ⓥ 좌절시키다, ~을 저지하다
ⓝ 남[다른 것]을 돋보이게 하는 사람[것]
| 유의어 |
☐ frustrate ☐ baulk
☐ thwart

folly
[fáli]
ⓝ 어리석음, 바보짓
| 유의어 |
☐ stupidity ☐ absurdity
☐ inanity

foment
[foumént]
ⓥ 선동하다, 조장하다, 유발하다
| 유의어 |
☐ incite ☐ provoke
☐ stir up

foolproof
[fú:lprù:f]
ⓐ 아주 쉬운, 아주 간단한, 잘못될 수가 없는
| 유의어 |
☐ fully reliable

forage
[fɔ́:ridʒ]
ⓝ 먹이, 사료, 식량 징발 ⓥ 먹이를 찾다
| 유의어 |
☐ food ☐ prey
☐ meal ☐ bait

35 **forbearance**
[fɔ:rbέərəns]
ⓝ 인내, 자제
| 유의어 |
☐ endurance ☐ temperance

foreboding
[fɔ:rbóudiŋ]
ⓝ 불길한 전조, 예언
| 유의어 |
☐ augury ☐ forewarning
☐ portent

foresight
[fɔ́:rsait]
ⓝ 선견지명, 장래에 대한 깊은 생각
| 유의어 |
☐ forethought ☐ precaution
☐ providence

forfeit
[ˈfɔ:fit]
ⓝ 몰수, 벌금 ⓥ 상실하다
| 유의어 |
☐ confiscation ☐ forfeiture
☐ seizure

formality
[fɔ:rmǽləti]
ⓝ 형식의 엄수, 형식적임, 형식에 구애됨
| 유의어 |
☐ convenance ☐ convention

40 **formidable**
[fɔ́:rmidəbl]
ⓐ 무서운, 위협적인, 가공할, 엄청나게 많은
| 유의어 |
☐ dreadful ☐ frightful
☐ horrible

forsake
[fərséik]
ⓥ 그만두다, 버리다, 포기하다
| 유의어 |
☐ quit ☐ desert
☐ give up ☐ abandon

forte
[ˈfɔ:rteɪ]
ⓝ 장점, 특기
| 유의어 |
☐ virtue ☐ excellence
☐ recommendation

forthright
[fɔ́:rθràit]
ⓐ 솔직한, 똑바른 ⓐⓓ 똑바로, 앞으로
| 유의어 |
☐ honest ☐ frank
☐ outspoken ☐ candid
☐ pure

fortitude
[fɔ́:rtətjù:d]
ⓝ 용기, 용감함
| 유의어 |
☐ dauntlessness ☐ intrepidity

45 **fortuitous**
[fɔ:rtjú:itəs]
ⓐ 뜻밖의, 우연의
| 유의어 |
☐ casual ☐ incidental

founder
[fáundər]
ⓝ 창립자 ⓥ 완전히 실패하다, 침몰하다
| 유의어 |
☐ establisher ☐ originator
☐ submerge ☐ submerse

fracture
[frǽktʃər]
ⓝ 골절, 균열 ⓥ 부러뜨리다, 부수다
| 유의어 |
☐ crack ☐ suffer a fracture
☐ break a bone

franchise
[frǽntʃaiz]
ⓝ 선거권, 참정권, 공민권, 특권, 독점 판매권
| 유의어 |
☐ suffrage ☐ right to vote
☐ voting rights

frantic
[frǽntik]
ⓐ 미친, 흥분한, 광란한, 필사적인
| 유의어 |
☐ frenetic ☐ frenzied
☐ furious

50 **freak**
[fri:k]
ⓝ 열광자, 이상한 현상 ⓐ 별난
| 유의어 |
☐ zealot ☐ frenetic
☐ fanatical ☐ erratic
☐ extraordinary

DAY 22

frenetic
[frənétik]
ⓐ 광적인
| 유의어 |
☐ furious ☐ rabid
☐ frantic

frenzied
[frénzid]
ⓐ 미친 듯이 흥분한
| 유의어 |
☐ frantic ☐ frenetic
☐ furious ☐ thrilled

friction
[fríkʃən]
ⓝ 알력, 마찰, 불화
| 유의어 |
☐ attrition ☐ conflict
☐ rubbing ☐ chafing

frigid
[fríʤid]
ⓐ 혹한의, 몹시 추운
| 유의어 |
☐ chill ☐ freezing
☐ frozen ☐ hyperborean

05 **frill**
[fril]
ⓝ 주름 장식, 그 비슷한 것, 지나친 멋
| 유의어 |
☐ shirr ☐ frilling
☐ flouncing

frivolous
[frívələs]
ⓐ 천박한, 하찮은, 사소한, 시시한
| 유의어 |
☐ trivial ☐ trifling
☐ sleazy ☐ frothy

frontier
[frʌnˈtɪr]
ⓝ 경계, 새로운 분야
| 유의어 |
☐ area ☐ state
☐ province ☐ territory

frustrate
[frʌ́streit]
ⓥ 좌절시키다, 패배시키다, 방해하다
| 유의어 |
☐ baffle ☐ defeat
☐ foil

fugitive
[fjúːʤitiv]
ⓐ 도망치는, 변하기 쉬운, 일시적인
ⓝ 탈주자, 도망자
| 유의어 |
☐ runaway ☐ refugee

10 **fulminate**
[fʌ́lmənèit]
ⓥ 폭발하다, 번개처럼 번쩍이다, 소리지르다
| 유의어 |
☐ detonate ☐ declaim

fulsome
[fúlsəm]
ⓐ 지나친
| 유의어 |
☐ extravagant ☐ excessive
☐ lavish

functionary
[fʌ́ŋkʃənèri]
ⓝ 공무원
| 유의어 |
☐ officer ☐ official
☐ civil servant ☐ public servant
☐ government official

funereal
[fjuːníəriəl]
ⓐ 슬픈, 엄숙한, 장례식의
| 유의어 |
☐ disheartening ☐ dismal
☐ gloomy ☐ grave
☐ somber

futile
[fjúːtl]
ⓐ 무익한, 쓸모없는
| 유의어 |
☐ abortive ☐ bootless
☐ unproductive ☐ vain

15 **galling**
[gɔ́ːliŋ]
ⓐ 짜증나게 하는, 화나는, 분통이 터지는
| 유의어 |
☐ vexing ☐ exasperating
☐ annoying ☐ irritating

galvanize
[gǽlvənàiz]
ⓥ ~을 아연 도금하다, 전류를 통하여 자극하다, 자극하여 ~시키다
| 유의어 |
☐ zincify ☐ spur

gelatinous
[ʤəlǽtənəs]
ⓐ 젤리 비슷한, 끈적끈적한, 안정된
| 유의어 |
☐ limy ☐ tacky
☐ runny ☐ slimy
☐ viscous

gem
[ʤem]
ⓝ 보석, 보물
cf. bejeweled 보석으로 장식한
| 유의어 |
☐ jewel ☐ precious stone

generalize
[ʤénərəlàiz]
ⓥ 일반화하다, 보급시키다
| 유의어 |
☐ come into common use
☐ make a generalization
☐ familiarize

20 **genocide**
[ʤénəsàid]
ⓝ 대량 학살, 집단 학살, 몰살
| 유의어 |
☐ mass murder ☐ Final Solution
☐ massacre ☐ extermination

gratuitous
[grətuːitəs]
ⓐ 무료의
| 유의어 |
□ without payment
□ free □ free of charge
□ complimentary

genuine
[dʒénjuin]
ⓐ 진실된, 진짜의, 순수한, 성실한
| 유의어 |
□ true □ real
□ authentic □ undoubted

gestation
[dʒestéiʃən]
ⓝ 임신, 잉태 기간, 병의 잠복기
| 유의어 |
□ pregnancy □ conception
□ incubation period
□ latent period

giddy
[gídi]
ⓐ 현기증 나는, 어지러운
| 유의어 |
□ dizzy □ vertiginous
□ light-headed

gingerly
[ˈdʒɪndʒərli]
ⓐⓓ 매우 신중하게, 아주 조심스럽게
| 유의어 |
□ cautiously □ with care

25 **gist**
[dʒist]
ⓝ 요점, 골자, 요지
| 유의어 |
□ point □ nub

glaze
[gleiz]
ⓥ ~에 판유리를 끼우다, 미끄럽게 되다, 윤을 내다, 유약을 바르다
| 유의어 |
□ burnish □ furbish
□ polish

glimpse
[glɪmps]
ⓥ 보다, 잠깐보다, 훑어보다 ⓝ 힐끗 보기
| 유의어 |
□ see □ look
□ glance

gloat
[gloʊt]
ⓥ 고소한 듯이 바라보다, ~을 만족스럽게 바라보다

gluttonous
[glʌ́tənəs]
ⓐ 게걸스런, 탐욕스런
| 유의어 |
□ rapacious □ ravenous
□ voracious

30 **gradual**
[grǽdʒuəl]
ⓐ 점진적인, 조금씩의
| 유의어 |
□ gradational

gratification
[grӕtəfəkéiʃən]
ⓝ 만족, 희열, 큰 기쁨
| 유의어 |
□ satisfaction □ content
□ satisfactoriness

gregarious
[grɪˈgeəriəs]
ⓐ 군집성의, 사교적인, 교제를 좋아하는
| 유의어 |
□ sociable

grim
[grim]
ⓐ 엄격한, 무서운, 불쾌한, 싫은
| 유의어 |
□ severe □ stern
□ intimidating □ fierce

35 **grudge**
[grʌdʒ]
ⓝ 원한 ⓥ 나쁘게 생각하다
| 유의어 |
□ ill will □ hatred
□ resentment □ ranco(u)r
□ enmity

grueling
[grúːəliŋ]
ⓝ 엄벌 ⓐ 심한, 녹초로 만드는
| 유의어 |
□ severe punishment
□ exhausting

gullible
[gʌ́ləbl]
ⓐ 잘 속는
| 유의어 |
□ easily deceived □ credulous

gut
[gʌt]
ⓝ 장, 창자, 용기 ⓐ 본능적인
ⓥ 창자를 빼다, 요점을 뽑아내다
| 유의어 |
□ internals □ courage
□ instinctive

habitable
[hǽbitəbl]
ⓐ 살기에 적합한, 살 수 있는, 거주할 수 있는
| 유의어 |
□ good to live in □ livable
□ inhabitable

40 **habitat**
[hǽbitæt]
ⓝ 서식지, 자생지, 거주지, 주소
| 유의어 |
□ dwelling place □ environment

haggard
[hǽgərd]
ⓐ 말라빠진, 초췌한 ⓝ 야생의 매
| 유의어 |
□ sere □ scrawny
□ bareboned
□ nothing but skin and bones

hallow
[hǽlou]

ⓥ ~을 신성하게 하다 ⓝ 성직자

| 유의어 |
□ sanctify □ sacralize
□ consecrate

hamlet
[hǽmlit]

ⓝ 작은 마을, 촌락, 부락

| 유의어 |
□ village □ community

hammer
[hæmər]

ⓥ 두드리다, 열심히 하다
(hammer out: 해결하다)
ⓝ 망치, 해머

| 유의어 |
□ strike □ pound
□ knock

45 **haphazard**
[hæphǽzərd]

ⓐ 되는 대로의, 우연한

| 유의어 |
□ aimless □ desultory

harassing
[ˈhærəsıŋ]

ⓐ 괴롭히는, 귀찮게 구는

| 유의어 |
□ irritant □ grinding
□ gnawing □ thorny
□ worrying

harness
[hɑ́ːrnis]

ⓥ 마구를 채우다, 이용하다, 동력화하다
ⓝ 갑옷, 작업 설비, 안전벨트

| 유의어 |
□ use □ make use of

harsh
[hɑːrʃ]

ⓐ 가혹한, 거친, 냉엄한, 강경한, 거슬리는

| 유의어 |
□ terrible □ unkind
□ punitive □ heavy-handed
□ relentless

hasty
[héisti]

ⓐ 빠른, 바쁜, 성급한, 경솔한

| 유의어 |
□ brisk □ breakneck
□ rapid □ fast
□ speedy □ swift
□ rush

50 **haughty**
[hɔ́ːti]

ⓐ 오만한, 거만한, 건방진

| 유의어 |
□ arrogant □ imperious
□ bumptious □ bloated
□ pompous

DAY 23

hectic
[héktik]

ⓐ 매우 흥분한, 몹시 바쁜 ⓝ 소모열(홍조)

| 유의어 |
□ steamed-up □ hyper

heed
[hiːd]

ⓥ 마음에 두다, 주의하다
ⓝ 주의, 조심, 유의

| 유의어 |
□ mind □ attend
□ take notice of

hefty
[héfti]

ⓐ 크고 튼튼한, 커서 움직이기 어려운,
육중한

| 유의어 |
□ chopping □ husky

helm
[helm]

ⓝ 조타 장치, 지배(권)

| 유의어 |
□ steering gear □ reins

05 **hemisphere**
[ˈheməsfıər]

ⓝ 반구

| 유의어 |
□ semi sphere

hereditary
[hərédìtèri]

ⓐ 세습의, 유전의, 유전하는

| 유의어 |
□ inheritable □ patrimonial
□ descendent

heredity
[hərédəti]

ⓝ 유전, 유전적 형질, 계승

| 유의어 |
□ genetic □ inheritance

heyday
[héidèi]

ⓝ 전성기

| 유의어 |
□ prime of life □ golden days

hierarchy
[háiərɑ̀ːrki]

ⓝ 계급 제도, 계층제, 계급제

| 유의어 |
□ the class system
□ rank-in-person

10 **horizontal**
[hɑːrəˈzɑːntl]

ⓐ 수평의, 가로의, 바로 누운

| 유의어 |
□ transverse

horn
[hɔːrn]

ⓝ 경적, 뿔, 호른

| 유의어 |
□ an alarm whistle
□ a police whistle
□ honker □ foghorn

hortatory
[hɔ́:rtətɔ̀:ri]

ⓐ 충고의, 권고적인, 격려의

| 유의어 |
☐ advisable ☐ remonstrative

hostile
[hɑ́stəl]

ⓐ 우호적이지 않는, 적대적인, 부적당한

| 유의어 |
☐ antagonistic ☐ inimical
☐ unfriendly ☐ opposed

hubris
[ˈhju:bris]

ⓝ 오만, 교만, 지나친 자신

| 유의어 |
☐ arrogance ☐ haughtiness
☐ insolence

15 **hunch**
[hʌntʃ]

ⓝ 예감, 육감, 직감

| 유의어 |
☐ foreboding ☐ presentiment
☐ premonition ☐ presage

hush
[hʌʃ]

ⓥ 비밀에 부치다, 입 다물게 하다 ⓝ 정적

| 유의어 |
☐ sweep ~ under the rug

hybrid
[háibrid]

ⓝ 잡종, 혼성물 ⓐ 잡종의, 혼혈의

| 유의어 |
☐ cross ☐ half-breed

hyperbole
[haipə́:rbəli]

ⓝ 과장(법)

| 유의어 |
☐ exaggeration ☐ overstatement

hypnosis
[hipˈnoʊsis]

ⓝ 최면, 최면 상태, 몽환 상태

| 유의어 |
☐ hypnogenesis ☐ somnolency

20 **hypocrisy**
[hipɑ́krəsi]

ⓝ 위선, 위선 행위

| 유의어 |
☐ affectation ☐ pretension

hypodermic
[hàipədə́:rmik]

ⓝ 피하 주사 ⓐ 피하 주사의, 피하의

| 유의어 |
☐ hypo
☐ hypodermic injection
☐ subcutaneous injection

identical
[aidéntikəl]

ⓐ 동일한, 똑같은

| 유의어 |
☐ same ☐ like
☐ even ☐ similar
☐ equal

identify
[aidéntəfài]

ⓥ 확인하다, 밝히다, 식별하다

| 유의어 |
☐ confirm ☐ affirm
☐ certify

illegible
[ilédʒəbl]

ⓐ 읽을 수 없는, 알아볼 수 없는

| 유의어 |
☐ unreadable ☐ undecipherable

25 **illustrious**
[ilʌ́striəs]

ⓐ 걸출한, 저명한, 뛰어난

| 유의어 |
☐ eminent ☐ stand-out

imaginative
[imǽdʒənətiv]

ⓐ 상상의, 창의적인

| 유의어 |
☐ imaginary ☐ creative
☐ mythical

imbecility
[ìmbisíləti]

ⓝ 저능, 무능, 우둔함

| 유의어 |
☐ feeble-mindedness
☐ weak-mindedness

imbibe
[imbáib]

ⓥ 마시다, 받아들이다, 흡입하다

| 유의어 |
☐ drink ☐ swallow

immaculate
[imǽkjəlit]

ⓐ 결점 없는, 완전한, 순결한, 단색의

| 유의어 |
☐ flawless ☐ spotless
☐ unblemished ☐ innocent

30 **immortal**
[imɔ́:rtəl]

ⓐ 불멸의, 불사의

| 유의어 |
☐ undying ☐ deathless
☐ imperishable ☐ unfading
☐ perdurable

immutable
[imjú:təbl]

ⓐ 불변의, 변하지 않는

| 유의어 |
☐ unchangeable ☐ fixed
☐ invariable ☐ unalterable

impeccable
[impékəbl]

ⓐ 죄가 없는, 흠잡을 데 없는

| 유의어 |
☐ innocent ☐ flawless
☐ irreproachable

imperceptible
[ìmpərséptəbl]

ⓐ 미세한, 근소한, 감지될 수 없는

| 유의어 |
☐ minute [maInju:t]
☐ fine-drawn

imperturbable [ìmpərtə́:rbəbl]
ⓐ 냉정한, 침착한, 쉽사리 동요하지 않는
| 유의어 |
☐ cool ☐ nonchalant
☐ dispassionate ☐ collected

35 **impervious** [impə́:rviəs]
ⓐ 불침투성의, 통과시키지 않는, 둔감한
| 유의어 |
☐ impermeable

impetus [ímpitəs]
ⓝ 자극, 기동력, 힘
| 유의어 |
☐ stimulus ☐ nerves
☐ stimulation ☐ incentive

impiety [impáiəti]
ⓝ 무례, 신앙심이 없는 행위, 신앙심이 없음
| 유의어 |
☐ rudeness ☐ disrespect
☐ impoliteness

implacable [implǽkəbl]
ⓐ 무자비한, 달래기 어려운, 앙심 깊은
| 유의어 |
☐ ruthless ☐ relentless
☐ merciless ☐ cruel
☐ wantless

implement [impliment]
ⓝ 도구, 연장
ⓥ (사업·협정·약속을) 이행하다, 실시하다
| 유의어 |
☐ utensil ☐ fulfill

40 **imply** [implái]
ⓥ 의미하다, 암시하다, 함축하다
| 유의어 |
☐ connote ☐ insinuate
☐ intimate

imponderable [impándərəbl]
ⓐ 무게가 없는, 매우 가벼운, 평가할 수 없는, 헤아릴 수 없는

impregnable [imprégnəbl]
ⓐ 난공불락의, 철벽의, 흔들리지 않는, 확고한
| 유의어 |
☐ invincible ☐ unconquerable

improbable [imprábəbl]
ⓐ 일어날 성 싶지 않은, 사실 같지 않은, 불가능한
| 유의어 |
☐ impossible
☐ out of the question
☐ impracticable ☐ impractical

impromptu [ɪmˈprɒmptjuː]
ⓐ 즉석의, 즉흥적인
ⓐⓓ 즉흥적으로, 준비 없이
| 유의어 |
☐ extemporary ☐ improvised
☐ unrehearsed

45 **impudent** [ímpjədənt]
ⓐ 뻔뻔스러운, 염치없는, 버릇없는
| 유의어 |
☐ disrespectful ☐ rude

inactive [inǽktiv]
ⓐ 활발하지 않은, 활동하지 않는, 소극적인
| 유의어 |
☐ retiring ☐ negative
☐ effortless ☐ unambitious

inadvertently [ˌɪnədˈvɜːrtəntli]
ⓐⓓ 무심코, 우연히, 실수로, 의도하지 않게
| 유의어 |
☐ unintentionally ☐ involuntarily
☐ casually ☐ by chance
☐ accidentally

inalienable [inéiljənəbl]
ⓐ 양도해 줄 수 없는, 빼앗을 수 없는
| 유의어 |
☐ unassignable ☐ nonnegotiable
☐ non-transferable
☐ nonassignable

inane [inéin]
ⓐ 어리석은, 무의미한, 공허한(= vaporous)
| 유의어 |
☐ foolish ☐ silly
☐ weak ☐ stupid
☐ ridiculous

50 **inanimate** [inǽnimət]
ⓐ 생명이 없는, 활기 없는, 무생물의
| 유의어 |
☐ inorganic

나는 깊게 파기 위해
넓게 파기 시작했다.

– 스피노자(BARUCH DE SPINOZA)

DAY 24

incalculable
[inkǽlkjələbl]
ⓐ 헤아릴 수 없는, 막대한, 무수한
| 유의어 |
- ☐ countless ☐ inestimable
- ☐ unfathomable

incapacitate
[ìnkəpǽsitèit]
ⓥ ~을 무능하게 하다, ~을 실격시키다, 능력을 빼앗다
| 유의어 |
- ☐ disqualify ☐ crock

incessantly
[insésntli]
ⓐⓓ 끊임없이
| 유의어 |
- ☐ constantly ☐ on end
- ☐ without a let-up

incidence
[ínsidəns]
ⓝ 발생률, 발생, 범위

05 **incompatible**
[ìnkəmpǽtəbl]
ⓐ 모순되는, 양립할 수 없는, 조화되지 않는
| 유의어 |
- ☐ discordant ☐ incongruous
- ☐ not in harmony with each other

incontrovertible
[inkɑ̀ntrəvə́:rtəbl]
ⓐ 명백한, 논쟁의 여지가 없는, 논의할 여지 없는
| 유의어 |
- ☐ obvious ☐ plain
- ☐ explicit ☐ positive

increment
[ínkrəmənt]
ⓝ 증가, 증가량, 이익
| 유의어 |
- ☐ increase ☐ rise
- ☐ growth ☐ gain
- ☐ addition

incumbent
[inkʌ́mbənt]
ⓐ 현직의; 의무인; 의지하는
ⓝ 현직자, 재직자
| 유의어 |
- ☐ in service

incurable
[inˈkjʊrəbəl]
ⓐ 불치의, 고칠 수 없는 ⓝ 불치의 병자
| 유의어 |
- ☐ irrecoverable ☐ immedicable
- ☐ irremediable

10 **indelible**
[indéləbl]
ⓐ 지울 수 없는, 씻어 버릴 수 없는, 없앨 수 없는
| 유의어 |
- ☐ ineffaceable ☐ inerasable

indignation
[ìndignéiʃən]
ⓝ 분노, 분개
| 유의어 |
- ☐ anger ☐ resentment
- ☐ rage ☐ fury

inept
[inépt]
ⓐ 서투른, 부적당한, 부적절한
| 유의어 |
- ☐ awkward ☐ inapt
- ☐ unskillful ☐ clumsy

inertia
[ɪˈnɜ:rʃə]
ⓝ 관성, 타성, 활발치 못함
| 유의어 |
- ☐ inactivity

inevitable
[inévitəbl]
ⓐ 불가피한, 피할 수 없는, 필연적인
| 유의어 |
- ☐ ineluctable ☐ inevasible
- ☐ unavoidable ☐ inescapable
- ☐ matter-of-course

15 **infer**
[infə́:r]
ⓥ 추측하다, 추론하다, 언급하다
| 유의어 |
- ☐ suppose ☐ guess

infinite
[ínfənit]
ⓐ 무한한
| 유의어 |
- ☐ endless ☐ unfailing
- ☐ incomprehensible
- ☐ boundless

ingenuous
[indʒénjuəs]
ⓐ 솔직한, 개방적인, 천진한, 꾸밈없는
| 유의어 |
- ☐ artless ☐ unaffected
- ☐ unsophisticated

inherent
[inhíərənt]
ⓐ 타고난, 선천적인, 본질적인
| 유의어 |
- ☐ intrinsic

inhibition
[ìnhibíʃən]
ⓝ 억제, 금지, 억압
| 유의어 |
- ☐ curb ☐ control
- ☐ constraint ☐ suppression

20 **initially**
[iníʃəli]
ⓐⓓ 처음에, 당초에, 시초에, 원래, 첫머리에
| 유의어 |
- ☐ at the outset ☐ early on
- ☐ for starters ☐ originally

initiative
[ɪˈnɪʃətɪv]
ⓝ 진취성, 새로운 계획, 주도
| 유의어 |
- ☐ a progressive spirit

innate [inéit]	ⓐ 타고난, 선천적인, 천성의 ❙ 유의어 ❙ ☐ inherent ☐ natural ☐ inborn ☐ habitual
innocuous [inákjuəs]	ⓐ 해가 없는, 불쾌감을 주지 않는, 지루한 ❙ 유의어 ❙ ☐ harmless ☐ non-dangerous
innovation [ìnəvéiʃən]	ⓝ 혁신 ❙ 유의어 ❙ ☐ reform ☐ renovation
25 **innuendo** [ˌinjuˈendoʊ]	ⓝ 풍자, 암시 ⓥ 빈정거리다 ❙ 유의어 ❙ ☐ satire ☐ sarcasm
innumerable [injú:mərəbl]	ⓐ 셀 수 없이 많은, 대단히 많은, 무수한 ❙ 유의어 ❙ ☐ numerous ☐ countless ☐ enormous
inordinate [inɔ́:rdinət]	ⓐ 과도한, 지나친, 불규칙한 ❙ 유의어 ❙ ☐ excessive ☐ unreasonable ☐ undue ☐ unconscionable
inquisitive [inkwízitiv]	ⓐ 탐구적인, 호기심이 많은 ❙ 유의어 ❙ ☐ curious ☐ questioning ☐ prying
ins and outs	여당과 야당, 굴곡, 꼬불꼬불함
30 **insatiable** [ɪnˈseɪʃəbəl]	ⓐ 만족할 줄 모르는, 탐욕스러운 ❙ 유의어 ❙ ☐ greedy ☐ voracious ☐ avaricious
insidious [insídiəs]	ⓐ 교활한, 음흉한, 방심할 수 없는 ❙ 유의어 ❙ ☐ slick ☐ cunning ☐ furtive
insight [ínsàit]	ⓝ 통찰력, 보여줌, 이해, 식견 ❙ 유의어 ❙ ☐ penetration ☐ vision
insignificance [ìnsignífəkəns]	ⓝ 무의미, 하찮음, 사소함 ❙ 유의어 ❙ ☐ meaninglessness ☐ insignificancy ☐ purposelessness
inspiration [ìnspəréiʃən]	ⓝ 영감, 자극, 원천 ❙ 유의어 ❙ ☐ ideas ☐ stimulus
35 **instantaneous** [ìnstəntéiniəs]	ⓐ 순간적인, 즉시적인, 즉각적인 ❙ 유의어 ❙ ☐ split-second ☐ undelayed
instigate [ínstəgèit]	ⓥ 선동하다, 부추기다, 부채질하다, 시작하다 ❙ 유의어 ❙ ☐ abet ☐ activate ☐ foment ☐ incite ☐ stir
instill [instíl]	ⓥ 서서히 가르쳐 주다, 스며들게 하다, 서서히 주입시키다 ❙ 유의어 ❙ ☐ impart gradually
insulated [ínsəlèitid]	ⓐ 절연 처리가 된
integrity [ɪnˈtegrəti]	ⓝ 정직, 성실, 청렴 ❙ 유의어 ❙ ☐ honesty ☐ sincerity ☐ uprightness ☐ rectitude
40 **intellectual** [ìntəléktʃuəl]	ⓐ 지적인 ⓝ 지식인, 지성인 ❙ 유의어 ❙ ☐ cerebral ☐ highbrow
interminable [intə́:rmənəbl]	ⓐ 끝없는, 지루하게도 긴 ⓝ 무한의 실재, 신 ❙ 유의어 ❙ ☐ endless ☐ unbounded ☐ immeasurable ☐ unmeasurable
intermittent [ìntərmítənt]	ⓐ 때때로 중단되는, 간헐적인 ❙ 유의어 ❙ ☐ sporadic
internment [intə́:rnmənt]	ⓝ 억류하기, 억류 기간, 억류 상태
intertwine [ìntərtwáin]	ⓥ 꼬아 짜다, 관련짓다, 뒤엉키다 ❙ 유의어 ❙ ☐ enlace

45 **intolerant**
[intάlərənt]

ⓐ 너그럽지 못한, 편협한, (특정한 식품·약품 등을) 못 먹는

| 유의어 |

- ☐ impatient ☐ bigoted
- ☐ illiberal ☐ narrow-minded
- ☐ prejudiced ☐ allergic (to)
- ☐ hypersensitive (to)

intrinsic
[intrínsik]

ⓐ 본래의, 고유의, 본질적인

| 유의어 |

- ☐ inherent ☐ congenital

intuitive
[intjúːətiv]

ⓐ 직감[직관]의, 직감하는, 직관력이 있는

| 유의어 |

- ☐ intuitional ☐ instinctive

inured
[ɪˈnjʊərd]

ⓐ 익숙한, 단련된

| 유의어 |

- ☐ familiarized ☐ accustomed
- ☐ versed

invalidate
[invǽlədèit]

ⓥ 무효로 하다, 무효화하다, 약화시키다

| 유의어 |

- ☐ abolish ☐ abrogate
- ☐ annihilate

50 **invaluable**
[invǽljuəbl]

ⓐ 매우 귀중한, 헤아릴 수 없을 만큼 귀중한

| 유의어 |

- ☐ of great price ☐ pearly
- ☐ precious ☐ valuable

DAY 25

invasion
[invéiʒən]

ⓝ 침략, 침입, 쇄도, 침해

| 유의어 |

- ☐ raid ☐ foray
- ☐ incursion ☐ irruption

invective
[invéktiv]

ⓝ 독설, 악담, 저주, 욕지거리

| 유의어 |

- ☐ billingsgate ☐ contumely
- ☐ obloquy

inveigh
[invéi]

ⓥ 공격하다, 비난이나 욕설을 하다

| 유의어 |

- ☐ abuse ☐ swear
- ☐ revile

inveigle
[invéigl]

ⓥ 유혹하다, 속이다

| 유의어 |

- ☐ allure ☐ lure
- ☐ entice ☐ seduce

05 **inverse**
[invə́ːrs]

ⓐ 반대의 ⓝ 역

| 유의어 |

- ☐ reverse ☐ opposite
- ☐ contradictory ☐ antipodal
- ☐ diametrical

invert
[invə́ːrt]

ⓥ 거꾸로 하다, 뒤바꾸다

| 유의어 |

- ☐ inverse ☐ reverse
- ☐ revert ☐ upend

invest
[invést]

ⓥ 투자하다, 운용하다; 수여하다

| 유의어 |

- ☐ lay out

inveterate
[invétərət]

ⓐ (습관·감정 등이) 뿌리 깊은, 고질적인

| 유의어 |

- ☐ chronic ☐ ingrained
- ☐ ineradicable ☐ deep-seated

invidious
[invídiəs]

ⓐ (불공평하여) 비위에 거슬리는, 불쾌한, 괘씸한

| 유의어 |

- ☐ hateful ☐ obnoxious
- ☐ odious

10 **invigorating**
[invígərèitiŋ]

ⓐ 기운 나게 하는, 격려하는, 기분을 돋우는

| 유의어 |

- ☐ recuperative ☐ life-giving
- ☐ invigorative ☐ stimulating

invincible [invínsəbl]
ⓐ 정복할 수 없는, 무적의
| 유의어 |
☐ impassable ☐ indomitable
☐ insuperable

inviolability [invàiələbíləti]
ⓝ 범할 수 없음, 신성

inviting [inváitiŋ]
ⓐ 매력적인, 유혹적인, 기분 좋은
| 유의어 |
☐ attractive ☐ charming
☐ luring ☐ tempting

invoke [inˈvoʊk]
ⓥ (신에게 도움·가호 등을) 빌다, 법률에 호소하다, (마법으로) 불러내다
| 유의어 |
☐ crave ☐ importune
☐ plead ☐ supplicate

15 **involved** [inválvd]
ⓐ 관련된, 관여하는, 연루된, 참가한, ~을 포함하는
| 유의어 |
☐ concerned ☐ interested
☐ entangled

invulnerable [invʌ́lnərəbl]
ⓐ 공격할 수 없는, 불사신의, (논쟁의) 공격에 견디는
| 유의어 |
☐ indomitable ☐ invincible
☐ unconquerable

irascible [irǽsəbl]
ⓐ 성마른, 쉽게 화나는
| 유의어 |
☐ choleric ☐ fractious
☐ petulant

iridescent [irədésnt]
ⓐ 무지개 빛깔의

irksome [ə́:rksəm]
ⓐ 반복되는, 지루한
| 유의어 |
☐ tedious ☐ tiresome

20 **ironic** [airánik]
ⓐ 아이러니한, 역설적인, 모순적인, 반어적인, 빈정대는
| 유의어 |
☐ paradoxical

irony [áiərəni]
ⓝ 빗댐, 풍자, 반어법, 비꼼
| 유의어 |
☐ ridicule ☐ satire

irreconcilable [ɪˌrəkənˈsaɪləbəl]
ⓐ 화합할 수 없는, 해결될 수 없는
| 유의어 |
☐ unconformable ☐ inconsistent
☐ inharmonious

irrefragable [iréfrəgəbl]
ⓐ 부정할 수 없는, 반박할 수 없는, 확실한
| 유의어 |
☐ indubitable ☐ irrefutable
☐ unquestionable

irremediable [ìrimí:diəbl]
ⓐ 불치의, 고칠 수 없는
| 유의어 |
☐ irrecoverable ☐ irreparable

25 **irreparable** [irépərəbl]
ⓐ 고칠 수 없는, 회복할 수 없는
| 유의어 |
☐ irrecoverable ☐ irremediable
☐ irredeemable

irreplaceable [ìripléisəbl]
ⓐ 대체할 수 없는, 바꿀 수 없는
| 유의어 |
☐ unconvertible ☐ unalterable

irrepressible [ìriprésəbl]
ⓐ 억제할 수 없는, 참기 어려운
| 유의어 |
☐ insuppressible ☐ irrestrainable

irresolute [irézəlù:t]
ⓐ 결단력이 없는, 우유부단한
| 유의어 |
☐ faltering ☐ hesitant
☐ vacillating

irreverent [irévərənt]
ⓐ 불손한, 불경한
| 유의어 |
☐ impious ☐ profane
☐ unholy

30 **irrevocable** [irévəkəbl]
ⓐ 최종적인, 철회할 수 없는, 결정적인
| 유의어 |
☐ irreversible ☐ irreparable
☐ irremediable

irrigate [írəgèit]
ⓥ 관개하다, 물을 대다, 물을 끌어 대다
| 유의어 |
☐ water

irritating [íritèitiŋ]
ⓐ 짜증나게 하는
| 유의어 |
☐ annoying ☐ vexing

isolate
[áisəleit]

ⓥ 고립시키다, 소외시키다, 분리하다, 격리하다, 축출되다

| 유의어 |
- ☐ seclude ☐ maroon
- ☐ sequester

jack-up

ⓝ 증가, 인상; 밀어 올리는 장치

| 유의어 |
- ☐ increase ☐ rise

35 **jeopardy**
[dʒépərdi]

ⓝ 위험, 위난, 위험성

| 유의어 |
- ☐ risk ☐ danger
- ☐ hazard ☐ peril

jettison
[dʒétəsn]

ⓥ 버리다, 폐기하다, 포기하다

| 유의어 |
- ☐ dump ☐ discard
- ☐ ditch ☐ empty out
- ☐ throw away ☐ dispose of

jot
[dʒɑt]

ⓝ [보통 부정문에서] 아주 조금
ⓥ ~을 간결하게 적다, 간단히 메모하다

| 유의어 |
- ☐ just a little ☐ thimbleful
- ☐ oughtlins

kindred
[kíndrid]

ⓐ 혈연의, 유사한 ⓝ 혈연, 동종

| 유의어 |
- ☐ similar ☐ clan
- ☐ relative ☐ affinity

kitschy
[kítʃi]

ⓐ 악취미의, 천박한, 저속한, 저질의

| 유의어 |
- ☐ unaesthetic

40 **knockabout**
[ˈnɑːkəbaʊt]

ⓝ 막일할 때 쓰는 것, 법석을 떠는 희극
ⓐ 법석 떠는

knowingly
[nóuiŋli]

ⓐⓓ 고의로, 일부러, 아는 체하고

| 유의어 |
- ☐ wittingly ☐ intentionally
- ☐ deliberately ☐ on purpose
- ☐ purposely ☐ willfully

languid
[lǽŋgwid]

ⓐ 나른한, 노곤한, 기운이 없는

| 유의어 |
- ☐ languorous ☐ muzzy
- ☐ poppied ☐ Mondayish

lapse
[læps]

ⓝ 실패, 잘못
ⓥ 시간이 경과하다, ~ 상태로 빠지다

| 유의어 |
- ☐ slip ☐ failure
- ☐ expire ☐ fall through

lax
[læks]

ⓐ 정신이 해이한, 느슨한, 조심성 없는, 정확하지 않은

| 유의어 |
- ☐ loose ☐ slack

45 **leftover**
[léftòuvər]

ⓝ 나머지, 찌꺼기 ⓐ 나머지의

| 유의어 |
- ☐ rest ☐ other
- ☐ remains ☐ another
- ☐ remainder ☐ remnant

legible
[lédʒəbl]

ⓐ 읽기 쉬운, 판독할 수 있는, 읽을 수 있는

| 유의어 |
- ☐ readable

legislate
[lédʒislèit]

ⓥ 법률을 제정하다

| 유의어 |
- ☐ constitute ☐ enact

legitimate
[lidʒítimət]

ⓐ 합법의, 정당한, 정통의

| 유의어 |
- ☐ licet

lenient
[líːniənt]

ⓐ 너그러운, 관대한, 완화시키는, 진정시키는

| 유의어 |
- ☐ generous ☐ forgiving

50 **lethal**
[líːθəl]

ⓐ 죽음의, 치명적인

| 유의어 |
- ☐ deadly ☐ fatal
- ☐ deathly

DAY 26

liability
[làiəbíləti]
ⓝ 의무, 책임, 부채
| 유의어 |
☐ duty ☐ debt
☐ obligation ☐ responsibility

linguist
[líŋgwist]
ⓝ 언어학자, 수개 국어에 능통한 사람, 부족 수장의 대변자
| 유의어 |
☐ philologist

literacy
[lítərəsi]
ⓝ 읽고 쓰는 능력, 읽고 쓸 줄 앎, 교양이 있음, 지식, 능력
| 유의어 |
☐ knowledge ☐ culture
☐ education

litigate
[lítəgèit]
ⓥ 소송하다, 법정에서 다투다, 논쟁하다
| 유의어 |
☐ sue ☐ bring an action
☐ go to suit ☐ go to law
☐ quarrel

05 **litotes**
[láitətì:z]
ⓝ 곡언법, 완서법(억제된 표현으로 도리어 강한 인상을 주는 수사법의 일종)

livid
[lívid]
ⓐ 납빛의, 검푸른, 창백한, 격노한
| 유의어 |
☐ ashen ☐ pallid
☐ wan

lode
[loʊd]
ⓝ 광맥, 풍부한 원천
| 유의어 |
☐ a vein of ore ☐ deposit

lofty
[lɔ́:fti]
ⓐ 우뚝 솟은, 매우 높은
| 유의어 |
☐ soaring ☐ elevated

loiter
[lɔ́itər]
ⓥ 하는 일 없이 시간을 낭비하다
| 유의어 |
☐ dally ☐ dawdle
☐ procrastinate ☐ squander

10 **longevity**
[landʒévəti]
ⓝ 장수, 장기근속
| 유의어 |
☐ a long life ☐ macrobiosis

loquacious
[loukwéiʃəs]
ⓐ 말 많은, 수다스러운
| 유의어 |
☐ garrulous ☐ verbose

lubricity
[lu:brísəti]
ⓝ 미끄러움, 붙잡을 데가 없음, 포착하기가 어려움
| 유의어 |
☐ elusiveness

lucid
[lú:sid]
ⓐ 명쾌한, 번쩍이는, 투명한, 명석한, 명료한
| 유의어 |
☐ brilliant ☐ effulgent
☐ lambent ☐ perspicuous
☐ radiant ☐ unambiguous

lucrative
[lú:krətiv]
ⓐ 수지맞는
| 유의어 |
☐ paying ☐ remunerative

15 **ludicrous**
[lú:dəkrəs]
ⓐ 우스운, 터무니없는
| 유의어 |
☐ comic ☐ droll

lugubrious
[lugjú:briəs]
ⓐ 애처로운
| 유의어 |
☐ dolorous ☐ lamentable
☐ plaintive ☐ woeful

lukewarm
[lú:kwɔ̀:rm]
ⓐ 미지근한, 미온적인, 열의가 없는, 냉담한
| 유의어 |
☐ indifferent ☐ callous
☐ tepid

lull
[lʌl]
ⓝ 잠잠해짐, 소강 상태
| 유의어 |
☐ intermission

lumber
[ˈlʌmbər]
ⓥ 무겁게 움직이다, 벌채하다 ⓝ 목재
| 유의어 |
☐ trudge ☐ timber

20 **luminous**
[lú:mənəs]
ⓐ 빛을 내는, 밝은, 명료한, 알기 쉬운
| 유의어 |
☐ brilliant ☐ effulgent
☐ fulgent ☐ lambent
☐ lucent

lunar
[lú:nər]
ⓐ 달의
| 유의어 |
☐ moony

lupine
[lú:pain]
ⓐ 사나운, 야만적인, 이리 같은
| 유의어 |
☐ barbaric ☐ brutal
☐ uncivilized

lurid
[lúərid]
ⓐ 무시무시한, 소름 끼치는, 충격적인
| 유의어 |
☐ eerie ☐ ghastly
☐ grisly ☐ gruesome

luscious
[lʌ́ʃəs]
ⓐ 감미로운, 맛있는, 기분 좋은
| 유의어 |
☐ appetizing ☐ delicious
☐ palatable

25 **luster**
[lʌ́stər]
ⓝ 광택, 영광
| 유의어 |
☐ glaze ☐ polish

lustrous
[lʌ́strəs]
ⓐ 윤기가 나는, 광택 있는, (업적 등이) 빛나는, 훌륭한
| 유의어 |
☐ brilliant ☐ effulgent
☐ fulgent ☐ lambent

luxuriant
[lʌgʒúəriənt]
ⓐ 비옥한, 풍부한, 화려한
| 유의어 |
☐ fecund ☐ fertile
☐ fruitful ☐ exuberant
☐ profuse ☐ lavish
☐ decorated ☐ ornamented

macabre
[məkɑ́:brə]
ⓐ 무시무시한, 섬뜩한, 기분 나쁜
| 유의어 |
☐ terrible ☐ horrible
☐ lurid ☐ ghastly

macerate
[mǽsərèit]
ⓥ 야위게 하다, 쇠약하게 하다, (물[액체]에 담가) 부드럽게 하다, 불리다
| 유의어 |
☐ emaciate ☐ steep
☐ soak

30 **machiavellian**
[mæ̀kiəvéliən]
ⓐ 교활한, 두 마음을 가진, 권모술수의
| 유의어 |
☐ artful ☐ cunning
☐ sly ☐ wily

machination
[mæ̀kənéiʃən]
ⓝ 책모, 음모
| 유의어 |
☐ conspiracy ☐ intrigue
☐ plot

madrigal
[mǽdrigəl]
ⓝ 짧은 연가

maelstrom
[méilstrəm]
ⓝ 큰 소용돌이, 큰 혼란
| 유의어 |
☐ pandemonium ☐ mayhem

magnanimous
[mægnǽniməs]
ⓐ 도량이 넓은, 관대한
| 유의어 |
☐ benevolent ☐ considerate

35 **magniloquent**
[mægníləkwənt]
ⓐ 허풍 떠는, 과장한
| 유의어 |
☐ bombastic ☐ grandiloquent
☐ swollen

magnitude
[mǽgnətjù:d]
ⓝ 위대함, 크기, 대량, 중대
| 유의어 |
☐ enormity ☐ hugeness
☐ vastness

maim
[meɪm]
ⓥ 불구로 만들다, 상처 내다
| 유의어 |
☐ cripple ☐ disable
☐ mutilate

maladroit
[mæ̀lədrɔ́it]
ⓐ 솜씨 없는, 서투른, 요령 없는
| 유의어 |
☐ gauche ☐ unskillful

malady
[mǽlədi]
ⓝ 병, 병폐, 악폐
| 유의어 |
☐ sickness ☐ illness
☐ disease

40 **malaise**
[mæléiz]
ⓝ 불쾌감, 침체
| 유의어 |
☐ umbrage ☐ displeasure
☐ spleen

malapropism
[mǽləprɑpìzm]
ⓝ 말의 우스꽝스런 혼동, 우습게 잘못 쓰인 말

malcontent
[mælkəntént]
ⓝ 불평을 품은[불만스러운, 반항적인] 사람
| 유의어 |
☐ complainer

malediction
[mæ̀lədíkʃən]
ⓝ 저주, 악담
| 유의어 |
☐ anathema ☐ imprecation
☐ malison

malefactor
[mǽləfæ̀ktər]
ⓝ 악인, 죄인, 범인
| 유의어 |
☐ offender ☐ baddie
☐ perpetrator

45 **malevolent** [məlévələnt]
ⓐ 악의 있는, 심통 사나운
| 유의어 |
□ malicious □ malignant

malicious [məlíʃəs]
ⓐ 악의 있는, 심술궂은
| 유의어 |
□ malevolent □ malignant

malign [məláin]
ⓥ 헐뜯다, 중상하다 ⓐ 해로운, 악성의
| 유의어 |
□ asperse □ calumniate
□ denigrate □ libel
□ slander □ traduce
□ vilify □ decry

malignant [məlígnənt]
ⓐ 악의가 있는, 해치려는, (병이) 악성의, 치명적인, 유해한
| 유의어 |
□ malevolent □ malicious
□ rancorous

malingerer [məlíŋgərər]
ⓝ 꾀병 부리는 사람

50 **malleable** [mǽliəbl]
ⓐ 펴서 늘릴 수 있는, 융통성 있는
| 유의어 |
□ adaptable □ plastic
□ supple

DAY 27

malnourished [mælnə́:riʃt]
ⓐ 영양 불량의, 영양 부족의

malodorous [mælóudərəs]
ⓐ 악취를 풍기는
| 유의어 |
□ fetid □ noisome
□ putrid □ rancid

mammal [mǽməl]
ⓝ 포유동물
| 유의어 |
□ suckler

mammoth [mǽməθ]
ⓐ 거대한
| 유의어 |
□ enormous □ huge
□ leviathan □ prodigious
□ titanic

05 **manacle** [mǽnəkl]
ⓥ 족쇄를 채우다, 속박하다
ⓝ [pl.] 수갑, 족쇄
| 유의어 |
□ shackle □ handcuff
□ cuff

mandate [mǽndeit]
ⓝ 명령, 위탁, 위임
| 유의어 |
□ command □ dictate

mandatory [mǽndətɔ̀:ri]
ⓐ 명령의, 강제의, 위임의, 의무적인
ⓝ 위임 통치국, 수임자
| 유의어 |
□ compulsory □ required

maniacal [mənáiəkəl]
ⓐ 광기의
| 유의어 |
□ frenetic □ frenzied
□ manic

manifest [mǽnəfèst]
ⓐ 명료한, 명백한
ⓥ 드러내 보이다, 나타나다
ⓝ 승객 명단
| 유의어 |
□ distinct □ obvious
□ unambiguous □ exhibit

10 **manipulate** [mənípjulèit]
ⓥ 조종하다, 조작하다, 능숙하게 다루다, 속이다
| 유의어 |
□ maneuver □ fabricate

marginal
[mάːrdʒinəl]
ⓐ 사소한, 가장자리의, 변경의, 주변적인
| 유의어 |
□ insignificant □ unimportant

maritime
[mǽritàim]
ⓐ 바다의, 바다에 관한, 해사의
| 유의어 |
□ marine □ saltwater
□ naval

marvelous
[ˈmɑːrvələs]
ⓐ 믿기 어려운, 신기한, 훌륭한
| 유의어 |
□ amazing □ astonishing
□ awesome □ fantastic

masculine
[mǽskjəlin]
ⓐ 남성의, 남자다운, 용감한 ⓝ 남자
| 유의어 |
□ male □ manly
□ virile

15 **mature**
[mətjúər]
ⓐ 성숙한; 분별 있는; 심사숙고한
ⓥ 성숙하다; 익다; (계획을) 완성하다
| 유의어 |
□ ripe

maul
[mɔːl]
ⓥ 거칠게 다루다, 상처를 입히다, 혹평하다
ⓝ 큰 망치
| 유의어 |
□ trample □ tousle
□ denigrate

mausoleum
[mɔ̀ːsəlíːəm]
ⓝ 기념묘
| 유의어 |
□ sepulcher □ shrine

mauve
[mouv]
ⓐ 연한 자주색의, 담자색의
| 유의어 |
□ light purple

maverick
[mǽvərik]
ⓝ 독불장군, 독자적인 노선을 걷는 사람
| 유의어 |
□ dissenter □ cowboy
□ loner □ individualist
□ lone wolf

20 **mawkish**
[mɔ́ːkiʃ]
ⓐ 역겨운, 싱거운
| 유의어 |
□ nauseous □ indigestible
□ noisome □ fulsome

maxim
[mǽksim]
ⓝ 격언, 금언
| 유의어 |
□ adage □ proverb
□ saying

meander
[miǽndər]
ⓥ 굽이쳐 흐르다, 굴절시키다
| 유의어 |
□ deflect □ crankle
□ refract

meddlesome
[médlsəm]
ⓐ 참견하기를 좋아하는
| 유의어 |
□ intrusive □ obtrusive
□ officious

meddling
[médliŋ]
ⓐ 간섭하는, 참견하는 ⓝ 간섭
| 유의어 |
□ invasive □ interfering

25 **mediate**
[míːdièit]
ⓥ 조정하다, 화해시키다, 중재하다
| 유의어 |
□ arbitrate □ intercede

mediocre
[mìːdióukər]
ⓐ 보통의, 평범한
| 유의어 |
□ mean □ average
□ medium

meditation
[mèdətéiʃən]
ⓝ 명상, 숙고
| 유의어 |
□ cogitation □ deliberation
□ rumination □ speculation

medley
[médli]
ⓝ 잡동사니, 접속곡
| 유의어 |
□ assortment □ melange
□ potpourri

meek
[miːk]
ⓐ 온순한, 유순한, 패기 없는, 굴종적인
| 유의어 |
□ docile □ mild
□ gentle

30 **megalomania**
[mègəlouméiniə]
ⓝ 과대망상증
| 유의어 |
□ delusion of grandeur
□ grandiose delusion

melee
[méilei]
ⓝ 난투극
| 유의어 |
□ scuffle □ scrimmage
□ confused fight

mellifluous
[melífluəs]
ⓐ (목소리·말·음악 등이) 달콤한, 부드럽게 흐르는
| 유의어 |
□ dulcet □ euphonious
□ harmonious □ mellifluent

memento
[məméntou]

ⓝ 기념물, 추억거리

| 유의어 |
☐ souvenir ☐ remembrance
☐ token ☐ reminder

memorialize
[məmɔ́:riəlàiz]

ⓥ 기념하다

| 유의어 |
☐ celebrate ☐ commemorate

35 **mendacious**
[mendéiʃəs]

ⓐ 거짓말하는, 거짓의

| 유의어 |
☐ deceitful ☐ dishonest
☐ fraudulent

mendacity
[mendǽsəti]

ⓝ 허위, 거짓, 부정직한 일

| 유의어 |
☐ fallacy ☐ falsity
☐ falsehood

mendicant
[méndikənt]

ⓝ 거지, 탁발 수도사

| 유의어 |
☐ beggar ☐ panhandler
☐ tramp ☐ bum

menial
[mí:niəl]

ⓐ 머슴 노릇을 하는, 천한

| 유의어 |
☐ servile ☐ slavish
☐ subservient

mercantile
[ˈmɜ:rkənti:l], [ˈmɜ:rkəntaɪl]

ⓐ 상업의, 상인의, 무역의

| 유의어 |
☐ commercial ☐ business

40 **merger**
[ˈmɜ:rdʒər]

ⓝ 합병, 합동

| 유의어 |
☐ amalgamation

messy
[mési]

ⓐ 지저분한, 엉망인, 혼란을 일으키는

| 유의어 |
☐ untidy ☐ squalid
☐ grubby ☐ frowzy

metamorphosis
[mètəmɔ́:rfəsis]

ⓝ 변형, 변태, 변성

| 유의어 |
☐ modification ☐ transformation
☐ change ☐ variation

milestone
[ˈmaɪlstoʊn]

ⓝ 획기적인 사건, 이정표, 중요한 시점

| 유의어 |
☐ milepost
☐ a table of distances

minuscule
[mínəskjù:l]

ⓐ 아주 작은, 매우 작은

| 유의어 |
☐ minor ☐ minute
☐ miniature

45 **minute**
[maɪˈnju:t]

ⓐ 매우 작은, 사소한, 하찮은

| 유의어 |
☐ minor ☐ minuscule
☐ miniature ☐ insignificant

mire
[maiər]

ⓥ 궁지에 몰아넣다, 진흙 속에 빠뜨리다
ⓝ 늪

| 유의어 |
☐ embroil ☐ implicate
☐ tangle

mirth
[mə:rθ]

ⓝ 유쾌함, 즐거움

| 유의어 |
☐ hilarity ☐ jocularity
☐ jocundity ☐ jollity

misadventure
[misədvéntʃər]

ⓝ 불운, 불행, 재난

| 유의어 |
☐ tragedy ☐ calamity
☐ cataclysm ☐ catastrophe

misanthrope
[mísənθròup]

ⓝ 사람을 싫어하는 이, 염세가

| 유의어 |
☐ skeptic ☐ man-hater
☐ pessimist ☐ misanthropist

50 **misanthropic**
[mìsənθrápik]

ⓐ 사람을 싫어하는

| 유의어 |
☐ cynical ☐ pessimistic

DAY 28

misapprehension [ˌmɪsæprɪˈhenʃən]
ⓝ 오해, 실수
| 유의어 |
☐ misconception ☐ misunderstanding
☐ mistake ☐ misinterpretation

miscellany [mísəlèini]
ⓝ 여러 종류의 모음, 잡문, 문집
| 유의어 |
☐ assortment ☐ medley
☐ melange

mischance [mistʃǽns]
ⓝ 불운, 불행
| 유의어 |
☐ adversity ☐ misadventure
☐ misfortune

misconstrue [mìskənstrú:]
ⓥ 잘못 해석하다, 곡해하다, 오해하다
| 유의어 |
☐ misapprehend ☐ misconceive
☐ misunderstand

05 **miscreant** [mískriənt]
ⓝ 극악한 사람, 악한, 이단자
| 유의어 |
☐ knave ☐ heretic
☐ dissenter ☐ heathen

misdemeanor [mìsdimí:nər]
ⓝ 경범죄
| 유의어 |
☐ peccadillo ☐ minor offense
☐ contravention ☐ police offense
☐ summary offense

miserly [máizərli]
ⓐ 인색한, 욕심 많은
| 유의어 |
☐ niggardly ☐ parsimonious
☐ penurious

misgiving [misgíviŋ]
ⓝ 불안, 걱정
| 유의어 |
☐ qualm ☐ suspicion

mishap [míshæp]
ⓝ 재난, 불운, 사고
| 유의어 |
☐ casualty ☐ misadventure
☐ mischance

10 **misnomer** [misnóumər]
ⓝ 잘못 부름, 틀린 이름

misogynist [misádʒənist]
ⓝ 여자를 싫어하는 사람, 여성 차별주의자
| 유의어 |
☐ woman-hater

missile [mísəl]
ⓝ 미사일, (돌·화살·투창·탄환 등의) 던지는 무기
| 유의어 |
☐ missilery ☐ projectile

missive [mísiv]
ⓝ 서한, 편지
| 유의어 |
☐ note ☐ letter
☐ mail ☐ line

mite [mait]
ⓝ 아주 작은 물체나 생물, 잔돈
| 유의어 |
☐ particle ☐ change
☐ small coins ☐ small change

15 **mitigate** [mítəgèit]
ⓥ 누그러뜨리다, 완화시키다
| 유의어 |
☐ allay ☐ alleviate
☐ assuage ☐ mollify
☐ relieve

mnemonic [ni:mánik]
ⓐ 기억의, 기억을 돕는 ⓝ 기억을 돕는 것
| 유의어 |
☐ memorial ☐ recollective

moan [moun]
ⓥ 신음하다, 끙끙대다
ⓝ 신음
| 유의어 |
☐ groan

mockery [ˈmɑkəri]
ⓝ 비웃음
| 유의어 |
☐ ridicule ☐ sneer

mode [moud]
ⓝ 양식, 방식, 유행
| 유의어 |
☐ fashion ☐ vogue

20 **modest** [mádist]
ⓐ 겸손한, 적당한, 알맞은, 삼가는
| 유의어 |
☐ humble

modicum [mádəkəm]
ⓝ 소량
| 유의어 |
☐ iota ☐ inch
☐ ounce ☐ trifle
☐ spice ☐ mouthful

modulation
[mɑ̀dʒuléiʃən]
ⓝ 조정, 조절, 조음, 변조
| 유의어 |
- ☐ modification ☐ control
- ☐ regulation ☐ adjustment

mogul
[móugəl]
ⓝ 거물
| 유의어 |
- ☐ magnate ☐ tycoon

moiety
[mɔ́iəti]
ⓝ 절반, 일부분
| 유의어 |
- ☐ portion ☐ section
- ☐ segment

25 **molecule**
[mɑ́ləkjùːl]
ⓝ 분자
| 유의어 |
- ☐ particle ☐ numerator

mollify
[mɑ́ləfài]
ⓥ 달래다, 누그러뜨리다
| 유의어 |
- ☐ allay ☐ alleviate
- ☐ pacify ☐ placate
- ☐ relieve

mollycoddle
[mɑ́likɑ̀dl]
ⓥ 응석을 받아 주다
| 유의어 |
- ☐ coddle ☐ indulge
- ☐ pamper ☐ be indulgent to

molten
[móultən]
ⓐ 금속이 녹은, 용해된, 주조된
| 유의어 |
- ☐ liquefied ☐ fusil
- ☐ solute

momentous
[mouméntəs]
ⓐ 중대한, 중요한(= prized)
| 유의어 |
- ☐ consequential ☐ considerable
- ☐ significant ☐ substantial

30 **momentum**
[mouméntəm]
ⓝ 운동량, 추진력
| 유의어 |
- ☐ quantity of motion
- ☐ morale ☐ elan

monarchy
[mɑ́nərki]
ⓝ 군주정치, 군주제
| 유의어 |
- ☐ a monarchial system
- ☐ monarchism

monastic
[mənǽstik]
ⓐ 수도자의, 금욕적인
| 유의어 |
- ☐ clerical ☐ priestly

monetary
[mɑ́nətèri]
ⓐ 화폐의, 금전상의
| 유의어 |
- ☐ financial ☐ fiscal
- ☐ pecuniary

monk
[mʌŋk]
ⓝ 수도사, 수도승, 수사
| 유의어 |
- ☐ friar

35 **monolithic**
[mɑ̀nəlíθik]
ⓐ 획일적인, 돌 하나로 된(것 같은), 완전히 동질적인
| 유의어 |
- ☐ uniform ☐ homogeneous
- ☐ undifferentiated

monotheism
[mɑ́nəθiːìzm]
ⓝ 일신론
| 유의어 |
- ☐ theism

monotony
[mənɑ́təni]
ⓝ 단조로움, 지루함, 무변화
| 유의어 |
- ☐ boredom ☐ ennui
- ☐ humdrum ☐ tedium

monumental
[mɑ̀njuméntl]
ⓐ 거대한, 엄청난, 기념비적인, 기념비의
| 유의어 |
- ☐ enormous ☐ gigantic
- ☐ huge ☐ immense

moodiness
[múːdinis]
ⓝ 우울, 침울
| 유의어 |
- ☐ depression ☐ melancholy

40 **moody**
[múːdi]
ⓐ 침울한, 기분이 언짢은, 시무룩한
| 유의어 |
- ☐ depressed

moor
[muər]
ⓝ 황무지, 사냥터
| 유의어 |
- ☐ wasteland ☐ wilderness
- ☐ waste

moot
[muːt]
ⓐ 논의할 여지가 있는
| 유의어 |
- ☐ disputable ☐ dubious

moratorium
[mɔ̀ːrətɔ́ːriəm]
ⓝ 합법적인 지불 연기
| 유의어 |
- ☐ a period of grace

morbid
[mɔ́:rbid]
ⓐ (정신·사상이) 병적인, 침울한
| 유의어 |
☐ unhealthy ☐ unwholesome
☐ melancholic

45 **mordant**
[mɔ́:rdənt]
ⓐ 신랄한, 비꼬는, 통렬한, 독설적인
| 유의어 |
☐ caustic ☐ mordacious
☐ scathing ☐ trenchant

mores
[mɔ́:reiz]
ⓝ 관습
| 유의어 |
☐ custom ☐ convention
☐ institution

moribund
[mɔ́:rəbʌnd]
ⓐ 빈사 상태의, 소멸해 가는

motivation
[mòutəvéiʃən]
ⓝ 동기부여, 자극, 유도
| 유의어 |
☐ boost ☐ incentive
☐ impulse ☐ impetus
☐ encouragement

multiracial
[mʌ̀ltiréiʃəl]
ⓐ 다민족의

50 **mutilate**
[mjú:təlèit]
ⓥ 절단하다, 팔다리를 절단해서 손상시키다
| 유의어 |
☐ cut ☐ cut off
☐ sever ☐ disconnect
☐ amputate

DAY 29

nadir
[néidər]
ⓝ 밑바닥, 최하점, 최악의 순간, (the ~) 천저
| 유의어 |
☐ the bottom ☐ the base
☐ the depths

nagging
[nǽgiŋ]
ⓐ 성가시게 잔소리하는, 성가신, 끈질긴
| 유의어 |
☐ tiresome ☐ troublesome

naive
[naɪˈi:v]
ⓐ (모자랄 정도로) 순진한, 속기 쉬운
| 유의어 |
☐ innocent ☐ unsophisticated
☐ gullible ☐ ingenuous

nascent
[nǽsənt]
ⓐ 발생하고 있는, 초기의
| 유의어 |
☐ just beginning to exist
☐ emerging

05 **nasty**
[nǽsti]
ⓐ 역겨운, 더러운, 불쾌한, 거친, 비열한
| 유의어 |
☐ disturbing ☐ mean

naughty
[ˈnɔ:ti]
ⓐ 버릇없는, 장난꾸러기인, 행실이 나쁜, 말을 듣지 않는
| 유의어 |
☐ ill-mannered ☐ rude
☐ impolite

nebulous
[nébjələs]
ⓐ 애매한, 흐린, 불투명한
| 유의어 |
☐ vague ☐ equivocal
☐ indistinct ☐ blurry
☐ ambiguous

negation
[nigéiʃən]
ⓝ 부인, 부정, 결여, 무(無)
| 유의어 |
☐ denial ☐ disavowal
☐ disclaimer ☐ contradiction

negligence
[néglidʒəns]
ⓝ 태만, 무관심, 부주의
| 유의어 |
☐ inattention ☐ inadvertence

10 **negotiate**
[nigóuʃièit]
ⓥ 협상하다, 교섭하다; 처리하다, 수행하다
| 유의어 |
☐ bargain ☐ parley

nocturnal [nɑktə́:rnəl]

ⓐ 야행성의, 야간의, 밤에 피는

| 유의어 |
- ☐ noctivagant

nomadic [ˈnoʊˌmædɪk]

ⓐ 유목의, 유목민의, 방랑의

| 유의어 |
- ☐ wandering ☐ roving

nonchalance [ˈnɑ:nʃələns]

ⓝ 무관심, 냉담

| 유의어 |
- ☐ indifference ☐ unconcern
- ☐ apathy

novice [nάvis]

ⓝ 신참자, 초심자, 풋내기

| 유의어 |
- ☐ beginner ☐ neophyte

15 **nullify** [nʌ́ləfài]

ⓥ 무효로 하다

| 유의어 |
- ☐ invalidate ☐ repeal
- ☐ abolish ☐ revoke
- ☐ rescind

nurture [nə́:rtʃər]

ⓥ 양육하다, 기르다 ⓝ 양육, 교육

| 유의어 |
- ☐ raise ☐ feed

oaf [ouf]

ⓝ 바보, 멍청이

| 유의어 |
- ☐ idiocy ☐ idiot
- ☐ imbecility ☐ imbecile
- ☐ moron

oath [ouθ]

ⓝ 맹세, 서약, 선서, 욕설

| 유의어 |
- ☐ swear ☐ swear word

obdurate [άbdərət]

ⓐ 완고한, 고집 센

| 유의어 |
- ☐ obstinate ☐ perverse
- ☐ unyielding

20 **obeisance** [oubéisəns]

ⓝ 경배, 존경, 복종, 인사, 경의

| 유의어 |
- ☐ reverence ☐ deference

obese [oubí:s]

ⓐ 매우 뚱뚱한, 살찐

| 유의어 |
- ☐ corpulent ☐ stout

obfuscate [άbfəskèit]

ⓥ (마음 등을) 어둡게 하다, 당황하게 하다, 혼란시키다, 몽롱하게 하다

| 유의어 |
- ☐ bewilder ☐ confound
- ☐ confuse ☐ disconcert
- ☐ embarrass ☐ fluster
- ☐ perplex ☐ nonplus
- ☐ abash

objective [əbdʒéktiv]

ⓐ 객관적인, 편견이 없는 ⓝ 목적, 목표

| 유의어 |
- ☐ unbiased ☐ target

objurgate [άbdʒərgèit]

ⓥ 심하게 야단치다, 비난하다

| 유의어 |
- ☐ excoriate ☐ round on
- ☐ put the blast on

25 **obligatory** [əblígətɔ̀:ri]

ⓐ 의무적인, 구속하는, 요구하는

| 유의어 |
- ☐ compulsory ☐ mandatory

oblique [əblí:k]

ⓐ 비스듬한, 사선의

| 유의어 |
- ☐ bias ☐ slant
- ☐ aslant ☐ askew

obliquely [əblí:kli]

ⓐⓓ 비스듬히, 간접적으로

| 유의어 |
- ☐ crossly ☐ sideways
- ☐ indirectly ☐ askew

obliterate [əblítərèit]

ⓥ 문질러 지우다, 흔적을 없애다, 말살하다

| 유의어 |
- ☐ delete ☐ erase
- ☐ efface ☐ expunge

oblivion [əblíviən]

ⓝ 망각, 잊힌 상태, 무의식 (상태)

| 유의어 |
- ☐ forgetfulness ☐ obliteration
- ☐ lapse of memory

30 **oblivious** [əblíviəs]

ⓐ 잘 잊어버리는, 잊어버리고 있는, 알아채지 못한

| 유의어 |
- ☐ forgetful ☐ unaware

obnoxious [əbnάkʃəs]

ⓐ 아주 싫은, 몹시 불쾌한, 미움 받고 있는

| 유의어 |
- ☐ abhorrent ☐ repellent
- ☐ repugnant ☐ mawkish

obscure
[əbskjúər]

ⓐ 어두운, 애매한, 모호한, 무명의
ⓥ 어둡게 하다, 애매하게 하다

| 유의어 |
- ☐ dim
- ☐ murky
- ☐ tenebrous
- ☐ ambiguous
- ☐ equivocal
- ☐ unexplicit
- ☐ adumbrate
- ☐ eclipse
- ☐ murk

obsession
[əbséʃən]

ⓝ 사로잡혀 있기, 강박관념

| 유의어 |
- ☐ imperative idea
- ☐ siege mentality
- ☐ compulsive idea

obsolete
[àbsəlí:t]

ⓐ 구식의, 시대에 뒤진, 쓸모없게 된

| 유의어 |
- ☐ outdated
- ☐ outmoded

35 **obstinate**
[ábstənət]

ⓐ 고집 센, 완고한

| 유의어 |
- ☐ stubborn
- ☐ perverse
- ☐ refractory
- ☐ intractable

obtrude
[əbtrú:d]

ⓥ 억지로 강요하다, 강제하다, 주제넘게 나서다

| 유의어 |
- ☐ impose
- ☐ intrude

obtrusive
[əbtrú:siv]

ⓐ 주제넘게 참견하는

| 유의어 |
- ☐ intrusive
- ☐ meddlesome
- ☐ officious

obtuse
[əbtjú:s]

ⓐ 둔한, 우둔한

| 유의어 |
- ☐ inert
- ☐ leaden
- ☐ torpid
- ☐ illiterate

obviate
[ábvièit]

ⓥ 제거하다(= weed out), 일소하다, 미연에 방지하다

| 유의어 |
- ☐ eliminate
- ☐ remove

40 **Occident**
[ˈɑksɪdənt]

ⓝ (the ~) 서양

| 유의어 |
- ☐ (the) West
- ☐ Western countries

occlude
[əklú:d]

ⓥ 막다, 차단하다

| 유의어 |
- ☐ close
- ☐ block
- ☐ fill
- ☐ stop up

occult
[əkʌ́lt]

ⓐ 숨은, 비밀의, 신비한, 초자연적인

| 유의어 |
- ☐ mystic
- ☐ uncanny
- ☐ arcane

occupation
[àkjupéiʃən]

ⓝ 직업, 점령, 식민 통치

| 유의어 |
- ☐ job
- ☐ career
- ☐ work
- ☐ profession

oculist
[ákjulist]

ⓝ 안과 의사

| 유의어 |
- ☐ eye doctor
- ☐ ophthalmologist

45 **odds**
[ɑdz]

ⓝ 가능성, 가망, 확률

| 유의어 |
- ☐ possibility
- ☐ capacity

odious
[óudiəs]

ⓐ 싫은, ~하기 싫은

| 유의어 |
- ☐ abhorrent
- ☐ abominable
- ☐ detestable
- ☐ loath
- ☐ repulsive

odium
[óudiəm]

ⓝ 질색, 싫어함

| 유의어 |
- ☐ abhorrence
- ☐ abomination
- ☐ repulsion

odoriferous
[òudərífərəs]

ⓐ 향기로운

| 유의어 |
- ☐ odorous
- ☐ redolent
- ☐ aromatic
- ☐ fragrant

odorous
[óudərəs]

ⓐ 향기로운

| 유의어 |
- ☐ odoriferous
- ☐ redolent

50 **odyssey**
[ádəsi]

ⓝ 장기간의 모험 여행

| 유의어 |
- ☐ travel

DAY 30

offal [ɔ́:fəl]	ⓝ 찌꺼기, 쓰레기 I 유의어 I □ debris □ trash □ garbage □ waste □ litter □ junk
offertory [ɔ́:fərtɔ̀:ri]	ⓝ 헌금, (미사의 일부로서) 봉헌 I 유의어 I □ gift of money □ contribution □ donation □ collection
officious [əfíʃəs]	ⓐ 참견하는, 남의 일에 잘 나서는, 비공식의 I 유의어 I □ intrusive □ meddlesome □ obtrusive
ogle [óugl]	ⓥ 추파를 던지다, ~에게 윙크를 하다 I 유의어 I □ give ~ the eye □ eye up □ make eyes at □ cast an amorous glance
05 **olfactory** [ɒlˈfæktəri]	ⓐ 후각의
oligarchy [áləgɑ̀:rki]	ⓝ 소수 독재 정치, 과두 정치
ominous [ámənəs]	ⓐ 불길한, 험악한 I 유의어 I □ evil □ sinister □ unlucky □ inauspicious
omnipotent [amnípətənt]	ⓐ 전능의 I 유의어 I □ almighty □ all-powerful
omniscient [ɒmˈnɪsiənt]	ⓐ 전지의, 박식의 I 유의어 I □ pansophic □ all-knowing
10 **omnivorous** [amnívərəs]	ⓐ 잡식성의, 무엇이고 다 먹는, 닥치는 대로 읽는
onerous [ánərəs]	ⓐ 부담스러운, 성가신 I 유의어 I □ cumbersome □ oppressive □ troublesome
onomatopoeia [ˌɑ:nəmætəˈpi:ə]	ⓝ 의성어 I 유의어 I □ onomatopoeic word □ onomatope
onslaught [ánslɔ̀:t]	ⓝ 맹공격, 맹습 I 유의어 I □ aggression □ assailment □ assault □ onset
onus [óunəs]	ⓝ 부담, 책임 I 유의어 I □ charge □ duty
15 **ooze** [u:z]	ⓥ 새다, 스며 나오다 ⓝ 분비 ㊟ gland 분비샘 I 유의어 I □ leak □ escape □ get vent
opaque [oupéik]	ⓐ 칙칙한, 불투명한, 분명하지 않은 I 유의어 I □ nontransparent □ obscure □ vague
opiate [óupiət]	ⓝ 아편, 마취제, 진정제 I 유의어 I □ narcotic □ analgesic □ anodyne
opportune [ɑ̀pərtjú:n]	ⓐ 적절한, 알맞은, 적합한, 시기에 맞는 I 유의어 I □ favorable □ auspicious □ propitious
opulence [ápjuləns]	ⓝ 부, 풍부, 풍요 I 유의어 I □ wealth □ richness □ affluence
20 **orbit** [ˈɔ:rbɪt]	ⓝ 궤도, 안구 ⓥ 돌다 I 유의어 I □ track □ path □ trajectory □ course
ordinance [ɔ́:rdənəns]	ⓝ 법령, 조례 I 유의어 I □ decree □ precept □ regulation

orifice
['ɔːrɪfis]

ⓝ 구멍

| 유의어 |
☐ aperture ☐ outlet
☐ vent

ornate
[ɔːrnéit]

ⓐ 화려하게 장식한, (문체가) 화려한, 매우 수사적인

| 유의어 |
☐ baroque ☐ flamboyant
☐ rococo

oscillate
[ɑ́səlèit]

ⓥ 동요하다, 진동하다

| 유의어 |
☐ pendulate ☐ sway
☐ swing

25 **ossify**
[ɑ́səfài]

ⓥ 뼈로 변하게 하다, 굳어지다

| 유의어 |
☐ sclerose ☐ calcify

ostensible
[asténsəbl]

ⓐ 표면상의, 외면상의, 겉치레의

| 유의어 |
☐ cursory ☐ pretended
☐ seeming

ostentatious
[ɑ̀stəntéiʃəs]

ⓐ 허세를 부리는, 과시하는

| 유의어 |
☐ affected ☐ la-di-da
☐ vaporing ☐ swashbuckling

ostracize
[ɑ́strəsàiz]

ⓥ 추방하다, 배척하다, 절교하다

| 유의어 |
☐ banish ☐ exile
☐ expatriate

outspoken
[àutspóukən]

ⓐ 노골적인, 솔직한, 완전한

| 유의어 |
☐ frank ☐ candid
☐ forthright ☐ straightforward

30 **overdue**
[ˌəuvər'duː]

ⓐ 지불 기한이 넘은, 미불의, 늦은

| 유의어 |
☐ late ☐ tardy
☐ belated ☐ behindhand

overlap
[ˌəuvər'læp]

ⓥ 겹치다, 포개다

| 유의어 |
☐ overlay ☐ overlie

overt
['oʊvɜːrt]

ⓐ 공공연한, 명백한

| 유의어 |
☐ public ☐ evident
☐ obvious

overwhelm
[ˌoʊvər'welm]

ⓥ 압도하다, 질리게 하다, 당황하게 하다, 전복시키다

| 유의어 |
☐ overpower ☐ embarrass
☐ confound

pacifist
[pǽsəfist]

ⓝ 평화론자, 반전론자, 반군국주의자

| 유의어 |
☐ advocate of peace

35 **palatable**
[pǽlətəbl]

ⓐ 맛있는, 취미에 맞는, 유쾌한

| 유의어 |
☐ appetizing ☐ flavorsome
☐ gusty ☐ relishing

palatial
[pəléiʃəl]

ⓐ 웅장한

| 유의어 |
☐ impressive ☐ regal
☐ splendid ☐ grandiose

palaver
[pəlǽvər]

ⓝ 수다, 토의, 교섭, 감언

| 유의어 |
☐ dialogue ☐ colloquium
☐ conference

pallet
[pǽlit]

ⓝ 초라한 침상, 짚, 팔레트

| 유의어 |
☐ straw ☐ palette

palliate
[pǽlièit]

ⓥ 통증을 누그러지게 하다, 참작하다

| 유의어 |
☐ alleviate ☐ mitigate
☐ moderate

40 **pallid**
[pǽlid]

ⓐ 창백한, 핼쑥한

| 유의어 |
☐ ashen ☐ pasty
☐ gray ☐ sallow
☐ colorless ☐ waxy

palpable
[pǽlpəbl]

ⓐ 뚜렷한, 명백한, 손으로 만질 수 있는, 곧 알 수 있는

| 유의어 |
☐ detectable ☐ discernible

palpitate
[pǽlpitèit]

ⓥ 고동치다, 심장이 뛰다, 두근거리다

| 유의어 |
☐ pulsate ☐ throb
☐ beat ☐ flutter

paltry
[pɔ́:ltri]

ⓐ 하찮은, 무가치한

| 유의어 |
- ☐ trivial ☐ puny
- ☐ inconsequential

panacea
[ˌpænəˈsɪːə]

ⓝ 만병통치약, 모든 문제의 해결책

| 유의어 |
- ☐ universal remedy ☐ cure-all

45 **pandemonium**
[pændəmóuniəm]

ⓝ 지옥, 대혼란, 아수라장

| 유의어 |
- ☐ clamor ☐ hubbub
- ☐ uproar

pander
[pǽndər]

ⓥ (취미·욕망에) 영합하다, 나쁜[비도덕적인] 짓을 중개하다

| 유의어 |
- ☐ flatter ☐ curry favor with
- ☐ fawn upon

panegyric
[pænidʒírik]

ⓝ 칭찬하는 말, 칭송

| 유의어 |
- ☐ compliment ☐ encomium
- ☐ eulogy

panorama
[pænərǽmə]

ⓝ 파노라마, 전경, 개관

| 유의어 |
- ☐ foreground ☐ proscenium

parable
[pǽrəbl]

ⓝ 우화, 비유

| 유의어 |
- ☐ fable ☐ apologue
- ☐ allegory

50 **paralysis**
[pərǽlisis]

ⓝ 마비, 파행, 반신불수

| 유의어 |
- ☐ palsy ☐ numbness

DAY 31

parapet
[pǽrəpit]

ⓝ (지붕이나 발코니 끝에 있는) 낮은 벽, 난간, 흉벽

| 유의어 |
- ☐ rampart ☐ handrail
- ☐ railing ☐ guardrail
- ☐ balustrade

paraphernalia
[pærəfərnéiljə]

ⓝ 도구, 잡동사니, 세간, 장비, 설비

| 유의어 |
- ☐ facilities ☐ equipment
- ☐ installation ☐ fixture
- ☐ provision

paraphrase
[pǽrəfrèiz]

ⓥ 말을 바꿔서 설명하다
ⓝ 바꾸어 쓰기, 의역

| 유의어 |
- ☐ rephrase ☐ restate

parasite
[pǽrəsàit]

ⓝ 기생 동물[식물], 기생충, 기식자, 식객

| 유의어 |
- ☐ worm ☐ vermin
- ☐ insect

05 **parched**
[pɑ:rtʃt]

ⓐ 말라붙은, 바싹 마른

| 유의어 |
- ☐ waterless ☐ scraggy
- ☐ sun-dried ☐ tinder-dry

paregoric
[pærigɔ́:rik]

ⓝ 진통제

| 유의어 |
- ☐ analgesic ☐ anodyne
- ☐ balm

parity
[pǽrəti]

ⓝ 동등, 유사

| 유의어 |
- ☐ analogy ☐ equivalence
- ☐ equality ☐ parallelism

parlance
[pɑ́:rləns]

ⓝ 말투, 어법

| 유의어 |
- ☐ phrase ☐ speech
- ☐ tone ☐ diction

parley
[pɑ́:rli]

ⓝ 회담; 교섭 ⓥ 교섭하다

| 유의어 |
- ☐ conversation ☐ discussion
- ☐ palaver

10 **parochial**
[pəróukiəl]

ⓐ 편협한, 지방적인, 교구의

| 유의어 |
- ☐ insular ☐ sectarian

parody
[pǽrədi]
ⓝ 모방 시문, 희문, 서투른 모방
ⓥ 서투르게 흉내 내다, 풍자적으로 시문을 개작하다
| 유의어 |
☐ burlesque ☐ caricature

parricide
[pǽrəsàid]
ⓝ 부친 살해(범), 웃어른 살해, 존속 살해
| 유의어 |
☐ killing of a lineal ascendant
☐ patricide

parsimonious
[pɑ̀:rsəmóuniəs]
ⓐ 인색한
| 유의어 |
☐ miserly ☐ niggardly
☐ penurious

parsimony
[pɑ́:rsəmòuni]
ⓝ 인색, 절약, 지나치게 검소함
| 유의어 |
☐ stinginess ☐ niggardliness

15 **partial**
[pɑ́:rʃəl]
ⓐ 부분적인, 일부분의, 불공평한, 편파적인, 한쪽으로 치우친
| 유의어 |
☐ sectional ☐ divisional

partisan
[ˈpɑ:rtəzən], [pɑ:rtəsən]
ⓐ 편파[당파]적인 ⓝ 지지자, 자기편
| 유의어 |
☐ biased ☐ jaundiced
☐ prepossessed

parturition
[pɑ̀:rtjuəríʃən]
ⓝ 분만, 출산
| 유의어 |
☐ childbirth ☐ birth
☐ delivery

parvenu
[pɑ́:rvənjù:]
ⓝ 벼락부자, 갑자기 출세한 사람
| 유의어 |
☐ new rich ☐ upstart

passive
[pǽsiv]
ⓐ 수동적인, ~에 따라 행동하는, 무저항의, 소극적인
| 유의어 |
☐ acquiescent ☐ submissive

20 **pastiche**
[pæstí:ʃ]
ⓝ (음악·문학·미술 등의) 모방 작품, 혼성 작품
| 유의어 |
☐ medley ☐ potpourri

pastoral
[pǽstərəl]
ⓐ 목가적인, 시골의
| 유의어 |
☐ bucolic ☐ rustic

patent
[ˈpætnt]
ⓐ 개방되어 있는, 명백한 ⓝ 특허
| 유의어 |
☐ distinct ☐ evident
☐ manifest ☐ palpable
☐ unequivocal

pathetic
[pəθétik]
ⓐ 애처로운, 감상적인
| 유의어 |
☐ pitiful ☐ commiserable

pathological
[pæθəlɑ́dʒikəl]
ⓐ 질병의, 병리학의

25 **pathos**
[péiθɑs]
ⓝ 애수, 연민의 정을 자아내는 힘
| 유의어 |
☐ indefinable sadness
☐ sorrow

patois
[pǽtwɑ:]
ⓝ 방언, 사투리
| 유의어 |
☐ dialect ☐ provincialism

patriarch
[péitriɑ̀:rk]
ⓝ 족장, 가장
| 유의어 |
☐ a head of a family

patriarchy
[ˈpeɪtriɑ:ki]
ⓝ 가부장제 (사회)
| 유의어 |
☐ patriarchal system

patrician
[pətríʃən]
ⓝ 귀족
| 유의어 |
☐ nobility ☐ nobles
☐ peerage ☐ aristocracy
☐ blue blood ☐ aristocrat

30 **patrimony**
[pǽtrəmòuni]
ⓝ 세습 재산
| 유의어 |
☐ heritage ☐ legacy
☐ heirloom

patronize
[péitrənàiz]
ⓥ 후원하다, 잘난 척하다, 깔보다, 애용하다
ⓐ 거만한
| 유의어 |
☐ aid ☐ contribute
☐ advocate

paucity
[pɔ́:səti]
ⓝ 결핍
| 유의어 |
☐ insufficiency ☐ poverty

peccadillo [pèkədílou]	ⓝ 가벼운 죄 ❙ 유의어 ❙ □ misdemeanor
peculate [pékjulèit]	ⓥ 훔치다, 횡령하다, 유용하다 ❙ 유의어 ❙ □ defalcate □ usurp □ seize upon
35 **pecuniary** [pikjú:nièri]	ⓐ 금전상의 ❙ 유의어 ❙ □ financial □ monetary
pedagogue [pédəgàg]	ⓝ 교사, 현학자 ❙ 유의어 ❙ □ instructor □ tutor
pedagogy [pédəgòudʒi]	ⓝ 교육학, 교수법 ❙ 유의어 ❙ □ education □ schooling □ instruction □ discipline
pedant [pédənt]	ⓝ 학식이나 전문성을 지나치게 강조하는 학자, 탁상공론자 ❙ 유의어 ❙ □ armchair philosopher □ doctrinaire □ doctrinarian
pedantic [pədǽntik]	ⓐ 아는 체하는, 현학적인 ❙ 유의어 ❙ □ scholastic
40 **pedestrian** [pədéstriən]	ⓝ 보행자 ⓐ 보행자의, 단조로운, 진부한 ❙ 유의어 ❙ □ walker □ humdrum □ monotonous
pediatrician [pì:diətríʃən]	ⓝ 소아과 의사 ❙ 유의어 ❙ □ children's doctor □ child specialist □ pediatrist
pejorative [pidʒɔ́:rətiv]	ⓐ 경멸적인, 가치를 떨어뜨리는 ❙ 유의어 ❙ □ depreciatory □ derogatory □ detracting
pell-mell [pèlmél]	ⓐⓓ 어리둥절하여, 무질서하게, 뒤범벅으로 ❙ 유의어 ❙ □ hastily □ rashly
pensive [pénsiv]	ⓐ 생각에 잠긴, 수심에 잠긴, 구슬픈 ❙ 유의어 ❙ □ thoughtful □ broody □ meditative
45 **periphery** [pərífəri]	ⓝ 주변, 주위, 말초 ❙ 유의어 ❙ □ surroundings □ perimeter □ edge
perishable [ˈperɪʃəbəl]	ⓐ 썩기 쉬운, 영속하지 않는 ❙ 유의어 ❙ □ vitiable □ nonpermanent
perjury [ˈpɜ:rdʒəri]	ⓝ 위증, 거짓 증거 ❙ 유의어 ❙ □ lying under oath
permeation [pə̀:rmiéiʃən]	ⓝ 침투, 삼투, 보급 ❙ 유의어 ❙ □ infiltration □ penetration
perpetual [pərpétʃuəl]	ⓐ 영속하는, 영원한 ❙ 유의어 ❙ □ endless □ eternal □ permanent □ lasting
50 **perspicuous** [pərspíkjuəs]	ⓐ 명쾌한, 간단명료한 ❙ 유의어 ❙ □ clear and easy

DAY 32

petition [pətíʃən]
ⓝ 청원(서), 탄원(서)
ⓥ 청원하다, 진정하다, 간청하다
| 유의어 |
☐ appeal ☐ ask for assistance ☐ seek help ☐ behest

pirate [ˈpaɪərət]
ⓝ 해적, 약탈자 ⓥ 무단 복제하다
| 유의어 |
☐ plunderer

pittance [pítns]
ⓝ 약간의 수당, 소량
| 유의어 |
☐ scanty income

placate [pléikeit]
ⓥ 달래다, 가라앉히다
| 유의어 |
☐ appease ☐ assuage ☐ mollify

05 **placebo** [pləsí:bou]
ⓝ 위약(정신적 효과를 얻으려고 주는 가짜 약)

placid [plǽsid]
ⓐ 평온한, 조용한
| 유의어 |
☐ composed ☐ halcyon ☐ poised ☐ serene ☐ tranquil

plagiarism [pléidʒiərìzəm]
ⓝ 표절, 표절 행위, 표절물
| 유의어 |
☐ crib ☐ piracy

plagiarize [pléidʒəràiz]
ⓥ 표절하다, 도용하다
| 유의어 |
☐ copy ☐ pirate ☐ crib

plaintive [pléintiv]
ⓐ 애처로운, 구슬픈
| 유의어 |
☐ doleful ☐ dolorous ☐ lamentable ☐ lugubrious

10 **platitude** [plǽtitjù:d]
ⓝ 진부한 말, 상투적인 말, 평범한 의견
| 유의어 |
☐ cliché ☐ banality ☐ prosaism

platonic [plətάnik]
ⓐ 관념적인, 이론적인, 관능적인 욕구가 없는
| 유의어 |
☐ abstractional ☐ ideational ☐ ideologic ☐ ideological

plauditory [pló:ditòri]
ⓐ 수긍하는, 칭찬하는
| 유의어 |
☐ laudatory ☐ complimentary ☐ commendatory ☐ eulogistic

plausible [pló:zəbl]
ⓐ 그럴듯한, 정말 같은, 이치에 맞는 듯한, 말재주가 좋은
| 유의어 |
☐ possible ☐ specious ☐ likely ☐ convincing ☐ probable ☐ persuasive ☐ conceivable ☐ feasible

plebiscite [plébisàit]
ⓝ 국민투표
| 유의어 |
☐ national vote ☐ referendum

15 **plenary** [plí:nəri]
ⓐ (권력·권위가) 무제한의, 완전한, 절대적인, (회의가) 전원 출석의
| 유의어 |
☐ thorough ☐ absolute

plenipotentiary [plènəpəténʃièri]
ⓐ 전권을 가진
| 유의어 |
☐ authorized ☐ omnicompetent ☐ all-powerful ☐ plenipotent

plenitude [plénətjù:d]
ⓝ 풍부함, 완전함
| 유의어 |
☐ affluence ☐ opulence ☐ plenty ☐ profusion ☐ sufficiency ☐ entirety ☐ wholeness

plethora [pléθərə]
ⓝ 과잉, 과다
| 유의어 |
☐ superfluity ☐ surplus

plight [plait]
ⓝ 곤경, 역경, 맹세 ⓥ ~을 맹세하다
| 유의어 |
☐ difficulty ☐ predicament ☐ quandary

20 **pluck** [plʌk]
ⓥ 뽑다, 털을 뽑다
| 유의어 |
☐ pull ☐ extract ☐ root up

plumb [plʌm]
ⓥ (신비한 것을) 파헤치다
ⓐ 수직의, 똑바른 ⓐⓓ 똑바로, 완전히
| 유의어 |
☐ root ☐ dig up
☐ vertical ☐ directly
☐ correctly ☐ completely

plummet [ˈplʌmɪt]
ⓥ 떨어지다, 폭락하다
ⓝ 추락, 하락, 곤두박질
| 유의어 |
☐ fall ☐ slump (to)

poignant [pɔ́injənt]
ⓐ 예리한, 날카로운, 통렬한
| 유의어 |
☐ piquant ☐ pungent

polarize [póulərὰiz]
ⓥ 양극화시키다, 분열시키다
| 유의어 |
☐ separate ☐ divide
☐ dichotomize

25 **polemic** [pəlémik]
ⓝ 논쟁, 논박, 논객
| 유의어 |
☐ debate ☐ disputation

politic [pάlətik]
ⓐ 사려 깊은, 분별 있는, 슬기로운, 국가의, 정치상의
| 유의어 |
☐ discreet ☐ judicious

polity [pάləti]
ⓝ 정부 형태, 정치적 조직체
| 유의어 |
☐ a form of political organization

poltroon [pɑltrú:n]
ⓝ 겁쟁이
| 유의어 |
☐ chicken ☐ dastard
☐ craven ☐ coward

polygamist [pəlígəmist]
ⓝ 다처인 사람, 일부다처주의자

30 **polyglot** [pάliglὰt]
ⓝ 수개 국어에 능통한 사람
ⓐ 수개 국어에 능통한, 여러 언어로 쓰인

pomposity [pampάsəti]
ⓝ 점잔 뺌, 거만한 언행
| 유의어 |
☐ bombast ☐ ostentation

pompous [pάmpəs]
ⓐ 거만한, 젠체하는, 화려한
| 유의어 |
☐ self-important

ponderous [pάndərəs]
ⓐ 무거운
| 유의어 |
☐ heavy

portable [pɔ́:rtəbl]
ⓐ 휴대용의, 운반할 수 있는
| 유의어 |
☐ movable ☐ handy

35 **portend** [pɔ:rténd]
ⓥ ~을 미리 알리다, ~의 전조가 되다
| 유의어 |
☐ forecast ☐ foreshow
☐ omen ☐ predict

portent [pɔ́:rtent]
ⓝ 조짐, 전조, 예고
| 유의어 |
☐ augury ☐ omen
☐ presage ☐ auspice
☐ boding ☐ bodement

portly [pɔ́:rtli]
ⓐ 건장한, 튼튼한, 살찐, 풍채 좋은
| 유의어 |
☐ corpulent ☐ obese

posterity [pastérəti]
ⓝ 자손, 후손
| 유의어 |
☐ offspring ☐ progeniture
☐ progeny ☐ scion

posthumous [pάstʃuməs]
ⓐ 사후의, 유복자로 태어난
| 유의어 |
☐ post-mortal ☐ ex post facto
☐ postmortem ☐ post-factum

40 **postprandial** [pòustprǽndiəl]
ⓐ 식후의, 정찬 후의, 식사 후의
| 유의어 |
☐ after-dinner ☐ postcibal

postulate [pάstʃulèit]
ⓝ 자명한 원리, 가정
ⓥ 가정하다, 요구하다
| 유의어 |
☐ axiom ☐ supposition
☐ assumption ☐ postulation
☐ hypothesis

posture [pάstʃər]
ⓝ 자세, 태도
ⓥ 자세를 취하게 하다, 뽐내듯 몸을 놀리다
| 유의어 |
☐ stance ☐ position
☐ pose ☐ attitude

potable [póutəbl]
ⓐ 마시기에 적합한
| 유의어 |
☐ drinkable ☐ quaffable

potent
[póutnt]

ⓐ 유력한, 세력 있는, 효능 있는, (약이) 잘 듣는, 성적 능력이 있는

| 유의어 |
☐ forceful ☐ mighty

45 **potentate**
[póutntèit]

ⓝ 군주, 주권자

| 유의어 |
☐ monarch ☐ sovereign
☐ ruler

potential
[pəténʃəl]

ⓐ ~의 가능성이 있는, 잠재적인, 은연중의
ⓝ 가능성

| 유의어 |
☐ likely ☐ possible
☐ implicit ☐ dormant

potion
[póuʃən]

ⓝ (한 번 마실 만큼의) 물약[독약], (마법의) 묘약

practicable
[prǽktikəbl]

ⓐ 사용할 수 있는, 실용적인

| 유의어 |
☐ available ☐ feasible
☐ possible

practical
[prǽktikəl]

ⓐ 실제적인, 유용한, 실제의

| 유의어 |
☐ practicable ☐ pragmatic

50 **pragmatic**
[prægmǽtik]

ⓐ 실제적인, 실용주의의

| 유의어 |
☐ practicable ☐ practical

DAY 33

prate
[preit]

ⓥ 수다 떨다, 쓸데없는 말을 하다

| 유의어 |
☐ chatter ☐ brag
☐ gasconade ☐ vaunt

precedent
[présədənt]

ⓝ 선례, 전례 ⓐ 앞서는

| 유의어 |
☐ prejudication

precept
[prí:sept]

ⓝ 교훈, 규칙

| 유의어 |
☐ decree ☐ ordinance
☐ prescript ☐ regulation
☐ statute

precipice
[présəpis]

ⓝ 절벽, 벼랑

| 유의어 |
☐ cliff ☐ bluff

05 **precipitate**
[prisípitèit]

ⓥ 거꾸로 떨어뜨리다, 재촉하다

| 유의어 |
☐ expedite ☐ haste

precipitous
[prisípətəs]

ⓐ 험한, 가파른

| 유의어 |
☐ clifflike ☐ sheer
☐ turbulent ☐ hilly
☐ bluffy

precise
[prisáis]

ⓐ 정확한, 정밀한

| 유의어 |
☐ accurate ☐ precision
☐ rigorous ☐ unerring

preclude
[priklú:d]

ⓥ 막다, 방해하다, 제외하다, 배척하다

| 유의어 |
☐ prevent ☐ deter
☐ forestall ☐ obviate

precocious
[prikóuʃəs]

ⓐ 조숙한

| 유의어 |
☐ premature ☐ force-ripe

10 **precursor**
[prikə́:rsər]

ⓝ 선구자, 선각자, 선임자, 전조

| 유의어 |
☐ harbinger ☐ herald

predatory
[prédətɔ̀:ri]

ⓐ 육식의, 약탈하는

| 유의어 |
- □ carnivorous
- □ predacious
- □ sarcophagous

predecessor
[prédəsèsər]

ⓝ 전임자, 선조, 전의 것, 앞서 있었던 것

| 유의어 |
- □ ancestor
- □ antecedent
- □ forerunner

predicament
[pridíkəmənt]

ⓝ 곤경, 상태, 경우

| 유의어 |
- □ condition
- □ state
- □ status
- □ shape
- □ situation

predicate
[prédəkeit], [prédəkət]

ⓥ 단정하다, 근거를 두다 ⓐ 단정하는

| 유의어 |
- □ base
- □ found
- □ premise
- □ ground

predilection
[prèdəlékʃən]

ⓝ 특히 좋아함, 편애

| 유의어 |
- □ tendency
- □ inclination
- □ propensity
- □ penchant

pre-eminent
[priémənənt]

ⓐ 우수한, 발군의, 탁월한

| 유의어 |
- □ distinguished
- □ notable
- □ renowned

prefatory
[préfətɔ̀:ri]

ⓐ 서문의, 머리말의, 서론의

| 유의어 |
- □ preliminary
- □ introductory
- □ inductive
- □ prolegomenous

prehensile
[prihénsil]

ⓐ 잡을 수 있는

| 유의어 |
- □ seizable
- □ catchable

prejudice
[prédʒədis]

ⓝ 편견, 선입관, 손상, 편향

| 유의어 |
- □ bias
- □ bigot

preliminary
[prilímənèri]

ⓐ 예비적인, 준비의
ⓝ 예비 시험, 예선, 준비, 서론

| 유의어 |
- □ preparatory
- □ introductory

prelude
[prélju:d]

ⓝ 소개, 전주곡, 전조, 머리말, 선구

| 유의어 |
- □ foreword
- □ overture
- □ preamble
- □ preface
- □ prologue

premeditate
[pri:méditèit]

ⓥ 미리 계획하다

| 유의어 |
- □ plan ahead for
- □ predetermine

premise
[prémis]

ⓝ 가정, 전제

| 유의어 |
- □ assumption
- □ postulate
- □ postulation
- □ presumption
- □ supposition

premonition
[prì:məníʃən]

ⓝ 예고, 예감, 전조, 사전 경고

| 유의어 |
- □ apprehension
- □ foreboding
- □ misgiving
- □ presentiment

premonitory
[primɑ́nətɔ̀:ri]

ⓐ 예고의, 전조의

| 유의어 |
- □ foreboding
- □ ominous

preponderance
[pripɑ́ndərəns]

ⓝ (힘·양 등의) 우세함

| 유의어 |
- □ predominance
- □ supremacy

preposterous
[pripɑ́stərəs]

ⓐ 앞뒤가 바뀐, 상식을 벗어난, 불합리한, 비상식적인, 터무니없는

| 유의어 |
- □ idiotic
- □ silly

prerogative
[prirɑ́gətiv]

ⓝ 특권, 대권 ⓐ 특권의

| 유의어 |
- □ special right
- □ charter
- □ privilege
- □ privileged

prescient
[ˈpresiənt]

ⓐ 예지의, 선견의, 통찰의, 선견지명이 있는

| 유의어 |
- □ prophetic

prescription
[priskrípʃən]

ⓝ 처방, 처방된 약

| 유의어 |
- □ instruction
- □ medicine
- □ treatment
- □ formula
- □ therapy

presentiment
[prizéntəmənt]

ⓝ 육감, 예감

| 유의어 |
- □ prediction
- □ presage

prestige
[prestíːʒ]

ⓝ 명성, 위신

| 유의어 |
☐ fame ☐ repute

prestigious
[prestídʒiəs]

ⓐ 유명한, 명망 있는, 일류의
ⓝ 명문, 명망, 권위

| 유의어 |
☐ famous ☐ eminent
☐ distinguished ☐ reputable
☐ renowned

presumptuous
[prizʌ́mptʃuəs]

ⓐ 건방진, 오만한, 주제넘은

| 유의어 |
☐ overweening ☐ supercilious

35 **pretend**
[priténd]

ⓥ ~인 척하다, 가장하다, 흉내 내다, 속이다
ⓐ 가짜의

| 유의어 |
☐ imitate ☐ copy
☐ ape ☐ mimic

pretentious
[priténʃəs]

ⓐ 자부하는, 뽐내는, 과장된, 허세 부리는

| 유의어 |
☐ affected ☐ ostentatious
☐ vain

preternatural
[prìːtərnǽtʃrəl]

ⓐ 불가사의한, 초자연적인

| 유의어 |
☐ supernatural ☐ abnormal
☐ magical ☐ inscrutable
☐ uncanny

proceed
[prəsíːd]

ⓥ 진행하다, 추진하다, 계속하다, 시작하다

| 유의어 |
☐ go on ☐ progress
☐ advance ☐ forge

proclaim
[proukléim]

ⓥ 선언하다, 선포하다

| 유의어 |
☐ make known ☐ disclose
☐ enunciate

40 **procure**
[prəkjúər]

ⓥ 획득하다, 조달하다

| 유의어 |
☐ obtain ☐ get
☐ come by ☐ acquire

prod
[prɑːd]

ⓝ 격려, 자극 ⓥ 자극하다, 찌르다

| 유의어 |
☐ stimulus ☐ impulse
☐ spur

progenitor
[proudʒénətər]

ⓝ 조상, 선조, 선배

| 유의어 |
☐ ancestor ☐ forefather

projecting
[prədʒéktiŋ]

ⓐ 돌출한, 툭 튀어나온

| 유의어 |
☐ prominent ☐ pendent
☐ impending

proliferation
[proulifəréiʃən]

ⓝ 확산, 증식

| 유의어 |
☐ spread ☐ dissemination
☐ diffusion ☐ accretion
☐ addition ☐ augmentation
☐ boost ☐ expansion

45 **prolific**
[proulífik]

ⓐ 다산의, 다작의

| 유의어 |
☐ fertile ☐ productive
☐ fruitful

prominent
[prámənənt]

ⓐ 탁월한, 유명한, 두드러진

| 유의어 |
☐ eminent ☐ preeminent
☐ conspicuous ☐ noticeable
☐ outstanding ☐ projecting

prophylactic
[pròufəlǽktik]

ⓐ (질병) 예방의

| 유의어 |
☐ preventive

propinquity
[proupíŋkwəti]

ⓝ 가까움, 근친

| 유의어 |
☐ proximity ☐ first cousin
☐ nearness
☐ immediate family member

propitiate
[prəpíʃièit]

ⓥ 달래다, 위로하다, 비위를 맞추다

| 유의어 |
☐ conciliate ☐ mollify
☐ pacify ☐ placate

50 **propitious**
[prəpíʃəs]

ⓐ 순조로운, 유리한, 선의의, 마음씨 고운

| 유의어 |
☐ auspicious ☐ opportune

DAY 34

proponent
[prəpóunənt]
ⓝ 제안자, 지지자, 발의자
| 유의어 |
☐ advocate ☐ supporter
☐ exponent

propound
[prəpáund]
ⓥ (학설·문제 등을) 제출하다, 제안하다
| 유의어 |
☐ propose ☐ suggest

propriety
[prəpráiəti]
ⓝ 예절; 예의바름, 단정함; 타당, 적절; 적당
| 유의어 |
☐ aptness ☐ suitability
☐ decency ☐ decorum

propulsive
[prəpʌ́lsiv]
ⓐ 추진력 있는
| 유의어 |
☐ projectile

05 **prosaic**
[prouzéiik]
ⓐ 평범한, 단조로운, 지루한, 산문적인
| 유의어 |
☐ tiresome ☐ unimaginative

proscenium
[prousí:niəm]
ⓝ 앞 무대
| 유의어 |
☐ theater stage ☐ foreground

proscribe
[prouskráib]
ⓥ 금지하다, 인권을 박탈하다, 법률 보호 밖에 두다, 추방하다
| 유의어 |
☐ ban ☐ forbid
☐ interdict ☐ prohibit

proselytize
[prásəlitàiz]
ⓥ 개종시키다, 전향시키다
| 유의어 |
☐ change ☐ proselyte
☐ make a convert of
☐ make a new man of

prospect
[práspèkt]
ⓝ 전망, 가능성, 가망성, 장래성
ⓥ 조사하다
| 유의어 |
☐ vision ☐ outlook
☐ view

10 **prostrate**
[prástreit]
ⓥ 넘어뜨리다, 엎드리게 하다, 엎드리다
| 유의어 |
☐ lie on one's face
☐ hit the deck ☐ grovel

protean
[próutiən]
ⓐ 변화무쌍한
| 유의어 |
☐ changeable ☐ mutable
☐ variable

protege
[próutəʒèi]
ⓝ 피보호자, 부하, 제자
| 유의어 |
☐ pupil ☐ disciple
☐ descendant

protocol
[próutəkɔ̀:l]
ⓝ 원안, 의정서, 행동 규약, 외교 의례

protract
[proutrǽkt]
ⓥ 연장하다
| 유의어 |
☐ extend ☐ elongate
☐ lengthen ☐ stretch

15 **protrude**
[proutrú:d]
ⓥ 튀어나오다, 돌출하다, 밀어내다, 내밀다
| 유의어 |
☐ bulge ☐ project

provenance
[právənəns]
ⓝ 기원, 출처
| 유의어 |
☐ source ☐ origin
☐ conception ☐ germ

provender
[právəndər]
ⓝ 여물, 꼴, 음식, 식량
| 유의어 |
☐ comestibles ☐ edibles

proverb
[právə:rb]
ⓝ 속담, 교훈
| 유의어 |
☐ adage ☐ wise saying
☐ precept

provident
[právədənt]
ⓐ 선견지명이 있는, 검소한, 비상시에 대비하는
| 유의어 |
☐ canny ☐ chary
☐ economical

20 **provincial**
[prəvínʃəl]
ⓐ 지방의, 편협한
| 유의어 |
☐ local ☐ insular

provisional
[prəvíʒənl]
ⓐ 일시적인, 잠정적인, 임시의
| 유의어 |
☐ conditional ☐ interim
☐ extraordinary ☐ occasional
☐ extracurricular

proviso
[prəváizou]
ⓝ 단서, 조건
| 유의어 |
☐ provision ☐ condition

provoke
[prəvóuk]
ⓥ 성나게 하다, 신경질 나게 하다, 유발시키다
| 유의어 |
☐ aggravate ☐ exasperate
☐ irritate

prowess
[práuis]
ⓝ 용기, 무용, 용감한 행위
| 유의어 |
☐ courage ☐ valor

25 **proximity**
[praksíməti]
ⓝ 근접, 가까움
| 유의어 |
☐ contiguity ☐ propinquity

proxy
[práksi]
ⓝ 대리인
| 유의어 |
☐ deputy ☐ representative
☐ agent ☐ procurator
☐ attorney ☐ surrogate

prude
[pru:d]
ⓝ 고상한 체하는 사람
| 유의어 |
☐ prim-looking person

prudent
[prú:dnt]
ⓐ 신중한, 조심스러운, 검약하는, 알뜰한
| 유의어 |
☐ circumspect ☐ discreet
☐ wary

prune
[pru:n]
ⓥ 잘라내다, 가지치기하다
ⓝ 자두, 프룬(자두의 일종)
| 유의어 |
☐ abbreviate ☐ clip
☐ disbranch ☐ abscind

30 **prurient**
[prúəriənt]
ⓐ 음란한
| 유의어 |
☐ lustful ☐ lascivious
☐ libidinous

prying
[práiiŋ]
ⓐ 캐기 좋아하는, 호기심이 강한
| 유의어 |
☐ curious ☐ inquisitive

pseudonym
[sú:dənim]
ⓝ 익명, 가명, 아호, 필명
| 유의어 |
☐ alias ☐ anonymity
☐ anonym ☐ cryptonym

psyche
[sáiki]
ⓝ 영혼, 정신
| 유의어 |
☐ spirit ☐ mind
☐ soul

psychiatrist
[saikáiətrist]
ⓝ 정신과 의사
| 유의어 |
☐ dome-doctor ☐ couch doctor
☐ headshrinker

35 **psychopathic**
[sàikəpǽθik]
ⓐ 정신병의
| 유의어 |
☐ psychotic ☐ mental
☐ psycho

psychosis
[saikóusis]
ⓝ 정신이상, 정신병
| 유의어 |
☐ mental disease ☐ psychopathy

puerile
[pjúəril]
ⓐ 어린애 같은
| 유의어 |
☐ immature ☐ childish
☐ infantile

pugnacious
[pʌgnéiʃəs]
ⓐ 호전적인, 잘 싸우는
| 유의어 |
☐ bellicose ☐ belligerent
☐ contentious ☐ militant
☐ warlike

puissant
[pjú:əsənt]
ⓐ 힘센, 강력한, 능력 있는
| 유의어 |
☐ mighty ☐ regnant
☐ predominant

40 **pulchritude**
[pʌ́lkrətjù:d]
ⓝ 미, 아름다움
| 유의어 |
☐ beauty ☐ fair face
☐ lilies and roses ☐ goodliness
☐ shapeliness

pulmonary
[pʌ́lmənèri]
ⓐ 폐(肺)의
| 유의어 |
☐ pneumonic ☐ pulmonic

pulsate
[pʌ́lseit]
ⓥ 맥박이 뛰다, 진동하다
| 유의어 |
☐ vibrate ☐ tremble
☐ palpitate ☐ oscillate

pummel
[pʌ́məl]

ⓥ 때리다

| 유의어 |
□ strike □ beat
□ hit

punctilious
[pʌŋktíliəs]

ⓐ 격식을 차리는, 세심한, 꼼꼼한

| 유의어 |
□ conscientious □ fussy
□ heedful

45 **pundit**
[pʌ́ndit]

ⓝ (인도의) 대학자, 학식인, 어떤 분야의 권위자

| 유의어 |
□ polyhistor

pungent
[pʌ́ndʒənt]

ⓐ (냄새나 맛이 불쾌하게) 강한, (말이) 신랄한

| 유의어 |
□ rank □ strong
□ tangy □ sharp

punitive
[pjú:nətiv]

ⓐ 처벌하는

| 유의어 |
□ castigatory □ disciplinary
□ correctional

purblind
[pə́:rblàind]

ⓐ 눈이 어두운, 우둔한

| 유의어 |
□ dull □ stupid

rancid
[rǽnsid]

ⓐ 불쾌한, 고약한 냄새가 나는, 역한

| 유의어 |
□ ugly □ sour
□ bad □ rotten

50 **rash**
[ræʃ]

ⓐ 경솔한, 무분별한, 성급한, 조급한

| 유의어 |
□ heedless □ imprudent
□ reckless □ foolhardy

DAY 35

reaffirm
[rì:əfə́:rm]

ⓥ 재확인하다, 다시 단언하다, 다시 긍정하다

| 유의어 |
□ reconfirm

rebellious
[ribéljəs]

ⓐ 반항적인, 거부하는, 반체제의, (사물이) 감당할 수 없는, (병이) 고치기 어려운

| 유의어 |
□ disobedient □ contumacious
□ recusant

recant
[rikǽnt]

ⓥ 철회하다, 취소하다

| 유의어 |
□ cancel □ discard
□ withdraw

receptive
[riséptiv]

ⓐ 잘 받아들이는, 감수성이 예민한, 이해가 빠른

| 유의어 |
□ acceptant □ acceptive
□ responsive

05 **recess**
[risés], [ríses]

ⓝ 휴회, 휴식, 휴정, 휴가
ⓥ 쉬다, 휴회[휴정]하다

| 유의어 |
□ adjournment □ adjourn

recession
[riséʃən]

ⓝ 철수, 후퇴, 반환

| 유의어 |
□ retreat □ setback

recipient
[risípiənt]

ⓝ 받는 사람, 수령인 ⓐ 받는, 수령하는

| 유의어 |
□ receiver

reciprocal
[risíprəkəl]

ⓐ 상호 교환할 수 있는, 상호작용하는

| 유의어 |
□ mutual □ commutual

reciprocate
[risíprəkèit]

ⓥ 주고받다, 답례하다, 보답하다, 갚다, 응수하다, (기계가) 왕복 운동을 하다

| 유의어 |
□ recompense □ requite
□ retaliate

10 **reclaim**
[rikléim]

ⓥ 되찾다, 개간하다, 재생하다

| 유의어 |
□ get back □ recover
□ recapture □ reform
□ recycle

recluse
[réklu:s]

ⓝ 속세를 떠난 사람, 은둔자
ⓐ 속세를 떠난, 은둔의

| 유의어 |
- ☐ solitary ☐ hermit
- ☐ troglodyte ☐ eremite
- ☐ isolated ☐ anchorite

reconcile
[rékənsàil]

ⓥ 화해시키다, 일치시키다, 조화시키다

| 유의어 |
- ☐ reconciliate ☐ intervene
- ☐ heal the breach
- ☐ bring ~ back together

recondite
[rékəndàit]

ⓐ 알기 어려운, 심오한, 사람에게 알려지지 않은

| 유의어 |
- ☐ dense ☐ abstract
- ☐ esoteric

recourse
[rí:kɔ:rs]

ⓝ 의지, 의지가 되는 것

| 유의어 |
- ☐ refuge ☐ resort

15 **recreant**
[rékriənt]

ⓝ 겁쟁이, 배신자

| 유의어 |
- ☐ poltroon ☐ dastard
- ☐ coward ☐ craven
- ☐ renegade ☐ apostate
- ☐ defector

recrimination
[rikrìmənéiʃən]

ⓝ 맞고소, 맞비난

| 유의어 |
- ☐ counter accusation
- ☐ counterclaim ☐ countercharge

recrudescence
[rì:kru:désns]

ⓝ 재연, 재발

| 유의어 |
- ☐ recurrence ☐ revival
- ☐ resuscitation

rectify
[réktəfài]

ⓥ 개정하다, (악습 등을) 바로잡다, 교정하다, 정류하다

| 유의어 |
- ☐ amend ☐ emend
- ☐ redress

rectitude
[réktitjù:d]

ⓝ 정직, 올바른 행위

| 유의어 |
- ☐ morality ☐ probity
- ☐ righteousness

20 **recuperate**
[rikjú:pərèit]

ⓥ 회복하다

| 유의어 |
- ☐ rebuild ☐ regain
- ☐ redeem ☐ vindicate

recurrent
[rikʌ́rənt]

ⓐ 되풀이해서 일어나는

| 유의어 |
- ☐ repeated ☐ recrudescent
- ☐ continual ☐ recurring

recurring
[rikə́:riŋ]

ⓐ 순환하는, 거듭 발생하는, 되풀이되는

| 유의어 |
- ☐ recurrent ☐ revolving
- ☐ rotatory ☐ rotative
- ☐ continual

recusant
[rékjuzənt]

ⓝ 복종 거부자, 영국 국교 기피자

| 유의어 |
- ☐ vetoer ☐ naysayer

redolent
[rédələnt]

ⓐ 향기로운, 향기가 나는, 냄새가 나는, 생각나게 하는, 암시하는

| 유의어 |
- ☐ fragrant ☐ mellow
- ☐ ambrosial

25 **redoubtable**
[ridáutəbl]

ⓐ 무서운, 가공할, 무시무시한

| 유의어 |
- ☐ appalling ☐ awful
- ☐ dreadful ☐ terrible

redress
[rí:dres]

ⓥ (잘못된 것을) 바로 잡다 ⓝ 교정, 보상

| 유의어 |
- ☐ amend(s) ☐ reparation
- ☐ restitution ☐ correct
- ☐ rectify ☐ straighten out

redundant
[ridʌ́ndənt]

ⓐ 여분의, 과다한, 잉여의, 말이 많은, 장황한

| 유의어 |
- ☐ superfluous ☐ supernumerary
- ☐ verbose ☐ garrulous
- ☐ prolix

reek
[ri:k]

ⓥ 악취를 풍기다, (연기를) 내뿜다

| 유의어 |
- ☐ smell ☐ stink

refection
[rifékʃən]

ⓝ (음식에 의한) 원기 회복, 기분전환

| 유의어 |
- ☐ diversion ☐ refreshment

30 **refectory**
[riféktəri]
ⓝ 식당
| 유의어 |
☐ restaurant ☐ dining room
☐ frater

refined
[rifáind]
ⓐ 세련된, 정제된, 정교한, 차분한, 고상한
| 유의어 |
☐ sophisticated ☐ rakish
☐ polite

refraction
[rifrǽkʃən]
ⓝ 굴절
| 유의어 |
☐ deflection ☐ inflection
☐ declension ☐ tortuosity

refractory
[rifrǽktəri]
ⓐ 말을 안 듣는, 다루기 어려운, 고집 센, 완강한, 잘 낫지 않는
| 유의어 |
☐ obstinate ☐ perverse

refurbish
[ri:fə́:rbiʃ]
ⓥ 개장하다, 다시 닦다[갈다], 일신하다
| 유의어 |
☐ renew ☐ redecorate

35 **refutation**
[rèfjutéiʃən]
ⓝ 논박, 반박
| 유의어 |
☐ contradiction ☐ disproof
☐ polemic

refute
[rifjú:t]
ⓥ 논박하다, 반박하다
| 유의어 |
☐ controvert ☐ disprove
☐ rebut

regal
[rí:gəl]
ⓐ 국왕의, 제왕의, 국왕다운, 장엄한, 당당한
| 유의어 |
☐ majestic ☐ splendid
☐ stately

regale
[rigéil]
ⓥ 흥겹게 하다
| 유의어 |
☐ feast ☐ amuse
☐ entertain

regeneration
[ridʒènəréiʃən]
ⓝ 갱생, 쇄신
| 유의어 |
☐ reconversion ☐ rebirth
☐ rejuvenation ☐ revival
☐ resuscitation

40 **regicide**
[rédʒisàid]
ⓝ 국왕 시해자, 대역죄
| 유의어 |
☐ lese majesty ☐ high treason

regime
[reɪˈʒi:m]
ⓝ 정권
| 유의어 |
☐ political power ☐ administration
☐ government

regimen
[rédʒəmən]
ⓝ 식이요법
| 유의어 |
☐ diet cure ☐ dietetic treatment
☐ alimentotherapy

rehabilitate
[rì:həbílətèit]
ⓥ 재활 치료를 하다, 회복시키다
| 유의어 |
☐ restore ☐ recover
☐ restitute

reimburse
[rì:imbə́:rs]
ⓥ 갚다, 상환하다, 변상하다, 배상하다
| 유의어 |
☐ remunerate ☐ recompense
☐ compensate

45 **reiterate**
[ri:ítəreit]
ⓥ 되풀이하다, 반복하다
| 유의어 |
☐ repeat ☐ iterate
☐ ingeminate ☐ recapitulate

rejuvenate
[ridʒú:vənèit]
ⓥ 다시 젊어지다, 활기를 띠다, 다시 젊어지게 하다
| 유의어 |
☐ youthen

relegate
[réləgèit]
ⓥ 지위를 떨어뜨리다, 추방하다, 좌천하다
| 유의어 |
☐ exile ☐ expel
☐ expatriate ☐ ostracize

relevance
[ˈreləvəns]
ⓝ 적당, 적합성, 타당성, 관련
| 유의어 |
☐ appositeness ☐ correlation
☐ feasibility

relevant
[ˈreləvənt]
ⓐ 적절한, 관련 있는, 연관된, 관계가 있는
| 유의어 |
☐ affiliated ☐ tied up with
☐ tied to

50 **relinquish**
[rilíŋkwiʃ]
ⓥ 포기하다, 그만두다
| 유의어 |
☐ cease ☐ waive
☐ resign

DAY 36

relish
[réliʃ]
ⓥ 맛을 내다, 즐기다
| 유의어 |
☐ smack ☐ savor

reluctant
[rilʌ́ktənt]
ⓐ 꺼리는, 주저하는, 내키지 않는, 망설이는, 마지못한
| 유의어 |
☐ hesitant ☐ wavering
☐ indisposed ☐ loath

remediable
[rimí:diəbl]
ⓐ 구제할 수 있는, 치료할 수 있는
| 유의어 |
☐ relievable ☐ redeemable
☐ retrievable ☐ curable

remedial
[rimí:diəl]
ⓐ 치료하는, 교정하는
| 유의어 |
☐ curing ☐ healing

05 **reminiscence**
[rèmənísns]
ⓝ 회상
| 유의어 |
☐ retrospection ☐ remembrance

remiss
[rimís]
ⓐ 태만한, 부주의한, 소홀한
| 유의어 |
☐ delinquent ☐ neglectful

remit
[rimít]
ⓥ 송금하다, 보내다, 면제하다
| 유의어 |
☐ make remittance

remnant
[rémnənt]
ⓝ 나머지, 잔여, 자취, 파편, 유물
| 유의어 |
☐ residue ☐ remains
☐ leftovers ☐ relic

remonstrate
[rimάnstreit]
ⓥ 항의하다, 이의를 말하다, 충고하다
| 유의어 |
☐ resist ☐ withstand

10 **remorse**
[rimɔ́:rs]
ⓝ 후회, 양심의 가책
| 유의어 |
☐ penitence ☐ compunction
☐ contriteness

remote
[rimóut]
ⓐ 먼, 외딴, 원격의, 희박한 ⓝ 리모컨
| 유의어 |
☐ far ☐ distant
☐ faraway

remuneration
[rimjù:nəréiʃən]
ⓝ 보상, 보수, 급료
| 유의어 |
☐ compensation ☐ consideration

remunerative
[rimjú:nərətiv]
ⓐ 보수가 있는, 보답하는, 이익이 되는
| 유의어 |
☐ lucrative ☐ profitable

rend
[rend]
ⓥ 찢다, 떼어 버리다
| 유의어 |
☐ tear ☐ cleave
☐ lacerate

15 **render**
[réndər]
ⓥ 제출하다, 제공하다, 교부하다, 연출[연주]하다, 번역하다, ~하게 하다, 묘사하다, 나타내다
| 유의어 |
☐ furnish ☐ supply
☐ delineate

rendezvous
[rά:ndivù:]
ⓝ 회합, 회동, 회합 장소
| 유의어 |
☐ appointment ☐ tryst
☐ congress ☐ sederunt
☐ synod

rendition
[rendíʃən]
ⓝ 번역, 연주
| 유의어 |
☐ interpretation ☐ version

renegade
[rénəgèid]
ⓐ 저버린, 배반의 ⓝ 변절자, 배반자
ⓥ 거역하다
| 유의어 |
☐ treason ☐ treacherous
☐ betray

renewable
[rinjú:əbl]
ⓐ 재생 가능한; 회복할 수 있는; 갱신할 수 있는
| 유의어 |
☐ regenerable

20 **repeal**
[ripí:l]
ⓥ 무효로 하다
| 유의어 |
☐ annul ☐ nullify
☐ abolish ☐ revoke
☐ rescind

replenish
[ripléniʃ]
ⓥ 재충원하다, 보충하다
| 유의어 |
☐ fill up again ☐ refill

reproduction
[ri:prədʌ́kʃən]

ⓝ 번식, 복제, 재생, 복제물

| 유의어 |
- □ breeding
- □ propagation
- □ clone
- □ facsimile
- □ duplication
- □ replication

rescind
[risínd]

ⓥ 폐지하다, 무효로 하다, 취소하다

| 유의어 |
- □ abolish
- □ suppress
- □ dismantle
- □ revoke

resentment
[rizéntmənt]

ⓝ 노함, 분개, 분노

| 유의어 |
- □ indignation
- □ wrath
- □ fury

25 **reserve**
[rizə́:rv]

ⓝ 자제, 침묵, 비축, 예비, 자금력
ⓥ 보존하다, 예약하다

| 유의어 |
- □ restraint
- □ reticence
- □ stock
- □ book

residue
[rézədjù:]

ⓝ 나머지, 잔여, 잔여 재산, 차액

| 유의어 |
- □ remains
- □ remnant
- □ leftovers
- □ rest

resilient
[rizíliənt]

ⓐ 되튀는, 탄력 있는, 쾌활한

| 유의어 |
- □ flexible
- □ supple

resolve
[rizɑ́lv]

ⓥ 해결하다, 결의하다, 대책을 마련하다, 분해하다
ⓝ 해법

| 유의어 |
- □ settle
- □ solve
- □ fix

resurgence
[resə́:rdʒəns]

ⓝ 부활, 재기

| 유의어 |
- □ reanimation
- □ rebirth
- □ regeneration
- □ rejuvenation
- □ revival
- □ resurrection

30 **retain**
[ritéin]

ⓥ 유지하다, 보유하다, 보관하다, 계속하다

| 유의어 |
- □ maintain
- □ keep
- □ sustain

retaliate
[ritǽlièit]

ⓥ 보복하다, 복수하다, 응수하다

| 유의어 |
- □ revenge
- □ get even with
- □ make a reprisal

retract
[ritrǽkt]

ⓥ 취소하다, 철회하다

| 유의어 |
- □ withdraw
- □ recant
- □ take back

retrospect
[rétrəspèkt]

ⓝ 회상, 회고, 추억

| 유의어 |
- □ reflection
- □ recollection
- □ reminiscence

revenue
[révənjù:]

ⓝ 매출, 수입, 수익, 순이익, 세입

| 유의어 |
- □ sales
- □ market
- □ selling
- □ figures

35 **reverse**
[rivə́:rs]

ⓐ 반대의
ⓥ 뒤집다, 바꾸다, 되돌리다, 파기하다

| 유의어 |
- □ opposed
- □ opponent
- □ counter

revision
[rivíʒən]

ⓝ 개정, 개편, 수정, 교정

| 유의어 |
- □ change
- □ reform
- □ alteration
- □ amendment

revulsion
[rivʌ́lʃən]

ⓝ 격변, 혐오, 반감

| 유의어 |
- □ upheaval
- □ cataclysm
- □ sudden change

riddle
[rídl]

ⓝ 수수께끼, 알아맞히기
ⓥ 수수께끼를 내다, 체질을 해서 거르다

| 유의어 |
- □ puzzle
- □ enigma
- □ conundrum

rigorous
[rígərəs]

ⓐ 엄한, 엄밀한, 엄격한

| 유의어 |
- □ obstinate
- □ harsh
- □ strict
- □ stringent

40 **rime**
[raim]

ⓝ 흰 서리

| 유의어 |
- □ white frost

ripe
[raip]

ⓐ 익은, 여문, 숙성한, 고령의

| 유의어 |
- □ mature

rip-off
['rip ɔ:f]

ⓝ 바가지, 도둑질, 사취

| 유의어 |
- □ theft
- □ stealing
- □ overcharge

risible
[rízəbl]

ⓐ 잘 웃는, 익살스러운

| 유의어 |
- □ comical
- □ droll

risqué
[riskéi]

ⓐ 아슬아슬한, 외설스러운

| 유의어 |
- □ ribald

45 **roam**
[roum]

ⓥ 돌아다니다, 배회하다 ⓝ 배회

| 유의어 |
- □ march
- □ travel
- □ hike

robust
[roubʌ́st]

ⓐ 강력한, 강건한; 활기찬

| 유의어 |
- □ stout
- □ stalwart
- □ sturdy

roil
[rɔil]

ⓥ 휘저어 섞다

| 유의어 |
- □ muddle
- □ swirl

roseate
[róuziət]

ⓐ 장밋빛의, 낙관적인

| 유의어 |
- □ rosy
- □ florid
- □ promising
- □ rosaceous

roster
[rástər]

ⓝ 명부, 등록부

| 유의어 |
- □ catalog
- □ register

50 **rostrum**
[rástrəm]

ⓝ 연단, 설교단

| 유의어 |
- □ platform
- □ pulpit

DAY 37

rote
[rout]

ⓝ 반복, 기계적인 방법, 기계적인 암기

| 유의어 |
- □ repetition
- □ reprise
- □ reiteration

rotund
[routʌ́nd]

ⓐ (사람이) 살찐, 통통한

| 유의어 |
- □ stout
- □ obese
- □ chubby
- □ corpulent
- □ fleshy

rout
[raʊt]

ⓥ 무찌르다, 패주시키다

| 유의어 |
- □ defeat
- □ confound
- □ vanquish
- □ devastate

rubble
[rʌbl]

ⓝ 깨진 기와 조각, 잡석

| 유의어 |
- □ broken stones
- □ riprap

05 **rubicund**
[rú:bikʌnd]

ⓐ 얼굴이 건강한 붉은 색을 띤, 불그스름한, 혈색이 좋은

| 유의어 |
- □ sanguine
- □ florid
- □ reddish
- □ blushful
- □ ruddy

ruddy
[rʌ́di]

ⓐ 불그스름한, 혈색이 좋은

| 유의어 |
- □ rubicund
- □ sanguine

rudimentary
[rù:dəméntəri]

ⓐ 초보의, 기초의(= foundational)

| 유의어 |
- □ basal
- □ embryonic

rueful
[rú:fəl]

ⓐ 뉘우치는, 슬픈, 풀 죽은

| 유의어 |
- □ piteous
- □ sad-looking

ruffian
[rʌ́fiən]

ⓝ 불한당, 깡패

| 유의어 |
- □ evildoer
- □ blighter
- □ bully
- □ gangster
- □ hooligan
- □ mobster

10 **ruminate**
[rú:mənèit]

ⓥ 곰곰이 생각하다, 숙고하다

| 유의어 |
- □ reflect
- □ deliberate
- □ muse
- □ meditate
- □ ponder
- □ contemplate

rummage [rʌmidʒ]
ⓥ 샅샅이 찾다, 뒤지다, 찾아내다
| 유의어 |
☐ hunt
☐ search every cranny
☐ leave no corner unsearched

run-of-the-mill
ⓐ 보통의, 평범한, 선별되지 않은
| 유의어 |
☐ ordinary ☐ average
☐ inconspicuous

rupture [rʌptʃər]
ⓝ 파열, 불화 ⓥ 찢다
| 유의어 |
☐ explosion ☐ bursting
☐ eruption

ruse [ru:z]
ⓝ 계략, 책략
| 유의어 |
☐ artifice ☐ feint
☐ maneuver

15 **rustic** [rʌstik]
ⓐ 시골의, 세련되지 않은, 투박한
| 유의어 |
☐ rural ☐ pastoral
☐ bucolic ☐ crude
☐ gauche

rusticate [rʌstikèit]
ⓥ 시골로 쫓다, 시골에 살다
| 유의어 |
☐ live in the country
☐ ruralize

ruthless [rú:θlis]
ⓐ 무정한
| 유의어 |
☐ merciless ☐ relentless

saccharine [sǽkərin]
ⓐ (너무) 단, (너무) 상냥한, 지나치게 감상적인[달콤한]
| 유의어 |
☐ sugary ☐ honeyed
☐ sappy ☐ soppy
☐ cloying

sacerdotal [sæsərdóʊtl]
ⓐ 성직자의, 사제의
| 유의어 |
☐ clerical ☐ ecclesiastical

20 **sacrosanct** [sǽkrousæŋkt]
ⓐ 지극히 신성한, 신성불가침의
| 유의어 |
☐ inviolable ☐ inviolate
☐ sacred ☐ sanctified
☐ holy ☐ divine

sadistic [sədístik]
ⓐ 병적으로 잔혹한, 변태성욕의
| 유의어 |
☐ cruel ☐ truculent

saga [sá:gə]
ⓝ 무용담, 중세 북유럽 전설
| 유의어 |
☐ a tale of bravery
☐ a rambling talk

sagacious [səgéiʃəs]
ⓐ 예리한, 기민한, 영민한
| 유의어 |
☐ sage ☐ discerning
☐ insightful ☐ judicious
☐ perceptive

salacious [səléiʃəs]
ⓐ 음란한, 호색적인
| 유의어 |
☐ lecherous ☐ libidinous
☐ libertine ☐ lewd
☐ licentious

25 **salient** [séiliənt]
ⓐ 현저한, 두드러진, 돌출한, 돌기한
ⓝ 철각
| 유의어 |
☐ conspicuous ☐ noticeable
☐ outstanding ☐ remarkable

saline [séilain]
ⓐ 소금이 든, 짠
| 유의어 |
☐ brackish ☐ briny
☐ brinish

sallow [sǽlou]
ⓐ 엷은 청황색의, 혈색이 나쁜
| 유의어 |
☐ pallid ☐ wan
☐ pale

salubrious [səlú:briəs]
ⓐ (기후·토지 등이) 건강에 좋은
| 유의어 |
☐ healthful ☐ healthy
☐ wholesome ☐ constitutional

salutary [sǽljutèri]
ⓐ (심신에) 유익한, 이로운, 건전한
| 유의어 |
☐ beneficial ☐ salubrious

30 **salvage** [sǽlvidʒ]
ⓝ 해난 구조 ⓥ 구출하다
| 유의어 |
☐ rescue ☐ retrieve

salver [sǽlvər]
ⓝ 둥근 쟁반
| 유의어 |
□ tray □ server
□ platter

sanctimonious [sæŋktəmóuniəs]
ⓐ 신앙이 깊은 체하는
| 유의어 |
□ hypocritical □ pharisaic

sanction [sǽŋkʃən]
ⓥ 인가하다, 승인하다
| 유의어 |
□ authorize □ certify

sangfroid [sɑːŋfrwɑ́ː]
ⓝ 침착, 냉정, 태연자약
| 유의어 |
□ composure □ equanimity
□ phlegm □ imperturbability

35 **sanguinary** [sǽŋgwənèri]
ⓐ 피비린내 나는, 살벌한
| 유의어 |
□ gory □ savage
□ ferocious □ tyrannical

sanguine [sǽŋgwin]
ⓐ 희망에 찬, 낙천적인, 안색이 불그스름한, 혈색이 좋은
| 유의어 |
□ optimistic □ merry
□ cheerful □ pleasant

sap [sæp]
ⓥ 수액을 짜내다, (활력 등을) 서서히 빼앗다, 파다
ⓝ 수액, 활력
| 유의어 |
□ deplete □ exhaust
□ weaken □ undermine
□ excavate

sapient [séipiənt]
ⓐ 영리한, 아는 체하는, 슬기로운
| 유의어 |
□ sage □ prudent
□ judicious

sarcasm [sɑ́ːrkæzm]
ⓝ 비꼼, 야유, 빈정거림
| 유의어 |
□ satire □ irony
□ innuendo □ causticity

40 **sarcastic** [sɑːrkǽstik]
ⓐ 비꼬는, 빈정대는
| 유의어 |
□ cynical □ satirical
□ mocking

sardonic [sɑːrdɑ́nik]
ⓐ 조소적인, 빈정대는, 냉소적인
| 유의어 |
□ scornful □ mocking
□ sneering

sartorial [sɑːrtɔ́ːriəl]
ⓐ 재봉(사)의, 의류의

sate [seit]
ⓥ 배불리 먹이다, 물리게 하다
| 유의어 |
□ glut □ gorge
□ satiate

satellite [sǽtəlàit]
ⓝ 위성, 인공위성
| 유의어 |
□ sputnik □ earth satellite
□ artificial satellite

45 **satiate** [séiʃièit]
ⓥ 만족시키다, ~을 배부르게 하다, 물리게 하다
| 유의어 |
□ sate □ cloy
□ glut □ gorge

satiety [sətáiəti]
ⓝ 포만, 만끽, 포식
| 유의어 |
□ satiation □ jaded appetite

satire [sǽtaiər]
ⓝ 풍자 문학, 풍자
| 유의어 |
□ lampoonery □ parody

satirical [sətírikəl]
ⓐ 풍자의
| 유의어 |
□ lampooning □ ridiculing

saturate [sǽtʃərèit]
ⓥ 흠뻑 적시다
| 유의어 |
□ drench □ imbue

50 **saturnine** [sǽtərnàin]
ⓐ 우울한
| 유의어 |
□ gloomy □ depressing
□ melancholy

DAY 38

saunter [sɔ́:ntər]
ⓥ 한가로이 걷다
| 유의어 |
□ stroll □ promenade
□ ramble □ amble

savant [sævɑ́:nt]
ⓝ 학자
| 유의어 |
□ scholar □ pundit
□ sage

savor [séivər]
ⓥ ~의 맛이 나다
| 유의어 |
□ taste (of) □ relish
□ smack

scanty [skǽnti]
ⓐ 적은, 부족한, 불충분한
| 유의어 |
□ scarce □ inadequate

05 **scapegoat** [skéipgoʊt]
ⓝ 속죄양, 희생양
| 유의어 |
□ victim □ a whipping boy

scavenger [skǽvindʒər]
ⓝ 청소부, 폐품업자, 썩은 고기를 먹는 동물
| 유의어 |
□ janitor □ charwoman
□ dustman

schism [sízm]
ⓝ 분리, 분열, 쪼개짐
참 discrete 분리된
| 유의어 |
□ rupture □ disintegration

scintilla [sintílə]
ⓝ 소량, 조금, 불꽃
| 유의어 |
□ mite □ indivisible
□ jot □ thimbleful

scintillate [síntəlèit]
ⓥ 불꽃을 튀기다, 번득이다
| 유의어 |
□ glitter □ twinkle
□ shimmer

10 **scoff** [skɔ:f]
ⓥ 조롱하다, 놀리다
| 유의어 |
□ deride □ flout
□ sneer

scorch [skɔ:rtʃ]
ⓥ 태우다, 타다, 욕설을 퍼붓다, 질주하다
| 유의어 |
□ burn □ roast

scotch [skɑtʃ]
ⓥ (생각이나 소문 등을) 방지하다, 중단시키다
| 유의어 |
□ prevent □ forbid
□ thwart □ preclude

scourge [skə:rdʒ]
ⓝ 채찍, 회초리, 천벌, 재앙
| 유의어 |
□ plague □ disaster
□ catastrophe □ calamity
□ havoc

scrupulous [skrú:pjuləs]
ⓐ 양심적인, 빈틈없는, 꼼꼼한
| 유의어 |
□ fussy □ heedful
□ meticulous □ punctilious

15 **scrutinize** [skrú:tənàiz]
ⓥ 면밀히 검사하다, 자세히 조사하다
| 유의어 |
□ canvass □ survey

scurrilous [skɔ́:rələs]
ⓐ 상스러운, 무례한
| 유의어 |
□ abusive □ vituperative

scuttle [skʌtl]
ⓥ 침몰시키다, 구멍을 뚫어 가라앉히다
| 유의어 |
□ sink □ swamp
□ engulf

secession [siséʃən]
ⓝ 탈퇴
| 유의어 |
□ disjunction □ separation

seclusion [siklú:ʒən]
ⓝ 격리, 은퇴, 은둔
| 유의어 |
□ reclusion □ sequestration

20 **secrete** [sikrí:t]
ⓥ 숨기다, 감추다, 은닉하다, 분비하다
ⓝ 분비물
| 유의어 |
□ conceal □ hide

sectarian [sektέəriən]
ⓐ 편협한, 근시안적인, 속 좁은, 당쟁적인, 분파적인, 종파[학파]의
| 유의어 |
□ insular □ provincial

secular [sékjulər]
ⓐ 세속적인, 교회 문제들에 관한 것이 아닌, 현세의
| 유의어 |
☐ earthly ☐ temporal

sedate [sidéit]
ⓐ 침착한, 조용한, 침울한 ⓥ 진정시키다
| 유의어 |
☐ placid ☐ serene
☐ staid ☐ solemn

sedative [sédətiv]
ⓝ 진정제 ⓐ 진정시키는
| 유의어 |
☐ tranquilizer ☐ calmative

25 **sedentary** [sédntèri]
ⓐ (일이) 앉아서 하는, (사람이) 오래 앉아 있는

sedition [sidíʃən]
ⓝ 선동, 반란, 폭동, 소란, 불순종
| 유의어 |
☐ mutiny ☐ rebellion
☐ treason

sedulous [sédʒuləs]
ⓐ 근면한
| 유의어 |
☐ industrious ☐ assiduous

seethe [si:ð]
ⓥ 소란해지다, 들끓다
| 유의어 |
☐ ferment ☐ stir

segregate [ségrigeit]
ⓥ 분리하다, 격리하다, 차별하다
| 유의어 |
☐ secede ☐ disjoin
☐ disconnect

30 **selfish** [sélfiʃ]
ⓐ 이기적인, 제멋대로 하는
| 유의어 |
☐ egoistic ☐ self-serving
☐ self-seeking

semblance [sémbləns]
ⓝ 외관, 외형, 꾸밈
| 유의어 |
☐ surface ☐ appearance
☐ external

seminal [sémənl]
ⓐ 씨앗의, 근원의, 근본의, 발생의, 미발달의, 중대한, 영향력이 큰
| 유의어 |
☐ fundamental ☐ influential

senility [siníləti]
ⓝ 노쇠, 노령
| 유의어 |
☐ dotage ☐ caducity
☐ decrepitude

sensible [sénsəbl]
ⓐ 현명한, 분별력 있는, 양식 있는, 느낄 수 있는
| 유의어 |
☐ intelligent ☐ reasonable
☐ discerning ☐ rational

35 **sensitive** [sénsətiv]
ⓐ 민감한, 섬세한, 감성적인, 신경을 쓰는, 신경질적인
| 유의어 |
☐ subtle ☐ sensuous
☐ impressionable

sensual [sénʃuəl]
ⓐ 관능적 쾌락을 쫓는, 육감적인, 요염한
| 유의어 |
☐ luscious ☐ sensuous

sensuous [sénʃuəs]
ⓐ 감각적인, 오감에 의한
| 유의어 |
☐ sensual ☐ luscious

sententious [senténʃəs]
ⓐ 교훈적인, 격언식으로 딱딱한, 금언을 즐기는, 현명한 체하는, 간결한
| 유의어 |
☐ epigrammatic ☐ laconic
☐ pithy ☐ succinct

sentient [sénʃənt]
ⓐ 지각 있는
| 유의어 |
☐ discreet

40 **septic** [séptik]
ⓐ 부패한, 부패시키는
| 유의어 |
☐ rotten ☐ venal
☐ ulcerous

sepulcher [sépəlkər]
ⓝ 무덤
| 유의어 |
☐ tomb ☐ grave
☐ a resting place

seraphic [siræ̀fik]
ⓐ (성품이) 천사와 같은, 거룩한
| 유의어 |
☐ nice ☐ good-hearted

servitude [sə́:rvitjù:d]
ⓝ 예속, 노예 상태, 징역
| 유의어 |
☐ subordination

setback [sétbæ̀k]	ⓝ 역행, 퇴보, 방해, 좌절 ㅣ유의어ㅣ □ impediment □ obstacle □ hindrance
45 **shelve** [ʃelv]	ⓥ 선반에 얹다, 보류하다, 중지하다, 연기하다 ㅣ유의어ㅣ □ place on □ defer □ delay □ hold off[on] □ hold over □ hold up □ lay over □ put off[on]
shoddy [ʃádi]	ⓐ 질이 떨어지는, 겉만 그럴듯한, 조잡한, 가짜의 ㅣ유의어ㅣ □ shabby □ pretend □ fake □ mock
showcase [ʃə́ʊkeɪs]	ⓥ 전시하다, 진열하다; (신인·신제품을) 소개하다 ⓝ 전시, 진열; 진열장 ㅣ유의어ㅣ □ exhibit □ display
shrew [ʃru:]	ⓝ 잔소리 심한 여자 ⓥ 욕을 퍼부으며 떠들다 ㅣ유의어ㅣ □ termagant □ virago
shrewd [ʃru:d]	ⓐ 영리한, 빈틈없는, 약삭빠른, 능수능란한 ㅣ유의어ㅣ □ perspicacious □ sagacious
50 **shunt** [ʃʌnt]	ⓥ 방향을 돌리다, 빗나가게 하다 ㅣ유의어ㅣ □ avert □ deflect

DAY 39

sibling [síbliŋ]	ⓝ 형제자매
sidereal [saidíəriəl]	ⓐ 항성의, 별의 ㅣ유의어ㅣ □ astral □ stellar
simian [símiən]	ⓐ 원숭이 같은 ㅣ유의어ㅣ □ monkeyish □ apish
simile [síməli]	ⓝ 직유법
05 **similitude** [simílətjù:d]	ⓝ 유사성, 비슷함, 유사, 비유, 비유의 말 ㅣ유의어ㅣ □ affinity □ analogy □ comparison □ resemblance □ similarity □ simile □ metaphor
simpering [símpəriŋ]	ⓐ 웃음 짓는, 능글능글 웃는
simulate [símjulèit]	ⓥ 가장하다, 흉내 내다, 분장하다, 의태하다 ㅣ유의어ㅣ □ pretend □ imitate □ echo □ mimic
simultaneously [ˌsaɪməlˈteɪniəsli]	ⓐⓓ 동시에, 일제히 ㅣ유의어ㅣ □ at once □ at the same time □ at a time
sinecure [sáinikjùər]	ⓝ 한직(할 일은 별로 없으면서 보수는 좋은 직책), 명예직 ㅣ유의어ㅣ □ an honorary post □ an honorary office
10 **sinewy** [sínjui]	ⓐ 강한 근육과 적은 지방을 가진, 건장한 ㅣ유의어ㅣ □ strong □ robust □ muscular □ brawny
singular [síŋgjulər]	ⓐ 유일한, 두드러진, 주목할 만한, 색다른, 기묘한 ㅣ유의어ㅣ □ exceptional □ unordinary □ odd □ peculiar

sinister
[sínəstər]
ⓐ 사악한, 불길한
| 유의어 |
☐ nefarious ☐ miscreant

sinuous
[sínjuəs]
ⓐ 구불구불한, 안팎으로 굽어진, 윤리적으로 정직하지 못한
| 유의어 |
☐ convoluted ☐ meandering
☐ tortuous

skeptic
[sképtik]
ⓝ 회의론자
| 유의어 |
☐ unbeliever ☐ doubter
☐ questioner

15 **skim**
[skim]
ⓥ 대충 읽어보다, 걷어내다
| 유의어 |
☐ glance ☐ cream off

skimp
[skimp]
ⓥ 감질나게 주다, 인색하게 주다, 절약하며 살다
| 유의어 |
☐ stint ☐ pinch
☐ spare ☐ scrimp

skinflint
[skínflint]
ⓝ 구두쇠
| 유의어 |
☐ niggard ☐ miser
☐ screw ☐ a stingy fellow
☐ a penny pincher

skittish
[skítiʃ]
ⓐ 활발한, 까불며 떠드는
| 유의어 |
☐ spirited ☐ mettlesome
☐ brisk ☐ chipper

skulduggery
[skʌldʌ́gəri]
ⓝ 부정행위, 사기
| 유의어 |
☐ injustice ☐ misprision
☐ foul play ☐ chicanery

20 **skulk**
[skʌlk]
ⓥ 숨다, 잠복하다, 숨어 다니다
| 유의어 |
☐ sneak ☐ lurk

slacken
[slǽkən]
ⓥ 속도를 늦추다, 줄이다
| 유의어 |
☐ abate ☐ wane

slake
[sleik]
ⓥ 달래다, 약화시키다, 만족시키다, 소화하다
| 유의어 |
☐ abate ☐ allay

slander
[slǽndər]
ⓝ 중상, 명예 훼손
| 유의어 |
☐ belittlement ☐ calumny

sleazy
[slíːzi]
ⓐ (행실이) 타락한
| 유의어 |
☐ slatternly ☐ sluttish
☐ sordid

25 **sleeper**
[slíːpər]
ⓝ 잠자는 사람, 예상 외로 성공한 사람[사물]
| 유의어 |
☐ unexpected winner

sleight
[slait]
ⓝ 능숙한 솜씨
| 유의어 |
☐ great dexterity

slither
[slíðəːr]
ⓥ 미끄러지다
| 유의어 |
☐ glide ☐ slide
☐ skid

sloth
[slɔːθ]
ⓝ 나태함, 게으름, 나무늘보
| 유의어 |
☐ indolence ☐ sluggishness

slough
[slau]
ⓥ (허물 등을) 벗다
| 유의어 |
☐ exuviate ☐ molt

30 **slovenly**
[slʌ́vənli]
ⓐ 꾀죄죄한, 너절한, 단정치 못한, 지저분한, 소홀한, 되는 대로의
| 유의어 |
☐ disheveled ☐ unkempt

sluggard
[slʌ́gərd]
ⓝ 게으름뱅이
| 유의어 |
☐ idler ☐ lazybones
☐ dawdler

sluggish
[slʌ́giʃ]
ⓐ 동작이 느린, 게으른, 완만한, 활기가 없는
| 유의어 |
☐ indolent ☐ slothful
☐ lethargic

smattering [smǽtəriŋ]	ⓝ 수박 겉핥기의 지식 **| 유의어 |** ☐ superficial knowledge
smirk [smə:rk]	ⓝ 능글맞은 웃음, 선웃음 ⓥ 능글능글[히죽히죽] 웃다 **| 유의어 |** ☐ a forced laugh ☐ simper
35 **smolder** [smóuldər]	ⓥ 그을다, 연기 나다, 마음속에 쌓이다 **| 유의어 |** ☐ sweal ☐ lunt
smother [ˈsmʌðər]	ⓥ ~을 질식시키다, 은폐하다 ⓝ 짙은 연기 **| 유의어 |** ☐ choke ☐ asphyxiate
smuggle [smʌ́gl]	ⓥ 밀매하다, 밀수하다
snicker [sníkər]	ⓝ 웃음을 참으며 웃기 **| 유의어 |** ☐ giggle ☐ cackle ☐ keckle
snivel [snívəl]	ⓥ 콧물[눈물]을 흘리다 **| 유의어 |** ☐ run at the nose
40 **sober** [ˈsoubər]	ⓐ 진지한, 냉정한, 침착한, 술 취하지 않은, 술 마시지 않은 **| 유의어 |** ☐ serious ☐ grave ☐ cool ☐ calm ☐ abstinent
sojourn [sóudʒə:rn]	ⓝ 체류 ⓥ 체류하다 **| 유의어 |** ☐ a brief stay ☐ stopover
solemn [sɑ́ləm]	ⓐ 엄숙한, 진지한, 장엄한 **| 유의어 |** ☐ grave ☐ serious ☐ august ☐ majestic
solicit [səlísit]	ⓥ 간청하다, 졸라대다, 잡상인 행위를 하다 **| 유의어 |** ☐ plead ☐ beg (for) ☐ implore
specific [spisífik]	ⓐ 특별한, 분명히 나타난 **| 유의어 |** ☐ special ☐ certain
45 **spectacular** [spektǽkjələr]	ⓐ 장관의, 화려한, 극적인, 멋진, 환상적인 **| 유의어 |** ☐ splendid ☐ luxurious ☐ gorgeous ☐ brave ☐ exuberant
spinach [spínitʃ]	ⓝ 시금치, 시금치 잎, 돈 **| 유의어 |** ☐ greenback
spiteful [spáitfəl]	ⓐ 악의적인 **| 유의어 |** ☐ malicious ☐ baleful ☐ despiteful ☐ hateful
spontaneous [spɑntéiniəs]	ⓐ 자발적인, 즉흥적인, 자연스러운 **| 유의어 |** ☐ voluntary ☐ automatic ☐ unpremeditated
sporadic [spərǽdik]	ⓐ 산발적인, 때때로 일어나는, 드문 **| 유의어 |** ☐ rare ☐ scarce ☐ unusual ☐ uncommon ☐ infrequent
50 **squalid** [skwɑ́lid]	ⓐ 누추한, 비열한, 지저분한 **| 유의어 |** ☐ mangy ☐ dirty ☐ unclean ☐ messy

DAY 40

stabilize [stéibəlàiz]
ⓥ 안정시키다, 견고하게 하다, 안정 장치를 하다
| 유의어 |
☐ fix ☐ balance
☐ settle

staggering [stǽgəriŋ]
ⓐ 비틀거리는, 휘청거리는, 깜짝 놀라게 하는, 막대한
| 유의어 |
☐ groggy ☐ waggly
☐ rocky ☐ wonky

stagnation [stæg|neɪʃən]
ⓝ 침체, 부진, 불황
| 유의어 |
☐ recession ☐ depression
☐ slump

staple [stéipl]
ⓐ 주요한 ⓝ 주요 산물, 기본 식품
| 유의어 |
☐ major ☐ main
☐ key ☐ leading
☐ primary

05 **state-of-the-art**
ⓐ 최첨단 기술을 사용한, 최첨단의
| 유의어 |
☐ cutting edge

stature [stǽtʃər]
ⓝ 신장, 키, 위업, 성장
| 유의어 |
☐ height

statute [stǽtʃu:t]
ⓝ 법규, 법령, 규정
| 유의어 |
☐ law ☐ bill
☐ constitution ☐ enactment
☐ ordinance

sterile [stérail, stérəl]
ⓐ 불모의, 메마른, 번식력이 없는, 살균한
cf. hygiene, disinfection 살균
cf. sanitation 공중위생
| 유의어 |
☐ barren ☐ infertile
☐ fruitless ☐ impotent
☐ aseptic ☐ germfree
☐ hygienic ☐ sanitary

stigma [stígmə]
ⓝ 치욕, 낙인, 오명
| 유의어 |
☐ disgrace ☐ dishonor
☐ shame

10 **stingy** [stíndʒi]
ⓐ 인색한, 구두쇠의
| 유의어 |
☐ miserly ☐ penny pinching
☐ parsimonious ☐ niggardly

stipulation [ˌstɪpjə|leɪʃən]
ⓝ 계약, 약정, 조건, 조항
| 유의어 |
☐ contract ☐ condition

streamline [strí:mlàin]
ⓥ 유선형으로 만들다, 간소화하다, 효율화하다, 현대적으로 하다
| 유의어 |
☐ modernize ☐ simplify

strenuous [strénjuəs]
ⓐ 분투적인, 분투하는, 격렬한
| 유의어 |
☐ vigorous ☐ dynamic

striking [stráikiŋ]
ⓐ 두드러진, 놀랄 만한, 공격의, 타격의
| 유의어 |
☐ noticeable ☐ pointed
☐ salient ☐ emphatic
☐ outstanding

15 **stringent** [stríndʒənt]
ⓐ 엄격한, 엄밀한
| 유의어 |
☐ rigid ☐ rigorous
☐ obstinate ☐ harsh
☐ severe ☐ strict
☐ stern

stubborn [stʌ́bərn]
ⓐ 완고한, 고집이 센
| 유의어 |
☐ obstinate

stumble [stʌ́mbl]
ⓥ 비틀거리다, 넘어지다, 발부리에 걸리다
| 유의어 |
☐ totter ☐ stagger
☐ reel

stupor [stjú:pər]
ⓝ 인사불성, 혼미 상태
| 유의어 |
☐ coma ☐ lethargy
☐ unconsciousness

stygian [stídʒiən]
ⓐ 캄캄한, 음침한, 지옥의
| 유의어 |
☐ dark ☐ gloomy
☐ infernal ☐ disconsolate
☐ dern

20 **stymie**
[stáimi]
ⓥ 방해하다, 애먹이다 ⓝ 난처한 상태
| 유의어 |
☐ hinder ☐ impede
☐ obstruct

suasion
[swéiʒən]
ⓝ 권고, 설득
| 유의어 |
☐ coaxing ☐ convincing
☐ inducement ☐ persuading
☐ urging

suavity
[swɑ́:vəti]
ⓝ 정중함, 우아, 세련, 상냥한 태도
| 유의어 |
☐ clemency ☐ kindliness
☐ comity ☐ amity

sub rosa
[sʌb-róuzə]
ⓐⓓ 은밀히, 비밀히, 남몰래
| 유의어 |
☐ furtively ☐ stealthily
☐ surreptitiously

subjective
[səbˈdʒektɪv]
ⓐ 주관적인, 개인적인
| 유의어 |
☐ nonobjective ☐ personal

25 **subjugate**
[sʌ́bdʒugèit]
ⓥ 정복하다, 복종시키다
| 유의어 |
☐ submit ☐ subdue
☐ hold ~ under

sublimate
[sʌ́bləmèit]
ⓥ 승화시키다, 순화하다, 정화하다
| 유의어 |
☐ purge ☐ sublime

sublime
[səbláim]
ⓐ 고상한, 숭고한 ⓥ 승화시키다
| 유의어 |
☐ grand ☐ lofty
☐ splendid

subliminal
[sʌblímənl]
ⓐ 잠재의식의
| 유의어 |
☐ subconscious

submit
[səbmít]
ⓥ 제출하다, 제시하다, 복종하다, 굴복하다
| 유의어 |
☐ present ☐ introduce

30 **subsequent**
[sʌ́bsikwə̀nt]
ⓐ 후속적인, 차후의, 후속의, 다음의
| 유의어 |
☐ ensuing ☐ posterior

subservient
[səbsə́:rviənt]
ⓐ 굽실거리는, 비굴한, 도움이 되는
| 유의어 |
☐ ignoble ☐ menial
☐ slavish

subside
[səbsáid]
ⓥ 가라앉다, 진정되다, 내려가다, 침묵하다
| 유의어 |
☐ abate ☐ slacken
☐ wane

subsidiary
[səbsídièri]
ⓐ 보조의, 종속적인, 부차적인
ⓝ 종속 회사, 자회사
| 유의어 |
☐ secondary ☐ ancillary
☐ appurtenant ☐ auxiliary

subsidize
[ˈsʌbsədaɪz]
ⓥ 원조하다, 후원하다, 보조해 주다(= give a hand)
| 유의어 |
☐ help ☐ aid
☐ assist

35 **subsidy**
[sʌ́bsədi]
ⓝ 국가의 민간에 대한 보조금
| 유의어 |
☐ a grant of money
☐ bounty ☐ contribution

subsistence
[səbsístəns]
ⓝ 존재, 호구지책, 생계, 생활, 생존
| 유의어 |
☐ maintenance ☐ sustenance

substance
[sʌ́bstəns]
ⓝ 물질; 실체; 본질, 핵심
| 유의어 |
☐ material ☐ entity

substantial
[səbstǽnʃəl]
ⓐ 실질적인, 상당한, 현저한, 중대한, 튼튼한
| 유의어 |
☐ considerable ☐ significant
☐ comparative ☐ decent

substantiate
[səbstǽnʃièit]
ⓥ 입증하다, 증명하다, 지지하다
| 유의어 |
☐ prove ☐ attest

40 **substantive**
[sʌbstə́ntiv]
ⓐ 본질적인, 실질적인
| 유의어 |
☐ substantial ☐ cardinal

subterfuge
[sʌ́btərfjù:dʒ]
ⓝ 핑계, 구실, 발뺌
| 유의어 |
☐ pretext ☐ run-around
☐ stall ☐ salvo

subtle
[ˈsʌtl]
ⓐ 미묘한, 교묘한, 섬세한, 미세한, 민감한
| 유의어 |
☐ impalpable ☐ dulcet

subversive
[səbvə́ːrsiv]
ⓐ 전복하는, 파괴하는
| 유의어 |
☐ insurgent ☐ mutinous
☐ rebellious

succinct
[səksíŋkt]
ⓐ 간결한, 간단한, 짜임새 있는
| 유의어 |
☐ concise ☐ laconic
☐ pithy

45 **succor**
[sʌ́kər]
ⓝ 보조, 원조, 구제
| 유의어 |
☐ assistance ☐ subsidizing

succulent
[sʌ́kjulənt]
ⓐ 즙이 많은, 흥미진진한
| 유의어 |
☐ juicy ☐ riveting
☐ fascinating

succumb
[səkʌ́m]
ⓥ 굴복하다, (유혹·아첨 등에) 지다, 넘어가다, 복종하다, 죽다
| 유의어 |
☐ capitulate ☐ submit
☐ surrender

suffuse
[səfjúːz]
ⓥ 확 퍼지다
| 유의어 |
☐ overspread ☐ pervade

sully
[ˈsʌli]
ⓥ ~을 더럽히다, 손상하다
| 유의어 |
☐ besmirch ☐ defile
☐ stain ☐ taint
☐ tarnish

50 **sultry**
[ˈsʌltri]
ⓐ 찌는 듯이 더운
| 유의어 |
☐ broiling hot ☐ muggy
☐ burning ☐ sweltering

DAY 41

summation
[səméiʃən]
ⓝ 요약, 최종 변론, 덧셈
| 유의어 |
☐ summary ☐ abridg(e)ment
☐ condensation

sumptuary
[sʌ́mptʃuèri]
ⓐ 비용 절감의, 사치를 금하는

sumptuous
[sʌ́mptʃuəs]
ⓐ 값비싼, 사치한, 호사스런, 굉장한, 훌륭한
| 유의어 |
☐ luxurious ☐ costly
☐ expensive ☐ superb

sunder
[sʌ́ndər]
ⓥ 분리하다, 가르다
| 유의어 |
☐ cleave ☐ dichotomize
☐ dismember ☐ sever

05 **sundry**
[sʌ́ndri]
ⓐ 다양한, 여러 개의
| 유의어 |
☐ multifarious ☐ numerous

supercilious
[sùːpərsíliəs]
ⓐ 남을 얕보는, 건방진, 거만한, 오만한
| 유의어 |
☐ arrogant ☐ disdainful
☐ insolent

superficial
[sùːpərfíʃəl]
ⓐ 표면의, 외면의, 피상적인, 깊이가 없는, 천박한, 면적의
| 유의어 |
☐ seeming ☐ exterior
☐ cursory

superfluity
[sùːpərflúːəti]
ⓝ 과다, 과잉
| 유의어 |
☐ excess ☐ supernumerary
☐ superabundance
☐ overplus ☐ surplus

superfluous
[suːpə́rfluəs]
ⓐ 여분의, 남아도는, 불필요한
| 유의어 |
☐ plus ☐ redundant
☐ unnecessary

10 **supine**
[suːpáin]
ⓐ 반듯이 누운

supplementary
[sʌpləméntəri]

ⓐ 보충의, 추가의

| 유의어 |
□ accessory □ appurtenant
□ supplemental □ additional

suppliant
[sʌ́pliənt]

ⓐ 탄원하는, 간청하는

| 유의어 |
□ supplicatory □ pleading

supplicate
[sʌ́pləkèit]

ⓥ 탄원하다, 간청하다, 애원하다, 특혜를 내려 달라고 빌다

| 유의어 |
□ beg □ beseech
□ implore □ importune
□ plead

supposititious
[səpɑ̀zitíʃəs]

ⓐ 가정되는, 가짜의, 가설적인

| 유의어 |
□ conjectural □ hypothetical
□ supposed

15 **suppurate**
[sʌ́pjurèit]

ⓥ 곪다

| 유의어 |
□ gather head □ fester
□ maturate

surcease
[sə:rsí:s]

ⓝ 중지

| 유의어 |
□ halt □ pause
□ ceasing

surfeit
[sə́:rfit]

ⓝ 과다, 과식, 과음
ⓥ 과식[과음]하게 하다, 물리게 하다, 과식하다

| 유의어 |
□ glut □ gorge
□ sate □ satiate

surly
[sə́:rli]

ⓐ 부루퉁한, 뚱한, 퉁명스런, 시무룩한

| 유의어 |
□ sullen □ dour

surmise
[sərmáiz]

ⓥ 추측하다, 짐작하다 ⓝ 추측, 짐작

| 유의어 |
□ conjecture □ suppose

20 **surrender**
[səréndər]

ⓥ 항복하다, 포기하다 ⓝ 항복, 굴복, 양도

| 유의어 |
□ capitulate □ yield
□ submit □ give up
□ give way □ foldup

surreptitious
[sə̀:rəptíʃəs]

ⓐ 비밀의, 뒤가 구린, 몰래 하는

| 유의어 |
□ secret □ private
□ underground □ cabinet
□ confidential

surveillance
[sə:rvéiləns]

ⓝ 감시, 감사, 감독

| 유의어 |
□ monitoring □ watch
□ guard □ vigil

susceptible
[səséptəbl]

ⓐ 영향을 받기 쉬운, 민감한

| 유의어 |
□ vulnerable □ sensitive

sustainability
[səstèinəbíləti]

ⓝ 지속 가능성
cf. sustainable 지속 가능한

| 유의어 |
□ continuance possibility

25 **sweeping**
[swí:piŋ]

ⓐ 포괄적인, 전반적인 ⓝ 소탕, 청소, 일소

| 유의어 |
□ broad □ extensive
□ comprehensive

synopsis
[sinɑ́psis]

ⓝ 개요, 요약

| 유의어 |
□ summary □ abstract
□ epitome

synthetic
[sinθétik]

ⓐ 인공적인, 종합의, 합성의

| 유의어 |
□ artificial □ man-made

taciturn
[tǽsətə̀:rn]

ⓐ 말수가 적은, (성격이) 뚱한

| 유의어 |
□ dumb □ laconic
□ reserved □ reticent
□ silent

tactile
[ˈtæktaɪl]

ⓐ 촉각의, 촉각으로 알 수 있는, 촉지할 수 있는

| 유의어 |
□ tactual □ antennary
□ antennal

30 **tailor**
[ˈteɪlər]

ⓥ 제작하다, 맞추다, 조정하다 ⓝ 재단사

| 유의어 |
□ customize

tamper
[tǽmpər]

ⓥ 간섭하다, 주무르다 ⓝ 메워 넣는 막대

| 유의어 |
- ☐ interfere ☐ meddle
- ☐ intervene

tangible
[tǽndʒəbl]

ⓐ 만져서 알 수 있는, 명백한

| 유의어 |
- ☐ obvious ☐ evident
- ☐ pronounced

tarnish
[tɑ́:rniʃ]

ⓥ ~을 흐리게 하다, 변색시키다, 더럽히다

| 유의어 |
- ☐ dishonor ☐ defile
- ☐ stain

taunt
[tɔ:nt]

ⓥ 비웃다, 악담을 퍼붓다
ⓐ 높고 잘 정비된

| 유의어 |
- ☐ jeer ☐ sneer
- ☐ ridicule ☐ scoff
- ☐ make fun of

35 **tenacious**
[tənéiʃəs]

ⓐ 고집하는, 집요한, 완강한, 끈질긴, 고집 센

| 유의어 |
- ☐ persistent ☐ stubborn
- ☐ diehard ☐ insistent

tenet
[ténit]

ⓝ 주의, 교의, 견해

| 유의어 |
- ☐ principle ☐ dogma

tentative
[téntətiv]

ⓐ 시험적인, 임시의, 일시적인

| 유의어 |
- ☐ momentary ☐ temporary
- ☐ of the moment

thermal
[θə́:rməl]

ⓐ 열의, 온천의

| 유의어 |
- ☐ caloric ☐ thermic

thoroughfare
[θə́:rəfὲər]

ⓝ 큰 거리, 주요 도로

| 유의어 |
- ☐ boulevard ☐ main street
- ☐ main road ☐ lane
- ☐ highroad

40 **thrall**
[θrɔ:l]

ⓝ 노예, 굴레

| 유의어 |
- ☐ slave ☐ slavery
- ☐ enslavement

threnody
[θrénədi]

ⓝ 비가, 장송가

| 유의어 |
- ☐ a song of sorrow
- ☐ requiem ☐ elegy
- ☐ dirge

threshold
[ˈθreʃhəʊld]

ⓝ 기준점, 한계점, 입구

| 유의어 |
- ☐ datum point

thrift
[θrift]

ⓝ 절약, 검소, 검약

| 유의어 |
- ☐ economy ☐ saving
- ☐ frugality

thrifty
[θrífti]

ⓐ 절약하는, 검소한

| 유의어 |
- ☐ frugal ☐ modest
- ☐ sparing

45 **throes**
[θrous]

ⓝ 심한 고통

| 유의어 |
- ☐ intense pain ☐ grievous pain
- ☐ deep distress ☐ ache

throng
[θrɔ:ŋ]

ⓝ 군중, 인파

| 유의어 |
- ☐ flock ☐ multitude

throttle
[θrátl]

ⓥ 목을 조르다, 질식시키다

| 유의어 |
- ☐ suffocate ☐ scrag
- ☐ choke ☐ smother

thwart
[θwɔ:rt]

ⓥ 방해하다, 좌절시키다, 실망시키다

| 유의어 |
- ☐ balk ☐ circumvent
- ☐ foil

timid
[tímid]

ⓐ 소심한, 내성적인, 겁 많은

| 유의어 |
- ☐ pusillanimous ☐ fainthearted
- ☐ coward ☐ mousy
- ☐ anal

50 **timidity**
[timídəti]

ⓝ 겁, 소심

| 유의어 |
- ☐ funk ☐ willies
- ☐ cowardice

DAY 42

timorous [tímərəs]
ⓐ 두려운, 벌벌 떠는, 겁 많은, 소심한
| 유의어 |
☐ cowardly ☐ timid

tipple [típl]
ⓥ 술을 자주 마시다

tirade [táireid]
ⓝ 긴 비난 연설, 격론
| 유의어 |
☐ diatribe ☐ harangue

titanic [taitǽnik]
ⓐ 거대한
| 유의어 |
☐ huge ☐ enormous
☐ gargantuan ☐ colossal
☐ tremendous ☐ prodigious

05 **titillate** [títəlèit]
ⓥ 흥을 돋우다, 흥겹게 하다, 재미나게 해 주다
| 유의어 |
☐ tickle ☐ kittle

tocsin [táksin]
ⓝ 경종
| 유의어 |
☐ alarm ☐ alert

tolerance [tálərəns]
ⓝ 관용, 포용력, 내성, 인내
| 유의어 |
☐ magnanimity ☐ generosity
☐ liberality ☐ leniency

topography [təpágrəfi]
ⓝ 지형, 지세
| 유의어 |
☐ terrain ☐ geomorphology
☐ morphology ☐ physiography

torpor [tɔ́:rpər]
ⓝ 나태, 무기력, 동면
| 유의어 |
☐ languor ☐ lassitude
☐ stolidity ☐ helplessness

10 **torque** [tɔ:rk]
ⓝ 비트는 힘, 회전력

torso [tɔ́:rsou]
ⓝ (인체의) 몸통, 토르소(몸통만으로 된 조각상)
| 유의어 |
☐ the bulk of one's body
☐ body ☐ trunk

tortuous [tɔ́:rtʃuəs]
ⓐ 비틀린, 뒤틀린, 불성실한, 솔직하지 못한, 구불구불한, 곡선으로 가득 찬
| 유의어 |
☐ sinuous ☐ serpentine
☐ cranky ☐ quirky
☐ wandering

touchstone [tʌ́tʃstoun]
ⓝ 시금석, 표준, 기준
| 유의어 |
☐ standard ☐ Lydian stone
☐ norm ☐ benchmark
☐ average ☐ criterion

touchy [tʌ́tʃi]
ⓐ 민감한, 성질내는, 신경질적인
| 유의어 |
☐ irritable ☐ petulant
☐ testy

15 **tout** [taʊt]
ⓥ (설득을 위해) 장점을 내세우다, 광고하다
| 유의어 |
☐ proclaim ☐ puff

toxic [táksik]
ⓐ 유독한 ⓝ 유독 화학약품
| 유의어 |
☐ poisonous ☐ virulent
☐ toxicant ☐ mephitic
☐ poison

tractable [trǽktəbl]
ⓐ 유순한
| 유의어 |
☐ amenable ☐ obedient

traduce [trədjú:s]
ⓥ 중상모략하다, 비방하다, 헐뜯다
| 유의어 |
☐ asperse ☐ calumniate
☐ defame ☐ malign

trait [treit]
ⓝ 특징, 특성, 특색
| 유의어 |
☐ feature ☐ character
☐ quality

20 **traitorous** [tréitərəs]
ⓐ 배신하는, 불충한, 반역죄의
| 유의어 |
☐ perfidious

trajectory [trədʒéktəri]
ⓝ (방사체가 그리는) 탄도, 궤도
| 유의어 |
☐ locus ☐ route
☐ track

trample
[trǽmpl]
ⓥ 짓밟다, 유린하다
| 유의어 |
☐ tread down ☐ override

tranquillity
[træŋkwíləti]
ⓝ 조용함, 평화
| 유의어 |
☐ composure ☐ placidity
☐ serenity

transcend
[trænsénd]
ⓥ 초월하다, 초과하다, 능가하다
| 유의어 |
☐ rise above ☐ surpass

25 **transcribe**
[trænskráib]
ⓥ 받아 쓰다, 베끼다, 복사하다, 번역하다, 편곡하다
| 유의어 |
☐ write down ☐ copy
☐ duplicate ☐ transliterate
☐ arrange

transcript
[trǽnskript]
ⓝ 사본, 복사, 성적 증명서
| 유의어 |
☐ copy ☐ duplicate

transgression
[trænsgréʃən]
ⓝ 위반, 죄
| 유의어 |
☐ contravention ☐ infraction
☐ infringement ☐ trespass

transient
[trǽnʃənt]
ⓐ 일시적인, 잠시의, 잠시 머무르는, 지속되지 않는, 덧없는, 무상한
ⓝ 일시적인 숙박자
| 유의어 |
☐ ephemeral ☐ momentary
☐ temporal ☐ unstable

transition
[trænzíʃən]
ⓝ 변화, 변천, 전이, 과도기
| 유의어 |
☐ alteration ☐ conversion
☐ transformation

30 **transitoriness**
[trǽnsətɔ̀:rinis]
ⓝ 덧없음, 일시적임, 순간적임
| 유의어 |
☐ evanescence ☐ temporality
☐ fugitiveness ☐ ephemeralness

transitory
[ˈtrænsətɔ:ri]
ⓐ 덧없는, 일시적인, 오래가지 않는
| 유의어 |
☐ temporary ☐ provisional
☐ interim ☐ pickup

translucent
[trænslú:snt]
ⓐ 반투명의, 투명한, 쉽게 이해할 수 있는
| 유의어 |
☐ diaphanous ☐ limpid
☐ pellucid ☐ translucid
☐ hyaloid

transmute
[trænsmjú:t]
ⓥ 변화시키다
| 유의어 |
☐ convert ☐ transform

transparent
[trænspɛ́ərənt]
ⓐ 투명한, 비치는, 명료한, 명백한, 솔직한
| 유의어 |
☐ lucent ☐ lucid
☐ pellucid ☐ distinct
☐ unambiguous

35 **transpire**
[trænspáiər]
ⓥ 발산하다, 배출하다, 내뿜다, 밝혀지다, 알려지다, 누설되다, 일이 일어나다
| 유의어 |
☐ leak ☐ occur
☐ emerge

trappings
[trǽpiŋz]
ⓝ 장식
| 유의어 |
☐ decoration ☐ ornamentation
☐ adornment ☐ deck
☐ trimming

traumatic
[trɔ:ˈmætɪk]
ⓐ 외상의, 정신적 쇼크의, 대단히 충격적인

travail
[ˈtræveɪl]
ⓝ 노고, 산고
| 유의어 |
☐ toil ☐ labor
☐ pains ☐ drudgery

traverse
[ˈtrævə:rs]
ⓥ 가로지르다, 횡단하다
ⓐ 가로지르는
| 유의어 |
☐ cross ☐ run through
☐ sail across ☐ transverse

40 **travesty**
[ˈtrævəsti]
ⓝ 우스꽝스럽게 고침, 서투른 모방
ⓥ ~을 희화화하다, ~을 서투르게 연기하다
| 유의어 |
☐ burlesque ☐ caricature
☐ mimicry

treachery
[trétʃəri]
ⓝ 배반, 반역
| 유의어 |
☐ disloyalty

treatise [trí:tis]
ⓝ 논문
| 유의어 |
☐ thesis ☐ disquisition
☐ dissertation

trek [trek]
ⓥ 여행하다, 이주하다 ⓝ 여행, 이주
| 유의어 |
☐ hike ☐ immigrate
☐ emigrate ☐ journey
☐ peregrinate

tremendous [triméndəs]
ⓐ 대단한, 굉장한, 엄청난, 무시무시한, 거대한
| 유의어 |
☐ vast ☐ huge
☐ immense ☐ stupendous

45 **tremor** [trémər]
ⓝ 떨림, 흔들림, 진동, 전율, 미진
| 유의어 |
☐ shivering ☐ vibration

tremulous [trémjuləs]
ⓐ 떨리는, 요동하는
| 유의어 |
☐ quivering ☐ vibrating

trenchant [tréntʃənt]
ⓐ 날카로운, 통렬한, 뚜렷한
| 유의어 |
☐ biting ☐ incisive
☐ penetrating ☐ piercing
☐ poignant

trepidation [trèpədéiʃən]
ⓝ 공포, 전율, 심한 동요
| 유의어 |
☐ dismay ☐ dread
☐ horror ☐ terror

tribulation [trìbjuléiʃən]
ⓝ 고난, 고통
| 유의어 |
☐ distress ☐ suffering
☐ affliction ☐ hardship

50 **tribunal** [traibjú:nl]
ⓝ 법정, 재판소, 법관석
| 유의어 |
☐ court ☐ law court

DAY 43

tribute [tríbju:t]
ⓝ 공물, 존경의 표시, 칭찬, 조공
| 유의어 |
☐ a tributary payment
☐ offering

trident [tráidənt]
ⓝ 삼지창, 작살
| 유의어 |
☐ a three-pronged spear
☐ fork

trifle [tráifl]
ⓝ 하찮은 일, 사소한 일
| 유의어 |
☐ a small thing

trilogy [trílədʒi]
ⓝ 3부작, 3부극, 3부곡
| 유의어 |
☐ three-decker ☐ triptych

05 **trite** [trait]
ⓐ 진부한, 흔한
| 유의어 |
☐ banal ☐ stereotyped

troth [trɔ:θ]
ⓝ 약혼, 약속, 성실, 진실, 충성
| 유의어 |
☐ betrothal ☐ loyalty
☐ allegiance ☐ adherence
☐ repletion

truculence [trʌ́kjuləns]
ⓝ 야만, 잔인
| 유의어 |
☐ barbarity ☐ brutality
☐ cruelty ☐ savagery

truism [trú:izəm]
ⓝ 공리, 자명한 이치
| 유의어 |
☐ axiom ☐ veracity
☐ verity

truncate [trʌ́ŋkeit]
ⓥ 끝을 자르다, 일부를 생략하여 줄이다
| 유의어 |
☐ abbreviate ☐ abridge
☐ curtail

10 **tumid** [tjú:mid]
ⓐ 과장된, 젠체하는, 허풍을 치는
| 유의어 |
☐ turgid ☐ grandiloquent
☐ magniloquent

tumult
[tjúːməlt]
ⓝ 큰 소동, 소란
| 유의어 |
- clamor
- hubbub
- pandemonium
- turbulence

turbid
[tə́ːrbid]
ⓐ 탁한, 어지러운, 침전물이 있는
| 유의어 |
- murky
- dreggy
- lusterless
- feculent

turbulence
[tə́ːrbjuləns]
ⓝ 교란 상태, 소란, 소동, 소요, 난류
| 유의어 |
- agitation
- commotion
- tumult
- turmoil

turbulent
[tə́ːrbjələnt]
ⓐ 사나운, 험한, 폭풍우의
| 유의어 |
- rough
- furious
- brutal
- rampant

15 **tureen**
[tjuríːn]
ⓝ 수프를 담는 움푹한 접시

turgid
[tə́ːrdʒid]
ⓐ 불어난, 팽창된
| 유의어 |
- inflated
- tumid

turmoil
[tə́ːrmɔil]
ⓝ 혼란, 소동, 동요
| 유의어 |
- agitation
- commotion
- tumult
- turbulence
- bustle
- chaos
- commotion
- uproar

turpitude
[tə́ːrpətjùːd]
ⓝ 간악함, 부도덕, 비행, 타락, 비열함
| 유의어 |
- wickedness
- rascality
- contemptibility
- miscreancy

tutelary
[tjúːtəlèri]
ⓐ 수호하는, 보호의, 후견인의
| 유의어 |
- protecting

20 **tycoon**
[taikúːn]
ⓝ 거두, 거물
| 유의어 |
- big
- don
- monarch
- magnate

tyranny
[tírəni]
ⓝ 폭정, 압제, 전제 정치
| 유의어 |
- autocracy
- despotism
- dictatorship
- totalitarianism

tyro
[táiərou]
ⓝ 초보자, 초심자
| 유의어 |
- beginner
- newbie
- novice
- rookie
- newcomer
- abecedarian
- neophyte

ubiquitous
[juːbíkwətəs]
ⓐ 도처에 있는, 편재하는
| 유의어 |
- universal
- omnipresent

unabashed
[ʌnəbǽʃt]
ⓐ 부끄러운 줄 모르는, 뻔뻔한
| 유의어 |
- shameless
- unashamed
- unblushing
- unembarrassed

25 **unanimous**
[juːnǽnəməs]
ⓐ 만장일치의
| 유의어 |
- in full accord
- of one accord
- with one voice

uncanny
[ʌnkǽni]
ⓐ 불가사의한, 무시무시한, 신비로운, 뛰어나게 잘하는
| 유의어 |
- odd
- cryptic
- arcane
- abnormal
- bizarre
- inscrutable
- supernatural

underprivileged
[ˌʌndərˈprɪvəlɪdʒd]
ⓐ 혜택을 받지 못한, 소외 계층의
| 유의어 |
- poor

unequivocal
[ʌ̀nikwívəkəl]
ⓐ 분명한, 모호하지 않은, 명백한, 절대적인
| 유의어 |
- definite
- clear-cut
- apparent
- decided
- distinct
- evident

unexpurgated
[ʌ̀nékspəːrgèitid]
ⓐ 완전판의, 수정을 받지 않은, 삭제되지 않은
| 유의어 |
- uncut

30 **uninterrupted**
[ʌ̀nintərʌ́ptid]
ⓐ 끊임없는, 연속된; 방해받지 않는
| 유의어 |
- continuous
- unceasing

unkempt
[ˌʌnˈkempt]
ⓐ 흐트러진, 어질러진, 단정하지 못한
| 유의어 |
- disheveled
- shook-up
- blowsy

unobtrusive
[ʌ̀nəbtrúːsiv]

ⓐ 삼가는, 겸손한, 주제넘지 않은

| 유의어 |
- ☐ temperate ☐ retiring
- ☐ diffident ☐ restrained

unprecedented
[ʌnprésidèntid]

ⓐ 유례없는, 새로운, 혁신적인, 엄청난

| 유의어 |
- ☐ unparalleled ☐ unsurpassed
- ☐ extraordinary ☐ exceptional

unquenchable
[ʌnˈkwentʃəbəl]

ⓐ 충족시킬 수 없는, 막을 수 없는

| 유의어 |
- ☐ insatiable ☐ unstoppable

35 **unrelenting**
[ʌ̀nriléntiŋ]

ⓐ 무자비한, 확고부동한, 엄한

| 유의어 |
- ☐ ruthless ☐ relentless
- ☐ merciless

unwieldy
[ʌnˈwiːldi]

ⓐ 다루기 어려운, 거추장스러운

| 유의어 |
- ☐ unmanageable

unwitting
[ʌnwítiŋ]

ⓐ 모르는, 무의식적인, 의식하지 않은

| 유의어 |
- ☐ ignorant ☐ unknowing
- ☐ uninformed ☐ unconscious

urbane
[əːrbéin]

ⓐ 세련된, 도시풍의, 우아한

| 유의어 |
- ☐ citified ☐ urban

usurp
[juːsə́ːrp]

ⓥ 강탈하다, 침해하다

| 유의어 |
- ☐ arrogate ☐ appropriate
- ☐ commandeer

40 **usury**
[júːʒəri]

ⓝ 고리대금업

| 유의어 |
- ☐ gombeen ☐ juice racket

utopia
[juːtóupiə]

ⓝ 유토피아(사회·정치적 제도가 완벽한 상상의 세계), 이상향

| 유의어 |
- ☐ paradise ☐ ideal land
- ☐ El Dorado ☐ Elysium
- ☐ cloud-world ☐ pie in the sky

utter
[ʌ́tər]

ⓥ 말하다 ⓐ 완전한, 전적인

| 유의어 |
- ☐ say ☐ tell
- ☐ state ☐ talk
- ☐ complete

uxorious
[ʌksɔ́ːriəs]

ⓐ 애처가인

vacant
[véikənt]

ⓐ 빈, 공허한, 공석인, 멍한, 한가한

| 유의어 |
- ☐ empty ☐ blank
- ☐ void ☐ unoccupied
- ☐ unfilled ☐ available
- ☐ vacuous

45 **vacillation**
[væ̀səléiʃən]

ⓝ 변화, 동요, 흔들림

| 유의어 |
- ☐ agitation ☐ turmoil
- ☐ disturbance ☐ excitement

vacuous
[vǽkjuəs]

ⓐ 텅 빈, 공허한

| 유의어 |
- ☐ vacant ☐ void

vagabond
[vǽgəbɑ̀nd]

ⓝ 방랑자, 유랑자

| 유의어 |
- ☐ migrant ☐ vagrant

vagary
[vəgɛ́əri,véigəri]

ⓝ 엉뚱한 짓, 변덕, 예측 불허의 변화

| 유의어 |
- ☐ caprice ☐ capriciousness

vain
[vein]

ⓐ 보람 없는, 헛된, 허영심이 강한

| 유의어 |
- ☐ ungrateful ☐ thankless
- ☐ bootless

50 **vainglorious**
[veinglɔ́ːriəs]

ⓐ 자랑하는, 허영심이 강한, 지나치게 자만에 찬

| 유의어 |
- ☐ vain

DAY 44

valedictory [vælədíktəri]
ⓐ 고별의, 작별의
| 유의어 |
☐ farewell ☐ apopemptic

validate [vælədèit]
ⓥ 확인하다, 비준하다
| 유의어 |
☐ authenticate ☐ corroborate
☐ justify ☐ substantiate

valor [vælər]
ⓝ 용맹, 용기
| 유의어 |
☐ courage ☐ fortitude
☐ intrepidity

vanguard [vængɑ̀:rd]
ⓝ 선두, 지도적인 지위, 전위
| 유의어 |
☐ van ☐ head
☐ lead ☐ forefront
☐ cutting edge ☐ a front runner
☐ avant-garde ☐ new wave

05 **vantage** [væntidʒ]
ⓝ 우월한 위치, 유리
| 유의어 |
☐ favorableness
☐ advantageousness

vapid [væpid]
ⓐ 맛없는, 김빠진, 텅 빈
| 유의어 |
☐ unpalatable ☐ insipid
☐ unsavory

variegated [vέəriəgèitid]
ⓐ 잡색의, 얼룩덜룩한
| 유의어 |
☐ motley ☐ piebald
☐ pied

variety [vəráiəti]
ⓝ 변화, 다양, 여러 종류, 여러 가지, 각양 각색, 버라이어티
| 유의어 |
☐ difference ☐ variation
☐ diversity

vassal [væsəl]
ⓝ 봉건시대의 가신, 부하 ⓐ 종속적인

10 **vaunted** [vɔ́:ntid]
ⓐ 자랑하는, 허풍 떠는, 칭찬해 대는

veer [viər]
ⓥ 방향을 바꾸다
| 유의어 |
☐ turn over ☐ change round

vegetate [védʒətèit]
ⓥ 무위도식하다, 하는 일 없이 지내다
| 유의어 |
☐ live on one's own fat
☐ live on one's capital
☐ vegetablize

vehement [ví:əmənt]
ⓐ 격렬한, 생기 넘치는
| 유의어 |
☐ fervent ☐ fervid
☐ passionate

velocity [vəlɑ́səti]
ⓝ 속도
| 유의어 |
☐ rate ☐ rapidity
☐ tempo

15 **venal** [ví:nl]
ⓐ 뇌물을 받고 매수되는, 매수되기 쉬운
| 유의어 |
☐ bribable ☐ corruptible

vendetta [vendétə]
ⓝ 복수, 개인 간의 싸움, 장기간에 걸친 불화
| 유의어 |
☐ revenge ☐ vengeance

vendor [véndər]
ⓝ 노점상, 행상, 노점상인
| 유의어 |
☐ hawker ☐ peddle
☐ pearly ☐ duffer

veneer [vəníər]
ⓝ 얇은 층, 겉치레
| 유의어 |
☐ gloss ☐ pretense
☐ acting ☐ guise

venerable [vénərəbl]
ⓐ 존경할 만한, 존경받는
| 유의어 |
☐ admirable ☐ revered
☐ worthy

20 **venerate** [vénərèit]
ⓥ 존경하다, 숭배하다
| 유의어 |
☐ adore ☐ worship

venial [ví:niəl]
ⓐ 용서할 수 있는, 사소한
| 유의어 |
☐ pardonable ☐ unimportant
☐ inconsiderable ☐ petit
☐ inconsequential

venomous [vénəməs]
ⓐ 독을 분비하는, 독이 있는, 해를 주는
| 유의어 |
□ poisonous □ virulent
□ baneful

vent [vent]
ⓝ 작은 구멍, 배출구
ⓥ 발산하다, 배출하다, 표현하다, 토로하다
| 유의어 |
□ aperture □ orifice
□ emit □ expel

ventral [véntrəl]
ⓐ 복부의
| 유의어 |
□ abdominal □ alvine

25 **venturesome** [véntʃərsəm]
ⓐ 대담한, 무모한, 모험적인
| 유의어 |
□ venturous □ imprudent
□ temerarious □ reckless

venturous [véntʃərəs]
ⓐ 모험적인, 무모한, 대담한
| 유의어 |
□ venturesome □ imprudent
□ temerarious □ rash

veracious [vəréiʃəs]
ⓐ 진실한, 정직한
| 유의어 |
□ candid □ frank
□ honest □ ingenuous
□ sincere

verbalize [və́:rbəlàiz]
ⓥ 말로 나타내다, 표현하다
㊟ verbal 언어적인
| 유의어 |
□ utter □ tell
□ voice □ word

verbatim [vərbéitim]
ⓐ 말 그대로의 ⓐⓓ 한마디 한마디

30 **verbiage** [və́:rbiidʒ]
ⓝ 군말이 많음, 말투
| 유의어 |
□ garrulity □ loquacity
□ verbosity

verbose [vɜ:rbous]
ⓐ 말 많은, 장황한
| 유의어 |
□ garrulous □ talkative
□ wordy

verdant [ˈvɜ:dnt]
ⓐ 푸릇푸릇한, 신선한
| 유의어 |
□ verdurous □ virid
□ green

verdict [və́:rdikt]
ⓝ 판결, 심판, 결정, 의견
| 유의어 |
□ ruling □ decision
□ judgement

verge [və:rdʒ]
ⓝ 가장자리, 경계
| 유의어 |
□ edge □ fringe
□ margin

35 **verity** [vérəti]
ⓝ 진실, 사실성
| 유의어 |
□ truism □ veracity

versatile [ˈvɜ:rsətl]
ⓐ 다재다능한, 다방면의, 용도가 다양한
| 유의어 |
□ talented □ all-around
□ protean □ many-sided

vessel [vésəl]
ⓝ 선박, 배, 혈관, 물관
| 유의어 |
□ ship □ boat
□ tanker

veto [ví:tou]
ⓥ 거부하다, 거부권을 행사하다
| 유의어 |
□ refuse □ reject
□ decline

viable [váiəbl]
ⓐ 생육할 수 있는, 실행 가능한, 생존 가능한
| 유의어 |
□ workable □ practicable
□ actable

40 **vicarious** [vɪˈkeəriəs]
ⓐ 대리의, 대신의
| 유의어 |
□ surrogate □ substitutional

vicinity [visínəti]
ⓝ 근처, 인접, 근접, 주변
| 유의어 |
□ the area around a particular place

vigilant [vídʒələnt]
ⓐ 경계하는, 밤새워 지키는, 방심하지 않는
| 유의어 |
□ watchful □ wide-awake
□ on the alert

villain
[vílən]

ⓝ 악당, 악한, 악역

| 유의어 |
- ☐ rascal
- ☐ hooligan

volatile
[ˈvɑːlətl]

ⓐ 휘발성의, 경솔한, 변덕스러운

| 유의어 |
- ☐ vaporizable
- ☐ capricious
- ☐ fickle
- ☐ inconstant
- ☐ unstable

45 **volition**
[voulíʃən]

ⓝ 의지, 결의, 결단력

| 유의어 |
- ☐ will
- ☐ morale
- ☐ conatus
- ☐ forwardness

voluble
[váluəbl]

ⓐ 수다스러운, 달변의, 웅변의, 유창한, 회전성의

| 유의어 |
- ☐ fluent
- ☐ tripping
- ☐ eloquent

voluminous
[vəlúːmənəs]

ⓐ 여러 권으로 된, 권수가 많은, 덩치 큰

| 유의어 |
- ☐ good deal of
- ☐ copious

voracious
[vɔːréiʃəs]

ⓐ 포식하는, 탐욕스러운, 물릴 줄 모르는

| 유의어 |
- ☐ covetous
- ☐ gluttonous
- ☐ greedy
- ☐ rapacious
- ☐ ravening

vouchsafe
[vautʃséif]

ⓥ (친절하게도) ~해 주시다, 허락하다, 보증하다

| 유의어 |
- ☐ undertake
- ☐ guarantee
- ☐ assure

50 **vulnerable**
[vʌ́lnərəbl]

ⓐ 영향 받기 쉬운, 민감한, 취약한

| 유의어 |
- ☐ sensitive
- ☐ impressionable
- ☐ susceptible
- ☐ oversusceptible
- ☐ suggestible

DAY 45

vulpine
[vʌ́lpain]

ⓐ 여우의, 여우 같은, 교활한, 간사한

| 유의어 |
- ☐ astute
- ☐ guileful
- ☐ sly
- ☐ wily

waggish
[wǽgiʃ]

ⓐ 장난을 좋아하는, 유머가 있는, 우스꽝스러운

| 유의어 |
- ☐ droll
- ☐ laughable
- ☐ pawky
- ☐ gamesome
- ☐ facete
- ☐ facetious

waif
[weɪf]

ⓝ 부랑아, 집 없는 아이, (소유주 불명의) 동물, 마른 젊은 여자

| 유의어 |
- ☐ vagrant
- ☐ street child
- ☐ orphan
- ☐ homeless child
- ☐ stray
- ☐ thin young woman

waive
[weiv]

ⓥ 버리다, 일시적으로 포기하다, 양보하다

| 유의어 |
- ☐ cede
- ☐ relinquish

05 **wallow**
[ˈwɑːloʊ]

ⓥ 뒹굴다

| 유의어 |
- ☐ tumble
- ☐ welter

wan
[wan]

ⓐ 파랗게 질린, 창백한

| 유의어 |
- ☐ ashen
- ☐ pasty
- ☐ gray
- ☐ sallow
- ☐ colorless
- ☐ waxy

wane
[wein]

ⓥ (달이) 이지러지다, 작아지다

| 유의어 |
- ☐ abate
- ☐ subside

wangle
[wǽŋgl]

ⓥ 교묘히 손에 넣다, 부정한 책략을 쓰다, 그럴듯하게 꾸미다

| 유의어 |
- ☐ fake

wanton
[wántən]

ⓐ 방종한, 다루기 힘든, 과한, 무자비한

| 유의어 |
- ☐ perverse
- ☐ wayward
- ☐ lustful
- ☐ bestial
- ☐ brutal
- ☐ cruel

10 **warble**
[wɔ́:rbl]
ⓥ 노래하다, 지저귀다
| 유의어 |
☐ sing ☐ twitter
☐ carol ☐ chitter
☐ tweet

warrant
[wɔ́:rənt]
ⓥ 정당화하다, 인정하다, 보증하다
ⓝ 영장, 보증서
| 유의어 |
☐ sanction ☐ guarantee

warranty
[wɔ́:rənti]
ⓝ 보장, 품질 보증
| 유의어 |
☐ security ☐ guarantee

wary
[wɛ́əri]
ⓐ 주의 깊은
| 유의어 |
☐ cautious ☐ circumspect
☐ discreet

wastrel
[wéistrəl]
ⓝ 낭비자, 부랑자
| 유의어 |
☐ lecher ☐ libertine
☐ profligate

15 **wax**
[wæks]
ⓥ 증대하다, 커지다
| 유의어 |
☐ expand ☐ multiply

waylay
[weiléi]
ⓥ 잠복하다, 숨어 기다리다
| 유의어 |
☐ skulk ☐ lurk
☐ lay for

wean
[wi:n]
ⓥ 떼어 놓다, 단념케 하다
| 유의어 |
☐ alienate ☐ estrange

well-to-do
ⓐ 유복한, 부유한
| 유의어 |
☐ wealthy ☐ affluent
☐ opulent ☐ rich
☐ better-off ☐ well-off

wheedle
[wí:dl]
ⓥ (감언이설로) 속이다, 달래다

20 **whet**
[wet]
ⓥ 갈아서 날카롭게 하다, 자극시키다
| 유의어 |
☐ sharpen ☐ stimulate

whimsical
[wímzikəl]
ⓐ 변덕스러운, 환상적인, 기묘한
| 유의어 |
☐ vagarious ☐ odd
☐ peculiar ☐ uncanny

whinny
[wíni]
ⓥ 말처럼 울다
| 유의어 |
☐ hinny

whit
[wit]
ⓝ 약간, 조금
| 유의어 |
☐ a small quantity
☐ little ☐ touch
☐ dash

whitewash
[ˈwaɪtwɒʃ]
ⓝ 백색 도료, 회반죽
ⓥ ~에 백색 도료를 바르다

25 **willful**
[wílfəl]
ⓐ 의도적인, 계획적인, 고집 센, 완고한
| 유의어 |
☐ intractable ☐ obstinate

wily
[wáili]
ⓐ 교활한, 능수능란한
| 유의어 |
☐ astute ☐ crafty
☐ guileful

windfall
[ˈwɪndfɔ:l]
ⓝ 바람에 떨어진 과실, 뜻밖의 횡재

winsome
[wínsəm]
ⓐ 매력 있는, 붙임성이 있는, 쾌활한, 유쾌한
| 유의어 |
☐ attractive ☐ charming
☐ captivating ☐ sportive
☐ gay

winter
[ˈwɪntə(r)]
ⓥ (어디에서) 겨울을 나다
ⓝ 겨울
| 유의어 |
☐ overwinter

30 **withdrawal**
[wiðˈdrɔ:əl]
ⓝ 철회, 취소, 탈퇴
| 유의어 |
☐ pullback ☐ pullout
☐ recession ☐ retirement
☐ retreat

witless
[wítlis]
ⓐ 어리석은, 멍청한
| 유의어 |
☐ silly ☐ unwitty
☐ asinine

witticism
[wítəsìzm]

ⓝ 재담, 익살, 경구

| 유의어 |
☐ drollery ☐ saying
☐ wisecrack ☐ aphorism

wizardry
[wízərdri]

ⓝ 마법, 마력

| 유의어 |
☐ spell ☐ charm
☐ sorcery ☐ thaumaturgy
☐ glamour ☐ incantation

wizened
[wíznd]

ⓐ 시든, 주름진

| 유의어 |
☐ sear ☐ flaggy
☐ blasted

35 **wont**
[wɔ:nt]

ⓝ 습관, 상습

| 유의어 |
☐ habit ☐ lifestyle
☐ way ☐ custom
☐ practice

woo
[wu:]

ⓥ 구애하다, 얻으려고 노력하다, 지지를 얻으려고 애쓰다

| 유의어 |
☐ pay court to ☐ pursue

worldly
[wə́:rldli]

ⓐ 이 세상의, 세속적인

| 유의어 |
☐ earthly ☐ mundane
☐ secular

wraith
[reiθ]

ⓝ 유령, 망령

| 유의어 |
☐ apparition ☐ specter
☐ hallucination

wrangle
[rǽŋgl]

ⓝ 말다툼, 논쟁
ⓥ 왁자지껄 다투다, 말다툼하다, 언쟁하다

| 유의어 |
☐ dispute ☐ altercate

40 **wrench**
[rentʃ]

ⓥ 비틀다[잡아떼다], 삐다, 왜곡하다

| 유의어 |
☐ twist ☐ wring
☐ screw ☐ sprain
☐ wrick ☐ distort
☐ warp

wrest
[rest]

ⓥ 비틀다, 억지로 빼앗다, 노력하여 얻다

| 유의어 |
☐ wrench ☐ scrape (up)
☐ squeeze ☐ extort
☐ scrounge

writhe
[raið]

ⓥ 몸부림치다, 몸을 뒤틀다

| 유의어 |
☐ contort ☐ distort
☐ entwine

wry
[rai]

ⓐ 뒤틀린, 굽은, 비꼬는, 냉소적인

| 유의어 |
☐ contorted ☐ distorted
☐ cynical

yardstick
[ˈjɑ:rdstɪk]

ⓝ 기준, 척도

| 유의어 |
☐ criterion ☐ barometer
☐ benchmark ☐ touchstone
☐ standard

45 **yearn**
[jə:rn]

ⓥ 갈망하다, 동경하다

| 유의어 |
☐ ache (for) ☐ covet
☐ crave ☐ desiderate
☐ die (for) ☐ itch (for)
☐ pine (for) ☐ hanker (for/after)

yield
[ji:ld]

ⓥ 생산하다, 항복하다, 양도하다
ⓝ 산출, 생산, 이율

| 유의어 |
☐ output ☐ product
☐ bow ☐ give in
☐ cave in ☐ submit
☐ surrender ☐ earnings

yoke
[jouk]

ⓥ ~에 멍에를 씌우다, 이어 매다, 결합시키다
ⓝ 멍에, 연결, 결합, 속박, 굴레

| 유의어 |
☐ combine ☐ conjoin
☐ conjugate ☐ connect
☐ chain ☐ interconnect
☐ bondage ☐ enslavement
☐ servility ☐ combination

zealot
[zélət]

ⓝ 열광자, 지나친 열성을 보이는 사람

| 유의어 |
☐ fanatic ☐ aficionado
☐ enthusiast

zenith
[zí:niθ]

ⓝ 하늘의 꼭대기, 천정, 정점

| 유의어 |
☐ acme ☐ apogee
☐ culmination ☐ apex

50 **zephyr**
[zéfər]

ⓝ 산들바람, 미풍, 서풍

| 유의어 |
☐ gentle wind ☐ breeze

ENERGY

행복의 문이 하나 닫히면 다른 문이 열린다.
그러나 우리는 종종 닫힌 문을 멍하니 바라보다가
우리를 향해 열린 문을 보지 못하게 된다.

– 헬렌 켈러(HELEN KELLER)

PART

III

공시 실전숙어

WHY? 공시 실전숙어

공시 실전숙어는 숙어 자체가 출제되기보다는 숙어로서 지문, 즉 문장 내에서 쓰이는 빈도가 상당히 높아 암기해 둬야 하는 파트이다. 수험생들은 단어의 개별적인 의미는 알지만 여러 단어가 합쳐져 새로운 관용표현으로 재탄생할 때의 의미는 낯설 수 있다. 이에 문맥 속 의미 파악이 매우 중요하므로 각 문장에서 숙어가 어떻게 쓰이는지를 예문을 통해 파악하고 반복하여 암기하는 것이 좋겠다.

공시 실전숙어

점수 잡는 학습법▶ 개별적인 단어가 아니라 숙어를 이루고 있는 구를 입으로 외면서 여러 번 회독하고, 형광펜을 이용하여 덩어리 개념으로 이해하기를 권한다. 이후 독해 지문에서도 숙어를 발견하면 단순히 직역하는 것이 아니라 해당 숙어의 의미로 의역하는 연습을 해야 한다.

DAY 46

a bone of contention

논란거리, 분쟁의 원인(= dragon's teeth)

Johansson may have **a bone of contention** with a particular denomination.
Johansson은 특별한 명칭 때문에 논란거리를 갖게 될지도 모른다.

a drop in the bucket
= a drop in the ocean, the tip of the iceberg

창해일속(滄海一粟), 극소량

The money Johansson paid back was only **a drop in the bucket** compared to what she owes.
Johansson이 돌려준 돈은 그녀가 빚진 것에 비해서 아주 적은 양이었다.

a fine kettle of fish
= a pretty kettle of fish

혼란, 엉망인 상태

Here's **a fine kettle of fish**!
야단났어!

abide by
= keep, be faithful to

지키다, 따르다

An honorable man always **abides by** his promises.
존경할 만한 사람은 항상 자신의 약속을 지킨다.

05

above all (things)
= more than anything else

무엇보다도

Attend to your business **above all things**.
무엇보다도 너의 업무에 힘써라.

abstain from
= refrain from

~을 삼가다

People must **abstain from** speaking ill of others.
사람들은 남을 헐뜯는 것을 삼가야 한다.

according as+절 / to+구
= in proportion as, on the authority of

~에 따라서

According as the demand of the item increases, the price of it goes up.
그 아이템의 수요가 증가함에 따라서, 그것의 가격은 올라간다.

According to today's paper, there was a big fire in Seoul.
오늘 신문에 의하면, 서울에 큰 화재가 있었다.

account for
= explain

설명하다

Johansson's idleness **accounts for** her failure.
Johansson의 게으름은 그녀의 실패를 설명해준다.

adhere to
= stick to

~을 고수하다, 들러붙다

Beckham **adheres to** the party to the end.
Beckham은 끝까지 그 정당을 지지[고수]한다.

10

after all
= in the end, eventually

결국

You see Johansson was right **after all**.
결국 Johansson이 옳았다는 것을 당신은 안다.

again and again
= repeatedly

반복해서, 되풀이해서

Beckham makes the same mistakes **again and again**.
Beckham은 되풀이해서 같은 실수들을 저지른다.

agree to+사물
= consent to

~에 동의하다

I cannot **agree to** Johansson's proposal.
나는 Johansson의 제안에 동의할 수 없다.

agree with+사람
= be of the same mind, suit

~에게 적합하다; ~에 동의하다

The climate here does not **agree with** Johansson.
이곳의 기후는 Johansson에게 적합하지 않다.

all at once
= suddenly, on a sudden

갑자기

All at once the sky became dark.
갑자기 하늘이 어두워졌다.

15

all but
= almost

거의

It took Johansson **all but** ten years to attain her dream as an actress.
Johansson은 배우라는 그녀의 꿈을 이루는 데 거의 10년이 걸렸다.

all the same
= nevertheless

그래도, 그럼에도 불구하고

Beckham has many faults, but she loves him **all the same**.
Beckham은 결점이 많지만, 그래도 그녀는 그를 사랑한다.

and so on
= and so forth, and what not

~ 등등, 따위

Beckham asked Johansson's name, her age, her address **and so on**.
Beckham은 Johansson의 이름과 나이, 주소 등등을 물어봤다.

answer for
= be responsible for

~에 대해 책임지다, 보증하다

I cannot **answer for** Johansson's honesty.
나는 Johansson의 정직을 보증할 수 없다.

anything but
= never

결코 ~이 아닌

Johansson's English is **anything but** correct.
Johansson의 영어는 결코 정확하지 않다.

20 **apart from**
= independently of

~은 별도로 하고

Apart from joking, what do you intend to do?
농담은 그만두고, 너는 무얼 할 작정이니?

apply for
= make a formal request

~을 신청하다, ~에 지원하다

Johansson **applied for** a membership in the club.
Johansson은 그 클럽의 회원권을 신청했다.

apply oneself to
= give all one's energy to, dedicate

~에 전념하다

Beckham **applied himself to** the study of English.
Beckham은 영어 공부에 전념하였다.

apply to
= concern, fit

~에 적용되다

This rule **applies to** all the students.
이 규칙은 모든 학생들에게 적용된다.

(be) apt to+동사원형
= (be) likely to, (be) liable to, (be) prone to

~하기 쉬운

People **are apt to** be wasteful of time.
사람들은 시간을 낭비하기 쉽다.

25 **as a matter of fact**
= in fact

사실

As a matter of fact, Johansson knows nothing about the matter.
사실, Johansson은 그 문제에 대해 아무것도 모른다.

as a rule
= usually, on the whole

통상, 대체로

People work ten hours a day **as a rule**.
사람들은 통상 하루에 10시간을 일한다.

as deep as a well
= unreadable, undecipherable

이해하기 어려운

The theory was **as deep as a well**.
그 이론은 이해하기 어려웠다.

as for
= speaking of

~에 관하여 말하면

As for clothing, for instance, Johansson is always in shorts.
예를 들어 옷에 관해 말하면, Johansson은 늘 반바지 차림이다.

as good as
= practically, no better than

(사실상) ~와 같은

Beckham **as good as** called me a coward.
Beckham은 나를 겁쟁이라고 부른 것이나 마찬가지였다.

30 **as it were**
= so to speak

말하자면, 이를테면

Beckham is, **as it were**, a bookworm.
말하자면, Beckham은 책벌레이다.

as likely as not
= probably

거의 틀림없이

Beckham will fail **as likely as not**.
Beckham은 거의 틀림없이 실패할 것이다.

as regards
= as to, regarding, concerning

~에 관하여

As regards money, Beckham has enough.
돈에 관해서라면, Beckham은 충분히 가지고 있다.

as usual
= in the usual way

평소와 다름없이

Beckham was late for school **as usual**.
Beckham은 평소처럼 학교에 지각했다.

as well
= besides, into the bargain

게다가, 또한, 역시

Beckham gave me food and money **as well**.
Beckham은 내게 음식과 게다가 돈까지 주었다.

35 **as yet**
= up to now

이제껏, 아직까지

The matter has not been solved **as yet**.
그 문제는 이제껏 해결되지 않았다.

ask after
= inquire after

안부를 묻다

Beckham **asked after** his friend in a hospital.
Beckham은 병원에 있는 친구의 안부를 물었다.

at a loss
= perplexed, uncertain

어쩔 줄을 모르는

Beckham was **at a loss** for what to do.
Beckham은 무얼 해야 할지 어쩔 줄을 몰랐다.

at about
= near

~쯤에, 무렵에

The examination is **at about** 4 o'clock.
시험은 4시쯤이다.

at all costs
= by all means, certainly

어떤 일이 있어도, 꼭

Beckham must keep his promises **at all costs**.
Beckham은 무슨 일이 있어도 약속을 지켜야 한다.

40 **at all events**
= in any case, at any rate, somehow

어떤 경우라도, 아무튼

Timberlake will start tomorrow **at all events**.
어떤 경우라도 Timberlake는 내일 출발할 것이다.

at any rate
= in any case, at all events

어쨌든

Timberlake will try to help her **at any rate**.
어쨌든 Timberlake는 그녀를 도우려고 노력할 것이다.

at best
= in the most favorable case

아무리 잘해야, 기껏해야

Timberlake cannot stay more than a week **at best**.
Timberlake는 기껏해야 일주일 이상 머물지 못한다.

at first hand
= directly

직접, 직접적으로

Timberlake heard the news **at first hand**.
Timberlake는 그 소식을 직접 들었다.

at home
= comfortable

편안한

Please make yourself **at home**.
편히 계세요.

45 **at large**
= as a whole; in general

전체적인; 일반적인

The people of the nation **at large** are against war.
그 나라의 일반 국민들은 전쟁에 반대한다.

at last
= in the end, finally

드디어, 마침내

In spite of many disabilities, they have **at last** succeeded.
많은 장애에도 불구하고, 그들은 마침내 성공했다.

at length
= at large, in detail; at last

상세히; 드디어

People discussed the subject **at length**.
사람들은 그 문제에 대해 상세히 토론했다.

at liberty
= free

자유로운

Every athlete will be **at liberty** to state his own views.
모든 선수들은 자기 자신의 의견을 말하는 데 자유롭게 될 것이다.

at loose ends
= plotless

일정한 직업 없이, 빈둥빈둥, 계획 없이

Just before school starts, all the children are **at loose ends**.
학교가 시작하기 직전에, 어린이들이 모두 빈둥거린다.

50 **at once**
= immediately; at the same time

즉시; 동시에

I want you to send this telegraph **at once** to Timberlake.
나는 네가 즉시 이 전보를 Timberlake에게 보내 주기를 원한다.

DAY 47

at once A and B	A이기도 하고 B이기도 한 Tears of **at once** joy **and** sorrow flowed down from Johansson's eyes. 기쁘기도 하고 슬프기도 한 눈물이 Johansson의 눈에서 흘러내렸다.
at one's fingers(') ends	~에 정통한 Beckham has Shakespeare **at his fingers' ends**. Beckham은 Shakespeare에 정통하다.
at one's wit(s)' end = not knowing what to say or do	어찌할 바를 몰라 Watson was **at his wits' end** with what to do about it. Watson은 그것에 관해 무엇을 해야 할지 어찌할 바를 몰랐다.
at random = without aim	닥치는 대로, 무작위로, 함부로 Watson reads books **at random**. Watson은 책을 닥치는 대로 읽는다.
05 **at second hand** = indirectly	간접적으로 Timberlake got the news **at second hand**. Timberlake는 그 소식을 간접적으로 들었다.
at the discretion of = at one's discretion	~의 재량으로 The defendant was released **at the discretion of** the court. 법정의 재량으로 그 피고인은 석방되었다.
at the drop of a hat = right off, on the spot, in an instant	즉시, 곧바로 When he's mad, he screams **at the drop of a hat**. 그는 화가 나면, 곧바로 소리를 지른다.
at the expense of = at the sacrifice of	~을 희생하여, ~의 비용으로 Beckham finished his study **at the expense of** his health. Beckham은 건강을 희생하여 자신의 연구를 끝냈다.
at the mercy of = by a dispensation	~ 앞에서 속수무책인, ~의 처분대로 We were **at the mercy of** the weather. 우리는 날씨 앞에서 속수무책이었다.
10 **at times** = sometimes, occasionally	가끔 It occurs **at times** that the traffic is disorganized by a broken traffic sign. 고장 난 신호등으로 교통이 혼란해지는 일이 가끔 발생한다.
attend on = wait on, serve	시중들다; 간병하다 They thought it a great honor to **attend on** Watson. 그들은 Watson을 시중드는 일을 큰 영광으로 생각했다.
attribute A to B = ascribe A to B, impute A to B	A를 B의 탓으로 돌리다 Beckham **attributed** his success **to** good luck. Beckham은 자신의 성공을 행운 탓으로 돌렸다.
avail oneself of = take advantage of, use	~을 이용하다 Watson had better **avail himself of** this opportunity. Watson은 이 기회를 이용하는 것이 좋겠다.
balance one's budget = make ends meet, balance the budget	수지 균형을 맞추다 The company tried to **balance its budget** by exporting merchandise. 그 회사는 물품을 수출함으로써 수지 균형을 맞추려고 했다.
15 **be absorbed in** = be engrossed in	~에 열중하다 Johansson **is absorbed in** playing. Johansson은 노는 데 열중하고 있다.
be accustomed to -ing = be used to -ing	~에 익숙하다 Johansson **is** not **accustomed to** making a speech in public. Johansson은 대중 앞에서 연설하는 데 익숙하지 않다.
be anxious about = be uneasy about	~을 염려하다 Johansson's mother **is anxious about** Johansson's health. Johansson의 어머니는 Johansson의 건강을 염려하신다.
be anxious for = be eager for	~을 갈망하다 Beckham **is anxious for** fame. Beckham은 명성을 갈망한다.
be badly off = be poor	궁핍하다 On account of his failure in business, he **is badly off** now. 사업 실패 때문에, 지금 그는 가난하다.
20 **be bound to** = be certain to, be obliged to	틀림없이 ~하다, ~하지 않을 수 없다 Watson **is bound to** get on in life. Watson은 틀림없이 출세할 것이다.

be composed of = be made up of, be comprised of, consist of	~로 구성되다 The team **is composed of** eleven members. 그 팀은 11명의 회원들로 구성되어 있다.
be concerned with[in] = be related (to)	~와 관계가 있다 Watson is said to have **been concerned with** the crime. Watson은 그 범죄와 관련이 있어왔다고들 말한다.
be due to+동사원형 = be expected to	~할 예정이다 Beckham **is due to** arrive in Seoul this evening. Beckham은 오늘 저녁 서울에 도착할 예정이다.
be eager for+명사(구) / to+동사원형 = be anxious for[to], be zealous for[to]	~을 열망하다, ~을 갈망하다 Beckham **is eager for** fame as well as wealth. Beckham은 재산뿐만 아니라 명성도 갈망한다.
be engaged in	~에 종사하다 Watson **is engaged in** literary work. Watson은 문학 작업에 종사하고 있다.
be equal to+명사(구) = have ability for	~을 감당할 능력이 있다 Though Beckham is old, he **is** still **equal to** the task. 비록 Beckham은 나이가 들었지만, 아직도 그 일을 감당할 능력이 있다.
be fit for = be suitable for	~에 적합하다 This skill **is fit for** the beginners. 이 기술은 초보자들에게 적합하다.
be obliged to+동사원형 = be compelled to, be bound to, be forced to	~하지 않을 수 없다, 어쩔 수 없이 ~하다 Beckham **is obliged to** do it. Beckham은 본의 아니게 그것을 해야만 한다.
be possessed with = be controlled by = be obsessed with	~에 사로잡혀 있다 Beckham **is possessed with** a dangerous idea. Beckham은 위험한 생각에 사로잡혀 있다.
be put upon = be sucked in	이용당하다 My mother **was put upon** by her neighbors. 나의 어머니는 이웃 사람들에게 이용당했다.
be subject to +명사(구) = be liable to, be open to	~을 받기 쉽다 People **are subject to** temptation. 인간은 유혹을 받기 쉽다.
be supposed to+동사원형 = be scheduled to, be going to	~할 예정이다, ~하기로 되어 있다 Beckham **is supposed to** arrive at five this morning. Beckham은 오늘 아침 5시에 도착할 예정이다.
be sure of+명사(구)	~을 확신하다 Beckham **is sure of** success. Beckham은 성공을 확신한다.
be sure to+동사원형	틀림없이 ~하다 Beckham **is sure to** succeed. Beckham은 틀림없이 성공할 것이다.
be taken in = be deceived, be cheated	속다 Beckham **was taken in** by profiteers. Beckham은 부당이득자들에게 속았다.
be tired from[with] = become tired	~로 피곤하다 Diana **is** quite **tired from** her work. Diana는 일 때문에 매우 피곤하다.
be tired of = be bored of, be sick of	~에 싫증이 나다 Diana shall never **be tired of** your company. Diana는 너와의 교제에 결코 싫증이 나지 않을 것이다.
beat around the bush = fetch[go] a compass	에둘러 말하다 Don't **beat around the bush**! 에둘러 말하지 마라![요점만 말해라!]
beaten to death	맞아 죽은 Beckham was **beaten to death** by a robber. Beckham은 강도에게 맞아 죽었다.
become a mockery = be in the pillory, become a scorn of	웃음거리가 되다 She couldn't **become a mockery** anymore. 그녀는 더 이상 웃음거리가 될 수 없었다.
become notorious = become infamous	악명 높게 되다 His short temper **became notorious** among his colleagues. 그의 급한 성미는 그의 동료들 사이에서 악명이 높아졌다.

become of = happen to	~이 (어떻게) 되다 What has **become of** Watson? Watson은 어떻게 되었는데?
beef up = enlarge, reinforce	~을 증강하다, 강화하다 The government has **beefed up** benefits to retired officers. 정부는 퇴직 공무원에 대한 연금을 늘려 왔다.
before long = pretty soon, by and by	곧, 머지않아 Beckham will come back **before long**. Beckham은 곧 돌아올 것이다.
45 **behind the times** = out-of-date, old-fashioned	시대에 뒤떨어진 Beckham was **behind the times**. Beckham은 시대에 뒤떨어졌다.
behind time = late	시간에 늦은 Beckham was **behind time** for his appointment. Beckham은 약속 시간에 늦었다.
blue in the face = exhausted, worn out, fatigued, used up	지친 Watson talked till he was **blue in the face**. Watson은 지칠 때까지 계속해서 말했다.
break even = tie with, call it a tie	득실이 없다, 비기다, 손익이 0이 되다 The company intended to **break even** by 2002. 그 회사는 2002년까지 손익 분기점에 다다르는 것을 목표로 삼았다.
break in[into] = enter by force	침입하다 Watson had **broken in** during the night. Watson이 밤중에 침입하였다.
50 **break out** = occur suddenly	발발하다, 갑자기 발생하다 Johansson was born in the year when the war **broke out**. Johansson은 전쟁이 발발하던 해에 태어났다.

DAY 48

bring about = cause to happen	발생시키다, 야기하다 The accident was **brought about** by the driver's carelessness. 그 사고는 운전자의 부주의로 일어났다.
bring home to +사람 = come home to, make understandable and clear	~에게 명확히 깨닫게 하다, 뼈저리게 느끼게 하다 My grandfather's death **brought home to** me the sorrow of life. 할아버지의 죽음은 나에게 인생의 슬픔을 절실히 느끼게 했다.
bring up = educate, rear	교육하다, 양육하다; 제시하다; (이야기를) 꺼내다 Beckham was **brought up** by his uncle. Beckham은 그의 삼촌에게서 자랐다.
brush up on = review, revise, go over	복습하다 We have to **brush up on** our chemistry. 우리는 화학 과목을 복습해야 한다.
05 **burst into** = begin suddenly	갑자기 ~하기 시작하다 Johansson **burst into** tears at the sad news. Johansson은 그 슬픈 소식에 갑자기 눈물을 흘리기 시작했다.
by accident = by chance, accidentally	우연히 I met Watson **by accident** in New York. 나는 뉴욕에서 우연히 Watson을 만났다.
by degrees = gradually	점차, 서서히 Johansson and Beckham's friendship grew into love **by degrees**. Johansson과 Beckham의 우정은 점차 사랑으로 변하였다.
by dint of = by means of	~에 의하여 **By dint of** great efforts, Beckham succeeded at last. 대단한 노력으로, Beckham은 마침내 성공했다.
by means of = by dint of, with the help of	~에 의하여 Beckham climbed up the cliff **by means of** a rope. Beckham은 밧줄로 그 절벽을 올라갔다.

10 **by no means**
= far from

결코 ~이 아닌

Beckham is **by no means** a coward.
Beckham은 결코 겁쟁이가 아니다.

by the way
= incidentally

그런데

By the way, what is your address?
그런데, 너의 주소는 어떻게 되니?

by way of
= via, as a sort of

~을 경유하여; ~으로서

Beckham and his wife are going to Europe **by way of** America.
Beckham과 그의 아내는 미국을 경유하여 유럽에 갈 예정이다.

care for
= like; look after

좋아하다; 돌보다

Not everyone **cares for** sports.
모든 사람이 다 스포츠를 좋아하는 것은 아니다.

carry on
= continue; manage

계속하다; 경영하다

Johansson **carried on** actress's life with her husband.
Johansson은 자신의 남편과 함께 여배우의 삶을 계속했다.

15 **carry out**
= accomplish, execute

수행하다

Beckham must **carry out** the work himself.
Beckham은 혼자 힘으로 그 일을 수행해야 한다.

catch flak
= come in for a flak

격렬한 비난을 받다

Beckham **caught** a lot of **flak** for that one.
Beckham은 그것 때문에 많은 격렬한 비난을 받았다.

catch out
= penetrate, see through

(부정을) 간파하다

All mothers always **catch out** children's lie.
모든 엄마들은 늘 자식들의 거짓말을 꿰뚫어 본다.

catch sight of
= get a glimpse of

~을 언뜻 보다

Beckham **caught sight of** his wife who was trying to hide behind a hedge.
Beckham은 울타리 뒤로 숨으려 했던 그의 아내를 언뜻 보았다.

catch up with
= overtake, come up with

~을 따라가다, 따라잡다

Beckham ran as fast as possible to **catch up with** them.
Beckham은 그들을 따라잡으려고 가능한 한 빨리 뛰었다.

20 **cater to[for] + 명사(구)**
= satisfy, gruntle, fit the bill, please, gratify

~의 구미에 맞추다, 만족시키다, (오락을) 제공하다

There is no way to **cater to** all tastes.
모든 취향을 만족시키는 방법은 없다.

come across
= meet by chance, run into, bump into

우연히 만나다

While cleaning the attic yesterday, Beckham **came across** an old photograph of his father.
어제 다락방을 청소하면서, Beckham은 우연히 아버지의 오래된 사진을 보았다.

come by
= obtain; drop by, stop by, swing by

획득하다; 잠깐 들르다

Did Beckham **come by** that money honestly?
Beckham은 그 돈을 정직하게 얻었니?

come down with
= be taken with, contract

~에 걸리다

Beckham has **come down with** a cholera.
Beckham은 콜레라에 걸렸다.

come in contact with
= come in touch with

~와 접촉하다

As Watson is a diplomat, he **comes in contact with** many people.
Watson은 외교관이어서, 많은 사람들과 접촉한다.

25 **come in handy**
= be of use

쓸모 있다

A map would **come in handy** right now.
지금 지도가 있으면 도움이 될 텐데.

come true
= really happen, become fact

실현되다

Everything Watson predicted has **come true**.
Watson이 예언했던 모든 것이 실현되었다.

come under fire
= take criticism

비난을 받다

The CEO of the company has **come under fire** from all sides.
그 회사의 최고 경영자는 모든 면에서 비난을 받아 왔다.

consist in
= lie in

~에 (놓여) 있다

The true wealth does not **consist in** what people have, but in what people are.
진정한 부유함은 재산이 아니라 인격에 있다.

cope with = deal with; handle	~에 대처하다, ~을 극복하다; 다루다 The government did not know how to **cope with** the situation. 정부는 그 상황을 어떻게 대응해야 할지 몰랐다.
30 **correspond with** = exchange letters	편지 교환을 하다 I would like to **correspond with** Watson. 나는 Watson과 편지 교환을 하고 싶다.
count for much = be of much importance	매우 중요하다 Beckham **counts for much** among us. Beckham은 우리 사이에서 매우 중요하다.
count on = rely on	~을 믿다, ~에 의존하다 May I **count on** Watson's coming? Watson이 올 거라고 믿어도 될까요?
cover up with = cover up, wrap up	~로 감싸다 Don't forget to **cover up with** your blanket. 너의 담요로 감싸는 것을 잊지 말아라.
crop up = make an abrupt appearance	생기다, 일어나다 ㊌ advent 출현, 도래 Where there's demand, businesses **crop up**. 수요가 있는 곳에 사업이 생겨난다.
35 **cut a fine figure** = make a fine appearance	두각을 나타내다 Beckham **cut a fine figure** on the stage. Beckham은 무대에서 두각을 나타냈다.
cut back = downsize	축소하다 The CEO **cut back** on the size of salary increases. 최고 경영자는 임금 인상폭을 줄였다.
damp down = dampen, humidify; weaken, attenuate, emaciate	(기를) 꺾다; 축축하게 하다; (불을) 끄다, 화력을 떨어뜨리다; 약하게 하다 There is nothing that could **damp down** their willingness. 어떠한 것도 그들의 의지를 꺾을 수 없다.
deal in = do business	~을 취급[거래]하다, 다루다 We don't **deal in** that line of goods. 우리는 그런 상품은 취급하지 않습니다.

deal with = treat	~을 다루다, 취급하다 This book **deals with** the uses of physical power. 이 책은 물리력의 이용을 다루고 있다.
40 **devote oneself to** = give oneself to	~에 몰두하다 Beckham **devoted himself** wholly **to** psychology. Beckham은 심리학에 완전히 몰두했다.
dispense with = eliminate, obliterate; go without, forgo	(더 이상 필요 없는 것을) 없애다; ~ 없이 지내다 E-wallet **dispenses with** the need for cash altogether. 전자지갑은 현금의 필요성을 완전히 없애고 있다.
dispose of = throw away, give away, sell	~을 처분하다 How is Watson's family going to **dispose of** all rubbish? Watson의 가족은 어떻게 그 모든 쓰레기를 처분할까?
distinguish oneself = make oneself well-known	이름을 떨치다 Beckham **distinguished himself** by his bravery in the battle. Beckham은 그 전투에서의 그의 용맹으로 이름을 떨쳤다.
do away with = abolish, get rid of, destroy	~을 제거하다, 죽이다 People should **do away with** a bad custom. 사람들은 나쁜 관습을 없애야 한다.
45 **do justice**	~을 공정히 평가[판단]하다 To **do** him **justice**, Beckham is a good-natured man. 공정하게 판단하면, Beckham은 선량한 사람이다.
do one's best = do all one can	최선을 다하다 Whatever Watson does, he must **do his best**. Watson은 무슨 일을 하든지, 그는 최선을 다해야 한다.
do well to+동사원형 = had better	~하는 게 좋다 Watson would **do well to** say nothing about it. Watson은 그것에 대해 아무 말도 하지 않는 게 좋을 것이다.

do without = dispense with, manage without	~ 없이 지내다 People cannot **do without** water even for a few days. 사람들은 물 없이는 단 며칠도 살 수 없다.
drive ~ up (to) the wall = provoke ~ to fury	~을 격분시키다 The heat is **driving** me **up the wall**. 더위가 나를 미치게 만들고 있다.
50 **drop in (on)** = visit casually, drop by, stop by, come by, go by	~에게 들르다, 우연히 방문하다 I wish you to **drop in on** Watson more often. 당신이 좀 더 자주 Watson에게 들러 줬으면 합니다.

DAY 49

(be) due to+명사(구) = (be) owing to	~ 때문에 Watson's success **was due to** his will and ability. Watson의 성공은 그의 의지와 능력 때문이었다.
dwell on = think, pore over	곰곰이 생각하다 Don't **dwell on** your past failure, but think of your future. 과거의 실패에 대해 곰곰이 생각할 게 아니라, 당신의 장래를 생각해라.
enter into = begin, kick off	~을 시작하다 Watson **entered into** a discussion. Watson은 토론을 시작했다.
every now and then = occasionally, from time to time	이따금, 가끔 Beckham comes to see her **every now and then**. Beckham은 이따금 그녀를 보러 온다.
05 **exert oneself** = make an effort	노력하다 Beckham hopes you will **exert yourself** in the work. Beckham은 네가 그 일에 노력하기를 바란다.
express oneself	(자기) 의견을 나타내다 Beckham is still unable to **express himself** in English. Beckham은 아직도 영어로 자기 의견을 나타내지 못한다.
face to face	대면하여 People came **face to face** at a street corner. 사람들은 길모퉁이에서 대면하게 되었다.
fail in	~에 실패하다 Beckham **failed in** the examination. Beckham은 시험에 실패했다.
fall a victim to = become a victim of	~의 희생이 되다 Beckham **fell a victim to** his own ambition. Beckham은 자신의 야망의 희생물이 되었다.
10 **fall back on** = depend on, have recourse to	~에 의지하다 In case you fail, you must have something to **fall back on**. 네가 실패할 경우에, 의지할 무언가가 있어야 한다.

fall in with = happen to meet; agree to	~을 우연히 만나다; ~에 동의하다 I **fell in with** Beckham in New York. 나는 뉴욕에서 Beckham을 우연히 만났다.
fall short of = be insufficient	~에 미치지 못하다, ~이 부족하다 Beckham's results **fell short of** our expectations. Beckham의 결과는 우리의 기대에 미치지 못했다.
fall to -ing = begin	~하기 시작하다 They **fell to** crying at the news. 그들은 그 소식을 듣고 울기 시작했다.
feel at home = feel comfortable	편히 느끼다 I cannot **feel at home** with Beckham. 나는 Beckham과 함께 있으면 마음이 편치 않다.
feel for = sympathize with; grope	~을 동정하다; ~을 손으로 더듬어서 찾다 I **feel for** Beckham deeply. 나는 Beckham을 깊이 동정하고 있다.
feel like -ing = be inclined to[for]	~하고 싶다 Beckham **felt like** taking a walk for a while. Beckham은 잠시 동안 걷고 싶었다.
find fault with = criticize	~을 비난하다 Beckham is constantly **finding fault with** my work. Beckham은 끊임없이 나의 일을 비난하고 있다.
flog ~ to death	되풀이하여 진절머리 나게 하다 It was a good story a month ago, but the newspapers have really **flogged** it **to death**. 그것은 한 달 전에는 좋은 기사였으나, 신문에서 되풀이하여 진절머리가 난다.
follow up on = go (the) whole hog	후속 조치를 취하다, ~을 끝까지 하다 I'll have the military authority **follow up on** it. 내가 군 당국이 그것에 대한 후속 조치를 취하도록 하겠다.
for all = in spite of	~에도 불구하고 **For all** his wealth, Beckham is unhappy. 그의 부유함에도 불구하고, Beckham은 행복하지 않다.
for all I know = perhaps	아마 Beckham may be dead **for all I know**. Beckham은 아마 죽었을지도 모른다.
for all the world = on any account	어떤 일이 있어도 Beckham would not do it **for all the world**. Beckham은 무슨 일이 있어도 그것을 하지 않을 것이다.
for certain = certainly	틀림없이 Beckham shall be there **for certain**. Beckham은 확실히 거기에 갈 것이다.
for convenience' sake	편의상 Beckham did it so **for convenience' sake**. Beckham은 편의상 그것을 그렇게 했다.
for good (and all) = forever	영원히 Beckham says he is leaving the country **for good**. Beckham은 그 나라를 영원히 떠날 예정이라고 말한다.
for lack of = for want of, for short of	~이 부족하여 **For lack of** funds, he failed in his enterprise. 자금이 부족하여, 그는 사업에 실패했다.
for nothing = without payment; in vain, without reason	공짜로; 헛되이, 이유 없이 Beckham got it **for nothing**. Beckham은 그것을 공짜로 얻었다.
for one's life = desperately	필사적으로 The slave ran away **for his life**. 그 노예는 필사적으로 도망갔다.
for one's part = as (for) ~, as far as ~ is concerned	~로서는 Beckham has no objection **for his part**. Beckham은 자기로서는 이의가 없다.
for oneself = without other's help	혼자 힘으로 You must do everything **for yourself**. 너는 모든 것을 혼자 힘으로 해야만 한다.
for the first time = before one does anything else	처음으로 I met Beckham **for the first time**. 나는 Beckham을 처음으로 만났다.

for the life of+사람 = however hard ~ try	아무리 해도 **For the life of** me, I could not remember her name. 아무리 해도, 나는 그녀의 이름을 기억할 수 없었다.
for the most part = mostly	대부분, 대개 **For the most part**, life is a pain. 대개, 삶은 고통이다.
for the occasion = occasionally	임시로 Beckham is engaged **for the occasion**. Beckham은 임시로 고용되어 있다.
35 **for the present** = for the time being	당분간 Beckham shall stay at this hotel **for the present**. Beckham은 당분간 이 호텔에 머무를 것이다.
for the sake of = for the benefit of	~을 위하여 Beckham lives **for the sake of** his fans as well as of himself. Beckham은 자신을 위해서뿐만 아니라 팬들을 위해서도 산다.
for the time being = for the present	당분간 **For the time being**, you'll have to share this room with him. 당분간, 너는 이 방을 그와 함께 써야 할 것이다.
for want of = for lack of, for short of	~이 부족하여 The animal died **for want of** water. 그 동물은 수분 부족으로 죽었다.
free from = without	~이 없는 The juice is **free from** sugar. 그 주스에는 설탕이 없다.
40 **from age to age**	대대로 The book has been handed down **from age to age**. 그 책은 대대로 후세에 전해져 왔다.
from hand to mouth	하루 벌어 하루 먹는 식으로 Beckham lives **from hand to mouth**. Beckham은 하루 벌어 하루 먹고 산다.
furnish A with B = supply[provide] A with B	A에게 B를 공급하다 Beckham **furnished** the expedition **with** food. Beckham은 그 탐험대에게 음식을 공급하였다.
get along = manage; make progress	살아가다; 진척되다 People cannot **get along** without money. 사람들은 돈 없이 살 수 없다.
get at = reach; discover	손을 대다, ~에 도달하다; 알다 The books are locked up and we cannot **get at** them. 그 책들은 자물쇠가 채워져 있어서 우리는 열어볼 수 없다.
45 **get away** = escape, leave	도망치다, 떠나다 One of the animals **got away**. 그 동물들 중 한 마리가 도망쳤다.
get back = return, come back	돌아오다 Beckham won't **get back** until Saturday. Beckham은 토요일까지 돌아오지 않을 것이다.
get down to business = get to the point	전념하다; 본론에 들어가다 Stop wasting time. Let's **get down to business**. 시간 낭비 말고, 본론으로 들어갑시다.
get in one's way = be in one's[the] way	~의 방해가 되다 Beckham always **gets in my way**. Beckham은 늘 내게 방해가 된다.
get off = descend from	~에서 내리다 Beckham will be **getting off** at the next station. Beckham은 다음 역에서 내릴 것이다.
50 **get on** = aboard	~을 타다 Beckham **got on** the plane at Cairo. Beckham은 카이로에서 비행기를 탔다.

DAY 50

get on with = get along with	~와 사이좋게 지내다 It is hard to **get on with** Beckham. Beckham과 사이좋게 지내기는 힘들다.
get over = recover from, overcome, tide over	회복하다, 극복하다 Beckham soon **got over** his illness. Beckham은 병에서 곧 회복되었다.
get rid of = eliminate, become free of, abolish, do away with	~을 제거하다, ~을 없애다 You must **get rid of** his bad habit. 당신은 그의 나쁜 습관을 없애야 한다.
get the better of = defeat	~을 이기다 Beckham always **gets the better of** his opponents. Beckham은 항상 그의 적수들을 이긴다.
05 **get through (with)** = finish	끝마치다 As soon as I **get through** with my work, I will join Beckham. 나는 내 일을 끝마치자마자, Beckham과 합류할 것이다.
get tired of = become weary of	~에 싫증나다 I **got tired of** my monotonous life. 나는 내 단조로운 생활에 싫증이 났다.
get well = recover, restore, get back	회복하다 You'll **get well** soon after the treatment. 당신은 치료를 받으면 곧 회복할 것입니다.
give forth	~을 발산하다 The diamond **gives forth** all colors of the rainbow. 다이아몬드는 무지개의 모든 색을 발산한다.
give in = surrender; collapse; hand in, turn in	~에 굴복하다; 무너지다; 제출하다 Beckham will not **give in** except on fair terms. Beckham은 공평한 조건이 아니면 굴복하지 않을 것이다.
10 **give oneself to** = devote oneself to	~에 몰두하다 Beckham **gave himself to** the work body and soul. Beckham은 몸과 마음을 다해 그 일에 전념했다.
give out = distribute; wear out	배부하다; (힘이) 다하다 Watson **gave out** the examination papers. Watson이 시험지를 나눠 주었다.
give rise to = cause, lead to, elicit	일으키다 These actions will **give rise to** suspicion to Beckham. 이 행동들은 Beckham에게 의심을 일으킬 것이다.
give up = abandon, surrender	그만두다, 포기하다, 굴복하다 Watson should **give up** smoking and drinking. Watson은 흡연과 음주를 그만둬야 한다.
give way (to) = break down; retreat	(다리 등이 힘을 받아) 무너지다; 물러나다, ~에 굴복하다 Her leg **gave way** beneath her and she stumbled ridiculously. 그녀의 다리가 아래로 꺾여서 그녀가 우스꽝스럽게 비틀거렸다.
15 **go (way) back** = keep up an acquaintance with	돌아가다; 알고 지내다 Most foreigners **go back** to that place again and again. 대부분의 외국인들은 그 장소를 계속 다시 찾는다.
go from bad to worse = get worse every day	악화되다 The state of the accident **went from bad to worse**. 그 사건의 상황이 악화되었다.
go into = get into; be engaged in	들어가다; 종사하다; 참여하다 People are waiting to **go into** the hotel. 사람들이 그 호텔에 들어가려고 기다리고 있다.
go on = continue, stick with	계속하다 cf. onwards 계속 Beckham is gone, but this work **goes on**. Beckham은 가고 없지만, 이 일은 계속된다.
go through = suffer, experience	(고통을) 겪다, 경험하다 Children should not **go through** troubles alone. 아이들은 혼자 고난을 겪어서는 안 된다.
20 **hand down** = bequeath	전하다, 유산으로 남기다 The story was **handed down** to Watson. 그 이야기는 Watson에게 전해졌다.

hand in hand = holding hands	손을 마주잡고, 제휴하여 Watson and Beckham walked away **hand in hand** with each other. Watson과 Beckham은 서로 손을 잡고 걸어갔다.
hand over = give control of	넘겨주다, 양도하다 Beckham **handed over** all his property to his son and wife. Beckham은 모든 재산을 그의 아들과 아내에게 양도했다.
happen to+동사원형 = chance to, have the fortune of	우연히 ~하다 I **happened to** be out when Watson called at my house. Watson이 내 집을 방문했을 때, 공교롭게도 나는 외출했다.
have a good opinion of	~을 좋게 생각하다 I **have a good opinion of** Watson. 나는 Watson을 좋게 생각한다.
25 **have a mind to+동사원형** = feel inclined to	~하고 싶다 Watson **has a mind to** take a short walk. Watson은 잠깐 산책을 하고 싶다.
have an ear for	~에 대한 감상력이 있다 Johansson **has an ear for** music. Johansson은 음악을 감상할 줄 안다.
have an idea of = know	~을 알다 I **have a** rough **idea of** it. 나는 그것을 대충 알고 있다.
have done with = finish, complete	~을 끝내다 Watson will go out when his daughter **has done with** her homework. 딸이 숙제를 마치면 Watson은 외출할 것이다.
have nothing to do with	~와 관계가 없다 Watson **has nothing to do with** the incident. Watson은 그 사건과 관계가 없다.
30 **have ~ on** = wear	입고 있다 Beckham **has** a blue coat **on**. Beckham은 푸른색 코트를 입고 있다.
have one's own way = get[do] what one wants	(자기) 마음대로 하다 Johansson **had her own way** in everything. Johansson은 모든 것을 자기 마음대로 했다.
have pity on = feel sorry for	~을 측은하게 여기다 I beg you to **have pity on** him. 그를 불쌍히 여겨 주시기를 간청드립니다.
have the best of it = win	이기다 Although Watson put up a good fight, his opponent **had the best of it**. Watson이 비록 선전했지만, 그의 상대가 이겼다.
have to do with = be concerned with	~와 관계가 있다 The accident **has to do with** drunk driving. 그 사고는 음주 운전과 관계가 있다.
35 **hear of+소식 / from+대상** = know by hearsay	~에 관해 소문을 듣다/ ~로부터 소식을 듣다 Watson has **heard of** Beckham's illness. Watson은 Beckham이 아프다는 소문을 들었다. How often do you **hear from** your parents? 당신은 부모님으로부터 얼마나 자주 소식을 듣습니까?
hit on[upon] = occur to; come upon	우연히 생각나다; ~을 우연히 만나다 Watson has **hit upon** a good idea. Watson은 우연히 좋은 생각이 떠올랐다.
hit the ceiling = explode in anger	분통을 터트리다 Johansson **hit the ceiling** when she heard about the shocking news. Johansson은 충격적인 소식을 듣고 분통을 터트렸다.
hit the nail on the head = hit the mark	정곡을 찌르다 Beckham's criticism **hit the nail on the head**. Beckham의 비판은 핵심을 찔렀다.
hit the sack = sleep	잠자리에 들다, 자다 I was so tired that I **hit the sack** early than usual. 나는 너무 피곤해서 평소보다 일찍 잠자리에 들었다.
40 **hold back** = suppress, repress, restrain	억제하다; 참가하지 않다; 비밀로 해 두다 The police were unable to **hold back** the crowd. 경찰이 군중을 저지하지 못했다.

hold good
= remain valid, be effective

유효하다

The same opinion does not **hold good** in every case.
동일한 주장이 모든 경우에 유효한 것은 아니다.

hold on
= continue; wait; grasp

계속하다; 기다리다; 붙잡다

People **held on** their journey in spite of the storm.
사람들은 폭풍에도 불구하고 그들의 여행을 계속했다.

hold out
= endure, resist, withstand; thrust

견디다, 지속되다, 저항하다; 손을 뻗다

This food and drink will only **hold out** two more days.
이 음료와 음식은 단지 이틀 정도만 버틸 것이다.

ill at ease
= uncomfortable

불안한

Watson is **ill at ease** about it.
Watson은 그것에 대해 불안해 한다.

45

in a big way
= on a large scale

대규모로

The news is spreading out **in a big way**.
그 소식은 대대적으로 퍼져 나가고 있다.

in a little while
= soon

곧

I will be back **in a little while**.
내가 곧 돌아오마.

in a measure
= to a certain degree

어느 정도

Success depends **in a measure** on good fortune.
성공은 어느 정도 행운에 달려 있다.

in a sense

어떤 의미에 있어서

What Watson says is true **in a sense**.
Watson이 말하는 것은 어떤 의미로는 사실이다.

in a word
= briefly, to sum up

한마디로

In a word, Watson lacked will power.
한마디로, Watson은 의지력이 부족했다.

50

in accord with
= in agreement with

~과 일치하여

I am glad to find myself **in accord with** Watson's view.
저는 Watson의 견해와 같다는 것을 알게 되어 기쁩니다.

DAY 51

in accordance with
= according to

~에 따라서

In accordance with custom, Watson bowed to his teacher.
관례에 따라, Watson은 선생님께 절을 했다.

in addition to+명사(구)
= as well as

~ 이외에, ~뿐만 아니라

In addition to that sum, he still owes Timberlake $150.
그 금액 외에도, 그는 Timberlake에게 아직도 150달러 빚이 있다.

in advance
= beforehand

미리, 사전에

Send Watson's luggage **in advance**.
Watson의 짐을 미리 보내라.

in behalf of
= in the interest of

~을 위하여

Beckham and his family fought **in behalf of** a good cause.
Beckham과 그의 가족은 대의명분을 위해 싸웠다.

05

in case of
= in the event of

~의 경우에

In case of my not being there, ask Johansson to help you.
내가 거기 없을 경우에, Johansson에게 도와달라고 부탁해라.

in charge of
= responsible for

~을 맡아서

Johansson is **in charge of** the four-year class.
Johansson은 네 살짜리 학급을 책임지고 있다.

in consideration of
= paying thoughtful attention to

~을 고려하여

In consideration of her previous conduct, the student wasn't punished.
그녀의 이전 행동을 고려하여, 그 학생은 처벌받지는 않았다.

in contact with
= in touch with

~과 접촉하는

Our troops were **in contact with** the enemy.
우리 군대는 적과 접촉했다.

in favor of
= in support of; in behalf of

~에 찬성하여; ~을 위하여

Johansson is **in favor of** the proposition.
Johansson은 그 제안에 찬성한다.

10

in general
= as a rule, usually

대개, 보통

In general, Johansson is a satisfactory student.
보통, Johansson은 괜찮은 학생이다.

in honor of
= in celebration of

~에게 경의를 표하여, ~을 기념하여

This monument was built **in honor of** Johansson.
이 기념비는 Johansson에게 경의를 표하여 세워졌다.

in itself
= in its own nature

그 자체로는

The material was harmless **in itself**.
그 물질은 그 자체로는 해가 없었다.

in nine cases out of ten
= ten to one

십중팔구

In nine cases out of ten, Johansson won't come here.
십중팔구, Johansson은 여기 오지 않을 것이다.

in no time
= very quickly

즉시

Let me know **in no time** when Johansson comes.
Johansson이 오면 즉시 내게 알려다오.

15

in no way
= by no manner of means

결코 ~가 아닌

Birth order is **in no way** related to a person's future.
출생 순서는 한 사람의 미래와 결코 관련이 없다.

in one's place
= instead of, in place of

~ 대신에

Johansson will attend the meeting **in Beckham's place**.
Johansson이 Beckham을 대신해서 모임에 참석할 것이다.

in other words
= that is to say, namely

즉, 다시 말해서

Beckham became, **in other words**, a great hero.
Beckham은, 다시 말해서, 위대한 영웅이 되었다.

in person

본인 자신이, 몸소, 직접

Johansson had better go and speak to him **in person**.
Johansson이 그에게 직접 가서 말하는 것이 나을 거야.

in place of
= in one's place, instead of

~ 대신에

You can use yogurt **in place of** milk in this recipe.
이 요리법에서는 우유 대신에 요구르트를 써도 된다.

20

in praise of

~을 칭찬하여

Everybody was loud **in praise of** Johansson.
모두가 큰 소리로 Johansson을 칭찬하였다.

in preference to

차라리, ~보다 우선하여

Johansson will choose death **in preference to** dishonor.
Johansson은 불명예보다 차라리 죽음을 선택할 것이다.

in private
= privately, not in public

개인적으로, 내밀히

Johansson has a word for Beckham **in private**.
Johansson은 Beckham에게 개인적으로 할 말이 있다.

in process of
= under

~하는 과정에

The bridge is **in process of** construction.
그 다리는 건설하는 과정에 있다 .

in proportion as+절 / to+명사(구)
= relative to

~에 비례하여

People will succeed **in proportion as** they persevere.
사람들은 그들이 인내하는 것에 비례하여 성공할 것이다.
Life shrinks or expands **in proportion to** one's courage.
삶은 그 사람의 용기에 비례하여 줄어들거나 확장된다.

25

in pursuit of
= pursuing, seeking

~을 추구하여

People are all **in pursuit of** happiness.
사람들은 모두 행복을 추구한다.

in reality
= really

사실, 실제로는

Beckham is a king in name, but not **in reality**.
Beckham은 명목상으로만 왕이지, 실제로는 그렇지 않다.

in regard to
= with regard to, in respect to

~에 관하여

Johansson has no choice **in regard to** this matter.
Johansson은 이 문제에 대해서는 선택권이 없다.

in respect of
= in regard to

~에 관하여

In respect of that, there is nothing to be said.
그것에 관해서는 들은 게 전혀 없다.

in return for
= as repayment for

~의 보답으로

Beckham gave us many things **in return for** our service.
Beckham은 봉사에 대한 보답으로 우리에게 많은 것들을 주었다.

30	**in short** = to sum up, briefly	간단히 말해서 **In short**, Beckham is a man of great ability. 간단히 말해서, Beckham은 대단히 유능한 사람이다.
	in sight = able to be seen	보이는 They came **in sight** of land at dawn. 그들은 새벽에 육지가 보이는 곳에 왔다.
	in spite of = notwithstanding, for all, in the face of	~에도 불구하고 Johansson started **in spite of** the heavy rain. Johansson은 폭우에도 불구하고 출발했다.
	in succession = continually, in a row	계속하여 The rainbow appeared for three days **in succession**. 무지개는 사흘 동안 계속하여 나타났다.
	in terms of = by means of, from the standpoint of	~에 의하여, ~의 견지에서 Beckham expressed his idea **in terms of** action. Beckham은 행동에 의하여 자신의 생각을 표현했다.
35	**in the cause of** = for the sake of	~을 위하여 Beckham and Johansson worked **in the cause of** world peace. Beckham과 Johansson은 세계 평화를 위해 일했다.
	in the distance	멀리서 A spire was seen **in the distance**. 첨탑이 멀리서 보였다.
	in the event of = in case of	~할 경우에 **In the event of** Johansson not coming, let us start leaving her behind. Johansson이 오지 않을 경우에, 그녀를 남겨두고 출발하자.
	in the face of = in spite of, nevertheless	~에도 불구하고 She showed great courage **in the face of** a dangerous situation. 그녀는 위험한 상황에도 불구하고 훌륭한 용기를 보여주었다.
	in the first place = first of all	우선 Johansson must read the book **in the first place**. Johansson은 우선 그 책을 읽어야 한다.
40	**in the long run** = ultimately	결국 Honesty pays **in the long run**. 정직함은 결국 이득이 된다.
	in the presence of = in front of	~의 면전에서, 앞에서 It is rude to yawn **in the presence of** others. 다른 사람들 앞에서 하품하는 것은 실례가 된다.
	in the teeth of = in the face of, nevertheless	~에도 불구하고 Beckham took his own way **in the teeth of** my advice. Beckham은 내 충고에도 불구하고 자기 마음대로 했다.
	in the way	방해가 되는 I left him and his friend, as I felt I was **in the way**. 내가 방해가 되는 것 같아서, 나는 그와 그의 친구를 떠났다.
	in time = sooner or later, early enough	머지않아, 시간에 맞게 Johansson will be sure to succeed in the work **in time**. Johansson은 머지않아 틀림없이 그 일에 성공할 것이다.
45	**in touch with** = in contact with	~에 뒤떨어지지 않아, ~와 접촉하여 People have to keep **in touch with** world developments. 사람들은 세상의 발전에 뒤떨어지지 않아야 한다.
	in truth = in fact, really	정말, 참으로 Without her, **in truth**, I would have had little advance in my work. 그녀가 없었다면, 사실, 나는 내 일에 거의 진전이 없었을 것이다.
	in turn = by turns, alternately	차례로, 교대로; 다음에는 I will hear you all **in turn**. 나는 차례로 너희 모두의 말을 들을 것이다.
	in vain = without the desired result	헛되이 It was **in vain** that people protested. 사람들이 항의했지만 헛일이었다.
	in view of = considering; in the range of vision	~을 고려하여; ~이 보이는 곳에 **In view of** the fears, it seems useless to continue. 두려움을 생각해 보건대, 계속하는 것은 소용이 없는 것 같다.

50	**in virtue of** = by means of, because of	~의 힘으로, ~에 의하여 She got promoted **in virtue of** her fluent Spanish. 그녀는 유창한 스페인어 실력 덕분에 그녀는 승진했다.

DAY 52

	in want of = in need of	~이 필요하여 The present system is **in want of** reformation. 현 체제는 개혁이 필요하다.
	inquire after = ask after	~의 안부를 묻다, 문병하다 Johansson **inquired after** his health. Johansson은 그의 건강에 대해 안부를 물었다.
	inquire into = investigate	조사하다 You must **inquire into** the merits of the case. 당신은 그 경우의 장점을 조사해야 한다.
	into the bargain = besides, as well	덤으로, 게다가 I have a headache and a cough **into the bargain**. 나는 두통이 있고, 게다가 기침도 난다.
05	**iron out** = settle, solve, resolve	해결하다; 다리미질하다 Let's **iron out** major problems first. 중요한 문제들을 먼저 해결합시다.
	judging from = if one judges from	~으로 판단컨대 **Judging from** his appearance, Beckham must be a cheat. 그의 외모로 판단컨대, Beckham은 사기꾼임에 틀림없다.
	keep abreast of[with] = keep up with	~와 보조를 맞추다 People must read the papers to **keep abreast of** the times. 사람들은 시대의 흐름에 맞추기 위하여 신문을 읽어야 한다.
	keep company with = be friendly with	~와 친해지다, ~와 사귀다 Don't **keep company with** such a rude man. 그런 무례한 남자와 사귀지 마라.
	keep one's chin up = not become discouraged	용기를 잃지 않다, 기운을 내다 You should **keep your chin up** in trouble. 너는 역경 속에서도 용기를 잃지 말아야 한다.
10	**keep one's feet on the ground** = be realistic, be practical, be down-to-earth	현실적이다 **Keep your feet on the ground** and listen to advice from a close friend. 현실을 직시하고 가까운 친구에게서 충고를 들어라.

keep one's word = keep one's promise	약속을 지키다 Johansson promised, and she has **kept her word.** Johansson은 약속을 했으며, 그녀는 그녀의 약속을 지켰다.
know A from B = tell[distinguish] A from B	A와 B를 구별하다 The girls are twins and it is difficult to **know** one **from** the other. 그 소녀들은 쌍둥이여서 서로 구별하기가 힘들다.
lap against = fret	~에 철썩거리다 The waves **lapped against** the shore in the midnight. 자정에 파도가 해변에 철썩거렸다.
lapse into = fall into, go into, be thrown into	(어떤 상태에) 빠지다 The accused **lapsed into** silence whenever questioned. 그 피고인은 질문을 받을 때마다, 침묵에 빠졌다.
15 **later on** = afterwards	후에, 나중에 Beckham will explain in detail **later on.** Beckham이 나중에 자세히 설명할 것이다.
lay aside = save for future needs, set[put] aside	저축하다, 따로 떼어두다 My father is **laying aside** money for his old age. 나의 아버지는 자신의 노후에 대비해 돈을 저축하고 있다.
lay down = make plans; give up	정하다; 버리다 People **laid down** a plan for the coming holidays. 사람들은 다가오는 휴일에 대한 계획을 세웠다.
lay over = cover; drop by, drop in	덮다; 잠깐 들르다 A cold white mist **lays over** land and sea. 차고 흰 안개가 대륙과 바다를 덮고 있다.
lead to = go towards; result in	~을 가져오다; ~으로 이르다 Such an armament race can only **lead to** one thing — war. 그러한 군비 경쟁은 한 가지, 즉 전쟁만을 가져올 수 있을 뿐이다.
20 **learn ~ by heart** = memorize	~을 암기하다 Beckham is trying to **learn** it **by heart.** Beckham은 그것을 암기하려고 노력하고 있다.
learn to = come to	~하게 되다 You will **learn to** do it by and by. 당신은 머지않아 그것을 하게 될 것이다.
leave off = stop; no longer wear	중지하다; 입지 않다 Where did people **leave off** last time? 사람들이 지난번에 어디에서 중지했니?
leave out = omit; fail to consider	생략하다; 빼먹다 I **left out** my name on the card. 나는 카드에 내 이름을 빼먹었다.
let alone = not to mention	~은 말할 것도 없이 Beckham lacks necessaries, **let alone** luxuries. Beckham은 사치품은 말할 것도 없고, 필수품도 부족하다.
25 **let go (of)**	(쥐고 있던 것을) 놓다 Don't **let go of** the laptop. 노트북을 놓치지 마.
lie in = consist in	~에 놓여 있다 The difficulty **lies in** the choice of way. 어려움은 방법을 선택하는 데 있다.
little better than = as good as	~와 거의 비슷한 Beckham is **little better than** a beggar. Beckham은 거지나 다름없다.
little by little = bit by bit	조금씩, 서서히 Beckham got better **little by little** every day. Beckham은 매일 조금씩 건강이 나아졌다.
little short of = almost	거의 It was **little short of** a lie. 그것은 거의 거짓말이었다.
30 **live on** = have ~ as food of diet	~을 먹고 살다, 주식으로 하다 Asian people **live on** rice. 아시아 사람들은 쌀을 주식으로 한다.
long for = yearn for, aspire	갈망하다, 열망하다, 사모하다 How I **long for** her! 얼마나 내가 그녀를 사모하는지!

look after = take care of, seek after	~을 돌보다 Johansson kindly **looked after** my children. Johansson은 친절하게 내 아이들을 돌보았다.
look back on[upon, at] = view in retrospect	~을 회상하다 It is pleasant to **look back on** our high school days. 우리의 고교 시절을 회상하는 것은 즐거운 일이다.
look down on = despise	~을 멸시하다 Johansson **looks down on** her husband. Johansson은 그녀의 남편을 멸시한다.
35 **look for** = search for; expect	~을 찾다; 기대하다 What are you **looking for**? 너는 무엇을 찾고 있니?
look forward to+명사(구) = anticipate	~을 고대하다 People **look forward to** more prosperous times. 사람들은 더 번창한 시대를 고대한다.
look into = investigate	~을 조사하다; 훑어보다 People must closely **look into** the matter. 사람들은 면밀히 그 일을 조사해야 한다.
look like = resemble	~처럼 보이다 Beckham **looks** just **like** his mother. Beckham은 그의 어머니를 꼭 닮았다.
look on = be a spectator; regard	~을 방관하다; 간주하다 Beckham **looked on** the fire with folded arms. Beckham은 팔짱을 낀 채 그 화재를 방관했다.
40 **look on[upon] A as B** = regard[consider] A as B	A를 B로 간주하다 Beckham does not **look on** the matter **as** a luck. Beckham은 그 일을 행운으로 보지 않는다.
look out = be careful	조심하다, 주의하다 I have warned you, so **look out**. 내가 경고했으니, 주의해라.
look over = examine	~을 검토하다 I must **look over** the examination papers. 나는 그 시험지를 검토해야만 한다.
look to A for B = depend upon A for B	A에게 B를 바라다 I do not **look to** you **for** assistance. 나는 네게 도움을 바라지 않는다.
look up to = respect	~을 존경하다 People all **look up to** Beckham. 사람들은 모두 Beckham을 존경한다.
45 **lose heart** = become discouraged	낙담하다 Don't **lose heart** because you cannot solve the problem. 네가 그 문제를 풀 수 없다고 낙담하지 마라.
lose no time in -ing = do without any hesitation	곧 ~하다 I shall **lose no time in** reading the book. 나는 그 책을 곧바로 읽을 것이다.
lose one's temper = get angry	화를 내다 Beckham entirely **lost his temper** then. Beckham은 그때 몹시 화를 냈다.
lose oneself in = be deeply absorbed in; stray	몰두하다; 길을 잃다 Beckham **lost himself in** the novel. Beckham은 그 소설에 몰두했다.
lose sight of = miss, cannot be seen	~을 (시야에서) 놓치다, 안 보이다 I have **lost sight of** Smith among the crowd. 나는 군중 속에서 Smith를 (시야에서) 놓치고 말았다.
50 **made of money** = affluent, opulent, prosperous, well-off	부유한 You must think Beckham is **made of money**. 당신은 Beckham이 부유하다고 생각하는 게 틀림없다.

DAY 53

make a case for	~의 옹호론을 펴다 This **made a case for** the power of the people. 이것은 그 사람들의 권력에 관해서 옹호했다.
make a fool of = make an ass of, scoff, ridicule	~을 조롱하다 Beckham was going to **make a fool of** me in the presence of the company. Beckham은 동료들이 있는 자리에서 나를 조롱하려고 했다.
make a fortune = earn great wealth	돈을 (많이) 모으다 Beckham has **made a fortune** by means of industry. Beckham은 부지런함으로 돈을 (많이) 모았다.
make a point of -ing = make ~ one's rule[habit]	~을 습관으로 하다 I **make a point of** attending such a meeting. 나는 그런 모임에 참석하는 습관이 있다.
05 **make allowances for** = take into consideration	~을 고려하다 Beckham had better **make allowances for** his youth and experience. Beckham은 그의 젊음과 경험을 고려하는 게 낫다.
make an effort = try, struggle, attempt	노력하다 Beckham is **making a** great **effort** to learn English. Beckham은 영어를 배우기 위해 열심히 노력하고 있다.
make away with	~을 죽이다; ~을 훔치다, 데리고 가다 Beckham **made away with** himself. Beckham은 자살했다.
make believe = pretend	~인 체하다 Beckham **made believe** not to hear Johansson. Beckham은 Johansson의 말을 듣지 않는 체했다.
make capital (out) of = take advantage of, trade on	~을 이용하다 The police **made capital out of** his careless remarks in the investigation. 경찰은 수사에서 그의 부주의한 발언을 이용했다.
10 **make (both) ends meet** = earn a crust, pay, live within one's income	수입과 지출의 균형을 맞추다, 겨우 먹고 살 만큼 벌다, 분수에 맞게 살다 They have barely **made ends meet** for the last two years. 그들은 지난 2년 동안 겨우 수지 타산을 맞추어 왔다.
make for = go towards; attack; contribute	~으로 향해 나아가다; 공격하다; ~에 기여하다 Beckham **made for** the door and tried to escape. Beckham은 문으로 가서 달아나려고 했다.
make fun of = scoff, ridicule	~을 비웃다, 조롱하다 High and low, all **made fun of** Johansson. 상하 귀천을 막론하고, 모두가 Johansson을 비웃었다.
make good = succeed; compensate for; accomplish	성공하다; 보상하다; 수행하다 Johansson is working hard, and I am sure she will **make good** in that job. Johansson이 열심히 일하고 있어서, 나는 그녀가 그 일에서 성공하리라 확신한다.
make haste = hasten, hurry up, dash, scurry	서두르다 We don't have time, so **make haste**. 우리는 시간이 없으니, 서둘러라.
15 **make head(s) or tail(s) of** = understand	~을 이해하다 The message was so badly written that Johansson could not **make heads or tails of** it. 그 서신은 너무 서툴게 쓰여 있어서 Johansson은 그것을 이해할 수 없었다.
make light of = treat as of little importance	~을 경시하다 She was in great pain but she always **made light of** it. 그녀는 매우 큰 고통을 받고 있었지만 항상 그것을 가볍게 여겼다.
make much account of = make much of	~을 중시하다 People **make much account of** money. 사람들은 돈을 중요하게 생각한다.
make no difference = be of no importance	상관없다 Success or failure **makes no difference** to me. 성공이든 실패든 내게는 상관없다.

make one's way
= proceed; succeed

앞으로 나아가다; 성공하다

Johansson **made her way** toward the island before daybreak.
Johansson은 동트기 전에 섬을 향해 나아갔다.

20 **make oneself at home**
= feel comfortable

편히 하다

Welcome to my home. **Make yourself at home**.
저희 집에 온 것을 환영해요. 편안하게 계세요.

make out
= understand; succeed; prepare; pretend

이해하다; 성공하다; 작성하다; ~인 체하다

Your spouse cannot **make out** what you want to say.
당신의 배우자는 당신이 말하고자 하는 것을 이해할 수 없다.

make over
= transfer, hand over, turn over

양도하다; 고치다

Beckham **made over** the property to his eldest son.
Beckham은 그의 재산을 장남에게 양도했다.

make room for
= create space for

~에게 자리를 내주다

I **made room for** Johansson on the sofa.
나는 Johansson에게 소파에 자리를 내주었다.

make sense of
= understand

~을 이해하다, 알다

Can you **make sense of** this plan?
이 계획을 이해할 수 있겠습니까?

25 **make sure**
= ascertain

확실히 하다

To **make sure**, Beckham shot another shot at the tiger.
확실히 하기 위해, Beckham은 호랑이에게 한 발을 또 쏘았다.

make the best of
= use well

~을 잘 이용하다

People had better **make the best of** their situation.
사람들은 그들의 상황을 잘 이용하는 게 좋다.

make up for
= compensate for, atone for

~에 대해 보충하다, 보상하다

Beckham had to work hard to **make up for** lost time.
Beckham은 낭비한 시간을 보충하기 위해 열심히 노력해야 했다.

make up one's mind
= determine

결심하다

Beckham **made up his mind** to try it again.
Beckham은 그것을 다시 해보기로 결심했다.

make up to
= flatter, crawl, play up to

~에게 아첨하다

Please don't **make up to** your boss.
제발 당신 상사에게 아첨 좀 하지 마세요.

30 **make up with**
= reconcile

~와 화해하다

The player **made up with** the opponent.
그 선수는 경쟁자와 화해했다.

make use of
= utilize, use

~을 이용하다

Beckham must **make use of** this good opportunity.
Beckham은 이 좋은 기회를 이용해야 한다.

manage to+동사원형
= contrive to, succeed in

가까스로 ~하다, 그럭저럭 ~하다

Beckham **managed to** keep out of debt.
Beckham은 가까스로 빚을 지지 않고 살았다.

matter little
= be of little importance

중요하지 않다

It **matters little** to Beckham who is elected.
누가 선출되는지는 Beckham에게 중요하지 않다.

meet with
= come across, meet by chance

~와 우연히 만나다

I **met with** my teacher on the bus yesterday.
나는 어제 버스에서 나의 선생님과 우연히 만났다.

35 **more often than not**
= as often as not, very frequently

흔히, 대개

More often than not, he had to go there in person.
대개, 그는 직접 거기에 가야만 했다.

mull over
= consider, contemplate

~을 숙고하다

I **mulled over** his offer and then accepted it.
나는 그의 제안을 심사숙고한 끝에 그것을 받아들였다.

no longer
= not ~ any longer

더 이상 ~하지 않는

Beckham is gone; he is **no longer** here with us.
Beckham은 가고 없다. 그는 더 이상 이곳에 우리와 함께 있지 않다.

none the less
(= nonetheless)
= nevertheless
(= never the less)

그럼에도 불구하고

I love him **none the less** for his faults.
나는 그의 결점에도 불구하고 그를 사랑한다.

not a few = quite a few, many	적지 않은, 꽤 많은 **Not a few** people made the same mistake again and again. 적지 않은 사람들이 똑같은 실수를 반복적으로 저질렀다.
40 **not always** = not necessarily	항상[반드시] ~인 것은 아닌 The strongest men do **not always** live the longest. 가장 강한 사람들이 반드시 가장 오래 사는 것은 아니다.
not dry [(still) wet] behind the ears = unripened, immatured, inexperienced	미숙한, 풋내기의 The young man was **not dry behind the ears**. 그 젊은이는 세상 경험이 없었다.
not to mention = to say nothing of, not to speak of	~은 말할 것도 없이 Beckham does not know English, **not to mention** French. Beckham은 프랑스어는 말할 것도 없이, 영어도 모른다.
not to speak of = not to mention, to say nothing of	~은 말할 것도 없이 Johansson can dance, **not to speak of** singing. Johansson은 노래는 말할 것도 없이 춤도 출 수 있다.
nothing but = only	~만, 겨우, ~뿐 Write **nothing but** the address on this side. 이쪽 면에 주소만 써라.
45 **now and then[again]** = occasionally, from time to time	이따금 I hear from Beckham **now and then**. 나는 이따금 Beckham으로부터 소식을 듣는다.
now that = since	이제 ~이니까 **Now that** Beckham is well again, he can travel. Beckham은 이제 다시 건강해졌으니까, 여행을 할 수 있다.
of consequence = of importance, of account	중요한(= significant) Beckham is a man **of consequence** in his village. Beckham은 그의 마을에서 중요한 사람이다.
of one's own choice = by one's own wish[accord]	자기가 좋아서 Johansson married him **of her own choice**. Johansson은 자기가 좋아서 그와 결혼했다.
of service = helpful	도움이 되는 I shall be happy to be **of** any **service** to you. 내가 너에게 어떤 도움이 되면 기쁘겠는데.
50 **of use** = useful	유용한 It will be **of** some **use** in the future. 그것은 미래에 다소 유용해질 것이다.

DAY 54

off and on = irregularly, occasionally	간간이, 때때로 It has been raining **off and on**. 비가 간간이 내리고 있다.
off duty = not engaged in one's regular work	비번(非番)의 Beckham is **off duty**. Beckham은 비번이다.
on account of = because of	~ 때문에 **On account of** his illness, he could not join us. 그의 병 때문에, 그는 우리와 합류하지 못했다.
on and on = without stopping	계속하여 She went **on and on** about the field trip of her boyfriend. 그녀는 그녀의 남자친구의 현장 학습에 대해 계속 얘기를 해댔다.
05 **on behalf of**	~을 대표하여 **On behalf of** the company, Beckham welcomes you. 회사를 대표하여, Beckham이 당신을 환영합니다.
on duty = engaged in one's regular work	당번의 Beckham goes **on duty** at 7 a.m. and comes off duty at 3 p.m. Beckham은 오전 7시에 당번으로 출근하고, 오후 3시에 비번으로 퇴근한다.
on end = continuously; upright	계속하여; 곤두세워서 People stood there for three hours **on end**. 사람들은 계속하여 3시간 동안 거기에 서 있었다. The news made his hair stand **on end**. 그 소식을 듣고 그의 머리카락이 곤두섰다.
on good terms with = friendly with, on friendly terms with	~와 사이가 좋은 Beckham's family is **on good terms with** each other. Beckham의 가족은 서로 사이가 좋다.
on no account = in no case, for no reason	결코 ~않은, 무슨 일이 있어도 ~않은 Beckham must **on no account** go out in this storm. Beckham은 이런 폭풍 속에 결코 외출해서는 안 된다.
10 **on one's way** = on the way	도중에 **On my way** to school, I met Beckham by chance. 학교로 가는 도중에, 나는 우연히 Beckham을 만났다.
on purpose = purposely, intentionally	일부러, 고의로 Beckham says such a thing **on purpose** to annoy me. Beckham은 나를 괴롭히려고 일부러 그런 말을 한다.
on the brink of = on the point of	막 ~하려는 차에 Beckham was **on the brink of** ruin. Beckham은 막 파산하려는 차였다.
on the contrary = opposite to, to the contrary	그와는 반대로 You think Beckham idle, but **on the contrary** he is very busy. 너는 Beckham이 게으르다고 생각하지만, 그와는 반대로 그는 매우 바쁘다.
on the fence = uncommitted, indecisive	우유부단한, 애매한 태도를 취하여 Beckham was **on the fence** about buying a new car. Beckham은 새 차를 구입할 것인지에 대해 아직 결정하지 못했다.
15 **on the ground of** = by reason of, on account of	~의 이유로 Our manager resigned **on the ground of** illness. 우리 매니저는 병을 이유로 사직했다.
on the point of = on the verge of	~하는 순간에 The train was just **on the point of** starting when Beckham got to the station. Beckham이 역에 도착했을 때, 기차는 막 출발하려는 순간이었다.
on the spot = at the very place	그 자리에서, 곧 Beckham was killed **on the spot**. Beckham은 현장에서 살해되었다.
on the whole = in general	대체로 Beckham's opinion is **on the whole** the same as yours. Beckham의 의견은 대체로 너의 의견과 같다.

once and again
= over and over again, repeatedly

여러 번, 재삼

I have told Beckham **once and again** that he must not smoke in this room.
나는 Beckham에게 이 방에서 담배를 피워서는 안 된다고 여러 번 얘기했다.

once for all
= decisively; finally

딱 부러지게; 이번 한 번만

Tell Beckham so **once for all**.
Beckham에게 딱 부러지게 그렇게 말하세요.

one after another
= in turn, in succession

차례차례로

They ran **one after another**.
그들은 차례로 달렸다.

one after the other
= by turns, in rotation

교대로

Beckham and Timberlake kept watch **one after the other**.
Beckham과 Timberlake는 교대로 망을 보았다.

one and all
= everyone without exception

모두 한결같이

The boys, **one and all**, followed Beckham's example.
그 소년들은 모두 한결같이 Beckham의 선례를 따랐다.

one by one

하나씩

Examine the cases **one by one**.
그 경우들을 하나씩 검사해라.

only a few
= very few

불과 몇 안 되는

Only a few students passed the examination.
불과 몇 안 되는 학생들만 시험에 합격했다.

or so
= approximately, about, around

~쯤, 약

Beckham is thirty **or so**, I should think.
Beckham은 제가 생각하기에 서른 살쯤 되어 보이는데요.

other than

~ 외에는, ~와는 다른

I don't know any Russian people **other than** you and your groom.
저는 당신과 당신의 신랑 외에는 러시아 사람을 아무도 몰라요.

out of order
= not in working condition, broken

고장 난

This car is somewhat **out of order**.
이 차는 약간 고장 났다.

out of place
= unsuitable, not in the right place

부적당한, 제자리에 놓이지 않은

Beckham's conduct is quite **out of place**.
Beckham의 행동은 매우 부적당하다.

out of sight
= unable to be seen

안 보이는

The ship is now **out of sight**.
그 배는 이제 보이지 않는다.

out of sorts
= feeling unwell

불쾌한

Johansson is somewhat **out of sorts** this morning.
Johansson은 오늘 아침 다소 기분이 좋지 않다.

out of the question
= impossible

불가능한

Another match with your team is **out of the question**.
당신 팀과의 또 다른 시합은 불가능하다.

out of the woods
= saving one's skin[neck]

위기를 모면하여

The nation's economy is not **out of the woods** yet.
그 나라의 경제는 아직 어려움을 벗어나지 못했다.

owing to
= on account of, because of, due to

~ 때문에

My grandfather could not come, **owing to** his illness.
나의 할아버지는 그의 병 때문에 올 수 없었다.

part from+사람
= segregate oneself from, bid farewell to

~와 헤어지다

I am very sorry to **part from** Beckham.
나는 Beckham과 헤어지게 되어서 매우 유감이다.

pass away
= go away, die

죽다, 멸망하다, 사라지다

He **passed away** peacefully.
그는 고이 숨을 거두었다.

pass for
= be accepted as

~으로 통하다

Beckham **passes for** a learned man in his village.
Beckham은 자기 마을에서 학자로 통한다.

pass through
= experience, undergo

~을 경험하다, 겪다

Beckham has **passed through** many troubles.
Beckham은 많은 곤경을 경험했다.

pay attention to = take note of	~에 주의를 기울이다 Please **pay attention to** what Beckham says. Beckham이 말하는 것에 주의를 기울여 주세요.
40 **persist in** = refuse to make any change in	~을 고집하다 Johansson **persisted in** going her own way. Johansson은 자기 마음대로 하겠다고 고집했다.
pick out = choose, select	고르다 Beckham **picked out** the best book. Beckham은 가장 좋은 책을 골랐다.
picture to oneself = imagine	상상하다 Just **picture to yourself** the war and its terribleness. 전쟁과 그 끔찍함을 그저 상상해보세요.
play a part = play a role	역할을 하다 Beckham's stepmother **played a** great **part** in his life. Beckham의 계모는 그의 일생에 큰 역할을 했다.
point out = indicate	지적하다 Beckham expressly **pointed out** the mistake. Beckham은 명백하게 그 실수를 지적했다.
45 **pore over** = inspect in detail, make a scrutiny into, look narrowly into, examine	세세히 읽다, 열심히 연구하다, 숙고하다, 탐독하다, 살펴보다 The chief financial officer is **poring over** the small print in the contract. 자금 관리 이사는 그 계약서의 작은 글자들을 세세히 읽고 있다.
prevail on = persuade	~을 설득하다 I tried to **prevail on** Beckham to stay. 나는 Beckham이 머물도록 설득하려고 애썼다.
prevent A from B = keep A from B	A가 B하지 못하게 하다[막다] His mother's illness **prevented** Beckham **from** going to school. 어머니의 병환은 Beckham이 학교에 가지 못하게 했다.
pride oneself on = be proud of, take pride in	~을 자랑하다 The chef **prides himself on** his ability. 그 요리사는 자기의 능력을 자랑스러워한다.
prior to = previously, earlier than, antecedent to	~ 이전에 I called on him **prior to** my departure. 나는 출발에 앞서 그를 방문했다.
50 **provide for** = do what is necessary; support	~에 대비하다; ~을 부양하다 Beckham **provided for** contingencies. Beckham은 불의의 사고에 대비했다.

DAY 55

provided (that) = if	만약 ~하면 I will pardon Beckham **provided that** he acknowledges his fault. 만약 Beckham이 자기 잘못을 인정한다면 나는 그를 용서하겠다.
pull through = hold on, defy	극복하다, 견뎌내다 Beckham barely managed to **pull through**. Beckham은 가까스로 고비를 극복했다.
put ~ aside for = save, keep, store	…을 위해서 따로 ~을 남겨두다 You have to **put** some cash **aside for** a rainy day. 당신은 약간의 현금을 어려울 때를 대비하여 남겨두어야 한다.
put ~ in[into] practice = bring ~ in[into] practice, do exercise	실시하다, 실행하다 It is very difficult to **put** it **into practice**. 그것을 실행하는 것은 매우 어렵다.
05 **put on airs** = give oneself airs	잘난 체하다 Beckham **puts on** high **airs** with his learning. Beckham은 자기 학식에 대해 매우 잘난 체한다.
put out = extinguish	(불을) 끄다 We **put out** the light before we left the forest. 숲을 떠나기 전에 우리는 불을 껐다.
put to use = use	사용하다 Every moment may be **put to** some **use**. 모든 순간은 어느 정도 사용될 수 있다.
put up at = take food and lodging at	~에 숙박하다 Beckham **put up at** the hotel on the way. Beckham은 도중에 그 호텔에 묵었다.
put up with = endure, bear, tolerate, stand	~을 참다 I cannot **put up with** Beckham's insolence any longer. 나는 더 이상 Beckham의 건방진 태도를 참을 수 없다.
10 **rain cats and dogs** = rain heavily	비가 억수같이 쏟아지다 It **rained cats and dogs** yesterday morning. 어제 아침 비가 억수같이 쏟아졌다.
read between the lines = look for meaning not actually expressed	행간의 뜻을 읽다 Love letter messages have to be **read between the lines**. 러브 레터 메시지는 행간의 뜻을 읽어야 한다.
refer to+명사(구) (as) = consult; speak of	~을 참조하다; ~을 언급하다; ~의 탓으로 돌리다 Please **refer to** our income statement. 저희의 손익 계산서를 참조해 주십시오.
refrain from = abstain from	~을 삼가다 Beckham should **refrain from** judging others hastily. Beckham은 남들을 성급히 판단하는 것을 삼가야 한다.
regard A as B = consider[look upon] A as B	A를 B로 간주하다 He **regarded** those who believe in stereotypes **as** foolish. 그는 고정관념에 빠진 사람들을 어리석은 사람으로 간주했다.
15 **regardless of** = without regard to	~에 상관없이, ~에도 불구하고 We will go **regardless of** the weather. 우리는 날씨와 상관없이 갈 것이다.
rely on = depend on, trust	~에 의존하다, ~을 믿다 Beckham **relies** too much **on** others. Beckham은 다른 사람들에게 너무 많이 의존한다.
remind A of B = put A in mind of B	A에게 B를 생각나게 하다 Johansson **reminds** me **of** my mother. Johansson은 나에게 내 어머니를 생각나게 한다.
resign oneself to = accept without complaint	~을 체념하여 받아들이다 Beckham **resigned himself to** his fate. Beckham은 자신의 운명을 체념하며 받아들였다.

	resort to+명사(구) = lean on, count on, draw on; hang around	~에 의지하다; (습관적으로) 자주 드나들다 We must **resort to** using this old machine. 우리는 이 오래된 기계를 이용하는 것에 의지해야만 한다.
20	**rest on** = depend on, rely on	달려 있다, ~에 의존하다 All knowledge **rests on** experience. 모든 지식은 경험에 달려 있다.
	result from+원인 = happen from	결과로서 ~이 생기다, ~에서 기인하다 Beckham's success **resulted from** his diligence. Beckham의 성공은 그의 부지런함의 결과였다.
	result in+결과 = bring about	~을 초래하다, 결국 ~이 되다 Beckham's diligence **resulted in** his success. Beckham의 부지런함이 성공을 가져왔다.
	rid A of B = remove A from B	A에게서 B를 제거하다 Various measures will be taken to **rid** this city **of** crime. 이 도시에서 범죄를 없애기 위해 다양한 조치들이 취해질 것이다.
	ring a bell = cast one's mind back to	생각나다, 들어본 것 같다, 반응을 불러일으키다 His name **rings a bell** but I can't remember where we met. 그의 이름은 생각났지만 우리가 어디서 만났는지는 생각이 안 난다.
25	**rise in the world** = succeed in life, get on in the world	출세하다 Beckham **rose in the world** through perseverance. Beckham은 인내로 출세했다.
	rob A of B = deprive A of B	A에게서 B를 빼앗다 A pickpocket **robbed** Beckham **of** his purse. 어떤 소매치기가 Beckham에게서 지갑을 빼앗아갔다.
	root out = get rid of ~ completely	~을 근절하다 People must **root out** corrupt practices. 사람들은 부정 행위를 근절해야 한다.
	rule out = exclude, eliminate	제외시키다, 배제하다 Police have not **ruled out** the possibility that the man was an arsonist. 경찰은 그 남자가 방화범이라는 가능성을 배제하지 않았다.
	run a risk = take a risk	모험하다 Beckham **ran a risk** of being hanged. Beckham은 교수형을 당할 뻔한 모험을 했다.
30	**run after** = chase, pursue	~을 뒤쫓다 A person who **runs after** two hares will catch neither. 두 마리 토끼를 뒤쫓는 사람은 한 마리도 잡을 수 없는 법이다.
	run against = run into	~와 부딪치다 Beckham **ran against** a pole. Beckham이 기둥에 부딪쳤다.
	run into = run against, collide with	~와 충돌하다, 우연히 만나다 The two cars **ran into** each other. 그 두 대의 차가 서로 충돌했다.
	run out of = exhaust the supply of, run short of	~이 부족해지다, 다 떨어지다 I have **run out of** my pocket money. 나는 용돈이 다 떨어졌다.
	run over = read through quickly; knock down and pass over	~을 훑어보다; (차가) 치다 Beckham **ran over** the newspaper. Beckham은 신문을 훑어보았다.
35	**run short of** = exhaust the supply of, run out of	다 떨어지다, ~이 부족해지다 They **ran short of** provisions. 그들은 식량이 다 떨어졌다.
	safe and sound = safely	무사히 The survivor came back **safe and sound**. 그 생존자는 무사히 돌아왔다.
	scratch off = wipe, rub off[out], delete, strike out, cross out	~을 지우다 My goal is to **scratch off** all my to-do list. 나의 목표는 나의 할 일 리스트를 다 지우는 것이다.

scratch the surface of = be half-learned	~의 겉만 핥다, 일부만 다루다 You can't become a professional if you just **scratch the surface of** something. 당신은 무엇인가의 겉만 핥는다면 전문가가 될 수 없다.
search for[after] = try to find, look for, sniff out	~을 찾다 He **searched** everywhere **for** his passport. 그는 자신의 여권을 위해 모든 곳을 찾아보았다.
40 **second to none** = not surpassed, the best, utmost	최고의, 극도의 Beckham is **second to none** in learning. Beckham은 학식에 있어서는 최고다.
see into = examine	~을 조사하다 Let's **see into** the cause of the trouble. 그 문제의 원인을 조사해 보자.
see to (it that) = take care, make sure	~에 주의하다, ~하도록 하다 The Chinese will **see to it that** the site stays untouched. 중국 사람들은 그 지역이 훼손되지 않은 채로 두도록 주의할 것이다.
seeing that = considering (that)	~을 고려하건대 **Seeing that** he is a foreigner, it is quite natural that he should not know such a matter. 그가 외국인이라는 사실을 고려할 때, 그런 일을 모른다는 것은 아주 당연하다.
seize hold of = take hold of, cling to	~을 붙잡다 Johansson **seized hold of** my hand. Johansson이 내 손을 붙잡았다.
45 **send for**	~을 부르러 보내다 **Send for** a doctor as quickly as possible. 가능한 한 빨리 의사를 부르러 보내세요.
serve right = to be one's just punishment	당연한 벌이다 It **serves** him **right** to cancel his license. 그는 면허를 취소당해도 싸다.
set about = start, set in, take steps towards, go about	시작하다 Beckham must **set about** his work at once. Beckham은 당장 그의 일을 시작해야 한다.
set aside = put on one side for future use, put aside, save	따로 떼어두다, 저축하다 She tries to **set aside** some money every quarter. 그녀는 매 분기마다 약간의 돈을 따로 떼어 놓으려고 노력한다.
set in = begin, start	시작하다 Winter has fairly **set in**. 겨울이 완전히 시작되었다.
50 **set out** = set off, begin, leave	출발하다, 시작하다, 떠나다(= be off) Beckham **set out** on foot early the next morning. Beckham은 다음 날 아침 일찍 걸어서 출발했다.

DAY 56

set store by
= think much of

~을 소중히 여기다

Beckham **set** great **store by** his friendship.
Beckham은 우정을 매우 소중히 여겼다.

set up
= establish, build

설립하다

Beckham managed to **set up** a factory.
Beckham은 가까스로 공장을 하나 설립했다.

settle down
= fix one's home somewhere permanently

정착하다

Beckham **settled down** in a little cottage.
Beckham은 작은 오두막집에 정착했다.

settle into

~에 자리 잡다

We'll **settle into** a new town.
우리는 새로운 동네에 자리 잡게 될 것이다.

05 **short of**
= insufficient

~이 부족한

Short of resources, they halted the project.
자원이 부족해서 그들은 그 프로젝트를 중단했다.

show off
= make a vain display of, boast

자랑하다, 과시하다

My coworker always **shows off** his abilities.
나의 동료는 늘 자기의 능력을 자랑한다.

shun away from
= escape, dodge

~을 피하다

Most lawyers **shun away from** participating in its events.
대부분의 변호사들이 그것의 사건에 참여하는 것을 피했다.

shy of

~이 부족한, 모자라는

She was one day **shy of** her twentieth anniversary when she died.
그녀가 죽었을 때는 그녀의 20번째 기념일이 있기 하루 전이었다.

sick of
= tired of

~에 싫증이 난

If you are **sick of** visiting museums, castles or mountains for travel, here is something exciting for you.
만약 당신이 여행으로 박물관, 성, 혹은 산에 가는 것에 싫증이 난다면 여기 당신을 위한 신나는 무언가가 있습니다.

10 **side by side**
= close together

나란히

The Beckham's family sat **side by side** with each other.
Beckham의 가족은 서로 나란히 앉았다.

sit for an examination
= take an exam for

시험을 치르다

Beckham has become eligible to **sit for the examination**.
Beckham은 시험을 치를 자격이 되었다.

sit up
= not go to bed

자지 않고 깨어 있다

Beckham **sat up** late into the night to study.
Beckham은 공부하기 위해 밤늦도록 자지 않고 깨어 있었다.

slack off
= be idle, be lazy, loaf[slob] around

게으름을 피우다

All of the students were allowed to **slack off** today.
모든 학생들이 오늘 게으름을 피우도록 허락 받았다.

so far
= up to now

지금까지(= to date)

Detectives are **so far** at a loss to notify the motive for her crime.
형사들은 지금까지도 그녀의 범죄 동기를 발표하는 것에 갈피를 못 잡고 있다.

15 **so to speak**
= so to say, as it were, as one might say

말하자면

Beckham is, **so to speak**, a grown-up baby.
Beckham은, 말하자면, 다 자란 어린애 같은 사람이다.

some time or other

언젠가

Beckham must learn it **some time or other**.
Beckham은 언젠가 그것을 배워야 한다.

sooner or later
= whether soon or afterwards

조만간

Sooner or later I have to make a clear decision.
조만간 나는 확실한 결정을 내려야 한다.

stand a chance of
= have the possibility of

~의 가능성이 있다

The team **stands a** good **chance of** winning the fight.
그 팀은 그 싸움에서 이길 가능성이 많이 있다.

stand for
= symbolize, signify, represent; support; tolerate

~을 나타내다, 의미하다; 대표하다; 지지하다; 참다

What does the 'A.K.A' **stand for**?
'A.K.A'는 무엇을 나타내나요?

20 **stand in the way** = be in the way, cause inconvenience	방해가 되다 It never seems to **stand in the way** of his construction. 그것이 그의 공사에는 전혀 방해가 되지 않는 듯하다.
stand on one's (own) feet = fend for oneself	자립하다 I will **stand on my feet** starting tomorrow. 나는 내일부터 경제적으로 독립하겠다.
stand out = be prominent; continue to resist	눈에 띄다; 끝까지 버티다 The words **stand out** well. 글자들이 눈에 잘 띈다.
steal away = go away secretly	몰래 사라지다 Beckham **stole away** under the cover of night. Beckham은 밤을 틈타 몰래 사라졌다.
stick one's nose in = interfere, meddle	쓸데없는 일에 필요 이상으로 참견하다 You shouldn't **stick your nose in** their business. 너는 그들의 일에 쓸데없이 참견해서는 안 된다.
25 **stick to** = continue, persistently; adhere to, hold on to	~을 고수하다; ~에 들러붙다 If you **stick to** it, you will succeed. 네가 그 일을 꾸준히 하면, 성공할 것이다.
substitute A for B = replace B with A	B를 A로 대체하다, B 대신 A를 사용하다 Chefs can **substitute** margarine **for** butter. 요리사는 버터를 마가린으로 대체할 수 있다.
succeed in = have success in	~에 성공하다 Beckham **succeeded in** solving the problem. Beckham은 그 문제를 푸는 데 성공했다.
succeed to = become an heir to	~을 계승하다, 상속하다 Beckham **succeeded to** a large property left by his father. Beckham은 그의 아버지가 남겨주신 많은 재산을 상속했다.
such as = like	~와 같은 Poets **such as** Keates are rare. Keates와 같은 시인은 드물다.
30 **suffer from** = be troubled by	~로 고통받다, 시달리다 Beckham is **suffering from** an incurable disease. Beckham은 불치병으로 고통받고 있다.
sum up = summarize; give the total of	요약하다; 총계를 내다 To **sum up**, there are two ways of addressing the issue. 요약하면, 그 쟁점을 해결하는 데 두 가지 방법이 있다.
supply A with B = furnish[provide] A with B	A에게 B를 공급하다 Just **supply** him **with** the ingredient and it's a done deal. 그에게 재료들만 주시면 해 드립니다.
switch on[off] = turn on[off]	~을 켜다[끄다] Be sure to **switch on** the light. 반드시 불을 켜라.
sympathize with = feel for	~을 동정하다 I **sympathize with** Beckham from the bottom of my heart. 나는 마음속으로부터 Beckham을 동정한다.
35 **take a break** = take a rest	잠깐 휴식하다 I think it's about time for Beckham to **take a break**. 이제는 Beckham이 잠깐 휴식할 시간이라고 생각한다.
take a fancy to+명사(구) = be fond of, take a liking to[for]	~을 좋아하다 I have **taken a fancy to** that picture. 나는 저 그림이 마음에 들었다.
take a nose dive = sink rapidly, de-proliferate	급격히 감소하다 Our profits **took a nose dive** last year. 우리의 이익은 작년에 급격히 감소하였다.
take A for B = mistake A for B	A를 B로 잘못 보다 I **took** Beckham **for** a model. 나는 Beckham을 모델로 잘못 보았다.
take account of = allow for, take into consideration, take into account	~을 고려하다 Beckham need not **take** much **account of** it. Beckham은 그것을 크게 고려할 필요가 없다.

40 **take advantage of** = utilize	~을 이용하다 Beckham must not **take advantage of** Johansson's simplicity. Beckham은 Johansson의 순진함을 이용해서는 안 된다.
take after = resemble; chase	~을 닮다; 추적하다 Beckham **takes after** his father. Beckham은 그의 아버지를 닮았다.
take ~ by surprise = surprise	(불시에) 기습하다, ~을 놀라게 하다 His army **took** the enemy **by surprise**. 그의 군대는 적을 불시에 기습했다.
take charge of = take responsibility for	~의 책임을 지다, 보호를 맡다 Johansson **took charge of** my children. Johansson은 내 아이들을 맡았다.
take down = write down; dissolve, disband	적어두다; 해체하다; 내리다 Reporters **took down** every word of his speech. 기자들은 그의 연설 한 마디 한 마디를 기록했다.
45 **take ~ into account** = take ~ into consideration	~을 고려하다 People must **take** Beckham's inexperience **into account**. 사람들은 Beckham의 경험 미숙을 고려해야 한다.
take it for granted that = accept as true without investigation	~을 당연한 것으로 여기다 I **took it for granted that** you would consent. 나는 네가 동의할 것을 당연한 것으로 여겼다.
take leave of = part from	~와 작별하다 I **took leave of** him at the door and took a taxi. 나는 문간에서 그와 작별하고 택시를 탔다.
take notice of = notice	~을 주목하다 He passed by me without **taking notice of** me. 그는 나를 보지도 않고 지나갔다.
take off = leave the ground and rise into the air	이륙하다; 벗기다, 벗다 The plane **took off** from the airport. 그 비행기는 공항을 이륙했다.
50 **take one's time** = not to hurry	서두르지 않다 Beckham **took his time** and made a careful inquiry. Beckham은 서두르지 않고 조심스럽게 질문했다.

DAY 57

take part in = participate in, engage in	~에 참가하다 Beckham **took part in** the movement. Beckham은 그 운동에 참가했다.
take place = happen; be held	발생하다; 개최되다 The accident **took place** yesterday morning. 그 사고는 어제 아침에 발생했다.
take pride in = pride oneself on	~을 자랑하다 Beckham **takes prides in** his wealth. Beckham은 그의 부유함을 자랑한다.
take the place of = replace, be substituted for	~을 대체하다, 대신하다 Electricity is **taking the place of** gas. 전기가 가스를 대체하고 있다.
05 **take to** = indulge in	~에 빠지다 Beckham has since **taken to** drinking. Beckham은 그때부터 음주에 빠져들었다.
take turns = do something in turn, alternate	교대로 하다, 번갈아 하다 People **took turns** at sleeping and watching. 사람들은 교대로 잠자고 경계를 섰다.
take up = occupy, comprise, take over	차지하다; (시간 등이) 걸리다; 시작하다 This bed will **take up** too much room. 이 침대는 자리를 너무 많이 차지할 것이다.
tell A from B = distinguish A from B	A와 B를 구별하다 Diana must **tell** the truth **from** the false. Diana는 진실과 거짓을 구별해야 한다.
tell on = have a marked effect on	~에 영향을 미치다 The strain has begun to **tell on** Diana's health. 긴장이 Diana의 건강에 영향을 미치기 시작했다.
10 **ten to one** = in nine cases out of ten	십중팔구 **Ten to one** Diana will succeed. 십중팔구 Diana는 성공할 것이다.
thanks to = owing to	~ 덕분에 **Thanks to** science, people are now free from many evils. 과학 덕분에, 사람들은 이제 많은 악으로부터 자유로워졌다.

that is (to say) = in other words, namely	즉 He's a governor, **that is to say**, a civil servant. 그는 주지사, 즉, 공무원이다.
think highly of = make much of, treat highly	~을 높이 평가하다 I **think highly of** his knowledge. 나는 그의 지식을 높이 평가한다.
think little of = think nothing of, make no account of	~을 경시하다 Beckham **thought little of** his illness and worked himself to death. Beckham은 그의 병을 경시했고 일을 하다가 죽었다.
15 **think over** = consider carefully before deciding	~을 곰곰이 생각하다 I will **think** it **over** before making a decision. 나는 결정을 내리기 전에 그것을 곰곰이 생각할 것이다.
through thick and thin = through good times and bad times	좋을 때나 나쁠 때나 Beckham stood by me **through thick and thin**. Beckham은 좋을 때나 나쁠 때나 내 편에 섰다.
tide over = get over, overcome, break through	극복하다 I hope Diana shall be able to **tide over** this difficulty. 나는 Diana가 이 어려움을 극복할 수 있기를 바란다.
to no end = to no purpose, in vain	헛되이 Beckham tried to obtain it, but **to no end**. Beckham은 그것을 얻으려고 애썼지만, 헛일이었다.
to say nothing of = not to mention, not to speak of	~은 말할 것도 없이 It was too complex, **to say nothing of** the time it wasted. 그것은 허비된 시간은 말할 것도 없고, 너무 복잡했다.
20 **to the contrary**	그 반대를 보여주는 Diana's lawyer has no proof **to the contrary**. Diana의 변호사는 그 반대를 보여주는 증거가 없다.
to the detriment of = inflicting a loss on	~에게 손해를 주어 The doctor was engrossed in his job **to the detriment of** his health. 그 의사는 너무 일에 빠져 자신의 건강을 해쳤다.
to the effect that = meaning that	~이라는 취지로 This letter is **to the effect that** Diana will arrive tomorrow. 이 편지는 Diana가 내일 도착하겠다는 취지로 되어 있다.
to the point = relevant, to the purpose	적절한, 요령 있는 Beckham cited many instances, but none was exactly **to the point**. Beckham은 많은 예를 인용했으나, 하나도 딱 적절하지 않았다.
to the purpose = relevant, to the point	적절한, 요령 있는 Diana's speech was short and **to the purpose**. Diana의 연설은 짧고 적절했다.
25 **trade on** = maladapt, trespass on	(특히 부당하게) ~을 이용하다 But I cannot **trade on** his reputation. 하지만 나는 그의 명성을 이용할 수 없다.
true of = applicable to	~에 적용되는 This definition is also **true of** other subjects. 이 정의는 또한 다른 주제들에도 적용된다.
true to = faithful to	~에 충실한 **True to** this word, Diana gave me the book. 이 말에 충실하여, Diana는 내게 그 책을 주었다.
try on = test before buying	입어 보다, 시험해 보다 The actress **tried on** half a dozen suits before deciding on it. 그 여배우는 그것으로 결정하기 전에 6벌의 옷을 입어 봤다.
turn a deaf ear to	~을 듣지 않다 Beckham **turned a deaf ear to** my advice. Beckham은 나의 충고를 듣지 않았다.
30 **turn down** = reject	~을 거절하다 Johansson **turned down** Diana's offer. Johansson은 Diana의 제의를 거절했다.

turn on[off] = switch on[off]	~을 켜다[끄다] Johansson **turned off** the electric light. Johansson은 전등을 껐다.
turn out = prove	입증되다, 드러나다 The house the manager had offered me **turned out** to be a small apartment. 관리자가 나에게 제공한 집은 작은 아파트임이 드러났다.
turn ~ to account = utilize, make use of	~을 이용하다 Diana should **turn** everything **to account**. Diana는 모든 것을 이용해야 한다.
turn up = appear, show up	나타나다 He promised to come, but he hasn't **turned up** yet. 그가 오겠다고 약속했지만, 아직 나타나지 않았다.
35 **up to one's eyes** = be absorbed [engrossed, immersed]	꼼짝 못하는, 전념하는 Beckham is **up to his eyes** in debt. Beckham은 빚 때문에 꼼짝 못한다.
upon one's words = without fail	맹세코 I will do so **upon my words**. 나는 맹세코 그렇게 하겠다.
wait up for	자지 않고 기다리다 Don't **wait up for** me because I'll be late. 나 늦을거니까, 자지 않고 기다리지 마.
walk on air = be sitting on high cotton	기뻐 날뛰다 On the last day of school, all the children **walked on air**. 종업식 날에, 모든 아이들이 기뻐 날뛰었다.
walk on eggshells = be on the safe side	(누군가를 화나게 하지 않기 위해서) 조심하다 My cat **walks on eggshells** around me. 나의 고양이는 내 눈치를 살살 보고 있다.
40 **watch out** = guard	감시하다; 돌보다 Johansson **watched out** the flock of goats. Johansson은 염소 떼를 감시했다.
wear out = become useless, become exhausted	닳아 버리다, 지쳐 버리다, 소모하다 The carpenter is **wearing out** the metal pieces. 목수가 금속 조각을 닳아 없애고 있다.
weary of = tired of, sick of	~에 싫증이 난 Johansson was **weary of** her monotonous life. Johansson은 자신의 단조로운 생활에 싫증이 났다.
weigh down = weigh on one's mind	(마음 · 기분을) 짓누르다 The responsibilities of the job are **weighing** her **down**. 그 일에 대한 책임감이 그녀를 짓누르고 있다.
well off = rich, well-to-do	부유한, 유복한 Beckham was **well off** back then. 그 당시 Beckham은 부유했다.
45 **with all** = for all, in spite of	~에도 불구하고 **With all** his riches, he is not contented. 부유함(재산)에도 불구하고, 그는 만족하지 않는다.
with regard to = concerning, regarding, as to, as regards	~에 관하여 **With regard to** date and place, I agree with Diana. 날짜와 장소에 관하여, 나는 Diana와 의견이 같다.
with the view of = for the purpose of	~할 목적으로 Beckham went to Seoul **with the view of** visiting the exhibition. Beckham은 그 전시회를 방문할 목적으로 서울에 갔다.
without fail = for certain	틀림없이 Diana will call on you tomorrow **without fail**. Diana는 내일 틀림없이 너를 방문할 것이다.
worse than useless = do more harm than good, pointless	백해무익한 To worship lifeless idols is **worse than useless**. 생명 없는 우상을 숭배하는 것은 백해무익하다.
50 **zealous for** = anxious for, eager for	~을 열망하는 People are **zealous for** freedom and peace. 사람들은 자유와 평화를 열망한다.

PART

IV 유의어 대사전

WHY? 유의어 대사전

공시 영어에서 어휘 문제는 유의어를 묻는 문제가 절대적이다. 따라서, 시험장 직전 가장 직접적으로 어휘 문제에 대비할 수 있는 파트라고 할 수 있다. 동사와 형용사 품사별로 정리해 두었으므로 전략적으로 학습할 수 있으며, 이는 어느 교재에도 없는 파트라고 할 수 있다. 어휘 문제를 제대로 대비할 수 있는 시크릿 자료라고 생각하고, 시험장 입실 전까지 계속 반복하여 학습하도록 한다.

유의어 대사전

점수 잡는 학습법▶ 유의어 대사전은 회독이 매우 중요한 파트이다. 반복적으로 회독을 늘려가면서 표제어의 뜻은 물론 예문에서의 쓰임, 유의어의 뜻까지 모두 확실하게 학습해야 한다. 예문을 분석해 보면서 구문 분석의 연습도 함께 하는 것이 효과적이다. 회독 시에는 손으로 쓰는 연습을 하는 것도 암기에 도움이 될 것이다.

DAY 58 동사

degrade [digréid] 가치를 떨어뜨리다

The moral wisdom of the Black community is extremely useful in defying oppressive rules or standards of "law and order" that **degrade** Blacks.

흑인 사회의 도덕적 지혜는 흑인들을 비하하는 "법과 질서"의 억압적인 규칙이나 기준들에 저항하는 데 매우 유용하다. 2013 국가직 7급

| 유의어 |

- ☐ debase [dibéis] 품질 · 가치를 떨어뜨리다
- ☐ devalue [diːvǽljuː] 가치를 떨어뜨리다
- ☐ abase [əbéis] 지위 · 품격을 떨어뜨리다
- ☐ depreciate [dipríːʃièit] 가치가 떨어지다
- ☐ demote [dimóut] 격하 · 강등시키다
- ☐ detract [ditrǽkt] (가치 · 명성 등을) 떨어뜨리다, 손상시키다; (주의를) 딴 데로 돌리다

assert [əsə́ːrt] 주장하다

The murderer **asserted** his innocence.

그 살인자는 자기의 결백을 주장했다.

| 유의어 |

- ☐ declare [diklέər] 선언 · 단언하다, 세관에 신고하다
- ☐ protest [próutèst] 주장 · 단언 · 항의하다
- ☐ affirm [əfə́ːrm] 주장 · 단언 · 확언하다
- ☐ contend [kənténd] 주장하다, 싸우다, 다투다
- ☐ allege [əlédʒ] 주장 · 단언하다
- ☐ persist [pərsíst] 주장 · 고집하다, 지속하다

enforce [infɔ́ːrs] 강요하다; 시행하다, 집행하다

She **enforced** obedience to her demand by threats.

그녀는 협박하여 자신의 요구에 복종하기를 강요했다.

| 유의어 |

- ☐ intrude [intrúːd] 강요하다, 침입 · 참견하다
- ☐ constrain [kənstréin] 강요하다
- ☐ compel [kəmpél] 강요하다
- ☐ oblige [əbláidʒ] 강제하다, 의무를 지우다
- ☐ impel [impél] 강요하다, 재촉하다

compliment [kɑ́mpləment], [kɑ́mpləmənt] 칭찬하다; 칭찬

The professor **complimented** me on my presentation.

교수님은 나의 발표에 대해 칭찬해 주셨다.

| 유의어 |

- ☐ extol [ikstóul] 칭찬 · 찬양하다
- ☐ laud [lɔːd] 칭찬 · 칭송하다
- ☐ commend [kəménd] 칭찬하다
- ☐ applaud [əplɔ́ːd] 칭찬하다, 박수치다
- ☐ glorify [glɔ́ːrəfài] 찬양 · 찬미하다
- ☐ eulogize [júːlədʒàiz] 칭찬 · 칭송하다

05 transform [trænsfɔ́ːrm] 변경하다, 고치다

As soon as we are born, the world gets to work on us and **transforms** us from merely biological into social units.

우리가 세상에 태어나자마자, 세상은 우리에게 영향을 미치고 단지 생물학적 단위에서 사회적인 단위로 우리를 변형시킨다. 2011 지방직 9급

| 유의어 |

- ☐ convert [kənvə́ːrt] 전환 · 개조하다
- ☐ revise [riváiz] 교정 · 수정하다
- ☐ vary [vέ(ː)əri] 변경하다, 바꾸다, 다르다
- ☐ modify [mɑ́dəfài] 변경 · 수정하다
- ☐ remedy [rémədi] 고치다
- ☐ (a)mend [(ə)ménd] 고치다, 수정하다
- ☐ alter [ɔ́ːltər] 변경하다, 바꾸다
- ☐ rectify [réktəfài] 개정 · 수정하다

retreat [ritríːt] 물러서다, 후퇴하다; 후퇴, 도피, 칩거

Many animals can be seen playing, pawing, advancing, and **retreating** from their food before eating it.

많은 동물들이 먹기 전에 그들의 먹이를 가지고 놀고, 발로 건드리고, 앞으로 갔다가 뒤로 물러나는 것을 관찰할 수 있다. 2013 국가직 7급

| 유의어 |

- ☐ recede [risíːd] 물러가다
- ☐ flee [fliː] 달아나다, 도망치다
- ☐ recoil [rikɔ́il] 후퇴하다, 꽁무니 빼다
  - 참 coil 휘감다
- ☐ abscond [æbskɑ́nd] 도망치다, 자취를 감추다
- ☐ flinch [flintʃ] 도망치다, 꽁무니 빼다

separate
[sépəreit]

떼어 놓다, 멀어지게 하다

This does not necessarily mean that there are no statistically significant differences in specific innate abilities occurring in widely **separated** populations.

이것은 넓게 따로 떨어진 인구에서 발견되는 특정한 내재적 능력에 반드시 통계적으로 중요한 차이가 없다는 의미는 아니다.

2012 국가직 7급

| 유의어 |

- ☐ sequester [sikwéstər] 격리하다, 은퇴시키다
- ☐ dissociate [disóuʃièit] 떼어 놓다, 분리하다
- ☐ insulate [ínsjəlèit] 격리하다, 고립시키다
- ☐ detach [ditǽtʃ] 떼어 내다, 분리하다
- ☐ distance [dístəns] 멀어지게 하다
- ☐ sever [sévər] 떼어 놓다, 자르다
- ☐ seclude [siklú:d] 차단 · 격리시키다
- ☐ split [split] 쪼개다, 분리 · 이간시키다

depict
[dipíkt]

묘사하다, 서술하다

Many historic books from 2,000 BC **depict** hunting, too.

기원전 2,000년부터의 많은 역사책에서도 사냥하는 것을 묘사한다.

| 유의어 |

- ☐ amplify [ǽmpləfài] 상세히 설명하다
- ☐ illustrate [íləstrèit] 설명하다, 삽화를 넣다, 예시하다
- ☐ illuminate [iljú:mənèit] 명백히 하다, 해명하다
- ☐ manifest [mǽnəfèst] 명백히 하다
- ☐ explicate [éksplәkèit] 설명하다, 전개하다, 해석하다
- ☐ elucidate [ilú:sidèit] 설명 · 해명하다
- ☐ specify [spésəfài] 명기하다, 상술하다

object
[əbdʒékt]

반대하다

She **objects** to being asked out by people at work.

그녀는 직장에서 만난 사람들과 데이트하는 것을 반대한다.

2011 국가직 9급

| 유의어 |

- ☐ oppose [əpóuz] 반대하다, 이의를 제기하다, 반항하다
- ☐ discord [diskɔ́:rd] 불일치하다
- ☐ demur [dimɔ́:r] 반대하다, 이의를 말하다
- ☐ dissent [disént] 의견을 달리하다
- ☐ antagonize [æntǽgənàiz] 반대하다, 대항하다
- ☐ diverge [daivɔ́:rdʒ] 의견이 갈라지다
- ☐ take exception to ~에 반대하다

10

distinguish
[distíŋgwiʃ]

구별하다, 식별하다

Children can **distinguish** objects from substances only after they know how their language **distinguishes** them.

아이들은 그들의 언어가 어떻게 그것들을 구별하는지 알고 난 후에야 물질들과 물체들을 구별할 수 있다.

2014 국가직 9급

| 유의어 |

- ☐ demarcate [ˈdi:mɑ:keɪt] 구별하다, 분리하다
- ☐ differentiate [dɪfəˈrenʃieɪt] 구분 짓다, 차별하다
- ☐ discern [dɪˈsɜ:n] 식별하다, 분간하다
- ☐ discriminate [dɪˈskrɪməneɪt] 식별하다, 분간하다

resist
[rizíst]

저항하다, 반항하다

A Caucasian territory whose inhabitants have **resisted** Russian rule almost since its beginnings in the late 18th century has been the center of the incessant political turmoil.

거의 18세기 후반 초기부터 지역 주민들이 러시아 지배에 저항해 왔던 한 Caucasian 지역은 계속해서 정치적 혼란의 중심지가 되어 왔다.

2013 지방직 9급

| 유의어 |

- ☐ mutiny [mjú:təni] 폭동 · 반란을 일으키다
- ☐ rebel [ribél] 반역 · 반발하다
- ☐ revolt [rivóult] 폭동 · 반란을 일으키다
- ☐ withstand [wiðstǽnd] 저항하다, 버티다
- ☐ defy [difái] 반항하다, 도전하다

contradict
[kὰntrədíkt]

논박 · 반박하다

There is nothing in this paper to **contradict** that at all.

이 문서에는 그것을 반박할 것이 전혀 없다.

| 유의어 |

- ☐ rebut [ribʌ́t] 논박 · 반박하다
- ☐ disprove [disprú:v] 논박 · 반증하다
- ☐ controvert [kɑ́ntrəvə̀:rt] 논박 · 논쟁하다, 부정하다
- ☐ refute [rifjú:t] 논박 · 반박하다
- ☐ confute [kənfjú:t] 논박하다

reject
[ridʒékt]

부정 · 부인 · 거절하다

when your group of friends becomes so exclusive that they begin to **reject** everyone who isn't just like them

친구 집단이 너무 배타적이 되어 그들이 자신들과 같지 않은 모든 사람을 거부하기 시작할 때

2013 지방직 9급

| 유의어 |

- ☐ repudiate [ripjú:dièit] 부인 · 거절하다
- ☐ decline [dikláin] 거절하다, 쇠퇴 · 하락하다
- ☐ deny [dinái] 부정 · 부인 · 거절하다
- ☐ negate [nigéit] 부정 · 부인하다

enhance [inhǽns] 강화 · 보강 · 지지하다

The State of California is working hard to **enhance** the quality of its telephone service.

전화 서비스의 품질을 향상시키기 위해 캘리포니아 주는 열심히 일하고 있다. 2012 지방직 7급

| 유의어 |

- ☐ bulwark [búlwərk] 견고히 하다, 보루를 쌓다
- ☐ fortify [fɔ́:rtəfài] 강화하다; 기운을 돋우다; 요새화하다
- ☐ solidify [səlídəfài] 견고히 하다, 결속시키다
- ☐ sustain [səstéin] 지지 · 지탱 · 유지 · 부양하다
- ☐ consolidate [kənsάlidèit] 강화하다, 합병 · 통합하다
- ☐ bolster [bóulstər] 보강 · 지지하다
- ☐ reinforce [rì:infɔ́:rs] 강화 · 증강하다
- ☐ prop [prɑp] 지지 · 지원하다, 받치다
- ☐ intensify [inténsəfài] 세게 하다
- ☐ buttress [bʌ́tris] 보강 · 지지하다

15

advocate [ˈædvəkeit] 지지 · 옹호하다

We do not **advocate** the use of violence.

우리는 폭력 행사를 지지하지 않는다.

| 유의어 |

- ☐ stand up for 지지하다
- ☐ defend [difénd] 옹호 · 변론 · 방어하다
- ☐ uphold [ʌphóuld] 유지 · 지탱 · 지지하다
- ☐ plead [pli:d] 변론하다, 탄원 · 간청하다
- ☐ patronize [péitrənàiz] 후원 · 후견하다, 보호하다
- ☐ espouse [ispáuz] 지지 · 신봉하다

cooperate [kouάpərèit] 협력 · 협조하다

For example, some research reports that girls are more likely to **cooperate** and to talk about caring, whereas boys are more competitive and talk about rights and justice.

예를 들어, 몇몇 연구들은 소년들은 더 경쟁적이고 권리와 정의에 대해 말하는 것에 비해 소녀들은 더 협조적이고 보살핌에 대해 이야기하기 쉽다고 보고한다. 2012 지방직 7급

| 유의어 |

- ☐ collaborate [kəlǽbərèit] 협력 · 협동 · 합작하다
- ☐ coalesce [kòuəlés] 합동 · 연합하다
- ☐ ally [ǽli] 동맹 · 연합 · 제휴하다
- ☐ concert [kənsə́(:)rt] 협조 · 협정하다

launch [lɔ:ntʃ] 시작 · 착수하다

He is about to **launch** an attack.

그는 이제 막 공격을 시작할 참이다.

| 유의어 |

- ☐ embark [imbά:rk] 시작 · 착수하다 cf. embark on ~에 착수하다
- ☐ commence [kəméns] 시작 · 개시하다
- ☐ initiate [iníʃieit] 시작 · 창시하다

massacre [ˈmæsəkər] 대학살; 학살하다

He witnessed a **massacre** during the war.

그는 전쟁 동안에 대학살을 목격했다.

| 유의어 |

- ☐ slaughter [ˈslɔ:tə] 학살 · 도살하다
- ☐ annihilate [əˈnaɪəleɪt] 학살하다, 전멸시키다, 섬멸하다, 무효로 하다
- ☐ butch [butʃ] 학살하다, 살육하다, 망쳐놓다

coordinate [kouɔ́:rdəneit] 중재 · 조정하다

Coordinate new item release dates with buyers.

구매자들과 신상품 출시 일자를 조정해라.

| 유의어 |

- ☐ arbitrate [ά:rbitrèit] 중재 · 조정하다
- ☐ intervene [ìntərví:n] 중재 · 개입하다
- ☐ mediate [mí:dieit] 중재 · 조정하다
- ☐ intermediate [ìntərmí:dièit] 중재 · 중개하다
- ☐ intercede [ìntərsí:d] 중재 · 조정하다
- ☐ interpose [ìntərpóuz] 중재 · 조정하다

20

interfere [ìntərfíər] 간섭 · 참견하다

My mom always **interferes** in my personal life.

우리 엄마는 항상 내 개인 생활을 간섭하신다.

| 유의어 |

- ☐ intrude [intrú:d] 침입 · 참견하다, 강요하다
- ☐ meddle [médl] 간섭 · 참견하다
- ☐ butt in 간섭 · 참견하다

invade [invéid] 침입 · 침략 · 침해하다

If Hitler hadn't **invaded** other European countries, World War II might not have taken place.

Hitler가 다른 유럽 국가를 침략하지 않았다면, 제2차 세계대전은 일어나지 않았을지도 모른다. 2013 서울시 9급

| 유의어 |

- □ encroach [inkróutʃ] 침입 · 침략 · 침해하다
- □ trespass [tréspəs] 침입 · 침해하다
- □ impinge [impíndʒ] 침해 · 침범하다
- □ intrude [intrúːd] 침입하다, 강요하다, 개입하다
- □ violate [váiəlèit] 위반하다, 침해하다, 어기다

attack [ətǽk] 공격 · 습격하다(fall on[upon]); 공격

Two women were upstairs in a townhouse when they heard their roommate, a third woman, being **attacked** downstairs by intruders.

두 명의 여성들은 그들의 룸메이트인 세 번째 여성이 아래층에서 침입자들에 의해서 공격당하고 있는 소리를 들었을 때, 연립주택의 위층에 있었다. 2014 경찰직 1차

| 유의어 |

- □ assault [əsɔ́ːlt] 습격 · 급습하다
- □ strike [straik] 공격하다, 치다
- □ raid [reid] 습격 · 급습 · 공습하다
- □ assail [əséil] 습격하다, 맹공하다

adorn [ədɔ́ːrn] 꾸미다, 장식하다

His wife wanted something with which to **adorn** her neck and ears.

그의 부인은 목과 귀를 장식할 무언가를 원했다.

| 유의어 |

- □ ornament [ɔ́ːrnəmənt] 꾸미다, 장식하다
- □ embellish [imbéliʃ] 장식 · 미화하다
- □ garnish [gáːrniʃ] 꾸미다, 장식하다

annoy [ənɔ́i] 화나게 하다, 괴롭히다

The winner's complacent smile **annoyed** some of the members of the audience.

그 승리자의 자기만족적인 미소는 관중의 일부를 화나게 했다. 2012 국가직 9급

| 유의어 |

- □ tease [tiːz] 괴롭히다, 졸라 대다
- □ distress [distrés] 괴롭히다
- □ agonize [ˈægənaɪz] 괴롭히다
- □ excruciate [ikskrúːʃièit] 괴롭히다, 고문하다
- □ persecute [pə́ːrsəkjùːt] 괴롭히다, 박해하다
- □ plague [pleig] 괴롭히다
- □ molest [məlést] 괴롭히다, 못살게 굴다
- □ torment [ˈtɔːrment], [ˈtɔːment] 괴롭히다; 고통
- □ torture [tɔ́ːrtʃər] 괴롭히다, 고문하다
- □ afflict [əflíkt] 괴롭히다, 시달리게 하다
- □ crucify [krúːsəfài] 몹시 괴롭히다
- □ harass [ˈhærəs] 괴롭히다
- □ pester [péstər] 괴롭히다, 시달리게 하다

25

restore [ristɔ́ːr] 회복 · 복구 · 복원시키다

They were not allowed to return to their homeland until 1957, when Khrushchev **restored** an autonomous status for Chechnya.

Khrushchev가 체첸 자치의 지위를 회복시켰을 때인 1957년까지 그들은 고향으로 돌아가는 것이 허용되지 않았다. 2013 지방직 9급

| 유의어 |

- □ convalesce [kànvəlés] 건강을 회복하다
- □ reestablish [rìːistǽbliʃ] 회복 · 복구 · 복직시키다
- □ retrieve [ritríːv] 회복하다, 되찾다, 구출하다
- □ reinstate [rìːinstéit] 회복 · 복위 · 복직시키다
- □ restitute [réstitjùːt] 회복 · 복구시키다
- □ rehabilitate [rìːhəbílitèit] 복구 · 복직시키다

exaggerate [igzǽdʒərèit] 과장하다

She tends to **exaggerate** that she has too much homework.

그녀는 숙제가 너무 많다고 과장하는 경향이 있다.

| 유의어 |

- □ overstate [ˌəʊvərˈsteɪt] ~을 과장하여 말하다
- □ magnify [mǽgnəfài] 과장하다, 확대하다
- □ amplify [ǽmpləfài] 과장하다, 확대하다
- □ overdraw [ˌəʊvərˈdrɔː] ~을 과장하여 묘사하다, 어음을 초과 발행하다
- □ overdo [ˌəʊvərˈduː] 과장하다, ~을 지나치게 하다
- □ hyperbolize [haipə́ːrbəlàiz] ~을 과장하여 말하다

compound [kɒmˈpaʊnd] 혼합하다; 악화시키다

a smell **compounded** of dust and dead flowers

먼지와 죽은 꽃들이 혼합된 냄새

Romeo's problems were **compounded** by his lack of concentration.

Romeo의 문제들은 그의 집중력 부족으로 악화되었다.

| 유의어 |

- ☐ combine [kəmbáin] 연합 · 결합시키다
- ☐ mix [miks] 혼합하다
- ☐ blend [blend] 혼합하다, 화합하다
- ☐ synthesize [sínθisàiz] 합성하다, 통합하다
- ☐ mingle [míŋgl] 섞다, 하나로 합치다
- ☐ exasperate [igzǽspərèit] 악화시키다, 분개시키다
- ☐ exacerbate [igzǽsərbèit] 악화시키다, 화나게 하다
- ☐ worsen [wə́:rsən] 악화되다
- ☐ aggravate [ǽgrəvèit] 악화시키다
- ☐ deteriorate [dití(:)əriərèit] 악화되다

combine [kəmbáin] 합병 · 통합하다, 결합시키다

At mid-career, with *The Adventures of Huckleberry Finn*, he **combined** rich humor, sturdy narrative, and social criticism, popularizing a distinctive American literature built on American themes and language.

경력 중반에, 〈허클베리 핀의 모험〉에 그는 미국적인 주제들과 언어를 기반으로 만들어진 특징적인 미국 문학을 대중화하면서, 풍부한 유머, 견고한 서술과 사회적인 풍자를 결합시켰다.

| 유의어 |

- ☐ amalgamate [əmǽlgəmèit] 합병 · 융합하다, 혼합시키다
- ☐ incorporate [inkɔ́:rpəreit] 합병 · 통합하다, 결합하다
- ☐ consolidate [kənsálidèit] 합병 · 통합하다, 강화하다
- ☐ annex [əˈneks] 합병하다, 부가 · 첨부하다
- ☐ fuse [fju:z] 융합 · 연합하다
- ☐ merge [mə:rdʒ] 합병 · 통합하다
- ☐ meld [meld] 융합 · 혼합하다

counterfeit [káuntərfit] 위조 · 날조하다

Don't **counterfeit** the signature of another.

다른 사람의 서명을 위조하지 말라.

| 유의어 |

- ☐ simulate [símjuleit] 흉내 내다, 가장하다
- ☐ fake [feik] 위조 · 날조하다
- ☐ fabricate [fǽbrəkèit] 위조하다, 꾸며 내다
- ☐ feign [fein] 가장하다, 꾸며 대다
- ☐ falsify [fɔ́:lsəfài] 위조하다, 속이다
- ☐ forge [fɔ:rdʒ] 위조 · 모조 · 날조하다
- ☐ concoct [kankákt] 날조하다, 꾸미다

30 scare [skεər] 놀라게 하다

I got **scared** when I saw the truck closing up on me.

나는 트럭이 내게 가까이 다가오는 것을 보고 겁에 질렸다.

2012 국가직 9급

| 유의어 |

- ☐ stun [stʌn] 대경실색케 하다
- ☐ astound [əstáund] 몹시 놀라게 하다
- ☐ dumbfound [dʌmfáund] 깜짝 놀라게 하다
- ☐ petrify [pétrəfài] 깜짝 놀라게 하다, 석화시키다
- ☐ stupefy [stjú:pəfài] 깜짝 놀라게 하다, 마비시키다
- ☐ amaze [əméiz] 몹시 놀라게 하다
- ☐ astonish [əstániʃ] 깜짝 놀라게 하다
- ☐ startle [stá:rtl] 깜짝 놀라게 하다
- ☐ be taken aback 깜짝 놀라다

menace [ménəs] 협박하다

Human sewage can be a useful fertilizer, but when concentrated too highly it becomes a serious pollutant, **menacing** health and causing the depletion of oxygen in bodies of water.

인간의 오물은 유용한 비료가 될 수도 있지만, 지나치게 농축될 때에는 심각한 오염 물질이 되어 건강을 위협하고 수역에서 산소의 고갈을 일으킨다.

2013 지방직 9급

| 유의어 |

- ☐ intimidate [intímidèit] 협박 · 위협하다
- ☐ frighten [fráitən] 위협하다
- ☐ terrify [térəfài] 무섭게 · 겁나게 하다
- ☐ threaten [θrétən] 협박 · 위협하다
- ☐ horrify [hɔ́(:)rəfài] 무섭게 하다
- ☐ appall [əpɔ́:l] 오싹 · 질겁하게 하다

attribute [ətríbjù:t] ~의 탓으로 돌리다, 결과라고 생각하다

The key to this homing ability could be a built-in celestial navigation, similar to that used by birds, or the cats' navigational ability could be **attributed** to the cats' sensitivity to Earth's magnetic fields.

이런 회귀성의 핵심은 새들에게도 사용되어지는 것과 유사한 선천적인 천문 항법일 수도 있고, 혹은 고양이의 방향 능력이 지구 자기장에 대한 그들만이 갖는 민감도의 결과일 수도 있다.

2014 경찰직 1차

| 유의어 |

- ☐ ascribe [əskráib] ~의 탓으로 돌리다
- ☐ accredit [əkrédit] ~의 공으로 돌리다
- ☐ blame [bleim] ~을 탓하다
- ☐ impute [impjú:t] ~의 탓으로 돌리다

pile
[pail]

축적하다, 쌓다; 더미

The substance acted like snow **piling** up in front of a snowplow.
이 물질은 제설기 앞에 쌓인 눈과 같은 역할을 했다.

| 유의어 |
- ☐ accumulate [əkjú:mjəlèit] 축적하다
- ☐ garner [gá:rnər] 모으다, 저축하다
- ☐ heap [hi:p] 쌓다; 더미
- ☐ amass [əmǽs] 축적하다, 쌓다
- ☐ stack [stæk] 쌓다; 더미

cluster
[klʌ́stər]

모이다, 모으다

Historical associations **cluster** richly around them.
역사적 연상들이 그것들에 풍부하게 응집되어 있다.

| 유의어 |
- ☐ assemble [əsémbl] (한데) 모으다, 조립하다
- ☐ compile [kəmpáil] 수집하다
- ☐ aggregate [ǽgrəgeit] 모이다
- ☐ converge [kənvə́:rdʒ] 모이다, 집중하다, 수렴하다
- ☐ ingest [ɪnˈdʒest] 수집하다, 섭취하다, 받아들이다
- ☐ congregate [káŋgrəgeit] 모이다, 모으다
- ☐ flock [flɑk] 모이다, 떼 짓다
- ☐ band together 무리를 이루다, 함께 뭉치다

diffuse
[difjú:z]

분산·확산시키다, 퍼뜨리다

The most critical problem in this situation is how to **diffuse** power without creating anarchy.
이 상황에서 가장 중대한 문제는 어떻게 하면 혼동을 불러일으키지 않고 권력을 분산하느냐이다.

| 유의어 |
- ☐ scatter [skǽtər] 흩뿌리다, 퍼뜨리다
- ☐ popularize [pápjələràiz] 대중화하다
- ☐ publicize [pʌ́blisàiz] 광고·선전하다
- ☐ circulate [sə́:rkjəlèit] 퍼뜨리다, 유포시키다
- ☐ promulgate [prɑ́məlgèit] 공포하다, 퍼뜨리다
- ☐ disperse [dispə́:rs] 흩뜨리다, 퍼뜨리다
- ☐ disseminate [disémənèit] 흩뿌리다, 퍼뜨리다
- ☐ propagate [prɑ́pəgèit] 번식시키다, 퍼뜨리다

allot
[əlɑ́t]

분배·배분·할당하다

He made a rule to deal with issue only **allotted** for the day.
그는 그날 할당된 문제만을 처리하기 위한 규칙을 만들었다.
2013 국가직 9급

| 유의어 |
- ☐ distribute [distríbju(:)t, dístribju(:)t] 분배·배분하다
- ☐ assign [əsáin] 배당·할당하다
- ☐ apportion [əpɔ́:rʃən] 배분·할당하다
- ☐ dispense [dispéns] 분배하다
- ☐ allocate [ǽləkèit] 배분·할당하다, 배치하다

recall
[rikɔ́:l]

회상·회고하다, 기억해 내다

Can anyone **recall** the first time we had a day like today?
우리가 오늘 같은 날을 처음 보낸 게 언제였는지 기억하는 사람 있어요?

| 유의어 |
- ☐ reminisce [rèmənís] 추억하다
- ☐ retrospect [rétrəspèkt] 회상·회고하다
- ☐ recollect [rèkəlékt] 회상·기억하다

abort
[əbɔ́:rt]

중단하다, 중단시키다

Launching of rockets was **aborted** due to extremely bad weather.
극도로 나쁜 날씨로 인해 로켓들의 발사가 중단되었다.

| 유의어 |
- ☐ suspend [səspénd] (일시) 중지하다
- ☐ discontinue [dìskəntínju:] 중단하다, 그만두다
- ☐ terminate [tə́:rmənèit] 끝내다, 종결짓다
- ☐ cease [si:s] 그치다, 그만두다
- ☐ pause [pɔ:z] 잠시 멈추다
- ☐ halt [hɔ:lt] 멈추다
- ☐ interrupt [ìntərʌ́pt] 중단시키다, 가로막다
- ☐ punctuate [pʌ́ŋktʃuèit] 중단시키다, 말을 중단하다; 중단, 강조, 구두점
- ☐ intermit [ìntərmít] 중단시키다, 일시 멈추다

jeopardize
[dʒépərdàiz]

위험하게 하다

Her behavior was "**jeopardizing** the mental well-being" of their children, he wrote.
그는 그녀의 행동이 그들 아이들의 "정신적인 평안을 위협하고 있었다"라고 썼다.

| 유의어 |
- ☐ endanger [indéindʒər] 위험에 빠뜨리다
- ☐ imperil [impérəl] 위태롭게 하다
- ☐ destabilize [di:stéibəlaiz] 불안정하게 하다

40 **secure** [sikjúər] 확보하다, 보장하다; 보호하다, 지키다

The appeal was immediate, and when a renewable-energy project finally **secured** some funding, he volunteered to be the first — and only — staffer.

그 호소는 즉각적이었으며, 재생 가능한 에너지 프로젝트가 마침내 약간의 자금을 확보했을 때, 그는 첫 번째이자 유일한 직원이 되기를 자원했다. 2014 국가직 9급

| 유의어 |

- ☐ ensure [ɪnˈʃʊər] 보장하다
- ☐ assure [əˈʃʊər] 보장하다, 장담하다
- ☐ warrant [wɔ́:rənt] 보장하다, 정당화하다

permit [pə:rmít] 허락·승인하다, 가능하게 하다

The most important high-tech threat to privacy is the computer, which **permits** nimble feats of data manipulation, including retrieval and matching of records that were almost impossible with paper stored in file cabinets.

사생활에 관해 가장 중요한 첨단 기술의 위협은 컴퓨터인데, 그것은 서류함에 저장된 서류로는 거의 불가능했던 기록 복구와 매칭을 포함하는 빠른 데이터 조작 처리를 가능하게 한다. 2013 지방직 9급

| 유의어 |

- ☐ allow [əláu] 허락·승인하다
- ☐ validate [vǽlidèit] 유효하게 하다, 비준하다
- ☐ grant [grænt] 승인·인정하다, 주다
- ☐ underwrite [ʌ̀ndərráit] 승낙하다, 서명하다
- ☐ sanction [sǽŋkʃən] 재가·인가·시인하다
- ☐ approve [əprú:v] 승인·찬성하다
- ☐ concede [kənsí:d] 허락하다, 인정하다, 주다
- ☐ ratify [rǽtəfài] 승인·비준·재가하다

pique [pi:k] 불쾌하게 하다, 자극하다, 불러일으키다

That's what **piques** the curiosity of advisers and sponsors.

저것이 고문과 후원자의 호기심을 불러일으킨 것이다. 2018 지방직, 사회복지직 9급

| 유의어 |

- ☐ irritate [ˈɪrɪteɪt] 감정을 상하게 하다, 짜증나게 하다, 화나게 하다
- ☐ displease [dɪsˈpli:z] 불쾌하게 하다, 기분이 상하게 하다, 못마땅하다
- ☐ embitter [ɪmˈbɪtər] 마음을 상하게 하다, 적개심을 품게 하다
- ☐ disoblige [dìsəbláidʒ] ~의 감정을 상하게 하다, 화나게 하다, 희망을 저버리다

delight [dɪˈlaɪt] 기뻐하다, 기쁘게 하다; 기쁨

He **delighted** the audience with his jokes about the President.

그는 대통령에 관한 농담을 하여 청중을 즐겁게 했다.

| 유의어 |

- ☐ exhilarate [igzílərèit] 기분 좋게 하다
- ☐ gladden [glǽdən] 기쁘게 하다
- ☐ enrapture [inrǽptʃər] 기쁘게·황홀하게 하다
- ☐ exult [igzʌ́lt] 크게 기뻐하다
- ☐ rejoice [ridʒɔ́is] 기뻐하다, 기쁘게 하다

meet [mi:t] 만족·충족시키다

A vast proportion of the Indian population is made up of the rural poor who subsist on a diet that **meets** only about 80 percent of their nutritional requirements.

인도 인구의 막대한 비율은 자신의 필수 영양분의 약 80%만을 충족시키는 식사로 살아가는 시골의 가난한 사람들로 구성되어 있다. 2013 지방직 9급

| 유의어 |

- ☐ gratify [grǽtəfài] 만족시키다, 기쁘게 하다
- ☐ suffice [səfáis] 만족·충족시키다
- ☐ satiate [séiʃièit] 만족시키다, 물리게 하다
- ☐ content [kəntént] 만족시키다

45 **complain** [kəmpléin] 불평·불만하다

He always **complains** that he looks like an old man.

그는 언제나 자신이 노인처럼 보인다고 불평한다.

| 유의어 |

- ☐ remonstrate [rimɑ́nstreit] 불만을 말하다, 항의하다
- ☐ rebuke [ribjú:k] 비난하다
- ☐ grumble [grʌ́mbl] 불평하다, 투덜거리다
- ☐ censure [sénʃər] 책망하다, 비난하다
- ☐ sound off 불만을 늘어놓다, 노골적으로 말하다

celebrate [séləbrèit] 축하·기념하다

However, it is a good way to **celebrate** famous works.

그러나, 그것은 유명한 작품들을 기념하는 좋은 방법이다.

| 유의어 |

- ☐ felicitate [filísitèit] 축하하다
- ☐ congratulate [kəngrǽtʃəlèit] 축하하다
- ☐ memorialize [məmɔ́:riəlàiz] 기념하다, 기리다
- ☐ commemorate [kəmémərèit] 축하·기념하다
- ☐ fete [feit] 축하·경축하다; 축제

surveil
[sərvéil]
감독 · 관리하다

The President deployed FBI agents to **surveil** the offices of those companies.
대통령은 그러한 회사들의 사무실들을 감시하기 위해 FBI 요원들을 파견했다.

| 유의어 |
- ☐ direct [dərékt, dairékt] 감독 · 지도 · 지시하다
- ☐ superintend [sù:pərinténd] 감독 · 관리하다
- ☐ supervise [sú:pərvàiz] 감독 · 관리하다

vie
[vai]
경쟁하다, 다투다

Children usually tend to **vie** for their mother's attention.
아이들은 일반적으로 엄마의 관심을 얻으려 경쟁하는 경향이 있다.

| 유의어 |
- ☐ contest [kən'test] 다투다, 겨루다
- ☐ struggle [strʌ́gl] 싸우다, 분투하다
- ☐ contend [kənténd] 다투다, 싸우다, 주장하다

prosper
['prɒ:spər]
번영 · 번성하다

Merchants **prospered** in business as trade expanded.
상인들은 거래가 확장되면서 사업이 번창했다.

| 유의어 |
- ☐ thrive [θraiv] 번영 · 번성하다
- ☐ flourish [flə́:riʃ] 번창 · 융성하다

50

exhaust
[igzɔ́:st]
고갈 · 소진시키다, 기진맥진하게 만들다

Even a short walk **exhausts** me nowadays.
요즘 나는 잠깐만 걸어도 기진맥진하다.

| 유의어 |
- ☐ fatigue [fəti:g] 피곤 · 피로하게 하다
- ☐ deplete [diplí:t] 고갈시키다, 비우다
- ☐ drain [drein] 고갈 · 소모시키다, 배출시키다
- ☐ burn out ~을 다 태우다, 정력을 다 소모하다, 다 타서 없어지다

endeavor
[ɪn'devər]
노력하다, 애쓰다

On their migrations birds sometimes frequent very different environments from those in which they nest, and a study of the migratory birds alone might be very misleading to one **endeavoring** to classify birds ecologically.
이동 중에 새들은 가끔 둥지를 만들었던 곳과는 매우 다른 환경에 방문해서, 철새의 연구 하나만으로 생태학적으로 새를 분류하고자 노력하는 사람에게 매우 오해를 일으킬 수도 있다. 2013 경찰직 1차

| 유의어 |
- ☐ struggle [strʌ́gl] 분투하다, 싸우다
- ☐ strive [straiv] 노력하다, 애쓰다
- ☐ strain [strein] 힘껏 노력하다, 애쓰다
- ☐ labor [léibər] 노력하다, 노동하다
- ☐ toil [tɔil] 애쓰다, 수고하다; 노고, 수고
- ☐ exert [igzɔ́:rt] 노력하다 [oneself], 쓰다

extend
[iksténd]
연기 · 연장 · 지연하다

Through discoveries and inventions, science has **extended** life, conquered disease and offered new material freedom.
발견과 발명을 통해서, 과학은 삶을 연장시켰고, 병을 정복했으며, 새로운 물질적인 자유를 제공해 주었다. 2014 국가직 9급

| 유의어 |
- ☐ procrastinate [proukrǽstənèit] 지연시키다, 미루다
- ☐ prolong [prəlɔ́(:)ŋ] 연장하다, 늘이다
- ☐ elongate [ilɔ́:ŋgeit] 연장하다, 늘이다
- ☐ protract [proutrǽkt] 연장하다, 길게 하다
- ☐ postpone [pəʊst'pəʊn] 연기하다
- ☐ delay [diléi] 연기하다, 늦추다, 미루다
- ☐ defer [difə́:r] 연기하다, 미루다
- ☐ retard [ritá:rd] 지연시키다, 늦추다
- ☐ put off 연기하다

crave
[kreiv]
갈망 · 열망하다, 간절히 청하다

I **crave** that my family should come that day.
나는 그날 우리 가족이 꼭 와 주었으면 좋겠다.

| 유의어 |
- ☐ lust (for) [lʌst] 갈망 · 열망하다
- ☐ long (for) [lɔ:ŋ] 갈망 · 열망하다
- ☐ yearn (for) [jə:rn] 열망 · 동경하다
- ☐ aspire (to) [əspáiər] 열망하다
- ☐ covet [kʌ́vit] 갈망하다, 탐내다
- ☐ desire [dizáiər] 몹시 바라다, 희망하다

estimate
[éstəmèit]
평가 · 사정 · 계산하다

The government must **estimate** who owns what and what a property is worth.
정부는 누가 무엇을 소유하고 있는지, 또한 자산의 가치가 얼마인지 판단해야 한다.
2013 지방직 9급

| 유의어 |

- ☐ assess [əsés] 평가 · 사정하다
- ☐ rate [reit] 평가하다
- ☐ compute [kəmpjúːt] 평가 · 계산하다
- ☐ appraise [əpréiz] 평가하다, 값을 매기다
- ☐ evaluate [ivǽljuèit] 평가 · 사정하다
- ☐ value [vǽljuː] 평가하다, 존중하다
- ☐ reckon [rékən] 계산하다, 판단하다

55

select [silékt]	선별 · 선택하다

Select products made from renewable resources, such as wood and wool.

목재와 울 같은 재생 가능한 자원으로 만든 제품을 골라라.

2012 지방직 9급

| 유의어 |

- ☐ sift [sift] 선별 · 정밀조사하다, 체로 걸러내다
- ☐ opt [ɑpt] 선택하다
- ☐ adopt [ədɑ́pt] 채용 · 채택하다, 입양하다, 도입하다
- ☐ assort [əsɔ́ːrt] 유형별로 분류하다
- ☐ single [síŋgl] 골라내다, 선발하다 [out]
- ☐ sort [sɔːrt] 분류하다, 가려내다 [out]
- ☐ screen [skriːn] 가리다, 심사 · 선발하다
- ☐ filtrate [fíltreit] 거르다, 여과하다
- ☐ classify [klǽsəfài] 분류하다
- ☐ categorize [kǽtəgəràiz] 분류하다; 특징짓다

impress [imprés]	감동시키다, 인상을 주다

His speech **impressed** all of us.

그의 연설은 우리 모두에게 감명을 주었다.

| 유의어 |

- ☐ impassion [impǽʃən] 감동 · 감격시키다
- ☐ affect [əfékt] 감동시키다, 영향을 미치다
- ☐ move [muːv] 가슴이 뭉클해지게 하다
- ☐ inspire [inspáiər] 영감을 주다, 감정을 일어나게 하다, 격려하다
- ☐ imprint [imprínt] 인상을 주다, 영향을 미치다

deliberate [dɪˈlɪbəreɪt], [dɪˈlɪbərət]	심사숙고하다; 신중한

The two nations **deliberated** on whether to continue with the talks.

양국은 그 회담을 계속할 것인지를 두고 심사숙고했다.

| 유의어 |

- ☐ speculate [spékjəlèit] 사색하다, 투기하다
- ☐ contemplate [kɑ́ntəmplèit] 심사숙고하다
- ☐ weigh [wei] 심사숙고하다, 무게 달다
- ☐ cogitate [kɑ́dʒitèit] 숙고하다, 생각하다
- ☐ meditate [méditèit] 숙고 · 명상하다
- ☐ ponder [pɑ́ndər] 숙고하다, 깊이 생각하다
- ☐ chew [tʃuː] 심사숙고하다, 깊이 생각하다
- ☐ muse [mjuːz] 숙고 · 명상하다
- ☐ sleep on 골똘히 생각하다

predict [pridíkt]	예언 · 예측하다

Newspapers **predicted** that Obama would be re-elected.

신문사들은 Obama가 재선될 것이라고 예견했다.

| 유의어 |

- ☐ prognosticate [prɑgnɑ́stəkèit] 예언 · 예지하다
- ☐ foresee [fɔːrsíː] 예견하다
- ☐ forecast [fɔ́ːrkæ̀st] 예측 · 예상하다
- ☐ anticipate [æntísəpèit] 예상 · 고대하다
- ☐ prophesy [prɑ́fəsài] 예언하다

caution [kɔ́ːʃən]	경고 · 충고 · 훈계하다; 경고, 주의; 조심, 신중

The government **cautioned** that pay increases could lead to joblessness.

정부는 임금 인상이 실직으로 이어질 수 있다고 경고했다.

| 유의어 |

- ☐ sermonize [sɔ́ːrmənàiz] 훈계 · 설교하다
- ☐ preach [priːtʃ] 훈계 · 설교하다; 설교
- ☐ admonish [ædmɑ́niʃ] 훈계 · 권고하다

60

hesitate [hézitèit]	주저하다, 망설이다

The woman who got a proposal **hesitated** for a moment and then said "yes".

프러포즈를 받은 그 여성은 잠시 주저하더니 '네'라고 말했다.

| 유의어 |

- ☐ vacillate [vǽsəlèit] 망설이다, 흔들리다
- ☐ scruple [skrúːpl] 주저하다, 꺼리다
- ☐ balk [bɔːk] 망설이다, 머뭇대다, 방해하다
- ☐ linger [líŋgər] 망설이다, 꾸물거리다
- ☐ waver [wéivər] 주저하다, 흔들리다

boost
[buːst]
증가하다, 증가시키다

It is known to **boost** the uptake of calcium and bone formation, and some observational studies have also suggested a link between low levels of vitamin D and greater risks of many acute and chronic diseases.

그것은 칼슘 흡수와 뼈 형성을 증가시키는 것으로 알려져 있으며, 어떤 관찰 연구 결과들은 또한 낮은 비타민 D 수치와 여러 급성 및 만성 질병의 위험률이 높은 것 간의 상관관계가 있음을 암시했다.

2014 국가직 7급

| 유의어 |

- ☐ multiply [mʌ́ltəplài] 증가 · 증식 · 번식시키다
- ☐ wax [wæks] 증가하다, 커지다
- ☐ proliferate [proulífərèit] 증가 · 증식 · 번식하다
- ☐ augment [ɔ́ːgment] 증가하다, 증대시키다, 늘다
- ☐ soar [sɔːr] 급상승하다, 폭등하다
- ☐ surge [səːrdʒ] 급격히 오르다; 급등

expand
[ikspǽnd]
확대하다, 넓히다, 팽창하다

Within ten years, the astronomer Edwin Hubble discovered that the universe was **expanding**, causing Einstein to abandon the idea of the cosmological constant.

10년 이내에, 천문학자 Edwin Hubble은 우주가 팽창하고 있다는 것을 발견했고, 이것은 Einstein이 우주 상수 이론을 포기하게 만들었다.

2014 서울시 9급

| 유의어 |

- ☐ dilate [dailéit] 넓히다, 팽창시키다
- ☐ escalate [éskəleit] (차츰) 확대하다, 올리다
- ☐ amplify [ǽmpləfài] 확대하다, 상세히 설명하다
- ☐ aggrandize [əgrǽndaiz] 확대하다, 크게 하다
- ☐ enlarge [inláːrdʒ] 확대하다, 크게 하다
- ☐ magnify [mǽgnəfài] 확대하다

flood
[flʌd]
범람시키다, 쇄도하다; 홍수

After the heavy rain, the river **flooded** its banks.

폭우가 내린 후에, 강은 그 둑을 범람시켰다.

| 유의어 |

- ☐ deluge [délјuːdʒ] 범람시키다
- ☐ inundate [ínʌndèit] 범람 · 침수시키다

doubt
[daut]
의심하다; 의심

I never **doubted** he would come.

나는 그가 올 것을 결코 의심하지 않았다. 2012 사회복지직 9급

| 유의어 |

- ☐ mistrust [mistrʌ́st] 의심하다
- ☐ distrust [distrʌ́st] 신뢰하지 않다
- ☐ suspect [səspékt] 의심하다, 생각하다
- ☐ be suspicious of ~에 대해 의심하다

65

punish
[pʌ́niʃ]
처벌 · 징계하다

Instead of **punishing** mistakes, I encouraged mistakes.

실수를 처벌하는 대신에, 나는 실수를 격려했다. 2014 사회복지직 9급

| 유의어 |

- ☐ discipline [dísəplin] 징계하다, 훈련 · 단련하다
- ☐ chasten [tʃéisən] 처벌 · 징벌하다
- ☐ chastise [tʃæstáiz] 벌하다, 혼내 주다
- ☐ castigate [kǽstəgèit] 징계하다, 벌을 주다
- ☐ penalize [píːnəlàiz] 벌을 주다

compensate
[kɑ́mpənsèit]
보답 · 보상하다

This way, travel agencies use modern technology to **compensate** for the inexperience of many agents on their payroll.

이런 방법으로, 여행 대행사들은 그들에게 고용된 많은 직원들의 경험 부족을 보상하기 위해 현대 기술을 사용한다. 2014 지방직 9급

| 유의어 |

- ☐ remunerate [rimjúːnərèit] 보답 · 보상하다
- ☐ reward [riwɔ́ːrd] 보답 · 보상하다
- ☐ recompense [rékəmpèns] 보답 · 보상하다
- ☐ reciprocate [risíprəkèit] 보답하다, 보복하다
- ☐ indemnify [indémnəfài] 보상 · 배상하다
- ☐ reimburse [rìːimbə́ːrs] 변제 · 변상하다, 배상하다

imply
[implái]
암시하다

Those projects **imply** an enormous investment in development.

그 프로젝트들은 개발에 대한 엄청난 투자를 암시한다.

| 유의어 |

- ☐ insinuate [insínjuèit] 암시하다, 넌지시 비치다
- ☐ allude [əljúːd] 암시하다, 시사하다, 언급하다, 넌지시 말하다
- ☐ hint [hint] 넌지시 말하다, 암시하다, 알리다
- ☐ suggest [səgdʒést] 암시 · 시사하다
- ☐ implicate [ímpləkèit] 내포 · 함축하다, 연루시키다

verify [vérəfài] 증명 · 입증하다

That's why the active listener **verifies** completeness by asking questions.

그것이 바로 질문을 통해 적극적 청자가 완벽함을 입증하는 이유이다.

2012 국가직 9급

| 유의어 |

- ☐ prove [pru:v] 증명 · 입증하다
- ☐ testify [téstəfài] 증명 · 입증하다, 증언하다
- ☐ substantiate [səbstǽnʃièit] 구체화하다, 실증하다
- ☐ vindicate [víndikeit] (정당성을) 입증하다
- ☐ attest [ətést] 증명 · 입증하다, 증언하다
- ☐ authenticate [ɔ:θéntəkèit] 증명하다

analyze [ǽnəlàiz] 검사 · 조사 · 분석하다

By **analyzing** life-satisfaction surveys that consider four key factors in job satisfaction, they have figured out how much each is worth when compared with salary increases.

직장 만족도에서 네 가지 주요 요인들을 고려한 생활 만족도 조사를 분석함으로써, 그들은 각각의 요소가 임금 인상과 비교될 때, 얼마나 가치가 있는지 알아냈다.

2013 국가직 9급

| 유의어 |

- ☐ fathom [fǽðəm] 수심을 측정하다, 간파하다
- ☐ investigate [invéstəgèit] 조사하다
- ☐ inspect [inspékt] 검사 · 조사 · 점검하다
- ☐ anatomize [ənǽtəmàiz] 해부하다, 분석하다
- ☐ scrutinize [skrú:tənàiz] 세밀히 조사하다
- ☐ interrogate [intérəgèit] 심문하다, 질문하다
- ☐ overhaul [óuvərhɔ̀:l] 검사하다, 분해 · 수리하다
- ☐ examine [igzǽmin] 검사 · 조사하다
- ☐ explore [iksplɔ́:r] 탐험 · 답사하다
- ☐ diagnose [dáiəgnòus] 진단하다
- ☐ sift [sift] 조사하다, 선별하다
- ☐ dissect [disékt] 분석하다, 절개 · 해부하다
- ☐ probe [proub] 탐침으로 검사하다

70

comprehend [kàmprihénd] 이해하다, 파악하다

While the students can decode and even become fluent oral readers, they do not truly **comprehend** the material; they cannot read between the lines, infer meaning, or detect the author's bias, among other things.

그 학생들이 해독하고 심지어 유창한 구술 독자가 될 수는 있어도, 진실로 그 자료를 이해하지는 못한다. 그들은 행간의 의미를 이해하거나, 의미를 추론하거나, 혹은 다른 무엇보다도 작가의 편견을 알아채지 못한다.

2014 국가직 9급

| 유의어 |

- ☐ savvy [sǽviə] 이해하다; 기지 · 재치(의)
- ☐ apprehend [æ̀prihénd] 이해하다, 파악하다
- ☐ appreciate [əprí:ʃièit] 이해하다, 인정하다, 인식하다, 감상하다, 고맙게 여기다, (값이) 오르다
- ☐ grasp [græsp] 이해하다, 파악하다; 움켜잡다
- ☐ interpret [intə́:rprit] 이해하다, 해석하다
- ☐ perceive [pərsí:v] 이해하다, 지각 · 인지하다
- ☐ construe [kənstrú:] 파악하다, 해석하다

repeat [ripí:t] 반복하다

Many experiments were **repeated** on a larger scale.

많은 실험들이 더 큰 규모로 반복되었다.

| 유의어 |

- ☐ recur [rikə́:r] 재발하다, 반복되다
- ☐ reiterate [ri:ítəreit] 되풀이하다

conquer [káŋkər] 정복하다, 복종시키다

Through discoveries and inventions, science has extended life, **conquered** disease and offered new material freedom.

발견과 발명을 통해서, 과학은 삶을 연장시키고, 병을 정복했으며, 그리고 새로운 물질적인 자유를 제공해 주었다.

2014 국가직 9급

| 유의어 |

- ☐ subjugate [sʌ́bdʒəgèit] 정복하다, 복종시키다
- ☐ overthrow [òuvərθróu] 전복시키다, 뒤엎다
- ☐ subvert [səbvə́:rt] 전복하다, 파괴하다
- ☐ subject [səb'dʒekt] 복종 · 종속시키다
- ☐ subordinate [səbɔ́:rdəneit] 복종 · 종속시키다
- ☐ subdue [səbdjú:] 정복하다
- ☐ defeat [difí:t] 패배시키다, 이기다, 좌절시키다
- ☐ vanquish [vǽŋkwiʃ] 정복하다, 패배시키다, 극복하다, 억제하다

dominate
[dɑ́mənèit]
지배하다, 압도하다

The assumption that the budget should nevertheless be balanced meant that public finance was **dominated** by transfers from income tax-payers to bond holders.

그럼에도 불구하고 그 예산의 균형이 이루어져야 한다는 가정은 공공 재정이 소득 납세자들로부터 채권 소유자들로 이전됨에 따라 지배된다는 것을 의미했다. 2012 국가직 9급

| 유의어 |

- ☐ daunt [dɔ:nt] 위압하다, 기세를 꺾다
- ☐ overpower [òuvərpáuər] 압도하다, 이기다
- ☐ predominate [pridɑ́mənèit] 지배하다, 우세하다
- ☐ govern [gʌvərn] 지배하다, 통치하다, 운영하다, 다스리다
- ☐ reign [rein] 지배하다, 군림하다; 지배, 통치
- ☐ overcome [òuvərkʌ́m] 이기다, 극복하다
- ☐ surmount [sərmáunt] 이겨내다, 극복하다
- ☐ prevail [privéil] 이기다, 극복하다, 우세하다, 유행하다, 설득하다

conceal
[kənsí:l]
숨기다, 감추다

She also used many pen names to **conceal** her true identity.

그녀는 또한 그녀의 진짜 신분을 감추기 위해 다양한 필명을 이용했다.

| 유의어 |

- ☐ secrete [sikrí:t] 숨기다, 비밀로 하다
- ☐ veil [veil] 숨기다, 감추다
- ☐ disguise [disgáiz] 변장 · 위장하다
- ☐ mantle [mǽntəl] 숨기다, 덮다, 가리다
- ☐ hide [haid] 숨기다, 감추다; 은신처, 가죽
- ☐ camouflage [kǽməflɑ̀:ʒ] 위장하다
- ☐ cloak [klouk] 뒤덮다, 은폐하다
- ☐ blanket [blǽŋkit] ~을 뒤덮다, 지우다, 방해하다

75

shun
[ʃʌn]
피하다

Because they **shunned** the vaccine, their children, now in their teens, are suffering the consequences.

그들이 백신을 회피했기 때문에, 이제 십 대가 된 그들의 자녀들이 그에 따른 결과에 고통스러워하고 있다. 2013 서울시 9급

| 유의어 |

- ☐ avoid [əvɔ́id] 피하다
- ☐ evade [ivéid] (회)피하다
- ☐ duck [dʌk] (회)피하다
- ☐ avert [əvə́:rt] 피하다, 막다
- ☐ sidestep [sáidstèp] (회)피하다
- ☐ elude [ilú:d] (회)피하다
- ☐ dodge [dɑdʒ] 피하다
- ☐ eschew [istʃú:] 피하다, 삼가다

abandon
[əˈbændən]
버리다, 포기하다, 단념하다

Likewise, if wealthy individuals found themselves living in a culture in which people despised rather than admired those who live in luxury, one imagines that they would **abandon** their mansion and late-model car in favor of a modest home with an old car parked in the driveway.

마찬가지로, 만약 부유한 사람들이 사치스럽게 사는 사람들을 존경하기보다 경멸하는 문화에 살고 있는 자신들을 발견한다면 누구라도 주차장에 오래된 차가 주차되어 있는 평범한 집을 좋아해서 저택과 최신 모델의 자동차를 버릴 것이라고 상상할 것이다.

| 유의어 |

- ☐ despair [dispέər] 절망 · 자포자기하다
- ☐ resign [rizáin] 포기하다, 사직하다
- ☐ discard [diskɑ́:rd] 버리다
- ☐ relinquish [rilíŋkwiʃ] 포기하다, 그만두다
- ☐ desist [dizíst] 그만두다, 단념하다
- ☐ desert [dézərt] (저)버리다
- ☐ forgo [fɔ:rgóu] 포기하다, 삼가다
- ☐ forsake [fərséik] (저)버리다
- ☐ renounce [rináuns] 포기하다, 단념하다
- ☐ disclaim [diskléim] 버리다, 포기하다

refrain
[rifréin]
삼가다, 그만두다, 참다

A doctor is under a duty to **refrain** from any act which may aid his patient in committing suicide.

의사는 그의 환자가 자살을 저지르도록 도울 수 있는 어떠한 행동도 삼가야 할 의무가 있다.

| 유의어 |

- ☐ tolerate [tɑ́lərèit] 참다, 견디다
- ☐ contain [kəntéin] 참다, 억누르다, 포함하다
- ☐ persevere [pə̀:rsəvíər] 참다, 인내하다
- ☐ abstain [əbstéin] 삼가다, 절제하다
- ☐ forbear [fɔ́:rbὲər] 참다
- ☐ endure [indjúər] 참다, 견디다, 지속하다

inhibit
[inhíbit] 금지하다, 억제하다

This is especially important when vulnerable witnesses, such as victims of domestic violence, feel very frightened or **inhibited** — often after years of abuse — about making an allegation against an abuser.

이것은 가령 가정 폭력의 피해자들과 같은 취약한 목격자들이 오랫동안 학대를 받은 후에 가해자를 고소하는 것에 대해 겁을 내거나 자주 억제되었다고 느낄 때 특히 중요하다. 2014 경찰직 1차

| 유의어 |

- ☐ prohibit [prouhíbit] 금지하다
- ☐ (de)bar [(di)ba:r] 금하다
- ☐ dissuade [diswéid] 단념시키다
- ☐ outlaw [áutlɔ̀:] 금지하다; 무법자
- ☐ ban [bæ:n] 금지하다
- ☐ interdict [íntərdìkt] 금지하다, 막다
- ☐ deter [ditə́:r] 단념시키다
- ☐ restrain [ristréin] 금지 · 제지시키다

prevent
[privént] 막다, 방해하다, 예방하다

It is necessary to examine potential sources of stress, especially in the workforce, in order to **prevent** unnecessary and unhealthy outcomes for the individual as well as the organization.

조직뿐만 아니라 개인을 위해 불필요하고 불건전한 결과를 예방하기 위해서는, 특히 노동력에서, 스트레스의 잠재적인 원인을 조사할 필요가 있다. 2015 사회복지직 9급

| 유의어 |

- ☐ interfere [intərfíər] 방해하다, 간섭하다
- ☐ preclude [priklú:d] 막다, 방해하다
- ☐ hinder [ˈhɪndər] 방해하다
- ☐ hamper [hǽmpər] 방해하다, 훼방 놓다, 제한하다, 어지럽히다
- ☐ balk [bɔ:k] 방해하다, 망설이다, 머뭇대다
- ☐ obstruct [əbstrʌ́kt] 막다, 방해하다
- ☐ impede [impí:d] 방해하다
- ☐ encumber [inkʌ́mbər] 막다, 방해하다

restrict
[ristríkt] 제한 · 억제 · 속박하다

In the late 1990s, many countries became alarmed at the freedom of speech accessible on the Internet and tried to **restrict** it.

1990년대 말에, 많은 나라들이 인터넷 상에서 접근 가능한 언론의 자유에 깜짝 놀라 그것을 제한하려고 노력했다. 2013 경찰직 2차

| 유의어 |

- ☐ confine [kənˈfaɪn] 제한 · 한정하다
- ☐ oppress [əprés] 압박 · 억압하다
- ☐ withhold [wiðhóuld] 억제하다, 보류하다
- ☐ fetter [fétər] 속박 · 구속하다; 족쇄
- ☐ leash [li:ʃ] 억제 · 속박하다
- ☐ suppress [səprés] 억제 · 억압하다
- ☐ bridle [bráidl] 속박 · 구속하다; 말 굴레

release
[rilí:s] 해방하다, 풀어주다

He finally **released** her from slavery.

그가 마침내 그녀를 노예 신분에서 풀어주었다.

| 유의어 |

- ☐ emancipate [imǽnsəpèit] 해방하다, 석방하다
- ☐ liberate [líbərèit] 자유롭게 하다
- ☐ unbind [ʌnbáind] 풀어주다
- ☐ unleash [ənˈliʃ] 풀다, 자유롭게 하다

deprive [dipráiv]
빼앗다, 박탈하다

Soldiers who have been temporarily **deprived** of salt report that at its maximum intensity the craving for salt is more insistent than the desire for food itself.

일시적으로 염분을 빼앗긴 병사들은 그것이 극에 달하면 음식 그 자체에 대한 욕구보다 염분에 대한 갈망이 더 강렬하다고 말한다.

2014 지방직 9급

| 유의어 |

- ☐ usurp [juːsə́ːrp] 빼앗다, 강탈하다
- ☐ seize [siːz] 빼앗다, 강탈하다, 붙잡다
- ☐ snatch [snætʃ] 강탈하다, 잡아채다
- ☐ divest [divést] 빼앗다, 박탈하다
- ☐ dispossess [dìspəzés] 빼앗다
- ☐ rob [rɑb] 빼앗다, 강탈하다
- ☐ strip [strip] 빼앗다, 박탈하다, 벗기다
- ☐ extort [ikstɔ́ːrt] 강탈하다

05

eliminate [ilímənèit]
없애다, 삭제하다

Farmland, however, has slowly been **eliminated** by urban sprawl, in which people in urban areas spread into and take over rural areas.

그러나 농지는 도시 확산에 의해 천천히 사라져 왔는데, 도시 지역에 있는 사람들이 시골 지역으로 퍼져 나가면서 땅을 차지하고 있다.

2012 국가직 9급

| 유의어 |

- ☐ censor [sénsər] 삭제 · 검열하다
- ☐ erase [iréis, iréiz] 지우다, 삭제하다
- ☐ obliterate [əblítərèit] 지우다, 제거하다
- ☐ expunge [ikspʌ́ndʒ] 지우다, 삭제하다
- ☐ delete [dilíːt] 지우다, 삭제하다
- ☐ remove [rimúːv] 삭제 · 제거하다
- ☐ efface [iféis] 지우다, 삭제하다

despoil [dispɔ́il]
약탈하다

The socialist will do anything to **despoil** our green land.

사회주의자는 우리의 울창한 토지를 약탈하기 위해 무슨 짓이든지 할 것이다.

| 유의어 |

- ☐ ransack [rǽnsæk] 약탈하다, 샅샅이 뒤지다
- ☐ depredate [déprídèit] 약탈하다
- ☐ loot [luːt] 약탈하다; 전리 · 약탈품
- ☐ plunder [plʌ́ndər] 약탈하다, 노략질하다

destroy [distrɔ́i]
파괴하다

There was a terrible fire that **destroyed** much of Rome in AD 69 during the reign of Nero.

AD 69년 Nero 황제 시기에, 로마의 많은 부분을 파괴했던 끔찍한 화재가 있었다.

2012 사회복지직 9급

| 유의어 |

- ☐ ruin [rú(ː)in] 파멸시키다, 황폐시키다
- ☐ smash [smæʃ] 때려 부수다, 박살내다
- ☐ desolate [désəleit] 황폐시키다
- ☐ raze [reiz] 완전히 파괴하다
- ☐ wreck [rek] 파괴 · 조난 · 난파시키다
- ☐ ravage [rǽvidʒ] 파괴하다, 유린하다; 파괴
- ☐ demolish [dimáliʃ] 파괴하다
- ☐ shatter [ʃǽtər] 파괴하다, 산산이 부수다
- ☐ devastate [dévəstèit] 황폐화시키다
- ☐ level [lévəl] 평평하게 하다, 무너뜨리다
- ☐ havoc [hǽvək] 파괴 · 황폐화하다
- ☐ blot out 파괴 · 섬멸하다, 지우다

eradicate [irǽdəkèit]
근절 · 박멸 · 절멸하다

An experienced pest control expert can **eradicate** bed bugs.

숙련된 해충 방제 전문가들은 빈대를 완전히 없앨 수 있다.

| 유의어 |

- ☐ annihilate [ənáiəlèit] 절멸 · 전멸시키다
- ☐ outroot [àutrúːt] 근절시키다
- ☐ extinguish [ikstíŋgwiʃ] 절멸 · 멸종시키다, 끄다
- ☐ exterminate [ikstə́ːrmənèit] 근절 · 절멸하다

damage [dǽmidʒ]
손상하다, 해치다

We can all avoid doing things that we know **damage** the body, such as smoking cigarettes, drinking too much alcohol or taking harmful drugs.

우리는 흡연, 과음 또는 해로운 약을 먹는 것과 같은 우리의 몸을 해친다고 우리가 알고 있는 것들을 모두 피할 수 있다.

2014 국가직 9급

| 유의어 |

- ☐ traumatize [trɔ́ːmətàiz] 상처 입히다, 충격을 주다
- ☐ disfigure [disfígjər] (외관을) 손상하다
- ☐ injure [índʒər] 손상시키다, 상처 입히다
- ☐ deface [diféis] 손상시키다, 더럽히다
- ☐ spoil [spɔil] 망치다, 상하게 하다
- ☐ mar [mɑːr] 흠집을 내다, 망쳐놓다
- ☐ undermine [ʌ̀ndərmáin] 손상 · 훼손하다
- ☐ impair [impέər] 손상시키다, 해치다
- ☐ harm [hɑːrm] 해치다, 피해를 입히다, 훼손하다
- ☐ derogate [dérəgeit] 손상하다, (가치를) 훼손하다
- ☐ take a[its] toll (on) 피해[타격]를 주다

10

flaw
[flɔː]

흠가게 하다; 결함, 흠

Einstein's Theory of Relativity is fundamentally **flawed**.

Einstein의 상대성 이론은 근본적으로 결함이 있다. 2014 서울시 9급

| 유의어 |

- ☐ blunder [blʌ́ndər] 실수하다; 큰 실수
- ☐ stain [stein] 더럽히다; 얼룩, 때, 오점, 흠
- ☐ blot [blɑt] 더럽히다; 얼룩, 때, 오점, 흠
- ☐ blemish [blémiʃ] 손상하다, 더럽히다; 오점, 흠
- ☐ fault [fɔːlt] 흠잡다; 결점, 흠
- ☐ spot [spɑt] 더럽히다; 반점, 얼룩, 오점
- ☐ defect [díːfekt] 결점, 결함, 흠
- ☐ shortcoming [ʃɔ́ːrtkʌmiŋ] 결점, 단점

collude
[kəlúːd]

공모하다

She and her family **colluded** with terrorists to overthrow the government.

그녀와 그녀의 가족은 정부를 타도하기 위해 테러리스트들과 공모했다.

| 유의어 |

- ☐ conspire [kənspáiər] 공모하다, 음모를 꾸미다
- ☐ plot [plɑt] 음모하다, 계획하다, 구상하다; 줄거리
- ☐ scheme [skiːm] 음모하다, 계획하다

welcome
[wélkəm]

환영하다

The building bells rang (out) to **welcome** the New Year.

그 건물의 종이 울려 새해를 환영했다.

| 유의어 |

- ☐ acclaim [əkléim] 갈채 · 환호하다
- ☐ greet [griːt] 환영하다, 인사하다
- ☐ salute [səljúːt] 맞이하다, 인사 · 경례하다
- ☐ hail [heil] 환호해 맞이하다

improve
[imprúːv]

개선시키다, 나아지다[좋아지다]

Friends and wines **improve** with age.

친구와 포도주는 오래될수록 좋아진다[개선된다]. 2012 법원직 9급

| 유의어 |

- ☐ innovate [ínəvèit] 혁신 · 쇄신하다
- ☐ renovate [rénəvèit] 새롭게 하다, 수선하다
- ☐ refurbish [riːfə́ːrbiʃ] 다시 닦다, 일신하다
- ☐ reshuffle [riːʃʌ́fl] 개편 · 재편하다
- ☐ refine [rifáin] 정련 · 세련하다
- ☐ revamp [rivǽmp] 수선하다, 개조하다, 개혁하다
- ☐ ameliorate [əmíːljərèit] 개선 · 개량하다, 호전되다
- ☐ realign [rìːəláin] 재편 · 재정렬하다
- ☐ polish [páliʃ] 닦다, 세련되게 하다
- ☐ cleanse [klenz] 깨끗이 하다(= purify)
- ☐ better [bétər] 개선 · 개량하다

worsen
[ˈwɜːrsən]

악화시키다, 악화되다

The economic situation is steadily **worsening**.

경제적 상황이 꾸준히 악화되고 있다.

| 유의어 |

- ☐ deteriorate [dití(ː)əriərèit] 나빠지게 하다
- ☐ deprave [dipréiv] 악화시키다, 나쁘게 만들다
- ☐ aggravate [ǽgrəvèit] 더욱 악화시키다, 화나게 하다

15

fascinate
[fǽsənèit]

매료시키다, 마음을 사로잡다, 매혹하다

She is a writer, and extreme characters always **fascinate** her.

그녀는 작가이고, 극단적인 캐릭터는 항상 그녀를 매료시킨다.

| 유의어 |

- ☐ infatuate [infǽtʃuèit] 매료시키다, 얼빠지게 하다
- ☐ captivate [kǽptəvèit] 사로잡다, 매혹하다
- ☐ seduce [sidjúːs] 매혹하다, 유혹하다
- ☐ hypnotize [hípnətàiz] 매혹하다, 최면을 걸다
- ☐ mesmerize [mézməràiz] 매료시키다, 매혹하다
- ☐ enamor [inǽmər] 매혹하다, 반하게 하다
- ☐ enrapture [inrǽptʃər] 황홀하게 · 기쁘게 하다
- ☐ enchant [intʃǽnt] 매혹하다, 황홀하게 하다
- ☐ bewitch [biwítʃ] 매혹시키다, 요술을 걸다

agitate [ǽdʒitèit] 부추기다, 선동하다, 휘젓다

A microwave works mainly by **agitating** or shaking the molecules of water within the food.

전자레인지는 대개 음식 안에 있는 물 분자를 휘젓거나 흔들어 놓음으로써 작동한다. 2014 서울시 9급

| 유의어 |

- □ tempt [tempt] 부추기다, 유혹하다
- □ abet [əbét] 부추기다, 선동하다
- □ entice [intáis] 부추기다, 유혹하다, 꾀다
- □ provoke [prəvóuk] 선동하다, 화나게 하다, 자극하다
- □ stir [stəːr] 선동하다, 휘젓다
- □ kindle [kíndl] 부추기다, 불붙이다
- □ ignite [ignáit] 점화하다, 불이 붙다, 불타기 시작하다
- □ (al)lure [(ə)luər] 부추기다, (미끼로) 꾀다
- □ instigate [ínstəgèit] 선동하다, 충동하다

inspire [ɪnˈspaɪr] 고무·격려·자극하다, (감정을) 일으키게 하다

I will discuss the case of cannibalism, which of all savage practices is no doubt the one that **inspires** the greatest horror and disgust.

나는 사람 고기를 먹는 풍습에 대해 논의할 것인데, 그것은 의심의 여지없이 모든 야만적인 관행들 중에서 가장 엄청난 공포와 혐오감을 자극하는 것이다. 2012 사회복지직 9급

| 유의어 |

- □ arouse [əˈraʊz] 불러일으키다, 자극하다
- □ hearten [háːrtən] 고무하다, 기운 나게 하다
- □ stimulate [stímjəlèit] 격려·자극하다
- □ motivate [móutəvèit] 자극하다, 동기를 부여하다
- □ energize [énərdʒàiz] 격려하다, 힘을 주다
- □ prompt [prɒmpt] 격려·자극하다, 부추기다
- □ spur [spəːr] 자극하다, 박차를 가하다
- □ animate [ǽnəmeit] 격려하다, 생기 있게 하다
- □ encourage [inkə́ːridʒ] 격려하다, 장려하다, 조장하다
- □ invigorate [invígərèit] 고무하다, 기운 나게 하다, 활성화하다
- □ vivify [vívəfài] 격려하다, 활기 띠게 하다
- □ cheer [tʃiər] 격려하다, 기운을 북돋우다
- □ foster [fɔ́(ː)stər] 육성·촉진·조장하다
- □ incite [insáit] 고무·격려·자극하다

accelerate [əksélərèit] 가속시키다, 촉진시키다

Accelerate the development of natural resources in a short period.

단기간 내에 천연 자원의 개발을 촉진시켜라. 2012 국가직 9급

| 유의어 |

- □ expedite [ékspidàit] 촉진·진척시키다
- □ quicken [ˈkwɪkən] 더 빠르게 하다
- □ further [fə́ːrðər] 촉진하다, 조장하다
- □ hasten [héisən] 촉진하다, 재촉하다
- □ promote [prəmóut] 촉진시키다, 승진시키다
- □ facilitate [fəsílitèit] 촉진시키다, 용이케 하다

tend [tend] ~하는 경향이 있다, ~하는 데 도움이 되다

As women become better educated, they **tend** to earn a larger share of household income and to produce fewer children.

여성이 더 잘 교육을 받게 되면서, 그들은 가계 소득에서 많은 부분의 돈을 벌고 자녀들을 보다 적게 낳는 경향이 있다. 2015 법원직 9급

| 유의어 |

- □ incline [ɪnˈklaɪn] ~하는 경향이 있다, 기울다
- □ slant [slɑːnt] 경향이 있다, 기울다
- □ be apt to ~하는 경향이 있다
- □ be prone to ~하는 경향이 있다
- □ be liable to ~하는 경향이 있다

20 **depend on** ~에 의지하다, 달려 있다

What an Indian eats **depends on** his region, religion, community, and caste.

인도인이 무엇을 먹는지는 그가 사는 지역, 종교, 공동체, 그리고 카스트(인도의 세습적 계급)에 달려 있다. 2013 지방직 9급

| 유의어 |

- □ count on ~에 의지하다, 기대다
- □ build on ~에 의지하다, 기대다
- □ recline on ~에 의지하다, 기대다
- □ lean on ~에 기대다
- □ turn on ~에 의지하다
- □ hinge on ~에 달려 있다

cheat [tʃiːt] 속이다, 현혹시키다

The clinic's report prevents you from being **cheated** by mechanics.

클리닉의 보고서는 당신이 정비공에게 속는 것을 막아 준다. 2013 지방직 9급

| 유의어 |

- ☐ hoax [houks] 속이다, 골탕먹이다
- ☐ deceive [disíːv] 속이다, 기만하다
- ☐ defraud [difrɔ́ːd] 속여 빼앗다, 사취하다
- ☐ entrap [intrǽp] 함정에 빠뜨리다
- ☐ dazzle [dǽzl] 현혹시키다, 눈부시게 하다
- ☐ falsify [fɔ́ːlsəfài] 속이다, 위조하다
- ☐ delude [dilúːd] 속이다, 현혹하다
- ☐ swindle [swíndl] 속여 빼앗다, 사취하다
- ☐ beguile [bigáil] 속이다, 현혹시키다

despise [dispáiz] 경멸하다, 혐오하다

No attempt was made to show a Japanese soldier trapped by circumstances beyond his control, or a family man longing for home, or an officer who **despised** the militarists even if he supported the military campaign.

비록 그가 군사 작전을 지지했다고는 하지만 자신의 통제를 벗어난 환경에 갇혀버린 한 일본 군인이자 집을 그리워하는 한 가장이고 군국주의자들을 경멸하는 장교인 사람을 보여주기 위한 어떤 시도도 없었다.

2012 서울시 9급

| 유의어 |

- ☐ hate [heit] 싫어하다
- ☐ abhor [əbhɔ́ːr] 몹시 싫어하다
- ☐ detest [ditést] 혐오하다
- ☐ disincline [dìsinkláin] ~에 마음이 내키지 않게 하다, 싫증을 일으키다
- ☐ abominate [əbámənèit] 혐오하다
- ☐ loathe [louð] 몹시 싫어하다

neglect [niglékt] 무시 · 경시하다, 소홀히 하다

Since the clinic does no repairs, its employees do not **neglect** the truth.

클리닉은 수리를 전혀 하지 않기 때문에, 그곳의 직원들은 진실을 무시하지 않는다.

2013 지방직 9급

| 유의어 |

- ☐ disparage [dispǽridʒ] 얕보다, 깔보다, 비난을 초래하다
- ☐ belittle [bilítl] 얕잡아보다
- ☐ slight [slait] 무시 · 경시하다; 약간의, 하찮은
- ☐ ignore [ignɔ́ːr] 무시하다, 모르는 체하다
- ☐ despise [dispáiz] 경멸 · 멸시하다, 혐오하다
- ☐ disdain [disdéin] 경멸하다
- ☐ scorn [skɔːrn] 경멸하다, 조소하다
- ☐ disregard [dìsrigáːrd] 무시 · 경시하다
- ☐ mock [mak] 무시하다, 비웃다; 가짜의
- ☐ contemn [kəntém] 경멸하다

ridicule [rídəkjùːl] 비웃다, 조롱하다

They don't know why she would **ridicule** this.

그들은 왜 그녀가 이것을 비웃을지 모른다.

| 유의어 |

- ☐ jeer [dʒiər] 조롱하다, 조소하다
- ☐ mock [mak] 비웃다, 무시하다
- ☐ scoff [skɔ(ː)f] 비웃다, 조롱하다
- ☐ deride [diráid] 비웃다, 조소하다
- ☐ satirize [sǽtəràiz] 풍자하다, 빈정대다
- ☐ sneer [sniər] 비웃다, 조소하다

25

censure [ˈsenʃər] 비난하다

When you're criticizing, remember that you're **censuring** a job-related behavior, not the person.

비판을 할 때에는, 사람이 아니라 업무 관련 행동을 비난하고 있는 것임을 기억하라.

2014 국가직 9급

| 유의어 |

- ☐ blame [bleim] 비난하다, ~의 탓으로 돌리다
- ☐ accuse [əkjúːz] 비난하다, 고소하다
- ☐ condemn [kəndém] 비난하다, 유죄 판결하다
- ☐ reprove [riprúːv] 꾸짖다, 책망하다
- ☐ reproach [ripróutʃ] 비난하다, 꾸짖다
- ☐ reprimand [réprəmæ̀nd] 꾸짖다, 질책하다
- ☐ decry [dikrái] 비난하다
- ☐ denounce [dináuns] 비난하다, 고발하다
- ☐ reprehend [rèprihénd] 비난하다, 꾸짖다
- ☐ scathe [skeið] 혹평하다, 헐뜯다
- ☐ chide [tʃaid] 꾸짖다, 책망하다
- ☐ impugn [imˈpjuːn] 비난하다, 논박하다
- ☐ slash [slæʃ] 혹평하다, 대폭 삭감하다
- ☐ rebuke [ribjúːk] 비난하다, 꾸짖다
- ☐ take ~ to task ~을 꾸짖다
- ☐ dress ~ down ~을 꾸짖다

insult
[insʌ́lt]
모욕하다

I didn't mean to **insult** them.
나는 그들을 모욕하려고 한 것은 아니었다.

| 유의어 |

- ☐ mortify [mɔ́:rtəfài] 굴욕을 느끼게 하다
- ☐ dishonor [disɑ́nər] 불명예스럽게 하다
- ☐ foul [faul] 더럽히다; 더러운, 반칙의
- ☐ defile [difáil] 더럽히다, 모독하다
- ☐ taint [teint] 더럽히다, 오염시키다
- ☐ stigmatize [stígmətàiz] 오명을 씌우다
- ☐ desecrate [désəkrèit] 신성을 더럽히다
- ☐ humiliate [hju:mílièit] 굴욕감을 느끼게 하다
- ☐ soil [sɔil] 더럽히다
- ☐ stain [stein] ~을 얼룩지게 하다, 더럽히다, 더러워지다
- ☐ spot [spat] ~을 더럽히다, 발견하다, 지목하다
- ☐ blot [blət] ~을 더럽히다, 흐릿하게 하다, 얼룩지다, 번지다
- ☐ blemish [blémiʃ] 해치다, 손상하다
- ☐ affront [əfrʌ́nt] 모욕하다
- ☐ denigrate [dénəgrèit] 모욕하다, 더럽히다
- ☐ profane [prəféin] 신성을 더럽히다

admire
[əd'maɪr]
존경하다

I **admire** my teacher's personality and learning.
나는 우리 선생님의 인격과 학문을 존경한다.

| 유의어 |

- ☐ worship [wə́:rʃip] 숭배 · 경배하다
- ☐ homage [hámidʒ] 경의를 표하다; 존경, 경의
- ☐ honor [ánər] 존경하다, ~에게 영예를 주다
- ☐ esteem [istí:m] 존경 · 존중하다, ~로 여기다; 존경, 존중
- ☐ venerate [vénərèit] 존경 · 숭배하다
- ☐ adore [ədɔ́:r] 숭배 · 흠모하다
- ☐ revere [rivíər] 존경 · 숭배하다
- ☐ pay tribute to ~에게 찬사를 보내다

enshrine
[inʃráin]
소중히 하다, 간직하다, 사당에 모시다

But it was language that **enshrined** the memories, the common experience and the historical record.
그러나 기억, 공통의 경험 그리고 역사적인 기록을 소중히 간직하고 있던 것은 바로 언어였다. 2012 지방직 9급

| 유의어 |

- ☐ value [vǽlju:] 소중히 하다, 높이 평가하다
- ☐ treasure [tréʒər] 소중히 하다
- ☐ cherish [tʃériʃ] 소중히 하다, 간직하다

deport
[dipɔ́:rt]
추방하다

They were **deported** for the violation of immigration laws.
그들은 이민법 위반으로 추방되었다.

| 유의어 |

- ☐ dismiss [dismís] 해고 · 면직하다, 떠나게 하다
- ☐ exclude [iksklú:d] 추방하다, 제외 · 배제하다
- ☐ banish [bǽniʃ] 추방하다, 내쫓다
- ☐ exile [égzail] 추방 · 유배 · 망명시키다
- ☐ expel [ikspél] 추방하다, 내쫓다
- ☐ eject [i(:)dʒékt] 쫓아내다, 축출하다
- ☐ ostracize [ɑ́strəsàiz] 추방하다
- ☐ oust [aust] 내쫓다, 축출하다

30

rescue
[réskju:]
구하다; 구출, 구조

He **rescued** the boy from the burning house.
그는 불타고 있는 집에서 소년을 구출했다.

| 유의어 |

- ☐ extricate [ékstrəkèit] 구해 내다, 탈출시키다
- ☐ salvage [sǽlvidʒ] 구출 · 구조하다
- ☐ save [seiv] 구하다, 저축하다, 덜어 주다
- ☐ salve [sælv] 구하다, 구조하다
- ☐ redeem [ridí:m] 구조 · 구제하다, 구출하다, 되찾다
- ☐ retrieve [ritrí:v] 구출하다, 되찾다, 회복하다
- ☐ redemption [rɪdempʃən] 구출

relieve
[rilí:v]
덜다, 경감하다, 구제하다

Cows and other livestock which are not receiving enough lime eat the bones of other animals to **relieve** the craving.
충분한 석회(뼛가루)를 섭취하지 못한 소와 다른 가축들은 그 욕구를 덜기 위해 다른 동물들의 뼈를 먹는다. 2014 지방직 9급

| 유의어 |

- ☐ console [kən'səʊl] 위로 · 위안하다
- ☐ soothe [su:ð] 달래다, 진정시키다
- ☐ calm [ka:m] 진정시키다, 차분해지다, 고요해지다
- ☐ appease [əpí:z] 달래다, 진정시키다
- ☐ solace [sáləs] 위로 · 위안하다
- ☐ sedate [sidéit] 진정시키다; 차분한, 침착한
- ☐ tranquilize [trǽŋkwəlàiz] 조용하게 하다, 진정하게 하다
- ☐ conciliate [kənsílièit] 달래다, 회유하다
- ☐ mitigate [mítəgèit] 완화하다, 누그러뜨리다
- ☐ alleviate [əlí:vièit] 완화하다, 덜어 주다
- ☐ mollify [máləfài] 달래다, 진정시키다
- ☐ lull [lʌl] 달래다, 어르다
- ☐ pacify [pǽsəfài] 달래다, 진정시키다
- ☐ placate [pléikeit] 달래다, 진정시키다

embarrass [imbǽrəs] 당황하게 하다, 혼란 · 좌절시키다

When students make mistakes, overly strict response following the letter of the law may create a tense atmosphere which inhibits participation, especially if the teacher **embarrasses** the student in front of his or her peers.

학생들이 실수를 할 때, 교칙에 따른 지나치게 엄한 반응을 보이면 분위기가 부자연스러워지고 오히려 참여를 막을 수 있는데, 특히 교사가 반 친구들 앞에서 학생을 당황하게 만들 경우에는 더욱 그렇다.

2014 국가직 7급

| 유의어 |

- ☐ nonplus [nɑnplʌ́s] 당황 · 난처하게 하다
- ☐ puzzle [pʌ́zl] 당황하게 하다
- ☐ confuse [kənfjúːz] 당황하게 하다, 혼란시키다
- ☐ confound [kənˈfaʊnd] 당황하게 하다, 혼란시키다
- ☐ perplex [pərpléks] 당황하게 하다, 혼란시키다
- ☐ baffle [bǽfl] 당황하게 하다, 혼란스럽게 하다, 좌절시키다
- ☐ frustrate [frʌ́strèit] 좌절시키다
- ☐ perturb [pərtə́ːrb] 혼란시키다
- ☐ disconcert [dìskənsə́ːrt] 당황하게 하다
- ☐ vex [veks] 난처하게 하다, 괴롭히다, 성가시게 하다, 화나게 하다
- ☐ muddle [mʌ́dl] 혼란시키다
- ☐ dismay [disméi] 당황하게 하다
- ☐ bewilder [biwíldər] 당황하게 하다
- ☐ disturb [distə́ːrb] 방해하다, 어지럽히다

substitute [sʌ́bstitjùːt] 대신 · 대체하다

My teacher is on maternity leave, so math classes were **substituted** for English classes.

우리 선생님이 산후 휴가 중이신 관계로, 영어 수업은 수학 수업으로 대체되었다.

| 유의어 |

- ☐ surrogate [sə́ːrəgèit] 대신 · 대리하다
- ☐ supplant [səplǽnt] 대신 · 대체하다
- ☐ supersede [sjùːpərsíːd] 대신 · 대리하다

stem [stem] 유래하다, 생기다

Much of that anxiety **stems** from a basic misunderstanding of the nature of the family in the past and a lack of appreciation for its resiliency in response to broad social and economic changes.

그 걱정의 대부분은 과거 가족의 본질에 대한 근본적인 오해와 넓은 사회적 · 경제적 변화에 응답하는 가족의 탄력성에 대한 이해의 부족으로부터 유래한다.

2014 사회복지직 9급

| 유의어 |

- ☐ arise [əˈraɪz] 생기다, 기인하다
- ☐ originate [ərídʒənèit] 생기다, 비롯하다
- ☐ derive [diráiv] 유래하다, 끌어내다

35

assume [əˈsjuːm] 짐작하다, 추측하다

After about 30 minutes, when their roommate's screams had stopped, they **assumed** the police had finally arrived.

약 30분 후, 그들의 룸메이트의 비명이 멈췄을 때, 그들은 마침내 경찰들이 도착했다고 추측했다.

2014 경찰직 1차

| 유의어 |

- ☐ surmise [səːrmáiz] 짐작하다, 추측하다
- ☐ presume [prizjúːm] 가정 · 추정하다
- ☐ conjecture [kəndʒéktʃər] 짐작하다, 추측하다

generate [dʒénərèit] 발생시키다, 만들어 내다

They bought shares in new wind turbines, which **generated** the capital to build 11 large land-based turbines, enough to meet the entire island's electricity needs.

그들은 새로운 풍력 터빈의 주식을 사들였는데, 그것은 전체 섬의 전력 수요를 충족시키기에 충분한, 11개의 커다란 지상 터빈을 짓는 자본을 만들어 냈다.

2014 국가직 9급

| 유의어 |

- ☐ effect [ifékt] 초래하다; 결과, 효과
- ☐ breed [briːd] 낳다, 기르다, 일으키다
- ☐ induce [indjúːs] 야기하다, 일으키다, 귀납하다
- ☐ trigger [ˈtrɪgər] 촉발시키다; 방아쇠, 계기
- ☐ entail [intéil] (결과로서) 수반하다
- ☐ engender [indʒéndər] 발생시키다
- ☐ spark [spɑːrk] ~의 발단이 되다; 불꽃
- ☐ incur [inkə́ːr] 초래하다
- ☐ beget [bigét] 낳다, 생기게 하다
- ☐ spawn [spɔːn] 발생시키다, 산란하다; 알
- ☐ touch off 유발하다, 일으키다, 점화하다

overlook [òuvərlúk] 간과하다

It provokes such an emotional reaction that the performance deviation itself is apt to be **overlooked**.

그것은 너무나 감정적인 반발을 일으켜서 직무 수행의 일탈 그 자체가 간과되기 쉽다.

2014 국가직 9급

| 유의어 |

- ☐ wink at ~을 못 본 체하다
- ☐ condone [kəndóun] 용서 · 묵과하다
- ☐ miss [mis] 간과하다, 놓치다

charge [tʃɑːrdʒ] 부과하다

So many automobile owners feel that mechanics deceive them that the clinics, even though they undoubtedly **charge** high fees, are quite popular.

너무나 많은 자동차 소유주들은 정비공들이 그들을 속인다고 생각해서, 강좌가 확실히 높은 비용을 청구함에도 불구하고 매우 인기가 있다.
2013 지방직 9급

| 유의어 |
- □ levy [lévi] 부과하다, 징수하다, 압류하다
- □ impose [impóuz] 부과하다, 강요하다

demand [dɪˈmɑːnd], [dɪˈmænd] 요구하다; 요구

It also teaches children about social interactions and conversations, and reinforces children's sense of themselves as people who may legitimately **demand** and reasonably be the center of attention.

그것은 또한 아이들에게 사회적 상호작용과 대화에 대해 가르치고, 정당하게 요구하고 합리적으로 관심의 중심이 될 수 있는 사람들로서의 아이들의 자의식을 강화한다.
2013 지방직 7급

| 유의어 |
- □ stipulate [stípjəleit] 요구하다, 규정하다
- □ necessitate [nəsésitèit] 요구하다, 필요하다
- □ enjoin [indʒɔ́in] 요구하다, 명령하다, 금지하다
- □ exact [igzǽkt] 요구하다; 정확한
- □ dictate [díkteit] 요구하다, 명령하다

40

exceed [iksíːd] 능가하다, 넘어서다

As far as inequalities of income are concerned, it seems that it must not **exceed** the point where differences in income lead to differences in the experience of life.

아마도 소득의 불평등에 관한 한, 그것은 소득의 차이들이 인생 경험의 차이들로 이끄는 지점을 넘어서서는 안 되는 것처럼 보인다.
2012 서울시 9급

| 유의어 |
- □ excel [iksél] 능가하다, 초과하다
- □ transcend [trænsénd] 능가하다, 초월하다
- □ surpass [sərpǽs] 능가하다, ~보다 낫다
- □ outstrip [autstríp] 능가하다, ~보다 낫다

vanish [vǽniʃ] 사라지다

That doesn't explain why they would just **vanish**.

그것은 왜 그들이 그냥 사라져버릴지를 설명해 주지 않는다.

| 유의어 |
- □ evaporate [ivǽpərèit] 사라지다, 증발하다
- □ fade [feid] 사라지다, 희미해지다

relish [réliʃ] 즐기다, 좋아하다, 맛보다

He won't **relish** having to walk all that distance.

그는 그 먼 거리를 걸어가야 한다는 것을 안 좋아할 것이다.

| 유의어 |
- □ revel [révəl] 한껏 즐기다
- □ savor [séivər] 음미하다, 감상하다
- □ fancy [fǽnsi] 좋아하다, 원하다

embezzle [imbézl] 횡령·유용·사용하다

They plotted with the finance department to **embezzle** money.

그들은 재무부와 짜고 돈을 횡령하기로 모의했다.

| 유의어 |
- □ peculate [pékjəlèit] 횡령 · 유용하다
- □ appropriate [əˈprəuprieɪt] 사용하다, 착복하다
- □ divert [daivə́ːrt] 유용 · 전용하다

steadfast [ˈstedfɑːst] 확고한, 흔들리지 않는

He remained **steadfast** in his determination to bring the killers to justice.

그는 그 살인자들에게 법의 심판을 받게 할 거라는 확고한 각오를 지니고 있었다.

| 유의어 |
- □ firm [fɜːrm] 확고한; 흔들리지 않는; 확실한; 딱딱한; 회사
- □ unwavering [ʌnˈweɪvərɪŋ] 확고한, 변함없는
- □ determined [dɪˈtɜːrmɪnd] 굳게 결심한, 단호한
- □ resolute [ˈrezəluːt] 확고한, 단호한
- □ adamant [ˈædəmənt] 확고한, 단호한, 요지부동의

45

clichéd
[kliːʃéid]

진부한, 평범한

Some people have a horror of **clichéd** images of African-American life in movies.

일부 사람들은 영화에서 나오는 아프리카계 미국인의 삶에 대한 진부한 이미지들에 대해 반감을 가지고 있다.

| 유의어 |

☐ trite [trait] 진부한, 평범한, 케케묵은
☐ commonplace [kámənplèis] 진부한, 평범한
☐ routine [ruːtíːn] 일상의, 틀에 박힌
☐ stereotyped [stériətàipt] 진부한, 판에 박은
☐ stale [steil] 진부한, 케케묵은
☐ mediocre [mìːdióukər] 평범한, 범용한
☐ banal [bənáːl] 진부한, 평범한
☐ humdrum [hʌ́mdrʌ̀m] 평범한, 보통의, 단조로운

nasty
[nɑːsti]

심술궂은, 구역질 나는, 역겨운

I knew he was a **nasty** piece of work.

나는 그가 성질이 심술궂은 사람이라는 것을 알고 있었다.

2017 지방직 9급

| 유의어 |

☐ disagreeable [ˌdɪsəˈgriːəbəl] 불쾌한, 비위 거슬리는
☐ nauseating [ˌnɔːˈzieɪtɪŋ] 욕지기 나는
☐ obnoxious [əbˈnɒkʃəs] 불쾌한, 비위 상하는
☐ repellent [rɪˈpelənt] 불쾌한, 혐오감을 주는
☐ repugnant [rɪˈpʌgnənt] 역겨운, 반항 · 반대하는
☐ repulsive [rɪˈpʌlsɪv] 불쾌한, 혐오감을 주는
☐ revolting [rɪˈvəʊltɪŋ] 역겨운, 반란 · 모반하는
☐ mean [miːn] 못된, 심술궂은; 의미하다
☐ malicious [məˈlɪʃəs] 심술궂은, 악의적인
☐ perverse [pərˈvɜːrs] 심술궂은, 괴팍한; 고집 센
☐ spiteful [ˈspaɪtfl] 짓궂은, 악의적인

lunatic
[lúːnətik]

미친; 미치광이

She is **lunatic**, but I've never known her to lie.

그녀는 정신이 이상하지만, 난 그녀가 거짓말하는지는 결코 몰랐다.

| 유의어 |

☐ mad [mæd] 미친, 정신 이상인
☐ demented [diméntid] 미친
☐ insane [inséin] 미친, 제정신이 아닌

delinquent
[dɪˈliŋkwənt]

태만의, 비행의, 체납의

The legislators were **delinquent** in their original duty of deliberating bills and holding debates on government policies.

입법부 의원들은 법안을 심의하고, 정부 정책에 관한 토론을 여는 자신들의 본래의 직무에 태만했다.

| 유의어 |

☐ negligent [ˈneglidʒənt] 태만한, 부주의한
☐ omissive [oumísiv] 게을리 하는, 빠뜨리는
☐ derelict [ˈderəlɪkt] 직무태만의, 버려진, 포기된
☐ remiss [rɪˈmɪs] 태만한, 게을리 하는

rapt
[ræpt]

열중한

He sat with a **rapt** expression reading his book.

그는 열중한 표정으로 자신의 책을 읽으며 앉아 있었다.

| 유의어 |

☐ keen [kiːn] 열중하여 [on], 날카로운, 심한
☐ soaked [soukt] 몰두한 [in], 흠뻑 젖은
☐ immersed [imə́ːrst] 열중하여 [in]
☐ intent [intént] 여념이 없는 [on]; 의지, 의향
☐ absorbed [əbsɔ́ːrbd] 몰두한 [in], 흡수된
☐ engrossed [ingróust] 몰두한 [in]

50

solitary
[sɑ́litèri]

황량한, 쓸쓸한, 혼자의, 유일한

The great artist is thus a **solitary** figure. He has, as Frost said, a lover's quarrel with the world.

그러므로 위대한 예술가는 홀로 있는 인물이다. Frost가 말한 대로, 그는 세상과 사랑의 싸움을 한다.

2014 기상직 9급

| 유의어 |

☐ deserted [dizə́ːrtid] 황폐한, 버림받은
☐ lonesome [lóunsəm] 쓸쓸한, 고독한
☐ desolate [ˈdesələt, ˈdesəleɪt] 황량한; 황폐시키다
☐ forlorn [fəlɔ́ːn] 버림받은, 고독한
☐ bleak [bliːk] 황량한, 쓸쓸한, 차가운
☐ dismal [dízməl] 황량한, 쓸쓸한, 음침[음산]한
☐ dreary [ˈdrɪəri] 황량한, 쓸쓸한, 지루한
☐ forsaken [fərséikən] 버림받은, 고독한

conspicuous
[kənˈspikjuəs]

두드러지는, 현저한

This is all the more **conspicuous** in temperate regions, where four seasons have their own unique hues.

이것은 사계절이 각각의 특징 있는 빛깔을 가지는 온대 지방에서 더욱 더 두드러진다.

| 유의어 |

- ☐ definite [ˈdefɪnət] 명확한
- ☐ manifest [ˈmænəfest] 명백한
- ☐ explicit [ɪkˈsplɪsɪt] 명백한
- ☐ articulate [ɑːˈtɪkjəleɪt] 명료한
- ☐ luminous [ˈluːmɪnəs] 명쾌한, 빛나는
- ☐ palpable [ˈpælpəbəl] 명백한, 감지할 수 있는
- ☐ perspicuous [pərspíkjuəs] 명료한, 명쾌한
- ☐ transparent [trænˈspærənt] 명백한, 투명한
- ☐ unequivocal [ˌʌnɪˈkwɪvəkəl] 명백한, 모호하지 않은
- ☐ noticeable [ˈnoʊtɪsəbl] 현저한, 눈에 띄는, 분명한
- ☐ striking [ˈstraɪkɪŋ] 두드러진, 현저한, 눈에 띄는; 빼어난
- ☐ remarkable [rɪˈmɑːrkəbl] 두드러진; 놀랄 만한, 주목할 만한

entertaining
[èntərtéiniŋ]

재미있는, 우스운

Kids' television shows nowadays are much more **entertaining**.

아이들을 위한 TV 쇼들은 요즘 훨씬 더 재미있다.

| 유의어 |

- ☐ funny [fʌ́ni] 재미있는
- ☐ amusing [əmjúːziŋ] 재미있는
- ☐ intriguing [intríːgiŋ] 흥미[호기심]를 자극하는
- ☐ facetious [fəsíːʃəs] 우스운, 익살스러운

alert
[əˈlɜːt]

조심하는, 경계하는, 기민한; 경보를 발하다

In these days, people must be **alert** to the possibility of danger about the nuclear energy.

근래에, 사람들은 핵 에너지에 관한 위험 가능성에 대해 경계해야 한다.

| 유의어 |

- ☐ advertent [ədˈvɜːrtənt] 주의 깊은
- ☐ circumspect [ˈsɜːrkəmspekt] 신중한, 조심성 있는
- ☐ conscientious [ˌkɒnʃiˈenʃəs] 신중한, 양심적인
- ☐ considerate [kənˈsɪdərət] 신중한, 친절한
- ☐ meticulous [məˈtɪkjələs] 너무 신중한, 꼼꼼한
- ☐ scrupulous [ˈskruːpjələs] 신중한, 양심적인
- ☐ vigilant [ˈvɪdʒələnt] 경계하는, 자지 않고 지키는
- ☐ wary [ˈweəri] 신중한, 조심성 있는

boring
[bɔ́ːriŋ]

단조로운, 지루한

His latest film is far more **boring** than his previous ones.

그의 최근 영화는 이전 작품들보다 훨씬 더 지루하다.

2012 국가직 9급

| 유의어 |

- ☐ tedious [tíːdiəs] 지루한, 지겨운
- ☐ dull [dʌl] 단조롭고 지루한, 무딘, 둔한
- ☐ dreary [drí(ː)əri] 따분한, 쓸쓸한, 황량한
- ☐ insipid [insípid] 무미건조한, 재미없는, 맛없는
- ☐ vapid [vǽpid] 지루한, 김 빠진, 활기 없는
- ☐ monotonous [mənɑ́tənəs] 단조로운
- ☐ flat [flæt] 단조로운, 평평한, 단호한
- ☐ prosaic [prouzéiik] 무미건조한, 산문체의

55

lethal
[ˈliːθəl]

치명적인, 죽음을 초래하는

The ant's abdomen ruptures, releasing a sticky yellow substance that will be **lethal** for both the defender and the attacker, permanently sticking them together and preventing the attacker from reaching the nest.

그 개미의 복부는 파열되고, 방어자와 공격자 모두에게 치명적일 끈적이는 노란 물질을 방출하는데, 그것은 영구적으로 그들을 붙여 놓으며 그 둥지에 침입자가 다가오지 못하도록 막는다.

2016 서울시 9급

| 유의어 |

- ☐ deleterious [ˌdeləˈtɪəriəs] 해로운, 유독한
- ☐ fatal [ˈfeɪtl] 치명적인, 운명의
- ☐ nocuous [ˈnɒkjuəs] 유해한
- ☐ pernicious [pəˈnɪʃəs] 유해한, 유독한
- ☐ detrimental [ˌdetrəˈmentl] 해로운
- ☐ injurious [ɪnˈdʒʊəriəs] 해로운, 유해한
- ☐ noxious [ˈnɒkʃəs] 유해한, 유독한
- ☐ deadly [ˈdedli] 치명적인; 극도의
- ☐ mortal [ˈmɔːrtl] 치명적인

old
[ould]

오래된, 낡은, 늙은

Moreover, it is generally the young and active members of the population who tend to migrate, leaving the **old** people, the children, and the infirm to run the farms, which is hardly likely to improve the efficiency of the farms.

게다가, 이수하는 경향이 있는 사람들은 대체로 인구의 어리고 활동적인 구성원들로, 나이든 사람들, 아이들, 그리고 병약한 사람들을 농장을 운영하도록 남겨 놓는데, 그것은 농장의 효율을 향상시킬 가능성이 거의 없다.

2013 서울시 7급

| 유의어 |

- ☐ aged [éidʒid] 늙은
- ☐ antiquated [ǽntəkwèitid] 오래된, 낡은
- ☐ outmoded [autmóudid] 구식의
- ☐ superannuated [sjù:pərǽnjuèitid] 낡은, 늙은
- ☐ ragged [rǽgid] 남루한, 초라한
- ☐ shabby [ʃǽbi] 초라한, 낡아 빠진
- ☐ senile [sí:nail] 나이 많은, 노쇠한
- ☐ elderly [ˈeldərli] 나이가 지긋한
- ☐ senior [ˈsi:niə(r)] 고령자의, 손위의

tame [teɪm] 길들여진, 유순한; 길들이다

They can be **tamed** to self-restraint towards us, domesticated and taught.

그들은 우리에게 맞춰진 자제력을 기르도록 길들여질 수 있고, 사육되고 교육될 수 있다. 2015 국가직 9급

| 유의어 |

- ☐ acquiescent [ӕkwiˈesənt] 묵종하는, 순종하는
- ☐ compliable [kəmpláiəbl] 고분고분한
- ☐ docile [ˈdɑ:sl, ˈdəʊsaɪl] 유순한, 온순한
- ☐ ductile [ˈdʌktaɪl] 유순한, 고분고분한, 유연한
- ☐ obedient [əˈbi:diənt] 순종하는, 고분고분한
- ☐ submissive [səbˈmɪsɪv] 순종하는
- ☐ supple [ˈsʌpəl] 유순한, 유연한
- ☐ tractable [ˈtrӕktəbəl] 유순한, 순종하는
- ☐ domesticated [dəméstikèitid] (동물이) 길든

sensible [ˈsensəbəl] 합리적인, 분별 있는, 현명한

Both connotations have some small merit, of course, because profit may result from both greedy, selfish activities and from **sensible**, efficient ones.

이익이 탐욕스럽고 이기적인 행동들로부터 나올 수도 있고 합리적이고 효율적인 행동들로부터 나올 수도 있기 때문에, 물론 이 두 의미는 약간의 작은 장점이 있다. 2016 지방직 9급

| 유의어 |

- ☐ agile [ˈӕdʒaɪl] 민첩한, 영민한
- ☐ judicious [dʒu:ˈdɪʃəs] 분별 있는, 신중한
- ☐ sage [seɪdʒ] 현명한; 현자, 현인
- ☐ discreet [dɪˈskri:t] 분별 있는, 신중한
- ☐ sagacious [səˈgeɪʃəs] 현명한, 영리한
- ☐ sapient [ˈseɪpiənt] 슬기로운, 지혜로운

youthful [jú:θfəl] 젊은이 특유의, 젊은

For example, there are women's magazines covering fashion, cosmetics, and recipes as well as **youthful** pictures.

예를 들어, 젊은 감각의 사진뿐만 아니라, 패션, 화장품, 그리고 요리법을 다루는 여성 잡지들도 있다.

| 유의어 |

- ☐ juvenile [dʒú:vənàil] 청소년의
- ☐ adolescent [ӕ̀dəlésənt] 청년기의

60

reckless [ˈrekləs] 무모한, 무분별한, 신중하지 못한, 경솔한

The athlete made a **reckless** attempt to win the game.

그 운동선수는 경기에서 이기기 위해 무모한 시도를 했다.

| 유의어 |

- ☐ hasty [ˈheɪsti] 경솔한, 성급한
- ☐ heedless [ˈhi:dləs] 부주의한, 조심성 없는
- ☐ indiscreet [ˌɪndɪˈskri:t] 경솔한, 지각없는
- ☐ rash [rӕʃ] 경솔한, 무분별한
- ☐ imprudent [ɪmˈpru:dənt] 경솔한

obsolete [ɑ̀bsəlí:t] 쓸모없는, 죽은, 소멸한, 없어진

Picture books are no more **obsolete** in terms of educational value.

교육적 가치라는 점에서 그림책은 더 이상 쓸모없지 않다.

| 유의어 |

- ☐ disused [disjú:zd] 사용되지 않는
- ☐ discontinued [diskəntínju:d] 없어진, 중단된
- ☐ extinct [ikstíŋkt] 소멸된

rebellious [rɪˈbeljəs] 반란하는, 모반하는, 반항하는

He is curious and **rebellious**.

그는 호기심이 많고 반항적이다.

| 유의어 |

- ☐ defiant [dɪˈfaɪənt] 반항하는, 도전하는
- ☐ disobedient [ˌdɪsəˈbi:diənt] 순종하지 않는
- ☐ insubordinate [ˌɪnsəˈbɔ:dənət] 순종하지 않는
- ☐ insurgent [ɪnˈsɜ:rdʒənt] 반란하는, 모반하는
- ☐ repugnant [rɪˈpʌgnənt] 반항하는, 반대하는, 역겨운
- ☐ revolting [rɪˈvəʊltɪŋ] 반란하는, 모반하는, 역겨운

intentional
[ɪnˈtenʃənəl]

고의적인, 의도적인

It might have struck her arm, but it wasn't **intentional**.

그녀의 팔을 쳤을 수도 있지만, 고의는 아니었다.

| 유의어 |

- ☐ intended [inténdid] 고의적인
- ☐ purposeful [pə́:rpəsfəl] 고의의, 의도적인
- ☐ calculated [kǽlkjəlèitid] 고의의, 계산된, 계획된
- ☐ systematic [sìstəmǽtik] 조직적인, 계획적인
- ☐ deliberate [delíbərət] 고의적인, 신중한
- ☐ designed [dizáind] 고의적인, 계획적인
- ☐ premeditated [pri:méditèited] 계획적인

haphazard
[hæphǽzərd]

무계획적인, 우연의

The government's approach to the flood was **haphazard**.

홍수에 대한 정부의 접근 방법은 무계획적이었다.

| 유의어 |

- ☐ adventitious [æ̀dvəntíʃəs] 우연의
- ☐ fortuitous [fɔ:rˈtju:ɪtəs] 우연한, 뜻밖의
- ☐ inadvertent [ìnədvə́:rtənt] 우연의, 부주의한
- ☐ casual [kǽʒjuəl] 우연의, 임시의, 격의 없는

65

indefinite
[ɪnˈdefənət]

불분명한, (시간 · 기한이) 정해져 있지 않은

The period is **indefinite** and I may drink water with or without salt and sour limes.

그 기간은 정해져 있지 않고, 나는 소금과 신맛이 나는 라임을 넣거나 넣지 않은 물 정도는 마실 수 있다.

| 유의어 |

- ☐ ambiguous [æmˈbɪgjuəs] 모호한
- ☐ equivocal [ɪˈkwɪvəkəl] 불분명한, 모호한
- ☐ inarticulate [ˌɪnɑ:ˈtɪkjələt] 불명료한
- ☐ inexplicit [ˌɪnɪkˈsplɪsɪt] 불명료한, 모호한
- ☐ intangible [ɪnˈtændʒəbəl] 만질 수 없는, 막연한
- ☐ nebulous [ˈnebjələs] 불명료한, 성운의
- ☐ blurry [blɜ:ri] 흐릿한
- ☐ impalpable [ɪmˈpælpəbəl] 불분명한
- ☐ unfixed [ʌnfíkst] 분명치 않은, 고정되지 않은
- ☐ undetermined [ʌnditə́:rmind] 미결의; 우유부단한
- ☐ unlimited [ʌnˈlɪmɪtɪd] 무제한의, 무한정의

short
[ʃɔ:rt]

짧은, 간결한

Susan likes to lie down for a **short** nap every afternoon.

Susan은 매일 오후에 짧은 낮잠을 자는 것을 좋아한다.

2012 사회복지직 9급

| 유의어 |

- ☐ brief [bri:f] 짧은, 간결한
- ☐ concise [kənsáis] 간결한, 간명한
- ☐ terse [tə:rs] 간결한, 간명한
- ☐ compact [kəmpǽkt] 간결한, 소형의, 꽉 들어찬
- ☐ curt [kə:rt] 짧은, 간략한, 무뚝뚝한
- ☐ succinct [səksíŋkt] 간결한, 간명한
- ☐ laconic [ləkɑ́nik] 간결한, 간명한

persistent
[pəˈsɪstənt]

완고한, 고집 센, 지속하는

There is no guarantee that the president's tactics will solve the **persistent** inflation and unemployment problem.

대통령의 전략이 지속되는 인플레이션과 실업 문제를 해결할 것이라는 보장은 어디에도 없다.

2011 국가직 9급

| 유의어 |

- ☐ dogged [ˈdɒgɪd] 완고한, 끈덕진
- ☐ bigoted [ˈbɪgətɪd] 완고한, 고집불통의
- ☐ wayward [ˈweɪwəd] 고집 센, 말 안 듣는
- ☐ tenacious [təˈneɪʃəs] 고집하는, 집요한, 완강한
- ☐ intractable [ɪnˈtræktəbəl] 완고한, 고집 센, 난치의
- ☐ diehard [ˈdaɪhɑ:rd] 완고한, 완강한
- ☐ opinionated [əˈpɪnjəneɪtɪd] 완고한
- ☐ obstinate [ˈɒbstənət] 완고한, 고집 센
- ☐ stubborn [stʌ́bərn] 완고한, 고집 센; 다루기 힘든

sensitive
[ˈsensətɪv]

민감한, 예민한

Children adore sweets partly because the tips of their tongues, more **sensitive** to sugar, haven't yet been blunted by trying to eat hot soup before it cools.

아이들은 부분적으로는 설탕에 더 예민한 혀끝이 수프가 식기 전에 뜨거운 수프를 먹으려고 애쓰다 둔화되지 않았기 때문에 단것을 좋아한다.

2017 국가직, 사회복지직 9급

| 유의어 |

- ☐ impressionable [ɪmˈpreʃənəbəl] 감수성이 강한
- ☐ susceptible [səˈseptəbəl] 민감한, 예민한, 영향받기 쉬운
- ☐ vulnerable [ˈvʌlnərəbəl] 상처받기 쉬운, 공격받기 쉬운

immune
[imjú:n]

면역성 있는

At very low levels, salts promote the action of cells in the **immune** system to fight off bacteria that can cause eye infections.

염분은 매우 낮은 농도일 때 눈 감염을 일으킬 수 있는 박테리아를 물리쳐 주는 면역 체계 안의 세포 활동을 촉진시킨다.

2014 사회복지직 9급

| 유의어 |

- ☐ resistant [rizístənt] 저항력 있는

70

insuperable [ɪnˈsjuːpərəbəl] 이기기 어려운, 무적의

There were **insuperable** obstacles, and the plan was abandoned.

이기기 어려운 장애물들이 있어서, 그 계획은 포기되었다.

| 유의어 |

- ☐ impregnable [ɪmˈpregnəbəl] 난공불락의, 확고한
- ☐ indomitable [ɪnˈdɒmətəbəl] 굴복하지 않는, 불굴의
- ☐ insurmountable [ˌɪnsəˈmaʊntəbəl] 이겨내기 어려운
- ☐ invincible [ɪnˈvɪnsəbəl] 정복할 수 없는
- ☐ unconquerable [ʌnkʌ́nkərəbl] 정복할 수 없는

sincere [sɪnˈsɪər] 진심 어린, 성실한

Her initiative was rewarded by her parents' **sincere** expressions of delight at her competence, and she then had the train set all the time.

그녀의 계획은 그녀의 능력에 대한 그녀의 부모의 진심 어린 기쁨의 표현으로 보상을 받았고 그녀는 언제나 기차 세트를 갖게 되었다.

2012 지방직 하반기 9급

| 유의어 |

- ☐ bona fide [ˌbəʊnə ˈfaɪdi] 진실한, 성실한, 선의의
- ☐ cordial [ˈkɔːdiəl] 진심의, 성심의
- ☐ heartfelt [ˈhɑːrtfelt] 진심에서 우러난
- ☐ hearty [ˈhɑːrti] 진심에서 우러난
- ☐ unfeigned [ʌnféind] 진실한, 거짓 없는
- ☐ veracious [vəréiʃəs] 진실의, 진실한
- ☐ genuine [ˈdʒenjuɪn] 진실한, 진짜의

mysterious [mɪˈstɪəriəs] 불가사의한

Christie's personal life was also quite **mysterious**.

Christie의 사생활 또한 꽤 불가사의했다.

| 유의어 |

- ☐ occult [əkʌ́lt] 신비스러운
- ☐ impenetrable [impénitrəbl] 불가해한, 헤아릴 수 없는
- ☐ unfathomable [ʌnfǽðəməbl] 이해할 수 없는
- ☐ inscrutable [inskrúːtəbl] 헤아릴 수 없는
- ☐ incomprehensible [inkàmprihénsəbl] 이해할 수 없는
- ☐ enigmatic [ènigmǽtik] 수수께끼 같은

malicious [məlíʃəs] 악의의, 사악한, 나쁜

A PC that is connected to the Internet via a cable modem is always vulnerable to a **malicious** hack attack whenever the PC is on.

케이블 모뎀을 통해 인터넷에 연결된 PC는 그 PC가 켜져 있을 때면 언제나 악의적인 해킹 공격에 취약하다.

2012 경찰직 2차

| 유의어 |

- ☐ wicked [wíkid] 악의 있는, 사악한, 부정한, 악독한
- ☐ malevolent [məlévələnt] 악의 있는
- ☐ malign [məláin] 악의의, 악성의; 중상하다
- ☐ malignant [məlígnənt] 악의 있는, 악성의
- ☐ vicious [víʃəs] 악의 있는, 나쁜
- ☐ evil [íːvəl] 사악한, 나쁜; 악
- ☐ vile [vail] 몹시 나쁜, 비열한

awful [ɔ́ːfəl] 끔찍한, 무서운

Look what the barber did to my son's hair. It looks **awful**.

이발사가 내 아들의 머리에 해놓은 것 좀 봐. 정말 끔찍해 보여.

| 유의어 |

- ☐ horrid [hɔ́(ː)rid] 무서운
- ☐ formidable [ˈfɔːrmədəbəl] 무서운, 만만찮은
- ☐ horrendous [hɔ(ː)réndəs] 끔찍한, 무서운
- ☐ ghastly [gǽstli] 무시무시한, 소름 끼치는
- ☐ dreadful [drédfəl] 끔찍한, 무서운, 무시무시한
- ☐ eerie [í(ː)əri] 무시무시한, 오싹한
- ☐ spooky [spúːki] 무시무시한, 으스스한
- ☐ appalling [əpɔ́ːliŋ] 소름 끼치는, 오싹한
- ☐ dire [dáiər] 무서운, 무시무시한
- ☐ hideous [hídiəs] 끔찍한, 소름 끼치는
- ☐ terrible [ˈterəbl] 끔찍한, 소름 끼치는
- ☐ horrific [həˈrɪfɪk] 끔찍한, 무서운, 소름 끼치는

75

violent [váiələnt] 폭력적인, 사나운, 포악한, 극악한

Seattle, the biggest city in the Pacific Northwest has a low **violent** crime rate and, like Portland, offers excellent health care and transportation services for seniors.

태평양 연안 북서부에서 가장 큰 도시인 시애틀은 강력 범죄율이 낮으며, 포틀랜드와 같이 훌륭한 의료 서비스와 대중교통 서비스를 노인들에게 제공한다. 2012 사회복지직 9급

| 유의어 |

- □ fierce [fiərs] 사나운, 흉포한, 맹렬한
- □ atrocious [ətróuʃəs] 극악한, 잔혹한
- □ monstrous [mánstrəs] 극악 무도한, 괴물 같은
- □ ferocious [fəróuʃəs] 사나운, 흉포한, 잔인한
- □ outrageous [autréidʒəs] 포악한, 난폭한
- □ flagrant [fléigrənt] 극악한, 악명 높은
- □ egregious [igríːdʒəs] 극악한, 악명 높은
- □ notorious [noutɔ́ːriəs] 악명 높은
- □ untamed [ʌntéimd] 사나운, 길들이지 않은
- □ diabolic [dàiəbálik] 악마의, 극악무도한

severe [səˈvɪər] 심한, 혹독한, 엄격한

Most patients can recover with rest and by staying hydrated, but some develop a **severe** condition.

대부분의 환자들은 휴식을 취하고 수분을 섭취하면 회복할 수 있지만 몇몇 환자들은 심각한 상태로 발전한다. 2013 서울시 9급

| 유의어 |

- □ grim [grɪm] 엄격한, 엄한, 잔인한, 냉혹한
- □ rigid [ˈrɪdʒɪd] 엄격한, 엄밀한
- □ stern [stɜːrn] 엄격한, 단호한
- □ stringent [ˈstrɪndʒənt] 엄중한
- □ harsh [hɑːʃ] 엄한, 가혹한, 거친
- □ rigorous [ˈrɪgərəs] 엄격한, 엄한
- □ strict [strɪkt] 엄격한, 엄밀한
- □ tight [tait] 엄격한, 단호한; 꽉 조이는; 빽빽한
- □ violent [ˈvaɪələnt] 극심한, 지독한; 폭력적인
- □ intense [ɪnˈtens] 심한, 격렬한

savage [sǽvidʒ] 야만적인, 잔인한

Exemplifying this particularly **savage** hurricane season is a dramatic satellite image.

특히 이 야만적인 허리케인 발생 시즌을 전형적으로 보여준 것은 극적인 인공위성 이미지이다.

| 유의어 |

- □ barbaric [bɑːrbǽrik] 야만적인, 잔인한
- □ barbarous [bɑ́ːrbərəs] 야만적인, 잔인한, 미개한
- □ brutal [brúːtəl] 잔인한(cruel), 짐승 같은

candid [ˈkændɪd] 솔직한, 있는 그대로의

He shoots at different angles and takes **candid** pictures of people.

그는 다른 각도에서 찍고, 사람들의 있는 그대로의 사진을 찍는다. 2016 서울시 9급

| 유의어 |

- □ outright [ˈaʊtraɪt] 솔직한, 노골적인
- □ outspoken [aʊtˈspəʊkən] 솔직한, 노골적인
- □ plain [pleɪn] 솔직한, 평평한, 명백한
- □ straightforward [ˌstreɪtˈfɔːrwərd] 솔직한, 똑바른
- □ unreserved [ʌnriˈzɜːrvd] 솔직한, 기탄없는

gullible
[ˈgʌləbəl]

잘 속는, 순진한

Plastic replicas of the Greek pottery are sold to **gullible** tourists.

그리스 도자기의 플라스틱 복제품들은 잘 속는 관광객들에게 팔린다.

| 유의어 |

☐ ingenuous [ɪnˈdʒenjuəs] 순진한, 사람을 잘 믿는
☐ credulous [ˈkredjələs] 속기 쉬운, 잘 믿는
☐ naive [naɪˈiːv] 순진한, 소박한
☐ homespun [hóumspən] 소박한, 촌스러운, 손으로 짠
☐ innocent [ˈɪnəsənt] 순진한, 죄 없는, 결백한

pitiless
[pítilis]

냉혹한

Whoever she marries, or doesn't marry, is exposed to our **pitiless** gaze.

그녀가 누구와 결혼하든 혹은 결혼하지 않든, 우리의 냉혹한 시선에 노출되어 있다.

| 유의어 |

☐ merciless [mə́ːrsilis] 무자비한
☐ inexorable [inéksərəbl] 냉혹한, 무정한
☐ relentless [riléntlis] 냉혹한, 가차없는

intimate
[íntəmit]

친밀한, 사적인, 편안한, 밀접한, 상세한

This is because sensitivity is thought to require the **intimate** knowledge of a child which comes only through being closely involved in his or her day-to-day activities.

이것은 감수성이 오직 아이의 일상생활에 친밀하게 관여함으로써만 생기는 아이에 대한 상세한[사적인] 지식을 필요로 한다고 여겨지기 때문이다.
2013 지방직 7급

| 유의어 |

☐ familiar [fəmíliər] 친숙한, 익숙한
☐ informal [infɔ́ːrməl] 친밀감을 나타내는, 격식을 차리지 않는
☐ personal [ˈpɜːrsənəl] 사적인, 개인의
☐ private [ˈpraɪvət] 사적인
☐ cozy [kóuzi] 편안한, 아늑한
☐ comfortable [kʌ́mfərtəbl] 편안한
☐ inextricable [ˌɪnɪkˈstrɪkəbəl] 밀접한, 불가분의, 탈출할 수 없는
☐ minute [mainjúːt] 상세한, 미세한
☐ detailed [ditéild] 상세한

whole
[houl]

모든, 완전한

He also said, "Only one person in a million can juggle the **whole** things at the same time and think strategically to create solid, valid plan."

그는 또한 "백만 명 중 단지 한 사람만이 모든 일들을 동시에 할 수 있고 견고하고 타당한 계획을 만들기 위해 전략적으로 생각할 수 있다."라고 말했다.
2013 국가직 9급

| 유의어 |

☐ consummate [kənsʌ́mət, kənsʌ́meit] 완전한; 완성하다
☐ integral [íntigrəl, intégrəl] 완전한, 빠져서는 안 될
☐ intact [intǽkt] 완전한, 손대지 않은
☐ plenary [plíːnəri] 완전한, 절대적인

05

prime
[praim]

주된, 최고의, 최상의

A **prime** cause of that failure was ill-founded fear among parents that a widely used vaccine to combat measles, mumps and rubella might cause autism.

그 실패의 주된 원인은 홍역, 유행성 이하선염, 그리고 풍진을 예방하기 위해 널리 사용되는 백신이 자폐증을 일으킬지도 모른다는 부모들 사이의 근거 없는 두려움이었다.
2013 서울시 9급

| 유의어 |

☐ supreme [soˈpriːm] 최고의, 최상의
☐ premier [prímiər] 1등의, 첫째의; 수상
☐ superlative [suːˈpɜːrlətɪv] 최고의, 최상의
☐ optimal [áptimal] 최상의, 최선의
☐ paramount [pǽrəmàunt] 최고의, 가장 중요한
☐ top-notch [tàpnátʃ] 최고의, 일류의
☐ stellar [stélər] 일류의, 아주 우수한
☐ superb [sjuːˈpɜːrb] 최고의, 최상의
☐ foremost [fɔ́ːrmoust] 첫번째의, 맨 앞의; 일류의, 주요한

crucial
[krúːʃəl]
중요한, 중대한

Creating an environment in which students feel accepted, secure, and free to explore is **crucial** to learning, but classroom discipline issues also need to be addressed.

학생들이 수용적이고, 안전하며, 자유롭게 탐구할 수 있는 환경을 만드는 것이 학습에는 중요하지만, 교실의 훈계 문제 또한 언급되어야 한다.

| 유의어 |

- ☐ pivotal [pívətəl] 중추적인
- ☐ critical [krítikəl] 중요한, 비판적인
- ☐ consequential [kɑ̀nsəkwénʃəl] 중대한, 결과적인
- ☐ momentous [mouméntəs] 중요한, 중대한
- ☐ principal [prínsəpəl] 주요한, 원금의; (단체의) 장
- ☐ grave [greiv] 중대한; 무덤
- ☐ cardinal [kɑ́ːrdinəl] 중요한, 주요한, 기본적인; 진홍색의; 추기경
- ☐ vital [váitəl] 극히 중대한, 활기찬, 힘찬
- ☐ weighty [wéiti] 중대한, 무거운

superficial
[suːpərˈfɪʃəl]
표면적인, 피상적인

Girls used to receive only a **superficial** education a long time ago.

소녀들은 오래 전에는 피상적인 교육만 받았었다.

| 유의어 |

- ☐ ostensible [ɑsténsəbl] 표면상의, 허울만의
- ☐ cosmetic [kɑzmétik] 표면적인, 화장의
- ☐ specious [spíːʃəs] 겉만 그럴 듯한, 외양만의
- ☐ perfunctory [pərfʌ́ŋktəri] 피상적인, 형식적인
- ☐ cursory [kə́ːrsəri] 피상적인, 서두르는
- ☐ shoddy [ʃɑ́di] 겉만 번지르르한, 싸구려의(= hand-me-down)
- ☐ shallow [ʃǽlou] 피상적인, 얕은

sufficient
[səfíʃənt]
충분한

Time is a basic prerequisite, but not a **sufficient** one in itself.

시간은 기본적인 전제조건이지만, 그 자체로 충분한 것(조건)은 아니다.

2015 지방직 9급

| 유의어 |

- ☐ plentiful [pléntifəl] 많은, 풍부한
- ☐ abundant [əbʌ́ndənt] 많은, 풍족한
- ☐ ample [ǽmpl] 충분한, 풍부한, 넓은
- ☐ opulent [ɑ́pjələnt] 부유한, 풍부한
- ☐ saturated [sǽtʃərèitid] 충만한, 가득한
- ☐ profuse [prəfjúːs] 풍부한, 넘치는
- ☐ rife [raif] 충만한, 가득한
- ☐ exuberant [igzjúːbərənt] 풍부한, 넘치는, 원기 왕성한, 열광적인
- ☐ enriched [inrítʃt] 풍요한, 풍부한
- ☐ generous [dʒénərəs] 관대한, 풍부한
- ☐ affluent [ǽfluənt] 풍부한, 풍족한
- ☐ copious [kóupiəs] 풍부한
- ☐ replete [riplíːt] 충만한, 가득한

abstract
[ǽbstrækt]
추상적인, 관념적인, 난해한

Robinson is not an **abstract** individual, but an Englishman from York.

Robinson은 추상적인 인간이 아니라, 요크 지방에서 온 영국 남자이다.

2011 지방직 9급

| 유의어 |

- ☐ profound [prəfáund] 심오한, 난해한
- ☐ recondite [rékəndàit] 심오한, 난해한
- ☐ abstruse [æbstrúːs] 심오한, 난해한

10

immediate
[imíːdiət]
즉시의, 신속한

The appeal was **immediate**, and when a renewable-energy project finally secured some funding, he volunteered to be the first — and only — staffer.

그 간청은 즉각적이었고, 지속 가능한 에너지 프로젝트가 마침내 조금의 자금을 확보했을 때, 그는 처음이자 유일한 직원이 되기를 자처했다.

2014 국가직 9급

| 유의어 |

- ☐ fleet [fliːt] 신속한(rapid), 빠른
- ☐ prompt [prɑmpt] 신속한, 빠른
- ☐ instant(aneous) [instənt(éiniəs)] 즉시의, 즉석의
- ☐ swift [swift] 신속한, 빠른

excessive
[ɪkˈsesɪv]
과도한, 지나친

Most people have a strong dislike to **excessive** violence on TV.

대부분의 사람들은 TV에 나오는 지나친 폭력을 매우 싫어한다.

2011 국가직 9급

| 유의어 |

- □ exorbitant [ɪgˈzɔːbətənt] 지나친, 터무니없는
- □ extravagant [ɪkˈstrævəgənt] 지나친, 터무니없는
- □ immoderate [ɪˈmɒdərət] 지나친, 무절제한
- □ inordinate [ɪˈnɔːdənət] 과도한, 지나친
- □ intemperate [ɪnˈtempərət] 지나친, 무절제한
- □ undue [ˌʌnˌdjuː, ʌnˈdjuː] 과도한, 부당한, 부적합한

permanent [ˈpɜːmənənt] 영구적인, 영속하는

In fact, the belief in the **permanent** impact of birth order, according to Toni Falbo, a social psychologist at the University of Texas at Austin, comes from the psychological theory that your personality is fixed by the time you're six.

Austin의 Texas 대학의 사회 심리학자 Toni Falbo에 의하면, 사실 출생 순서의 영구적 영향에 대한 믿음은 6살 즈음에 성격이 굳어진다는 심리학 이론에서 유래된 것이다. 2014 국가직 9급

| 유의어 |

- □ enduring [ɪnˈdjʊərɪŋ] 영구적인, 참을성 있는
- □ eternal [ɪˈtɜːnəl] 영구한, 영원한
- □ immortal [ɪˈmɔːtl] 불사의, 불멸의
- □ immutable [ɪˈmjuːtəbəl] 불변의
- □ imperishable [ɪmˈperɪʃəbəl] 불사의, 불멸의
- □ perennial [pəˈreniəl] 영구한, 사철의
- □ perpetual [pəˈpetʃuəl] 영속하는, 영원한
- □ persistent [pəˈsɪstənt] 영속하는, 고집 센

essential [ɪˈsenʃəl] 본질적인, 필수적인

Such a technique is suited to James's **essential** subject, which is not human action itself but the states of mind which produce and are produced by human actions and interactions.

그러한 기법은 James의 본질적인 주제에 적합한데, 그것은 인간의 행위 그 자체가 아니라 인간 행위와 상호작용에 의해 만들어 내고 만들어지는 마음의 상태이다. 2013 경찰직 1차

| 유의어 |

- □ imperative [impérətiv] 필수적인
- □ necessitous [nəsésitəs] 필수적인, 가난한
- □ mandatory [mǽndətɔ̀ːri] 필수적인, 강제적인
- □ indispensable [ìndispénsəbl] 필수적인
- □ obligatory [əblígətɔ̀ːri] 필수의, 의무적인
- □ requisite [rékwizit] 필수적인, 필요한

greedy [ˈgriːdi] 욕심 많은, 탐욕스러운

And wealth will tend to vary in inverse proportion to merit, since the rich will be totally useless **greedy** characters, while the poor will be simple, honest people whose daily work is profitable to the community.

그리고 부는 가치에 반비례하여 달라지는 경향이 있는데, 그것은 부자들은 완전히 쓸모없는 탐욕스러움을 가진 사람들인 반면, 가난한 사람들은 매일의 일이 공동체에 유익한, 평범하고 정직한 사람들이기 때문이다. 2014 지방직 9급

| 유의어 |

- □ avaricious [ævəˈrɪʃəs] 욕심 많은, 탐욕스러운
- □ covetous [ˈkʌvɪtəs] 탐욕스러운, 몹시 탐내는
- □ insatiable [ɪnˈseɪʃəbəl] 탐욕스러운
- □ voracious [vəˈreɪʃəs] 탐욕적인, 게걸스레 먹는
- □ avid [ˈævɪd] 욕심 많은, 탐욕스러운

15

fortunate [ˈfɔːtʃənət] 운이 좋은, 행운의

We were **fortunate** enough to visit the Grand Canyon, which has many beautiful landscapes.

우리는 운이 좋게도 그랜드 캐니언을 방문했는데, 거기에는 경치가 아름다운 곳이 많다. 2013 국가직 9급

| 유의어 |

- □ auspicious [ɔːˈspɪʃəs] 길조의, 상서로운
- □ favorable [ˈfeɪvərəbəl] 호의적인, 유망한
- □ promising [ˈprɒməsɪŋ] 장래성 있는, 유망한
- □ propitious [prəˈpɪʃəs] 길조의, 상서로운

urgent [ˈɜːrdʒənt] 긴급한, 임박한

I've got to find him. It's **urgent**.

난 그를 찾아야만 하는데, 급해. 2013 지방직 9급

| 유의어 |

- □ pending [péndiŋ] 임박한, 미결정된, 현안의
- □ impending [impéndiŋ] 절박한
- □ pressing [présiŋ] 긴급한, 급박한
- □ imminent [ímənənt] 절박한, 촉박한

unfavorable [ʌnˈfeɪvərəbəl] 호의적이 아닌, 불리한, 불길한

Again and again we light on words used once in a good, but now in an **unfavorable** sense.

계속해서 우리는 한때 좋은 의미로 쓰였으나, 지금은 호의적이지 않은 의미로 쓰이는 단어들을 우연히 본다. 2017 서울시 9급

| 유의어 |

- □ ominous [ˈɒmɪnəs] 불길한, 나쁜 징조의
- □ sinister [ˈsɪnɪstər] 불길한
- □ portentous [pɔːˈrentəs] 불길한, 흉조의
- □ unfortunate [ʌnˈfɔːrtʃənət] 불운한, 불행한

neighboring [néibəriŋ] 이웃의, 인근의

kangaroos and emu steaks fresh from **neighboring** Australia
인근의 호주로부터 온 캥거루와 에뮤 스테이크 2013 지방직 9급

| 유의어 |
- □ adjacent [əˈdʒeɪsənt] 이웃의, 인접한
- □ adjoining [əˈdʒɔɪnɪŋ] 이웃의, 인접한
- □ contiguous [kənˈtɪgjuəs] 접촉하는, 인접하는
- □ proximate [ˈprɒksəmət] 가까운, 근접한

incalculable [ɪnˈkælkjələbəl] 헤아릴 수 없는, 무수한

The value in hosting a successful Olympics in terms of international prestige is **incalculable**.
성공적인 올림픽 개최의 가치는 국제적인 명성 면에서 헤아릴 수 없다. 2011 국가직 9급

| 유의어 |
- □ innumerous [ɪˈnju:mərəs] 무수한, 수많은
- □ innumerable [ɪˈnju:mərəbəl] 무수한, 셀 수 없는
- □ immeasurable [ɪˈmeʒərəbəl] 측정불가의, 광대한
- □ inestimable [ɪnˈestəməbəl] 측정할 수 없는, 평가할 수 없는
- □ interminable [ɪnˈtɜ:mənəbəl] 무한한, 끝없는
- □ myriad [mˈɪriəd] 무수한

20

minimal [mínəməl] 최소의, 아주 작은

Happily, he discovered kayaking, a perfect sport for him because it required **minimal** leg and foot muscles.
다행히도, 그는 그에게 완벽한 스포츠인 카약을 발견했는데, 그것은 최소한의 다리와 발 근육을 필요로 하기 때문이었다. 2013 국가직 9급

| 유의어 |
- □ minute [mainjú:t] 작은, 미세한, 사소한, 하찮은
- □ tiny [táini] 작은
- □ diminutive [dimínjətiv] 작은, 소형의
- □ microscopic [màikrəskápik] 미세한, 현미경의

appropriate [əˈprəʊpriət] 적당한, 적절한

There are many instances in our society in which it is entirely **appropriate** for people to play a power role over others.
다른 사람들에게 권력을 행사하는 것이 매우 적절한 많은 사례들이 우리 사회에 있다. 2011 국가직 9급

| 유의어 |
- □ apt [æpt] 적당한, 적절한, ~하기 쉬운
- □ germane [dʒɜ:rˈmeɪn] 적절한, 밀접한
- □ proper [ˈprɒpər] 적당한, 적절한
- □ suitable [ˈsu:təbəl] 적당한, 적절한
- □ fit [fɪt] 적당한, 적절한
- □ pertinent [ˈpɜ:rtɪnənt] 적절한, 관계 있는
- □ relevant [ˈreləvənt] 적절한, 관련된

incredible [inˈkredəbəl] 믿어지지 않는, 놀라운

As **incredible** as it sounds, there are some species of insects that will sacrifice themselves to protect their nests.
믿을 수 없게 들리겠지만, 자신의 둥지를 보호하기 위해서 스스로를 희생하는 일부 곤충 종들이 있다. 2016 서울시 9급

| 유의어 |
- □ fabulous [ˈfæbjələs] 믿어지지 않는, 전설상의
- □ legendary [ˈledʒəndəri] 믿기 어려운, 전설의
- □ marvelous [ˈmɑ:vələs] 믿기 어려운, 놀라운
- □ phenomenal [fɪˈnɒmɪnəl] 놀랄 만한, 굉장한
- □ prodigious [prəˈdɪdʒəs] 놀라운, 경이적인
- □ stupendous [stju:ˈpendəs] 엄청난, 굉장한
- □ tremendous [trɪˈmendəs] 대단한, 엄청난, 굉장한

minor [máinər] 작은, 사소한

There were, however, a few **minor** problems.
다만, 몇 가지 사소한 문제들이 있었다.

| 유의어 |
- □ paltry [pɔ́:ltri] 보잘것없는, 하찮은
- □ negligible [néglidʒəbl] 무시해도 좋은, 하찮은
- □ petty [péti] 작은, 사소한
- □ trivial [tríviəl] 사소한, 하찮은
- □ slight [slait] 약간의, 하찮은, 시시한
- □ trifling [tráifliŋ] 사소한, 하찮은

scarce [skeərs] 부족한, 드문

The most elusive element of all, however, appears to be francium, which is so **scarce** that it is thought that our entire planet may contain, at any given moment, fewer than twenty francium atoms.
하지만 그중에서 가장 찾기 힘든 원소는 프란슘일 것인데, 그것은 너무나 희귀하기 때문에 우리의 전 지구에, 어떠한 특정 순간에, 프란슘 원자들이 20개보다 더 적을 수 있다고 여겨지고 있다. 2014 지방직 9급

| 유의어 |

- ☐ lacking [lǽkiŋ] 부족한, 모자라는
- ☐ wanting [wántiŋ] 모자라는, 결핍한
- ☐ scant(y) [skænt(i)] 부족한, 모자라는
- ☐ meager [mí:gər] 빈약한, 결핍한, 메마른
- ☐ devoid [divɔ́id] 결여된, ~이 없는
- ☐ deficient [difíʃənt] 부족한
- ☐ rare [rɛər] 희귀한, 진귀한
- ☐ sparse [spɑ:rs] 드문드문한, 희박한
- ☐ void [vɔid] 없는, 결여된, 쓸모없는, 무효의
- ☐ destitute [déstitjù:t] 없는, 결핍한, 빈곤한

25

snug [snʌg]

아늑한, 편안한

This is sort of **snug** and puffy; it's like a duvet spread over a bed.

이것은 다소 아늑하고 푹신한데, 침대 위에 펼쳐진 누비 이불과 같다.

| 유의어 |

- ☐ cozy [ˈkəʊzi] 아늑한, 포근한
- ☐ comfortable [ˈkʌmftərbl] 편안한, 쾌적한
- ☐ restful [ˈrestfl] 편안한, 평화로운

productive [prəˈdʌktiv]

생산적인, 다산의

Knowledge becomes centered in an 'oasis' of rich findings and it is just too risky and expensive to leave that still **productive** and well-watered zone.

지식은 풍부한 발견들의 'oasis' 안에 집중되고, 여전히 생산적이고 물이 풍부한 구역을 벗어나는 것은 그저 너무 위험하고 비용이 많이 드는 일이다. 2016 지방직 9급

| 유의어 |

- ☐ fertile [ˈfɜ:rtaɪl] 다산의, 비옥한, 기름진
- ☐ fruitful [ˈfru:tfəl] 다산의, 결실을 많이 맺는
- ☐ luxuriant [lʌgˈzjʊəriənt] 다산의, 기름진, 무성한
- ☐ fructuous [frʌ́ktʃuəs] 다산의, 결실이 많은
- ☐ prolific [prəˈlɪfɪk] 다산 · 다작의, 비옥한

identical [aɪˈdentɪkəl]

동일한

This meant that two readers separated by distance could discuss and compare **identical** books, right down to a specific word on a particular page.

이는 멀리 떨어진 두 명의 독자가 동일한 책을, 특정 페이지의 구체적인 단어에 대해서까지 의논하고 비교할 수 있다는 것을 의미했다. 2015 국가직 9급

| 유의어 |

- ☐ even [ˈi:vən] 동일한, 같은, 대등한
- ☐ commensurate [kəˈmenʃərət] 같은 (정도의)
- ☐ coordinate [kəʊˈɔ:dəneɪt] 동등한, 대등한
- ☐ equivalent [ɪˈkwɪvələnt] 동등한, 상당하는
- ☐ tantamount [ˈtæntəmaʊnt] 동등한, 같은

odd [ɑ:d]

이상한, 특이한, 별난
cf. at odds 다투는, 상충하는

It is **odd** to claim that common mistakes we make result from confusion between truth and fallacy.

우리가 하는 흔한 실수가 진실과 오류 사이의 혼동으로부터 기인한다고 주장하는 것은 이상하다.

| 유의어 |

- ☐ abnormal [æbnɔ́:rməl] 비정상적인
- ☐ aberrant [æbérənt] 이상한, 비정상적인
- ☐ atypical [eitípikəl] 전형적이지 않은
- ☐ outlandish [autlǽndiʃ] 기이한, 이국풍의
- ☐ rare [rɛər] 드문, 진기한, 희박한
- ☐ eccentric [ikséntrik] 별난, 괴벽스러운
- ☐ weird [wiərd] 이상한, 기묘한

biased [ˈbaiəst]

치우친, 편향적인

The information may be **biased** and other information may be completely inaccurate.

그 정보는 편향되었을지 모르고 다른 정보는 완전히 틀렸을 수도 있다. 2011 국가직 9급

| 유의어 |

- ☐ partial [ˈpɑ:rʃəl] 편파적인, 부분적인
- ☐ tendentious [tenˈdenʃəs] 편향 · 편파적인
- ☐ prejudiced [ˈpredʒədɪst] 선입관의

30

neutral [ˈnju:trəl]

중립적인

Today Samso isn't just carbon-**neutral** — it actually produces 10% more clean electricity than it uses, with the extra power fed back into the grid at a profit.

오늘날 Samso는 단순히 탄소 중립적인 것만이 아니다. 그것은 추가적인 전력이 배전망으로 돌아와 이익을 남기면서 실제로 사용하는 것보다 10% 더 깨끗한 전기를 생산한다. 2014 국가직 9급

| 유의어 |

- ☐ disinterested [dɪsˈɪntrɪstɪd] 공평한, 사심 없는
- ☐ equitable [ˈekwətəbəl] 공평한, 공정한
- ☐ impartial [ɪmˈpɑ:rʃəl] 공평한, 치우치지 않는
- ☐ square [skweər] 공명정대한, 정사각형의
- ☐ unbiased [ʌnˈbaɪəst] 공평한, 편견 없는
- ☐ unprejudiced [ʌnˈpredʒədɪst] 공평한, 선입관 없는

individual [ìndəvídʒuəl]	개인의, 독특한, 개성 있는; 개인

He has his **individual** style of music.

그는 자신만의 개성 있는 음악 스타일을 갖고 있다.

| 유의어 |

- ☐ peculiar [pikjú:ljər] 독특한, 특유한, 고유의, 기묘한, 이상한
- ☐ idiosyncratic [ìdiousinkrǽtik] 특유한
- ☐ distinctive [distíŋktiv] 특유한, 차이가 나는
- ☐ characteristic [kæriktərístik] 독특한, 특유의; 특성, 특징

simultaneous [ˌsɪməlˈteɪniəs]	동시에 일어나는

Up to twenty users can have **simultaneous** access to the system.

20명의 사용자까지 그 시스템에 동시 접속을 할 수 있다.

| 유의어 |

- ☐ concurrent [kənˈkʌrənt] 동시 발생의, 일치하는
- ☐ accompanying [əˈkʌmpəniŋ] 동반하는, 수반하는
- ☐ coinciding [ˌkəʊɪnˈsaɪdiŋ] 동시 발생의, 일치하는
- ☐ concomitant [kənˈkɒmɪtənt] 동시에 일어나는
- ☐ contemporaneous [kənˌtempəˈreɪniəs] 동시 발생의
- ☐ synchronous [ˈsɪŋkrənəs] 동시에 일어나는

needy [ní:di]	어려운, 궁핍한

For communication of their availability, most centers coordinate with a phone information system which allows **needy** persons to find out where shelters are located.

연락의 용이성을 위해, 대부분의 단체들은 어려운 사람들이 쉼터가 어디에 위치해 있는지 찾을 수 있도록 전화 정보 시스템과 연합한다.

2013 서울시 9급

| 유의어 |

- ☐ insolvent [insálvənt] 파산한, 지불 능력이 없는
- ☐ penniless [pénilis] 무일푼의
- ☐ necessitous [nəsésitəs] 가난한, 필수적인
- ☐ destitute [déstitjù:t] 결핍한, 없는, 빈곤한
- ☐ impoverished [impávəriʃt] 가난하게 된
- ☐ impecunious [ìmpəkjú:niəs] 가난한, 돈 없는
- ☐ indigent [índidʒənt] 궁핍한, 빈곤한
- ☐ bust [bʌst] 파산한

consistent [kənˈsɪstənt]	일관된, 지속적인, 일치하는

With the introduction of **consistent** pagination, indexes, alphabetic ordering, and bibliographies (all unthinkable in manuscript), knowledge itself was slowly repackaged.

(필사본에서는 모두 상상할 수 없었던) 일관성 있는 페이지 기법과 색인, 알파벳 순서, 그리고 참고 문헌의 도입과 함께, 지식 그 자체가 천천히 재포장되었다.

2015 국가직 9급

| 유의어 |

- ☐ accordant [əkɔ́:rdənt] 일치하여
- ☐ concordant [kənˈkɔ:rdənt] 일치하여
- ☐ congruent [ˈkɒŋgruənt] 일치하는
- ☐ consonant [ˈkɒnsənənt] 일치하여, 조화하여
- ☐ corresponding [ˌkɒrəˈspɒndɪŋ] 일치하는, 상응하는
- ☐ reconcilable [rékənsàiləbl] 일치시킬 수 있는, 조화시킬 수 있는
- ☐ harmonious [hɑ:rˈməʊniəs] 조화된
- ☐ congenial [kənˈdʒi:niəl] 같은 성질의
- ☐ congruous [ˈkɑŋgruəs] 일치하는

35

fragile [ˈfrædʒəl], [ˈfrædʒaɪl]	약한, 깨지기 쉬운, 덧없는

Beauty is one of the most **fragile** things in the world.

아름다움은 세상에서 가장 부서지기 쉬운 것들 중 하나이다.

| 유의어 |

- ☐ flimsy [flmzi] 연약한, 얇은
- ☐ brittle [brítl] 깨지기 쉬운, 부서지기 쉬운
- ☐ tenuous [ténjuəs] 빈약한, 얇은, 희박한
- ☐ frail [freil] 연약한, 허약한, 무른
- ☐ feeble [fi:bl] 연약한, 허약한

tireless [ˈtaiələis]	지치지 않는, 끈기 있는

Her patience, **tireless** spirit and determination have been indispensable.

그녀의 인내심, 지치지 않는 정신과 결의는 필수적이었다.

| 유의어 |

- ☐ unflagging [ʌnflǽgiŋ] 지칠 줄 모르는
- ☐ untiring [ʌntáiəriŋ] 지치지 않는
- ☐ indefatigable [ìndifǽtəgəbl] 지치지 않는
- ☐ unwearied [ʌ̀nwíərid] 지칠 줄 모르는, 끈기 있는
- ☐ weariless [wíərilis] 지칠 줄 모르는, 싫증나지 않는
- ☐ inexhaustible [ˌɪnɪgˈzɔ:stəbl] 지칠 줄 모르는, 끈기 있는

regretful
[rɪˈgretfəl]
후회하는, 유감인, 애석하게 여기는

Someone who is **regretful** feels sorry or disappointed.
뉘우치는 사람은 미안함이나 실망감을 느낀다.

| 유의어 |
- ☐ apologetic [əˌpɒləˈdʒetɪk] 사과하는, 변명의
- ☐ contrite [ˈkɒntraɪt] 깊이 뉘우치는, 회오의
- ☐ remorseful [rɪˈmɔːrsfəl] 후회하는, 가책되는
- ☐ penitent [ˈpenɪtənt] 회개하는, 참회하는
- ☐ repentant [rɪˈpentənt] 후회하는, 뉘우치는

inquisitive
[inˈkwizətiv]
호기심이 강한

Your partner has just run off with your best friend, yet you cannot avoid going in to teach a class of **inquisitive** students.
당신의 파트너는 당신의 가장 친한 친구와 도망갔지만, 당신은 호기심 많은 학급 학생들을 가르치는 일을 피할 수 없다. 2017 국가직 9급

| 유의어 |
- ☐ curious [ˈkjʊəriəs] 호기심이 강한
- ☐ questioning [ˈkwestʃənɪŋ] 캐묻는, 의심하는
- ☐ snoopy [ˈsnuːpi] 이것저것 캐묻는, 기웃거리는

lazy
[léizi]
게으른, 나태한, 나른한, 느린

They felt too **lazy** to get out of bed.
그들은 일어나자니 너무 나른했다.

| 유의어 |
- ☐ tardy [tάːrdi] 느린, 더딘, 지각한
- ☐ sluggish [slʌ́giʃ] 게으른, 느린
- ☐ indolent [índələnt] 게으른, 나태한
- ☐ idle [áidl] 나태한, 한가한; 쓸데없는
- ☐ slothful [slɔ́ːθfəl] 게으른, 나태한

40

unerring
[ʌnˈɜːrɪŋ]
정확한, 잘못이 없는

And today those explorers, human and robot, employ as **unerring** guides on their voyages through the vastness of space the three laws of planetary motion that Kepler uncovered during a lifetime of personal travail and ecstatic discovery.
그리고 오늘날 그러한 탐험가들인 인간과 로봇은 광대한 우주 항해의 정확한 가이드로서, Kepler가 일생의 개인적 노고와 열광적인 발견으로 알아낸, 행성 운동의 세 가지 법칙을 사용한다. 2014 국가직 9급

| 유의어 |
- ☐ infallible [ɪnˈfæləbəl] 틀림없는, 확실한
- ☐ accurate [ˈækjərət] 정확한
- ☐ precise [prɪˈsaɪs] 정확한
- ☐ unfailing [ʌnˈfeɪlɪŋ] 틀림없는, 확실한

false
[fɔːls]
그릇된, 거짓의, 가짜의

Does it say that rival claims about the world can never be true or **false** but can only be alternative metaphors that frame a situation in different ways?
세상에 대한 상반되는 주장은 결코 진실이나 거짓이 될 수 없지만, 단지 다른 방법들로 상황을 구성하는 대안적인 비유는 될 수 있다고 말하는 것인가? 2015년 국가직 9급

| 유의어 |
- ☐ erroneous [ɪˈrəʊniəs] 잘못된, 틀린
- ☐ baseless [ˈbeɪsləs] 근거 없는
- ☐ defective [dɪˈfektɪv] 결점이 있는, 결함이 있는
- ☐ faulty [ˈfɔːlti] 결점이 있는, 불완전한
- ☐ fallacious [fəˈleɪʃəs] 그릇된, 오류의
- ☐ groundless [ˈgraʊndləs] 근거 없는

drowsy
[dráuzi]
졸리는, 나른한

Driving while **drowsy** can put you in a fatal situation.
졸음 운전은 당신을 치명적인 상황에 빠지게 할 수 있다.

| 유의어 |
- ☐ somnolent [sάmnələnt] 졸리는, 졸리게 하는
- ☐ dozy [dóuzi] 졸리는
- ☐ somniferous [sɑmnífərəs] 졸리게 하는, 최면의
- ☐ dormant [dɔ́ːrmənt] 잠자는, 휴지의, 잠재의
- ☐ hypnotic [hipnάtik] 최면(성)의

initial
[ɪˈnɪʃəl]
처음의, 시초의

Once society has incurred the capital costs of constructing a bridge or road, maximum benefit from the **initial** investment is gained only if use is not restricted by charging.
일단 사회가 교량이나 도로를 건설하는 자본 비용을 부담하게 되면, 그 초기의 투자로부터의 최대한의 이익은 사용이 요금 부과에 의해 제한되지 않을 경우에만 얻어지게 된다. 2014 지방직 9급

| 유의어 |
- ☐ budding [ˈbʌdɪŋ] 싹트기 시작한, 신진의
- ☐ embryonic [ˌembriˈɒnɪk] 배 · 태아의, 미발달된
- ☐ inceptive [ɪnˈseptɪv] 시작의, 발단의
- ☐ incipient [ɪnˈsɪpiənt] 시작의, 발단의
- ☐ nascent [ˈnæsənt] 발생하려고 하는, 초기의

discouraged [dis'kʌridʒd] 낙담한, 낙심한

The Vietnamese believe that the more involved American business is in Vietnam, the more China will be **discouraged** to invade them.

베트남 사람들은 미국의 사업이 베트남에 더 많이 들어올수록, 중국이 그들을 침략하는 것이 점점 더 좌절될 것이라 믿는다. 2013 국가직 7급

| 유의어 |

- ☐ blue [blu:] 우울한, 비관적인
- ☐ gloomy ['glu:mi] 우울한, 비관적인
- ☐ depressed [dɪ'prest] 의기소침한, 불경기의
- ☐ despondent [dɪ'spɒndənt] 낙담한, 의기소침한
- ☐ disheartened [dɪs'hɑ:rtnd] 낙담한, 낙심한
- ☐ morose [mə'rəʊs] 시무룩한, 침울한
- ☐ dejected [dɪ'dʒektɪd] 낙심한
- ☐ melancholy ['melənkəli] 우울한, 침울한

45

respectful [rispéktfəl] 존경하는, 예의 바른

Be **respectful** of the other person and his or her viewpoint.

다른 사람과 그 또는 그녀의 관점을 존중하는 태도를 취하라. 2017 법원직 9급

| 유의어 |

- ☐ decent [dí:sənt] 예절 바른, 점잖은
- ☐ courteous [kə́:rtiəs] 예의 바른
- ☐ polite [pəláit] 공손한, 예의 바른, 정중한
- ☐ obeisant [oubéisənt] 공손한, 정중한
- ☐ civil [sívəl] 예의 바른, 정중한, 시민의

ecstatic [ɪk'stætɪk] 황홀해 하는, 열광하는, 기뻐 날뛰는

Reviews have been **ecstatic**, but Sesta Motors has been hit hard by the financial crisis.

후기들은 열광적이었지만, Sesta Motors는 재정적 위기로 심한 타격을 받아 왔다. 2016 지방직 9급

| 유의어 |

- ☐ agreeable [ə'gri:əbəl] 기분 좋은, 상냥한, 동의하는
- ☐ blithe [blaɪð] 즐거운, 기쁜
- ☐ exultant [ɪg'zʌltənt] 크게 기뻐하는, 환희의
- ☐ rapt [ræpt] 황홀한, 열중한, 몰두한, 넋이 나간
- ☐ rapturous ['ræptʃərəs] 기뻐 날뛰는
- ☐ elated [ɪ'leɪtɪd] 매우 기쁜, 의기양양한
- ☐ festive ['festɪv] 즐거운, 축제의
- ☐ jubilant ['dʒu:bələnt] 기뻐하는, 즐거워하는

spectacular [spek'tækjələr] 극적인, 장관의, 구경거리의

The Louvre's Website offers **spectacular** 360-degree panoramas of artworks like the Venus de Milo.

Louvre 박물관의 웹사이트는 Milo의 Venus와 같은 작품들의 극적인 360도 파노라마들을 제공한다. 2015 국가직 9급

| 유의어 |

- ☐ exquisite [ɪk'skwɪzət] 아주 아름다운, 절묘한
- ☐ gorgeous ['gɔ:rdʒəs] 멋진, 근사한
- ☐ pictorial [pɪk'tɔ:riəl] 아름다운, 그림 같은
- ☐ picturesque [ˌpɪktʃə'resk] 아름다운, 그림 같은
- ☐ scenic ['si:nɪk] 아름다운, 경치의
- ☐ splendid ['splendɪd] 화려한, 멋진

sedulous [sédʒələs] 꼼꼼한, 근면한, 공들인

When you are on a diet, watch yourself with the most **sedulous** care.

다이어트를 할 때에는, 가장 꼼꼼한 관심을 가지고 스스로를 감시하라.

| 유의어 |

- ☐ painstaking [péinstèikiŋ] 수고를 아끼지 않는
- ☐ industrious [indʌ́striəs] 근면한
- ☐ laborious [ləbɔ́:riəs] 근면한, 열심인, 힘든
- ☐ studious [stjú:diəs] 면학에 힘쓰는
- ☐ assiduous [əsídʒuəs] 근면한, 부지런한

legitimate [lə'dʒɪtəmət] 합법적인, 정당한

They earn good money at **legitimate** professions, and carve out time for their writing as best they can.

그들은 정당한[합법적인] 직업에서 좋은 수입을 얻고, 그들이 할 수 있는 최선으로 시간을 쪼개어 글을 쓴다. 2016 국가직 9급

| 유의어 |

- ☐ statutory ['stætʃətəri] 법정의, 법에 의한
- ☐ licit [lɪ'sɪt] 합법의, 정당한

50

brave [breiv] 용감한, 대담한

As he was **brave**, I honored him.

그가 용감했기 때문에, 나는 그를 존경했다. 2015 법원직 9급

| 유의어 |

☐ courageous [kəréidʒəs] 용감한
☐ audacious [ɔːdéiʃəs] 대담한
☐ bold [bould] 과감한, 힘있는, 대단한
☐ dauntless [dɔ́ːntlis] 겁 없는
☐ undaunted [əndɔ́ntid] 용감한, 굽히지 않는, 두려워하지 않는
☐ valiant [vǽliənt] 용감한, 용맹스런
☐ valorous [vǽlərəs] 용감한, 씩씩한
☐ daring [ˈdeərɪŋ] 용감한, 대담한
☐ intrepid [intrépid] 용맹한, 대담한
☐ gallant [ˈgælənt] 용감한
☐ chivalrous [ʃívəlrəs] 용감하고 예의 바른

passionate [pǽʃənət] 열렬한, 정열적인

I've always been **passionate** about football.
나는 항상 축구에 대해 열정적이었다.

| 유의어 |

☐ enthusiastic [inθjùːziǽstik] 열렬한, 열광적인
☐ impetuous [impétʃuəs] 맹렬한, 격렬한, 성급한
☐ vehement [víːəmənt] 열렬한, 격렬한, 열정적인, 뜨거운
☐ ardent [ɑ́ːrdənt] 열렬한, 불타는
☐ intense [inténs] 격렬한, 열정적인, 강한
☐ feverish [fíːvəriʃ] 열의 있는, 열광적인
☐ fervid [fə́ːrvid] 열렬한, 타오르는 듯한
☐ zealous [zéləs] 열광적인, 열심인
☐ fanatic(al) [fənǽtik(əl)] (열)광적인
☐ fervent [fə́ːrvənt] 열렬한, 뜨거운
☐ fiery [fáiəri] 열렬한, 불같은, 사나운

innate [ˌɪˈneɪt] 타고난, 선천적인

The most striking difference between popular and learned notions of witchcraft lay in the folk belief that the witch had **innate** supernatural powers not derived from the devil.
마법에 대한 대중적이고 학술적인 견해들 사이에 가장 두드러지는 차이점은 마녀는 악마로부터 파생된 것이 아닌 타고난 초자연적 힘을 갖고 있다는 민중들의 믿음에 있었다. 2017 지방직 9급

| 유의어 |

☐ congenital [kənˈdʒenətl] 타고난, 선천적인
☐ immanent [ˈɪmənənt] 내재하는, 내재적인
☐ intrinsic [ɪnˈtrɪnsɪk] 고유한, 본질적인
☐ endowed [ɪnˈdaʊd] (재능을) 타고난
☐ inherent [ɪnˈhɪərənt, ɪnˈherənt] 타고난, 고유한

vigorous [ˈvɪgərəs] 활기찬, 힘찬, 활발한

Trying to sweat out a cold and fever with **vigorous** physical exercise is a really bad idea.
활기찬[격렬한] 신체적 운동으로 땀을 내서 열을 동반한 감기를 이겨내려 하는 것은 정말 안 좋은 생각이다.

| 유의어 |

☐ brisk [brisk] 활기 있는, 활발한
☐ vivid [vívid] 힘찬, 활발한
☐ vital [ˈvaɪtl] 활력이 넘치는, 필수적인
☐ energetic [ènərdʒétik] 활기찬, 정력적인
☐ vivacious [vivéiʃəs] 활기찬, 활발한

various [ˈveəriəs] 다양한, 잡다한

The Survival Guide gives basic step-by-step instructions for dealing with **various** types of emergencies.
생존 가이드는 다양한 유형의 응급 상황들에 대처하기 위한 기본적인 단계별 지시사항들을 제공합니다. 2012 지방직 7급

| 유의어 |

☐ diverse [daiˈvɜːrs] 다양한
☐ varied [vɛ́(ː)ərid] 다양한
☐ multifarious [mʌ̀ltəfɛ́(ː)əriəs] 잡다한, 가지각색의
☐ sundry [sʌ́ndri] 잡다한, 갖가지의
☐ multitudinous [mʌ̀ltitjúːdənəs] 다양한, 다수의, 많은
☐ miscellaneous [mìsəléiniəs] 잡다한, 갖가지의
☐ assorted [əsɔ́ːrtid] 여러 가지의, 갖은
☐ manifold [mǽnəfòuld] 가지각색의

55

disgraceful [disgréisfəl] 불명예스러운, 수치스러운

The **disgraceful** incident made a muck of our honor.
그 불명예스러운 사건이 우리의 명예를 훼손시켰다.

| 유의어 |

☐ disreputable [disrépjətəbl] 불명예스러운
☐ ignoble [ignóubl] 불명예스러운, 수치스러운
☐ ignominious [ìgnəmíniəs] 불명예스러운
☐ infamous [ínfəməs] 수치스러운, 악명 높은
☐ dishonorable [disɑ́nərəbl] 불명예스러운
☐ inglorious [inglɔ́ːriəs] 불명예스러운
☐ stigmatic [stigmǽtik] 불명예스러운, 오명의

potential
[pəˈtenʃəl]
가능성 있는

The public has come to fear the **potential** consequences of unfettered science and technology in such areas as genetic engineering, global warming, nuclear power, and the proliferation of nuclear arms.

대중은 유전 공학, 지구 온난화, 원자력, 그리고 핵무기의 확산과 같은 분야에서 규제가 없는 과학과 기술에 의해 일어날 가능성 있는 결과들을 두려워하게 되었다. 2014 국가직 9급

| 유의어 |
- □ prospective [prəspéktiv] 가망성 있는, 앞으로의
- □ latent [léitənt] 잠재하는
- □ dormant [dɔ́:rmənt] 잠재의, 잠자는, 휴지의
- □ plausible [plɔ́:zəbl] 그럴듯한

authoritarian
[ɔ:ˌθɒrəˈteəriən]
권위주의적인

Critics claim his management has become too **authoritarian**.

비평가들은 그의 경영이 너무 권위주의적이 되었다고 주장한다.

| 유의어 |
- □ despotic [deˈspɒtɪk] 독재적인, 전제적인
- □ dictatorial [ˌdɪktəˈtɔ:riəl] 독재적인
- □ imperious [ɪmˈpɪəriəs] 전제적인, 거만한, 오만한
- □ oppressive [əˈpresɪv] 압제적인
- □ tyrannical [təˈrænɪkəl] 전제적인, 압제적인

paying
[péiiŋ]
득이 되는, 돈이 되는

In the past, it was possible for workers with skills learned in vocational schools to get a high-**paying** job without a college education.

과거에는, 직업 학교에서 배운 기술을 가진 근로자들이 대학 교육 없이 보수가 좋은 직업을 얻는 것이 가능했다. 2011 지방직 9급

| 유의어 |
- □ lucrative [lú:krətiv] 득이 되는, 수지맞는
- □ gainful [géinfəl] 이득이 있는
- □ profitable [ˈprɑ:fɪtəbl] 이득이 되는, 유익한, 수익성이 있는
- □ beneficial [bènəfíʃəl] 이로운, 유익한, 도움이 되는
- □ rewarding [riwɔ́:rdiŋ] 할 만한 가치가 있는

tragic
[ˈtrædʒɪk]
비극적인, 비참한, 불쌍한, 천한, 야비한

A satire on the unsuccessful or **tragic** space missions

실패하거나 비극적인 우주 임무에 대한 풍자 2013 국가직 9급

| 유의어 |
- □ abject [ˈæbdʒekt] 비천한, 비열한
- □ menial [ˈmi:niəl] 천한, 시시한
- □ pathetic [pəˈθetɪk] 불쌍한, 감상적인, 슬픈
- □ servile [ˈsɜ:rvl, ˈsɜ:rvaɪl] 비굴한, 노예(근성)의
- □ subservient [səbˈsɜ:rviənt] 비굴한, 도움이 되는
- □ wretched [ˈretʃɪd] 비참한, 불쌍한, 야비한
- □ lowly [ˈləʊli] 천한, 지위가 낮은
- □ miserable [ˈmɪzərəbəl] 비참한, 불쌍한
- □ piteous [ˈpɪtiəs] 비참한, 불쌍한

60

independent
[ìndipéndənt]
독립적인, 자주의

The typical pathway through the interlocking system is that a person may start in a shelter and move through transitional housing into supportive housing and finally **independent** housing.

연동 체제를 통한 가장 전형적인 방식은 누군가가 쉼터에서 시작해서 임시 주택을 거쳐 임대 주택으로 옮겨 가고 마침내는 독립 주택으로 옮겨가는 것이다. 2013 서울시 9급

| 유의어 |
- □ sovereign [sávərin] 자주의, 주권의
- □ self-governing [sèlfgʌ́vərniŋ] 자치의
- □ self-sufficient [sèlfsəfíʃənt] 자급자족의
- □ autonomous [ɔ:tánəməs] 자치의, 자율의

moderate
[ˈmɒdərət], [ˈmɒdəreit]
절제하는, 알맞은, 적당한; 절제하다

According to the studies, writing novels helps people to stay modest, honest, and **moderate**.

연구에 따르면, 소설을 쓰는 것은 사람으로 하여금 겸손하고, 정직하며, 절제하게 머물도록 돕는다.

| 유의어 |
- □ abstinent [ˈæbstənənt] 절제하는, 금욕적인
- □ continent [ˈkɒntənənt] 절제하는, 자제하는
- □ puritanical [pjʊərəˈtænɪkəl] 청교도적인, 금욕적인
- □ stoic [ˈstəʊɪk] 극기의, 금욕의
- □ temperate [ˈtempərət] 절제하는, 알맞은, 적당한

furious
['fjʊəriəs]

화난, 성난

When the tree died, her mother was **furious**.

그 나무가 죽었을 때, 그녀의 어머니는 화가 났다.

| 유의어 |

- ☐ sullen [sʌ́lən] 화난, 뾰로통한, 샐쭉한
- ☐ indignant [indígnənt] 분개한
- ☐ irate [airéit] 성난, 노한
- ☐ cross [krɔ(:)s] 성난, 기분이 언짢은
- ☐ resentful [rizéntfəl] 분개한

liberal
['lɪbərəl]

관대한, 진보적인, 자유로운

They are **liberal** to one's enemy.

그들은 적에 대하여 관대하다.

| 유의어 |

- ☐ benevolent [bə'nevələnt] 자선의, 인자한
- ☐ indulgent [ɪn'dʌldʒənt] 관대한, 엄하지 않은
- ☐ lenient ['li:niənt] 관대한, 너그러운
- ☐ generous ['dʒenərəs] 관대한, 풍부한
- ☐ lavish ['lævɪʃ] 관대한, 아끼지 않는, 낭비하는
- ☐ beneficent [bɪ'nəfəsənt] 관대한, 너그러운, 자선의
- ☐ magnanimous [mæg'nænɪməs] 관대한, 도량이 큰
- ☐ munificent [mju:'nɪfəsənt] 관대한, 아낌없이 주는

nervous
['nɜ:rvəs]

긴장되는, 초조한

Irritable and apprehensive, she also starts to become **nervous**.

짜증과 불안으로, 그녀는 또한 초조해지기 시작한다.

| 유의어 |

- ☐ edgy ['edʒi] 초조해하는, 불안한
- ☐ uptight [ˌʌp'taɪt] 긴장한, 초조해하는
- ☐ tense [tens] 긴장한, 신경이 날카로운
- ☐ strained [streɪnd] 긴장한; 불편한

timid
['tɪmɪd]

겁 많은, 내성적인, 수줍어하는

When a child feels guilty and he is not punished or assured of forgiveness, he is likely to feel insecure and **timid**.

아이가 잘못했다고 느끼는데 처벌받지 않거나 용서를 보장받지 않을 때, 그 아이는 불안해하고 겁먹을 것 같다. 2013 국가직 9급

| 유의어 |

- ☐ reserved [rɪ'zɜ:rvd] 내성적인, 마음을 털어놓지 않는, 쌀쌀한, 예비의
- ☐ bashful ['bæʃfəl] 수줍어하는, 부끄럼타는
- ☐ introvert ['ɪntrəvɜ:rt] 내성적인

edgy
[édʒi]

초조한

He was nervous and **edgy**, still chain-smoking.

그는 여전히 줄담배를 피우며 불안해하고 초조해했다.

| 유의어 |

- ☐ jittery [dʒítəri] 신경과민의
- ☐ tense [tens] 긴장한, 팽팽한
- ☐ strained [streind] 피곤한, 긴박한, 긴장된
- ☐ uptight ['ʌptait] 초조해하는, 긴장한

awkward
['ɔ:kwərd]

서투른, 어색한, 꼴사나운

The hit men's efforts to make money in an **awkward** way made audience laugh.

서투른 방식으로 돈을 벌기 위한 청부업자들의 노력은 청중들을 웃게 만들었다.

| 유의어 |

- ☐ inapt [ɪn'æpt] 서투른, 부적당한
- ☐ clumsy ['klʌmzi] 서투른, 어색한
- ☐ inept [ɪ'nept] 서투른, 부적당한
- ☐ maladroit [ˌmælə'drɔɪt] 서투른, 솜씨 없는

current
['kʌrənt]

현재의, 유행하는; 흐름

This expression is the **current** use of the word.

이 표현은 그 단어의 (현재 쓰이고 있는) 관용법이다.

| 유의어 |

- ☐ epidemic [èpidémik] 유행하는; 전염병
- ☐ widespread ['waɪdspred] 널리 퍼진, 만연된
- ☐ universal [jù:nəvə́:rsəl] 보편적인, 일반적인
- ☐ pervasive [pərvéisiv] 널리 퍼진, 성행하는
- ☐ ubiquitous [ju:bíkwətəs] 어디에나 있는, 편재하는
- ☐ prevailing [privéiliŋ] 널리 유행하는
- ☐ prevalent [prévələnt] 유행하는, 성행하는
- ☐ rampant [rǽmpənt] 유행하는, 만연하는
- ☐ fad [fæd] (일시적) 유행
- ☐ vogue [voug] 대유행
- ☐ rage [reidʒ] 대유행; 격노; 격렬; 격노하다
- ☐ craze [kreiz] 대유행, 열광

65

artificial [ˌɑːrtɪˈfɪʃəl] 인조의, 인공적인, 인위적인

This house was so extravagant that it even had an **artificial** lake.

이 집은 너무 사치스러워서 인공 호수도 있었다. 2012 지방직 9급

| 유의어 |

□ factitious [fækˈtɪʃəs] 인공적인, 인위적인
□ synthetic [sɪnˈθetɪk] 인조의, 합성의
□ man-made [ˌmænˈmeɪd] 인조의, 인공의

70 **local** [ˈləʊkəl] 지역 고유의

Buy **local** produce that is in season.

제철인 지역 농산물을 구매하라. 2012 지방직 9급

| 유의어 |

□ indigenous [indídʒənəs] 지역 고유의, 토착의
□ endemic [endémik] 그 지방 특유의, 풍토성의

skillful [ˈskɪlfəl] 숙련된, 능숙한

Biological evolution has made the human species more sensitive to its environment and more **skillful** in dealing with it.

생물학적인 진화는 인간의 종을 환경에 더 민감하고 그것에 대처하는 데 더 능숙하게 만들었다.

| 유의어 |

□ adept [ˈædept] 숙달한, 정통한
□ deft [deft] 손재주 있는, 솜씨 좋은
□ dexterous [ˈdekstərəs] 손재주 있는, 솜씨 있는
□ ingenious [ɪnˈdʒiːniəs] 재간 있는, 창의적인
□ proficient [prəˈfɪʃənt] 능숙한, 익숙한
□ versed [vɜːrst] 숙달한, 정통한, 조예 깊은

talkative [tɔ́ːkətiv] 말 많은, 장황한

There are some small differences between boys and girls — girls tend to be slightly more **talkative** and affiliative in their speech(affiliative speech is a talk intended to establish and maintain relationships).

소년들과 소녀들 사이에 몇몇 작은 차이점들이 있다. 소녀들은 그들의 말하기에서 살짝 더 말이 많고 친화적인 경향이 있다(친화적인 말하기는 관계들을 확립하고 유지하려는 대화이다). 2012 지방직 7급

| 유의어 |

□ garrulous [gǽrələs] 말이 많은, 수다스러운
□ chatty [tʃæti] 수다스러운
□ redundant [ridʌ́ndənt] 장황한, 여분의, 잉여의
□ loquacious [loukwéiʃəs] 말 많은, 수다스러운
□ verbose [vərbóus] 말이 많은, 장황한
□ lengthy [léŋkθi] 장황한, 긴
□ prolix [proulíks] 말이 많은, 장황한

memorable [ˈmemərəbəl] 기억할 만한

We want to make this a truly **memorable** day for the children.

우리는 이 날을 어린이들에게 진실로 기억할 만한 날로 만들기를 원한다.

| 유의어 |

□ haunting [ˈhɔːːntɪŋ] 잊혀지지 않는
□ unforgettable [ˌʌnfərˈgetəbəl] 잊을 수 없는, 잊지 못할
□ indelible [ɪnˈdeləbəl] 잊혀지지 않는, 지울 수 없는

thrifty [θrífti] 절약하는

The typical American family is as **thrifty** as they were fifty years ago.

전형적인 미국 가정은 50년 전만큼 검소하다.

| 유의어 |

□ provident [právidənt] 절약하는, 선견지명의
□ austere [ɔ(ː)stíər] 검소한, 금욕의, 내핍하는
□ economical [ˌekəˈnɒmɪkəl] 절약하는, 간결한, 경제학상의
□ sparing [speərɪŋ] 절약하는, 삼가는; 인색한; 관대한; 부족한
□ frugal [frúːgəl] 절약하는, 검소한; 검소한 사람, 짠돌이

75 **irritable** [ˈɪrətəbəl] 화를 잘 내는, 성마른

Character is allergic to tyranny, **irritable** with ignorance and always open to improvement.

인격은 독재를 아주 싫어하고, 무지에 화를 잘 내며, 개선에 늘 열려 있다. 2011 국가직 9급

| 유의어 |

□ inflammable [ɪnˈflæməbəl] 흥분하기 쉬운
□ irascible [ɪˈræsəbəl] 화를 잘 내는, 성마른
□ temperamental [ˌtempərəˈmentl] 화를 잘 내는

lavish [lǽviʃ]	낭비하는, 아끼지 않는, 관대한; 낭비하다, 아낌없이 주다

His family was living a **lavish** lifestyle.

그의 가족은 매우 흥청망청 살고 있었다.

| 유의어 |

□ luxurious [lʌgʒú(:)riəs] 낭비하는, 호화로운
□ prodigal [prádigəl] 낭비하는, 방탕한, 풍부한
□ extravagant [ikstrǽvəgənt] 낭비하는, 지나친, 과도한, 터무니 없이 비싼
□ wasteful [wéistfəl] 낭비적인, 소모성의
□ thriftless [θríftlis] 낭비하는

insecure [ˌɪnsɪˈkjʊr]	불안정한, 위험한

These criminals have one thing in common — they are largely men between their 20s and 30s with no or very **insecure** jobs.

이 범죄자들은 한 가지 공통점이 있는데, 그들은 대체로 직업이 없거나 매우 불안정한 직업을 가진 20대에서 30대 사이의 남자라는 점이다.

| 유의어 |

□ unstable [ʌnstéibl] 불안정한, (정서 등이) 변하기 쉬운
□ speculative [spékjəlèitiv] 위험한, 투기의, 사색의
□ shaky [ʃéiki] 불확실한, 흔들리는
□ perilous [pérələs] 위험한, 모험적인
□ hazardous [hǽzərdəs] 위험한, 모험적인
□ precarious [prikɛ́(:)əriəs] 위험한, 불확실한
□ dangerous [déindʒərəs] 위험한, 위태로운

bitter [ˈbɪtər]	신랄한, 쓰라린, 혹독한

Grub's birth rekindled my interest in the nature vs. nurture debate, which was at that time producing **bitter** arguments in scientific circles.

유충의 탄생은 천성 대 교육 논쟁에 대한 나의 관심을 다시 불러 일으켰는데, 그것은 그 당시 과학계에서 신랄한 언쟁을 만들어 내고 있었다.

2013 지방직 9급

| 유의어 |

□ acrid [ˈækrɪd] 신랄한, 혹독한
□ acrimonious [ˌækrəˈmoʊniəs] 신랄한, 통렬한
□ incisive [ɪnˈsaɪsɪv] 신랄한, 통렬한, 날카로운
□ poignant [ˈpɔɪnjənt] 신랄한, 날카로운
□ pungent [ˈpʌndʒənt] 신랄한, 날카로운
□ trenchant [ˈtrentʃənt] 통렬한, 날카로운

ENERGY

내가 꿈을 이루면

나는 누군가의 꿈이 된다.

– 이도준

편저자 성정혜

■ 약력

누적 수강생 43만여 명

(現) 에듀윌 공무원 영어 대표 교수

(現) EBS 영어 전임 강사

(前) 이투스 영어 전임 강사

2023 에듀윌 9급공무원 기본서 영어: 어휘

발 행 일 2022년 6월 23일 초판

편 저 자 성정혜

펴 낸 이 권대호

펴 낸 곳 (주)에듀윌

등록번호 제25100-2002-000052호

주 소 08378 서울특별시 구로구 디지털로34길 55
코오롱싸이언스밸리 2차 3층

ISBN 979-11-360-1717-8 (14350)
ISBN(SET) 979-11-360-1714-7 (14350)

www.eduwill.net

대표전화 1600-6700

여러분의 작은 소리
에듀윌은 크게 듣겠습니다.

본 교재에 대한 여러분의 목소리를 들려주세요.
공부하시면서 어려웠던 점, 궁금한 점,
칭찬하고 싶은 점, 개선할 점, 어떤 것이라도 좋습니다.

에듀윌은 여러분께서 나누어 주신 의견을
통해 끊임없이 발전하고 있습니다.

에듀윌 도서몰 book.eduwill.net

- 부가학습자료 및 정오표: 에듀윌 도서몰 → 도서자료실
- 교재 문의: 에듀윌 도서몰 → 문의하기 → 교재(내용, 출간) / 주문 및 배송

43개월* 베스트셀러 1위
에듀윌 공무원 교재

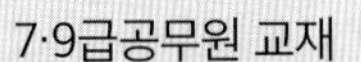

7·9급공무원 교재

※ 기본서·단원별 기출&예상 문제집은 국어/영어/한국사/행정학/행정법총론/(운전직)사회로 구성되어 있음.

기본서(국어)

기본서(영어)

기본서(한국사)

기본서(행정학)

단원별 기출&예상 문제집(국어)

단원별 기출&예상 문제집(운전직 사회)

7·9급공무원 교재

※ 기출문제집·실전동형 모의고사는 국어/영어/한국사/행정학/행정법총론/(운전직)사회로 구성되어 있음.

기출문제집(국어)

기출문제집(영어)

기출문제집(한국사)

기출문제집(운전직 사회)

기출PACK
공통과목(국어+영어+한국사)
/전문과목(행정법총론+행정학)

실전동형 모의고사
(행정법총론)

7·9급공무원 교재

봉투모의고사
(일반행정직 대비 필수과목
/국가직·지방직 대비 공통과목 1, 2)

지방직 합격면접

PSAT 기본서
(언어논리/자료해석/상황판단)

PSAT 기출문제집

PSAT 민경채 기출문제집

7급 기출문제집
(행정학/행정법/헌법)

경찰공무원 교재

기본서(경찰학)

기본서(형사법)

기본서(헌법)

기출문제집
(경찰학/형사법/헌법)

실전동형 모의고사
2차 시험 대비
(경찰학/형사법/헌법)

합격 경찰면접

소방공무원 교재

기본서
(소방학개론/소방관계법규
/행정법총론)

기출문제집
(한국사/영어/행정법총론
/소방학+관계법규)

실전동형 모의고사
(한국사/영어/행정법총론
/소방학+관계법규)

봉투모의고사
(한국사+영어+행정법총론
/소방학+관계법규)

군무원 교재

※ 기출문제집은 국어/행정법/행정학으로 구성되어 있음.

기출문제집(행정학)

봉투모의고사
(국어+행정법+행정학)

계리직공무원 교재

※ 단원별 문제집은 한국사/우편상식/금융상식/컴퓨터일반으로 구성되어 있음.

기본서(한국사)

기본서(우편상식)

기본서(금융상식)

기본서(컴퓨터일반)

단원별 문제집(한국사)

기출문제집
(한국사+우편·금융상식+컴퓨터일반)

영어 집중 교재

기출 영단어(빈출순)

매일 3문 독해
(기본완성/실력완성)

빈출 문법(4주 완성)

단기 공략(핵심 요약집)

한국사 집중 교재

흐름노트

행정학 집중 교재

단권화 요약노트

국어 집중 교재

매일 기출한자(빈출순)

문법 단권화 요약노트

비문학 데일리 독해

기출판례집(빈출순) 교재

행정법

헌법

형사법

* YES24 수험서 자격증 공무원 베스트셀러 1위 (2017년 3월, 2018년 4월~6월, 8월, 2019년 4월, 6월~12월, 2020년 1월~12월, 2021년 1월~12월, 2022년 1월~6월 월별 베스트, 매월 1위 교재는 다름)
* YES24 국내도서 해당분야 월별, 주별 베스트 기준 (좌측 상단부터 순서대로 2021년 6월 4주, 2020년 7월 2주, 2020년 4월, 2020년 5월, 2022년 1월, 2022년 5월 2주, 2021년 11월 3주, 2022년 6월, 2021년 10월 4주, 2022년 6월, 2022년 6월 1주, 2020년 6월 1주, 2022년 6월, 2021년 10월, 2021년 12월 3주, 2020년 10월 2주, 2022년 5월, 2022년 6월, 2022년 6월 1주, 2021년 12월, 2022년 1월, 2022년 3월 3주, 2022년 6월, 2022년 6월, 2021년 9월, 2021년 9월, 2021년 12월 1주)

더 많은
공무원 교재

취업, 공무원, 자격증 시험준비의 흐름을 바꾼 화제작!

에듀윌 히트교재 시리즈

에듀윌 교육출판연구소가 만든 히트교재 시리즈!
YES 24, 교보문고, 알라딘, 인터파크, 영풍문고 등 전국 유명 온/오프라인 서점에서 절찬 판매 중!

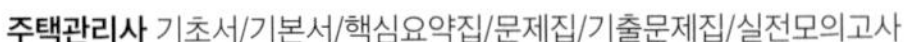

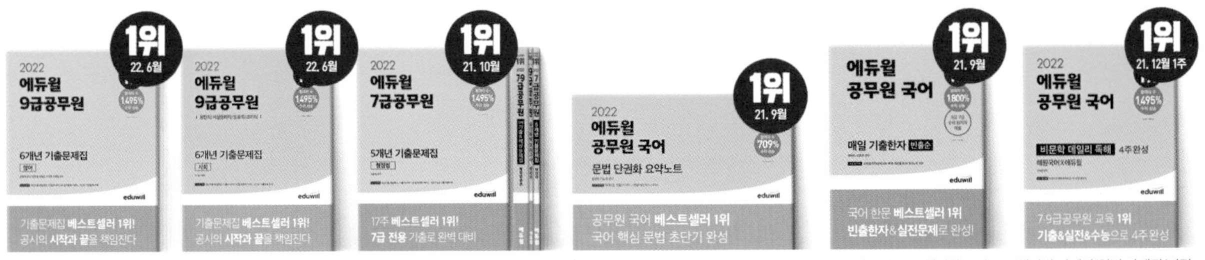

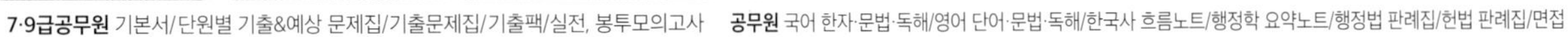

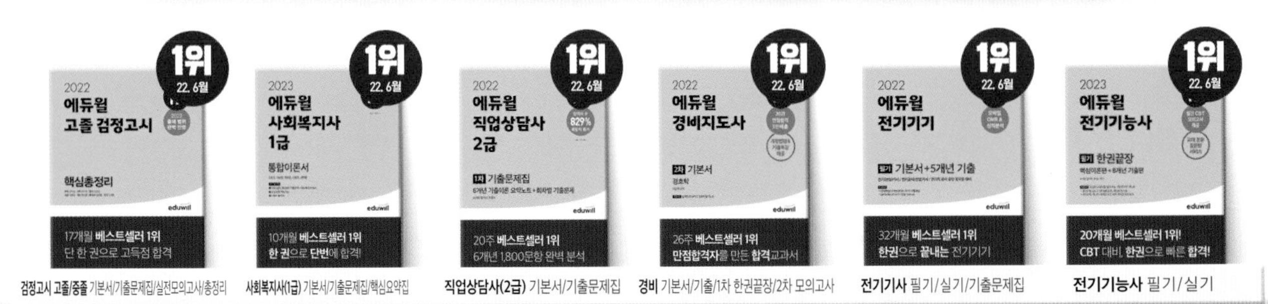

※ YES24 수험서 자격증 공인중개사 베스트셀러 1위 (2011년 12월, 2012년 1월, 12월, 2013년 1월~5월, 8월~12월, 2014년 1월~5월, 7월~8월, 12월, 2015년 2월~4월, 2016년 2월, 4월, 6월, 12월, 2017년 1월~12월, 2018년 1월~12월, 2019년 1월~12월, 2020년 1월~12월, 2021년 1월~12월, 2022년 1월~6월 월별 베스트, 매월 1위 교재는 다름)
※ YES24 국내도서 해당분야 월별, 주별 베스트 기준